BUR

Jeffery Deaver

La sedia vuota

BUR

Proprietà letteraria riservata
© 2000 by Jeffery Deaver
© 2000, 2008 RCS Libri S.p.A., Milano

ISBN 978-88-17-02285-9

Titolo originale dell'opera:
The Empty Chair

Traduzione di Maura Parolini e Matteo Curtoni

Prima edizione Sonzogno 2000
Prima edizione BUR 2007
Quinta edizione BUR dicembre 2014

Seguici su:

Twitter: @BUR_Rizzoli   www.bur.eu   Facebook: BUR Rizzoli

La sedia vuota

Per Deborah Schneider...
agente e amica impareggiabile

"Dal cervello, e dal cervello solo, sorgono i piaceri, le gioie, le risate e le facezie così come il dolore, il dispiacere, la sofferenza e le lacrime... Il cervello è anche la dimora della follia e del delirio, delle paure e dei terrori che ci assalgono di notte o di giorno..."

IPPOCRATE

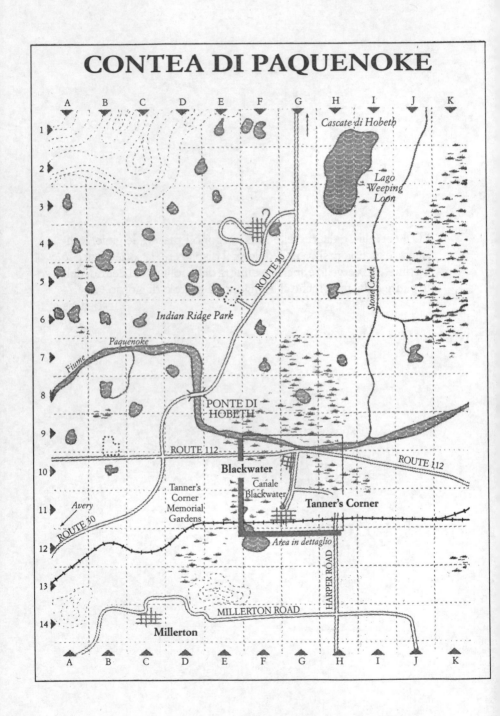

NORTH CAROLINA

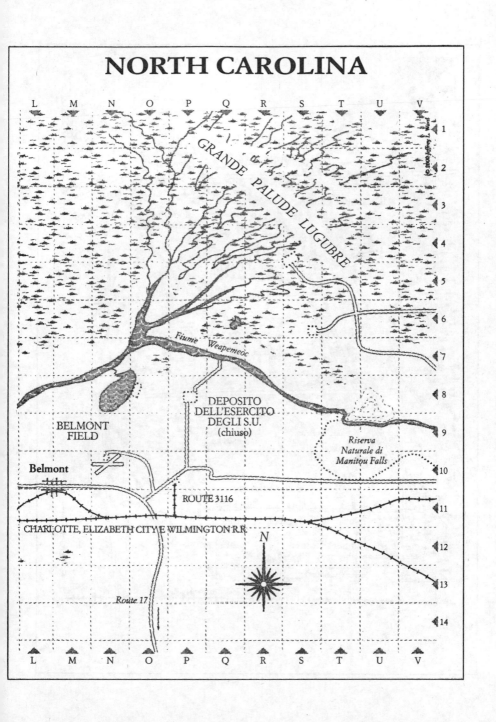

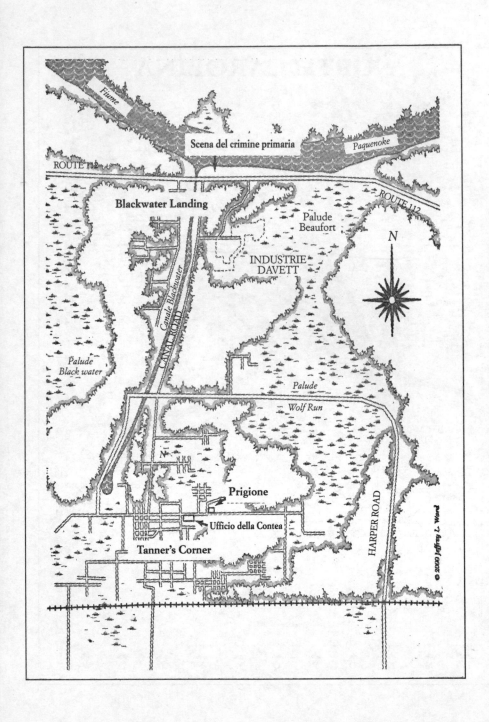

Fiume

Scena del crimine primaria

Paquenoke

ROUTE 112

Blackwater Landing

ROUTE 112

Palude
Beaufort

INDUSTRIE
DAVETT

N

Canale Blackwater

CANAL ROAD

Palude
Black water

Palude

Wolf Run

N

Prigione

Ufficio della Contea

HARPER ROAD

Tanner's Corner

© 2000 Jeffrey L. Ward

I
A NORD
DEL PAQUO

…uno

Scese a portare dei fiori nel luogo in cui il ragazzo era morto e la ragazza era stata rapita.

Scese perché era grassa, aveva la faccia butterata e non aveva molti amici.

Scese perché ci si aspettava che scendesse.

Scese perché voleva farlo.

Goffa e madida di sudore, Lydia Johansson percorse il ciglio di terra battuta della Route 112, dove aveva parcheggiato la sua Honda Accord, quindi, con cautela, scese lungo il pendio fino alla riva fangosa dove il Canale Blackwater incontrava le acque opache del fiume Paquenoke.

Scese perché pensava che fosse la cosa giusta da fare.

Scese, anche se aveva paura.

Il sole era sorto da poco, ma quell'agosto era stato il più caldo degli ultimi anni, nel North Carolina, e Lydia stava già sudando sotto la divisa da infermiera quando si incamminò verso la radura che costeggiava il fiume circondata da salici, tupelo e cespugli di alloro della California. Non faticò a trovare il luogo che stava cercando: il nastro giallo della polizia risaltava nella caligine.

Suoni di prima mattina. Strolaghe, un animale che rovistava tra i cespugli fitti poco lontano, il vento caldo attraverso i carici e l'erba della palude.

Dio, ho paura, pensò la ragazza. Le vivide immagini delle scene erano più raccapriccianti dei romanzi di Stephen King e Dean Koontz che aveva letto fino a notte fonda con il suo compagno, bevendo una bottiglia di Ben & Jerry's. Quel genere di libri facevano ridere il suo uomo ma terrorizzavano Lydia ogni volta che li leggeva, anche quando li aveva già letti e ne conosceva il finale.

Altri rumori tra i cespugli. Lydia esitò, si guardò attorno. Poi proseguì.

"Ehi", disse la voce di un uomo. Molto vicina.

La ragazza trasalì e si voltò. Per poco non lasciò cadere i fiori. "Jesse, mi hai spaventata."

"Mi dispiace." Jesse Corn era in piedi dietro un salice piangente, vicino alla radura isolata dal nastro giallo. Lydia notò che i loro occhi erano fissi sullo stesso particolare: una sagoma bianca sul terreno, il punto in cui era stato rinvenuto il cadavere del ragazzo. Poteva scorgere una macchia scura che riconobbe immediatamente come sangue secco.

"Allora è qui che è successo", sussurrò.

"Già, proprio così." Jesse si asciugò la fronte e si ravviò il ciuffo di capelli biondi che gli ricadeva sul viso. La sua uniforme – la divisa beige del dipartimento dello sceriffo della contea di Paquenoke – era spiegazzata e impolverata. Aloni scuri di sudore gli erano sbocciati sotto le ascelle. Aveva trent'anni e una bellezza da ragazzino, e Lydia pensò che, anche se non era il classico cow-boy allampanato e ombroso da cui si sentiva attratta, si sarebbe potuto trovare di peggio, nel reparto mariti. "Da quanto sei qui?" domandò.

"Non lo so. Forse dalle cinque."

"Ho visto un'altra macchina. Su, lungo la strada. Era Jim?" domandò lei.

"No. Era Ed Schaeffer. È sull'altro lato del fiume." Con un cenno del capo Jesse indicò i fiori. "Carini."

Dopo un istante, Lydia abbassò lo sguardo sulle margherite che teneva in mano. "Due dollari e quarantanove. Al Food Lion. Li ho presi la notte scorsa. Sapevo che non avrei trovato niente di aperto, così presto. Be', Dell's è aperto, ma non vendono fiori, lì." Si chiese come mai stesse divagando. Si guardò intorno di nuovo. "Allora, dov'è Mary Beth?"

Jesse scosse la testa. "Neanche l'ombra."

"E suppongo che lo stesso valga per lui."

"Esatto." Jesse controllò l'orologio. Poi spostò lo sguardo sulle acque scure, sull'erba alta, sul pontile marcio.

Lydia non si sentiva molto rassicurata dal fatto che un agente della contea, armato di una pistola di grosso calibro, sembrasse nervoso quanto lei. Jesse si incamminò verso il pendio che conduceva alla strada. Si fermò un attimo. "Solo due e novantanove?"

"E quarantanove. Al Food Lion."

"È un buon prezzo", disse lui, lanciando un'occhiata in direzione di uno spesso mare d'erba. Ricominciò a salire. "Sarò su, all'auto di pattuglia."

Lydia Johansson si avvicinò alla scena del crimine. Rimase a pregare per qualche minuto. Pregò per l'anima di Billy Stail, che era stata separata dal suo corpo insanguinato proprio in quel punto non più tardi della mattina del giorno precedente.

Pregò per l'anima di Mary Beth McConnell, dovunque fosse.

E pregò anche per se stessa.

Altri rumori tra i cespugli. Schiocchi e fruscii.

Il cielo era più luminoso adesso, ma il sole non riusciva a rischiarare Blackwater Landing. Il fiume era profondo lì, costeggiato da salici neri e da spessi tronchi di cedri e cipressi: alcuni vivi, altri no, ma tutti indistintamente soffocati da intrichi di muschio e kudzu. A nordest, non lontano, si trovava la Grande Palude Lugubre, e Lydia Johansson, come ogni altra girl-scout o ex girl-scout della contea di Paquenoke, conosceva le leggende che si raccontavano su quel luogo: la Signora del Lago, l'Uomo Decapitato della Ferrovia... Ma non erano quelle apparizioni, a preoccuparla; Blackwater Landing aveva il suo fantasma: il ragazzo che aveva rapito Mary Beth McConnell.

Lydia non riusciva a smettere di pensare a tutte le storie che aveva sentito raccontare su di lui. Su come si era aggirato silenziosamente nella vegetazione, pallido e scheletrico come un giunco. Su come si era avvicinato agli innamorati sdraiati sulle coperte o fermi in auto lungo il fiume. Su come aveva raggiunto silenziosamente una delle case di Canal Road e aveva sbirciato attraverso la finestra della camera di una ragazza che dormiva. Su come l'aveva scrutata, fregandosi le mani come una mantide religiosa, fissandola, finché non era più riuscito a trattenersi dall'infilare una mano nel buco che aveva fatto nella zanzariera e a farla scivolare sotto il pigiama della giovane. O su come si era acquattato sul ciglio della strada davanti a una casa di Blackwater Landing scrutando le finestre, sperando di intravedere anche solo per un attimo una ragazza che aveva seguito furtivamente fin da quando era uscita da scuola.

Lydia aprì la borsa, trovò il pacchetto di Merit e si accese una sigaretta. Le tremavano le mani. Si sentì leggermente più calma. Si avvicinò alla riva, fermandosi accanto all'erba alta che ondeggiava sospinta dalla brezza.

Sentì il motore di un'auto che proveniva dalla cima della collina. Jesse non se ne stava andando, vero? Guardò in direzione del rumore, allarmata. La macchina non si era mossa. Jesse doveva aver messo in moto solo per accendere l'aria condizionata, si disse. Quando tornò a guardare l'acqua, notò che i carici e l'erba e le piante di riso selvatico erano ancora piegate e ondeggiavano e frusciavano.

Come se qualcuno si stesse muovendo nella vegetazione, avvicinandosi sempre di più al nastro giallo della polizia, chino sul terreno per non essere visto.

Ma no, no, naturalmente non era così. È solo il vento, si disse Lydia. E, con reverenza, sistemò i fiori in una delle crepe che si aprivano nel tronco di un salice non lontano dalla strana sagoma del corpo disegnata sul terreno, sporca di sangue scuro come le acque del fiume.

L'agente Ed Schaeffer si appoggiò a una quercia e ignorò le zanzare mattiniere che gli svolazzavano attorno alle braccia scoperte. Si accovacciò ed esaminò di nuovo il terreno.

Per non perdere l'equilibrio, si appoggiò a un ramo; lo sfinimento gli faceva girare la testa. Come la maggior parte dei suoi colleghi del dipartimento, era rimasto sveglio per quasi ventiquattr'ore, a cercare Mary Beth McConnell e il ragazzo che l'aveva rapita. Ma se, uno dopo l'altro, gli altri agenti erano andati a casa per farsi una doccia, per mangiare qualcosa, per dormire almeno un paio d'ore, Ed aveva continuato le ricerche. Era il più anziano in servizio e sicuramente il più grosso (cinquantun anni e centotrenta chili di peso perlopiù inutile) ma la fatica, la fame e i muscoli indolenziti non gli avrebbero di certo impedito di continuare a cercare la ragazza.

L'agente esaminò di nuovo il terreno.

Premette il pulsante della radio. "Jesse, sono io. Ci sei?"

"Dimmi tutto."

Schaeffer sussurrò: "Ho trovato delle impronte, qui. Sono fresche".

"Sul serio? Pensi che siano sue?"

"E di chi altri? A quest'ora della mattina, da questa parte del Paquo?"

"A quanto pare avevi ragione", replicò Jesse Corn. "All'inizio non ti credevo, ma direi che hai fatto centro."

Secondo la teoria di Ed, il ragazzo sarebbe tornato lì. Non per via di un qualche cliché – l'assassino che torna sul luogo del delitto – ma perché Blackwater Landing era sempre stato il suo territorio di caccia e nel corso degli anni si era sempre ritirato lì dopo essersi ficcato nei guai.

Ed continuò: "Le tracce sembrano dirigersi verso di te, ma non posso dirlo con certezza. Deve aver camminato perlopiù sulle foglie. Tieni gli occhi aperti. Devo stabilire da dove è arrivato".

Con le ginocchia che scricchiolavano sotto il suo peso considerevole, Ed si alzò e, il più silenziosamente possibile, seguì le orme che sembravano provenire dal fitto del bosco, lontano dal fiume.

Seguì le tracce del ragazzo per una trentina di metri e vide che conducevano a un vecchio capanno di caccia: una baracca grigia grande abbastanza per tre o quattro cacciatori. Le feritoie per i fucili erano buie e il luogo sembrava deserto. Bene, pensò lui. Probabilmente non è lì dentro. Tuttavia…

Respirando affannosamente, Schaeffer fece qualcosa che non faceva da quasi dodici anni e mezzo: estrasse la pistola. Strinse il calcio con la mano sudata e avanzò, gli occhi che dardeggiavano senza sosta tra il capanno e il terreno, cercando di fare meno rumore possibile.

Il ragazzo aveva una pistola? si domandò quando si rese conto di essere allo scoperto come un soldato su una spiaggia deserta. Immaginando la canna di un fucile comparire all'improvviso in una di quelle feritoie, puntata su di lui, Ed si sentì invadere dal panico e, chinandosi, allungò il passo e percorse rapidamente i pochi metri che lo separavano dal lato della baracca. Si premette contro il legno malconcio e cercò di riprendere fiato. Rimase ad ascoltare con attenzione. Non riuscì a sentire niente a parte il debole brusio degli insetti.

Okay, si disse. Diamo un'occhiata. Alla svelta.

Si alzò e guardò attraverso una delle feritoie.

Nessuno.

Strizzò gli occhi e guardò il pavimento. Ciò che vide fece apparire un sorriso sul suo volto. "Jesse", chiamò nella radio in tono eccitato.

"Dimmi tutto."

"Sono a un capanno a quattrocento metri a nord del fiume. Penso che il ragazzo abbia passato la notte qui. Ci sono degli avanzi e delle bottiglie d'acqua. C'è anche un rotolo di nastro adesivo. E indovina un po'? Vedo una mappa."

"Una mappa?"

"Già. Sembra quella della zona. Sono pronto a scommettere che c'è indicato dove ha portato Mary Beth. Che cosa ne pensi?"

Ma Ed Schaeffer non ebbe il tempo di sentire la reazione del suo collega alla scoperta che aveva appena fatto; le urla della donna riempirono il bosco, e la radio di Jesse Corn si zittì.

Lydia Johansson arretrò barcollando e urlò di nuovo quando il ragazzo sbucò dagli alti carici e l'afferrò per le braccia.

"Oh, mio Dio, ti prego, non farmi del male!" lo implorò.

"Sta' zitta", ringhiò lui a bassa voce, guardandosi attorno con movimenti nervosi, gli occhi colmi di cattiveria. Era alto e magrissimo, come la maggior parte dei sedicenni delle piccole città della Carolina, e molto forte. Aveva la pelle arrossata e graffiata – forse il risultato di un incontro ravvicinato con una quercia velenosa – e i capelli a spazzola in disordine, come se se li fosse tagliati da solo.

"Ho solo portato dei fiori... Tutto qui! Io non..."

"Shhhh", sussurrò lui.

Ma le sue unghie lunghe e sporche le si conficcarono dolorosamente nella pelle, e Lydia si lasciò sfuggire un altro grido. Lui le premette una mano sulla bocca e le si spinse contro. Lydia avvertì l'acre odore di sudiciume del suo corpo.

Voltò la testa di scatto. "Non farmi del male!" singhiozzò.
"Ti prego…"

"Sta' zitta e basta!" La voce del ragazzo si spezzò come un ramo ricoperto di ghiaccio, e goccioline di saliva ricaddero sul volto di Lydia. Lui la scosse furiosamente come se fosse stata un cane disobbediente. D'istinto, Lydia cercò di liberarsi. Lui la spinse a terra e lei sentì odore di metano e di vegetazione putrida. Nella lotta il ragazzo perse una scarpa, ma sembrò non farci caso, e le premette di nuovo la mano sulla bocca finché lei non smise di opporre resistenza.

Dalla cima della collina, Jesse Corn chiamò: "Lydia! Dove sei?"

"Shhhhh", l'ammonì nuovamente il ragazzo, con uno sguardo folle negli occhi. "Coraggio, dobbiamo andarcene da qui. Se urli, ti farò molto male. Mi hai capito? *Mi hai capito?*" Si infilò una mano in tasca e le mostrò un coltello.

Lei annuì.

Lui la trascinò verso il fiume.

Oh, non lì. Ti prego, no, pensò, rivolgendosi al suo angelo custode. Non permettergli di portarmi lì.

A nord del Paquo…

Lydia gettò un'occhiata alle proprie spalle e vide Jesse Corn in piedi sul ciglio della strada. Con una mano si proteggeva gli occhi dal sole basso e scrutava il paesaggio. "Lydia?" chiamò.

Il ragazzo la strattonò con forza. "Gesù Cristo, andiamo!"

"Ehi!" gridò Jesse, scorgendoli finalmente. Cominciò a scendere per il pendio.

Ma loro erano già arrivati al fiume. Lì, tra i rami e la vegetazione, il ragazzo aveva nascosto una piccola barca. Con uno spintone fece salire Lydia e si allontanò dalla riva, remando con tutte le forze per raggiungere l'altra sponda. Una volta arrivato, spinse la ragazza giù dalla barca e poi tra gli alberi, dove trovò un sentiero nel sottobosco.

"Dove stiamo andando?" sussurrò lei.

"Da Mary Beth. Tu starai con lei."

"Perché? Che cosa ho fatto?" domandò Lydia debolmente, la voce rotta dai singhiozzi.

Ma lui non rispose, fece ticchettare una contro l'altra le unghie del pollice e dell'indice della mano sinistra con aria assorta e la trascinò nel bosco.

19

"Ed", disse la voce di Jesse Corn in tono allarmato attraverso la trasmittente. "Dio, è successo un casino. Ha preso Lydia. L'ho perso."

"Ha fatto *cosa*?" Ed Schaeffer si fermò di colpo. Aveva cominciato a correre verso il fiume quando aveva sentito le grida.

"Lydia Johansson. Ha preso anche lei."

"Cazzo", mormorò l'agente, che imprecava con la stessa frequenza con cui estraeva la pistola d'ordinanza. "Perché l'ha fatto?"

"Perché è pazzo", disse Jesse. "Ecco perché! È sull'altra sponda del fiume e si starà dirigendo verso di te."

"Okay." Ed rimase a riflettere per un istante. "Probabilmente sta tornando al capanno a prendere le sue cose. Mi nasconderò lì dentro e lo coglierò di sorpresa. È armato?"

"Non sono riuscito a vedere."

Ed sospirò. "Raggiungimi il più presto possibile. Chiama anche Jim."

"Certo."

Ed lasciò andare il pulsante rosso della trasmittente e guardò attraverso i cespugli in direzione del fiume. Non c'era traccia del ragazzo e della sua nuova vittima. Ansimando, tornò di corsa alla baracca e trovò la porta. L'aprì con un calcio. La porta si spalancò rumorosamente e lui si affrettò a entrare.

Era così carico di paura e di eccitazione, talmente concentrato su ciò che avrebbe fatto quando il ragazzo fosse arrivato lì, che in un primo momento non prestò attenzione alle macchioline nere e gialle che gli fluttuavano davanti al viso, né al pizzicore che cominciò a sentire al collo e che gli si propagò giù lungo la schiena.

Ma ben presto il pizzicore si trasformò in un dolore infuocato sulle spalle, sulle braccia, sotto le ascelle.

"Oh Dio", gridò, boccheggiando e trasalendo. Sconvolto, fissò le decine di api che gli zampettavano sulla pelle. In preda al panico, cercò di scrollarsele di dosso, ma quel gesto fece infuriare ancora di più gli insetti. Gli punsero i polsi, le palme delle mani, le dita. Ed urlò. Era il dolore più lancinante che avesse mai provato, peggio di una gamba rotta, peggio della volta in cui aveva afferrato la padella di ghisa senza sapere che Jean l'aveva lasciata sul fuoco per più di mezz'ora.

L'interno della baracca si scurì quando uno sciame di vespe si levò dal grande nido grigio nell'angolo che era stato schiacciato dalla porta quando lui l'aveva aperta. Centinaia di insetti lo attaccarono. Gli si infilarono tra i capelli, gli si posarono sulle braccia, nelle orecchie, gli strisciarono nella camicia e nei pantaloni cercandogli la pelle, come sapendo che pungere il tessuto sarebbe stato inutile. Ed corse verso l'uscio strappandosi la camicia di dosso e con orrore vide masse di insetti lucidi che gli si aggrappavano al ventre e al petto. Rinunciò a scrollarseli di dosso e si limitò a correre, ormai incapace di pensare.

"Jesse, Jesse, Jesse!" gridò, ma si rese conto che la sua voce era ridotta a un debole sussurro; le punture sul collo gli avevano chiuso la gola. Corri! si disse. Corri verso il fiume.

E così fece. Corse più in fretta di quanto non avesse mai fatto in vita sua, precipitandosi attraverso la foresta. Le gambe che pompavano furiosamente. Vai... Non ti fermare, ordinò a se stesso. Non ti fermare. Lasciati dietro quei piccoli bastardi. Pensa a tua moglie. Pensa ai gemelli. Vai, vai, vai... C'erano meno vespe, adesso, anche se Ed poteva vederne ancora una trentina o forse una quarantina aggrappate alla sua carne, gli orrendi pungiglioni che si protendevano per colpirlo ancora.

Arriverò al fiume fra tre minuti. Cadrò in acqua, via dal dolore, via dal fuoco. Loro annegheranno. Io starò bene.

Corse come un cavallo, corse come un daino, attraverso il sottobosco che gli appariva come una macchia indistinta.

Avrebbe...

Un attimo, un attimo. Cosa c'era che non andava? Ed Schaeffer abbassò lo sguardo e si rese conto – quasi con una punta di divertimento – che non stava correndo affatto. Non era nemmeno in piedi. Giaceva sul terreno a una decina di metri dal capanno, le gambe scosse da spasmi incontrollabili.

Con la mano cercò la trasmittente e nonostante il tremendo gonfiore delle dita riuscì a premere il pulsante, ma le convulsioni si spostarono dalle gambe al torso e al collo e alle braccia, e così lasciò cadere la radio. Per un istante ascoltò la voce di Jesse Corn che proveniva dall'altoparlante, e quando anche la voce si interruppe ascoltò il ronzio pulsante delle vespe che alla fine si trasformò in un suono flebile, e poi in silenzio.

...due

Solo Dio poteva curarlo. E Dio non sembrava molto interessato a farlo.

Non che avesse molta importanza, dato che Lincoln Rhyme era un uomo di scienza e non di teologia, e così non si era recato a Lourdes o in un santuario battista per incontrare un qualche guaritore fanatico religioso, ma lì, in quell'ospedale del North Carolina, nella speranza di diventare, se non un uomo completo, almeno un uomo meno parziale.

Rhyme diresse la sua sedia a rotelle motorizzata Storm Arrow, rossa come una Corvette, giù dalla rampa del furgone che il suo aiutante e Amelia Sachs avevano appena guidato per ottocento chilometri, da Manhattan. Stringendo le labbra perfette attorno alla cannuccia di controllo, ruotò la sedia con destrezza e accelerò lungo il marciapiede, dirigendosi verso l'ingresso dell'istituto di ricerca neurologica del centro medico dell'Università del North Carolina di Avery.

Thom ritrasse la rampa del Chrysler Grand Rollx, un furgone nero e lucido facilmente accessibile anche con la sedia a rotelle.

"Parcheggiala nello spazio riservato agli handicappati", gli disse Rhyme, e ridacchiò.

Amelia Sachs guardò Thom inarcando un sopracciglio. Lui osservò: "È di buon umore. Meglio approfittarne. Non durerà".

"Ti ho sentito", gridò Rhyme.

Thom si allontanò con il furgone e Amelia raggiunse Rhyme. Era al cellulare, in attesa di parlare con il responsabile di una compagnia di noleggio auto del posto. Thom avrebbe trascorso la maggior parte della settimana successiva nella camera di ospedale di Rhyme; quindi Amelia voleva essere libera di spostarsi in qualsiasi momento e magari di esplorare la zona. Inoltre era un tipo da macchina sportiva, non da furgone, e rifiutava per principio tutti quei veicoli la cui velocità massima non andava oltre un numero a due cifre.

Amelia stava aspettando già da cinque minuti e alla fine interruppe la comunicazione, frustrata. "Non mi dispiace aspettare, ma la musichetta è terribile. Riproverò più tardi." Guardò l'orologio. "Sono solo le dieci e mezza, e fa già troppo caldo. Veramente troppo." Manhattan non è proprio la zona più temperata in agosto, ma è molto più a nord del Tar Heel State, e quando avevano lasciato la città il giorno prima, diretti a sud attraverso l'Holland Tunnel, la temperatura era attorno ai venti gradi, l'aria secca come sale.

Rhyme non prestava alcuna attenzione al caldo. La sua mente era concentrata soltanto sulla sua missione, sul motivo per cui si trovava lì. Davanti a loro le porte automatiche si aprirono obbedienti (quello doveva essere il Tiffany delle strutture accessibili ai portatori di handicap, pensò) e loro entrarono nell'atrio fresco. Mentre Amelia chiedeva informazioni, Rhyme si guardò attorno. Notò una mezza dozzina di sedie a rotelle vuote, ammassate l'una contro l'altra, impolverate. Si chiese cosa ne fosse stato dei loro proprietari. Forse il trattamento a cui si erano sottoposti lì aveva avuto a tal punto successo che si erano lasciati alle spalle le sedie ed erano stati promossi ai deambulatori e alle stampelle. Forse qualcuno era peggiorato ed era rimasto confinato a letto o su sedie a rotelle motorizzate.

Forse qualcuno era morto.

"Da questa parte", disse Amelia, indicando la hall. Thom li raggiunse all'ascensore (porta doppia, corrimano, pulsanti a un metro dal pavimento), e qualche minuto dopo trovarono la stanza che stavano cercando. Lincoln andò alla porta e notò che c'era un interfono che non richiedeva l'uso delle mani. In tono teatrale esclamò "Apriti sesamo", e la porta si spalancò.

"Lo sentiamo dire spesso", intervenne la segretaria allegramente, quando furono entrati. "Lei dev'essere il signor Rhyme. Dirò al dottore che è arrivato."

La dottoressa Cheryl Weaver era una donna sottile ed elegante di circa quarantacinque anni. Rhyme notò immediatamente che, come molti chirurghi, aveva gli occhi veloci e le mani molto forti. Aveva le unghie corte e senza smalto. Si alzò dalla scrivania, sorrise e strinse la mano ad Amelia e a Thom. Poi salutò il suo paziente con un cenno del capo. "Lincoln."

"Dottoressa." Gli occhi di Rhyme scorsero i titoli dei numerosi volumi che si trovavano sugli scaffali. Poi la miriade di certificati e di diplomi: tutti di ottime scuole e di istituti rinomati, notò. Sapeva già che le credenziali della Weaver erano buone. Mesi di ricerca lo avevano convinto che il centro medico universitario di Avery fosse uno dei migliori ospedali del mondo. I suoi reparti di oncologia e immunologia erano tra i più moderni del paese. E l'istituto di neurologia della dottoressa Weaver era all'avanguardia per la ricerca e il trattamento dei traumi alla colonna vertebrale.

"È bello conoscerla, finalmente!" disse la dottoressa. Sotto la sua mano c'era uno spesso fascicolo beige. Il mio, pensò il criminologo. (Si chiese anche che cosa fosse stato scritto sotto l'intestazione "Prognosi": "Incoraggiante"? "Grave"? "Senza speranza"?) "Lincoln, io e lei ci siamo sentiti al telefono e ovviamente lei ha deciso di venire qui a sottoporsi all'intervento. Ma vorrei che rivedessimo insieme alcuni aspetti. Per il bene di entrambi."

Lui annuì seccamente. Era pronto a sopportare una certa dose di formalità, anche se non aveva molta pazienza con chi pensava solo a pararsi il culo come sembrava voler fare la Weaver in quel momento.

"Lei ha studiato la letteratura sull'istituto, e sa che stiamo applicando alcune nuove tecniche di rigenerazione e ricostruzione della colonna vertebrale. Ma devo ricordarle ancora una volta che tutto questo è ancora allo stadio *sperimentale*."

"Ne sono consapevole."

"Molti dei quadriplegici che ho trattato sono più esperti di neurologia della maggior parte dei medici generici. E scommetto che lei non fa eccezione."

"So qualcosa di scienza", replicò Rhyme con noncuranza. "E qualcosa di medicina." E le offrì un esempio della sua classica alzata di spalle, gesto che la dottoressa Weaver sembrò notare e archiviare.

Lei continuò: "Be', mi perdoni se le ripeto ciò che già sa, però è importante che lei capisca che cosa questa tecnica può fare e che cosa non può fare".

"La prego", disse Rhyme. "Continui."

"Il sistema nervoso è composto da assoni che trasmettono gli impulsi nervosi. In caso di lesioni alla colonna vertebrale, quegli assoni vengono tagliati o schiacciati e muoiono. Perciò smettono di trasmettere impulsi e il messaggio non arriva più dal cervello al resto del corpo. Ora, lei sa che i nervi non possono rigenerarsi: questo non è completamente vero. Nel sistema nervoso periferico – le braccia e le gambe – gli assoni danneggiati possono ricrescere, ma nel sistema nervoso centrale – il cervello e la colonna vertebrale – non possono. Almeno non da soli. Quindi, quando ci si taglia un dito, la pelle ricresce e si riacquista il senso del tatto. Nel caso della colonna vertebrale questo non avviene. Ma stiamo sperimentando delle tecniche che possono aiutare la ricrescita.

"Il nostro approccio qui all'istituto è concentrato sul punto della lesione. Aggrediamo la lesione alla spina dorsale su tutti i fronti. Utilizziamo la tradizionale chirurgia di decompressione per ricostruire la struttura ossea delle vertebre e per proteggere il punto in cui si è verificata la lesione, quindi impiantiamo due innesti nel punto leso: uno fa parte del tessuto del sistema nervoso periferico del paziente."

"Perché può rigenerarsi?" domandò Thom, lisciandosi con cura la cravatta a fiori blu e gialli.

"Sì, sì, ovviamente", mormorò Rhyme. Poi, rivolgendosi alla dottoressa: "La prego, continui".

Thom sussurrò qualcosa ad Amelia; Rhyme ebbe l'impressione che fosse: "Te l'avevo detto che non sarebbe durato". Il criminologo si acciglió lanciando un'occhiata al suo aiutante, quindi sorrise alla dottoressa Weaver, che proseguì: "E l'altro innesto che impiantiamo è costituito da cellule embrionali del sistema nervoso centrale che..."

"Ah, lo squalo", la interruppe Rhyme.

"Esatto. Lo squalo blu, sì."

"Lincoln ce ne stava parlando", disse Amelia. "Perché lo squalo?"

"Perché, dal punto di vista immunologico, sembra compatibile con gli esseri umani. Inoltre", aggiunse la dottoressa con una risatina, "perché è un pesce dannatamente grande e quindi da un solo esemplare possiamo ottenere una grande quantità di materiale embrionale."

"Perché proprio dall'embrione?" si informò Amelia.

"Perché è il sistema nervoso centrale *adulto* che non si rigenera naturalmente", borbottò Rhyme impaziente e infastidito da quella interruzione. "È ovvio: il sistema nervoso di un bambino deve ancora crescere."

"Esatto. Il materiale embrionale contiene cellule staminali: cellule progenitrici, come vengono definite. Promuovono la crescita del tessuto nervoso. Poi, oltre alla chirurgia di decompressione e al microimpianto, ci serviamo anche di un'altra procedura di cui siamo entusiasti: abbiamo sviluppato alcuni nuovi farmaci che pensiamo potrebbero avere un effetto significativo sul miglioramento della rigenerazione. Ora, la ragione per cui gli assoni del sistema nervoso centrale non ricrescono è che esistono proteine che inibiscono la rigenerazione nei tessuti che circondano i nervi. Quindi abbiamo sviluppato degli anticorpi che attaccano quelle proteine, anticorpi che *permettono* agli assoni di rigenerarsi. E allo stesso tempo, somministriamo una neurotrofina che li *incoraggia* a crescere. Questi nuovi farmaci sembrano molto promettenti, ma non sono mai stati testati prima sugli esseri umani."

Amelia domandò: "Esistono dei rischi?"

Rhyme si voltò verso di lei, sperando di incrociare il suo sguardo. *Conosceva* i rischi. E aveva preso la *sua* decisione. Non voleva che Amelia interrogasse la dottoressa. Ma l'attenzione della Sachs era concentrata solo sulla Weaver. Rhyme riconobbe la sua espressione: era la stessa che le compariva sul volto quando interrogava un sospetto.

"Naturalmente esistono dei rischi. I farmaci in sé non sono particolarmente pericolosi. Ma esistono dei rischi associati al trattamento. Tutti i quadriplegici C4 soffrono di problemi polmonari. Lei non ha bisogno di un respiratore, ma con l'anestetico c'è il rischio di un blocco respiratorio. Inoltre lo stress della procedura potrebbe portare a una disreflessia autonomica e a una conseguente crescita della pressione sanguigna – sono certa che questi termini non le sono nuovi – che potrebbe condurre a un infarto o a un'emorragia cerebrale. C'è il rischio di un trauma chirurgico nel punto della lesione iniziale: lei non ha né cisti né shunt al momento, ma l'operazione e il conseguente aumento di fluido potrebbero far crescere la pressione e causare ulteriori danni."

"Questo significa che potrebbe anche peggiorare", disse Amelia.

La dottoressa Weaver annuì e abbassò gli occhi sul fascicolo, come per rinfrescarsi la memoria, ma non lo aprì. Sollevò lo sguardo. "Lei ha il movimento di un lombricale – l'anulare della mano sinistra – e un buon controllo dei muscoli delle spalle e del collo. Potrebbe perdere in parte o completamente queste capacità motorie, insieme alla capacità di respirare autonomamente."

Amelia rimase completamente immobile. "Capisco", disse alla fine in un sospiro teso.

"E comunque deve soppesare questi rischi alla luce di ciò che spera di guadagnare: non sarà in grado di camminare di nuovo, se è questa la sua speranza. Le procedure di questo genere hanno effetti parziali sulle lesioni alla colonna vertebrale a livello lombare e toracico, lesioni molto più basse e molto meno gravi della sua. Abbiamo avuto solo successi marginali nei casi di lesioni cervicali e di traumi di livello C4."

"Sono un uomo che ama rischiare", si affrettò a dire Rhyme. Amelia gli lanciò un'occhiata preoccupata. Sapeva benissimo che a Lincoln Rhyme non piaceva affatto rischiare. Era uno scienziato che viveva la sua vita secondo principi quantificabili e documentati. Lui aggiunse semplicemente: "Voglio sottopormi all'operazione".

La Weaver annuì. Non sembrava né felice né dispiaciuta della sua decisione. "Dovrà sottoporsi ad alcuni esami, che dureranno diverse ore. L'operazione è fissata per dopodomani. Inoltre dovrò lasciarle un migliaio di questionari e di moduli da compilare." Si voltò a guardare Amelia. "È lei la sua rappresentante legale?"

"Sono io", rispose Thom. "Posso firmare io per lui."

"Benissimo. Sareste così gentili da aspettarmi qui? Vado a prendere i documenti necessari."

Amelia si alzò e seguì la dottoressa fuori dalla stanza. Rhyme la sentì chiedere: "Dottoressa, ho una…" La porta si chiuse con un clic.

"C'è aria di cospirazione", mormorò Rhyme a Thom. "Di ammutinamento."

"È solo preoccupata per te."

"Preoccupata? Quella donna guida a duecento chilometri all'ora e gioca a fare la pistolera nel South Bronx. Sono *io* quello che si farà iniettare cellule di squali neonati."

"Sai cosa intendo."

Rhyme scosse la testa con impazienza. Spostò lo sguardo in un angolo dello studio della dottoressa Weaver, dove una colonna vertebrale – presumibilmente autentica – era appesa a un supporto metallico. Sembrava davvero troppo fragile per sostenere la complessa vita umana che un tempo doveva averla ricoperta.

Soffiò nella cannuccia di controllo e girò la sedia a rotelle in direzione della porta. Socchiuse gli occhi come se avesse potuto vedere attraverso la parete e scoprire che cosa stesse tramando Amelia Sachs. "Di cosa staranno parlando?" mormorò. Poi guardò Thom con fare minaccioso. "Tu lo sai? C'è qualcosa che *non* mi hai detto?"

"Lincoln…"

Proprio mentre Rhyme si preparava a voltarsi per affrontare il suo aiutante, la porta si aprì e Amelia rientrò nella stanza. C'era qualcuno insieme a lei, ma non si trattava della dottoressa Weaver. L'uomo era alto, magro, a parte un accenno di pancetta, e indossava una divisa da poliziotto. Senza sorridere, Amelia annunciò: "Hai visite".

Nel vedere Rhyme, l'uomo si tolse il cappello e lo salutò con un cenno del capo. I suoi occhi non scrutarono il corpo del criminologo come faceva la maggior parte della gente che lo incontrava per la prima volta, ma si fissarono immediatamente alla colonna vertebrale che si trovava dietro la scrivania della dottoressa. Dopo un istante tornò a guardare Rhyme. "Signor Rhyme, mi chiamo Jim Bell. Sono il cugino di Roland Bell. Roland mi ha detto che l'avrei trovata qui. Vengo da Tanner's Corner."

Roland lavorava al dipartimento di polizia di New York e

aveva collaborato con Rhyme a parecchi casi. Al momento era in coppia con Lon Sellitto, un detective che Lincoln conosceva da anni. Roland aveva dato a Rhyme una lista di nomi di alcuni suoi parenti che avrebbe potuto contattare una volta che fosse arrivato nel North Carolina per l'operazione, nel caso avesse gradito ricevere delle visite. In quella lista c'era anche il nome di Jim Bell, ricordò il criminologo. Lanciando un'occhiata oltre lo sceriffo, in direzione della porta dalla quale il suo angelo di misericordia, la dottoressa Weaver, doveva ancora ritornare, Rhyme disse con aria assente: "Sono felice di conoscerla".

Bell gli rivolse un sorriso cupo e replicò: "Temo, signore, che non lo sarà ancora per molto".

...tre

C'era una certa somiglianza, notò Rhyme, scrutando attentamente il suo interlocutore. Lo stesso fisico snello, le stesse mani lunghe, gli stessi capelli radi e lo stesso atteggiamento disinvolto di suo cugino Roland. Il volto di questo Bell comunque era più abbronzato e segnato da rughe profonde. Probabilmente andava a caccia e a pesca molto spesso. Uno Stetson gli sarebbe stato senz'altro meglio del cappello della divisa d'ordinanza. Bell prese posto su una sedia accanto a Thom.

"Signor Rhyme, abbiamo un problema."

"Mi chiami Lincoln, la prego."

"Coraggio", disse Amelia a Bell, "gli racconti quello che ha raccontato a me."

Rhyme la guardò freddamente. Amelia aveva conosciuto quell'uomo non più di tre minuti prima e sembravano già in qualche modo alleati.

"Sono lo sceriffo della contea di Paquenoke, a una trentina di chilometri a est di qui. Abbiamo questo problema e mi sono ricordato di quello che mi aveva raccontato mio cugino di lei: non fa altro che elogiarla, signore..."

Rhyme annuì con impazienza, spronandolo a continuare. Stava pensando: dove diavolo è la mia dottoressa? Quanti moduli deve ancora recuperare? Anche lei fa parte della cospirazione?

"Comunque, questo problema... ho pensato di venire qui per chiederle se le sarebbe possibile trovare un po' di tempo per discuterne."

Rhyme scoppiò a ridere: era una risata tutt'altro che allegra. "Sto per sottopormi a un intervento chirurgico."

"Oh sì, capisco. Non mi permetterei mai di interferire. Pensavo solo di rubarle qualche ora... Non abbiamo bisogno di molto aiuto, mi auguro. Vede, mio cugino Rol mi racconta sempre delle indagini che lei ha fatto su al nord. Abbiamo un laboratorio per le analisi scientifiche, ma la maggior parte del lavoro di medicina legale viene svolto a Elizabeth City – vicino al quartier generale della polizia di stato – oppure a Raleigh. Ci vogliono settimane per ottenere delle risposte. E noi non abbiamo così tanto tempo. Nel migliore dei casi abbiamo solo qualche ora."

"Per fare cosa?"

"Per trovare due ragazze che sono state rapite."

"Il rapimento è un crimine federale", gli fece notare Rhyme. "Rivolgetevi all'FBI."

"Non riesco nemmeno a ricordare l'ultima volta che un agente federale ha messo piede nella contea, se non per emettere qualche mandato di cattura per distillatori clandestini di alcool o armi. Quando l'FBI arriverà qui, quelle ragazze saranno già morte."

"Ci racconti cos'è successo", disse Amelia. A giudicare dall'espressione del suo viso, sembrava molto interessata, notò Rhyme cinicamente... e non senza un certo dispiacere.

Bell obbedì: "Ieri uno dei ragazzi che frequentano il nostro liceo è stato assassinato e una sua compagna di scuola è stata rapita. E questa mattina è stata rapita un'altra ragazza". Rhyme vide il volto dell'uomo incupirsi. "Il colpevole ha teso una trappola e uno dei nostri agenti è rimasto gravemente ferito. Ora è ricoverato qui, in coma."

"Le ragazze provengono da famiglie ricche?" domandò Amelia. "È stata fatta una richiesta di riscatto?"

Domande importanti, rifletté Rhyme, per un'indagine attiva. Ma lui non si trovava lì per indagare attivamente su alcunché. Tuttavia, Amelia ignorò la sua espressione accigliata.

"Oh, non si tratta di soldi." Lo sceriffo abbassò la voce: "È un crimine sessuale. Quel ragazzo è già stato arrestato un paio di volte per molestie e per essersi masturbato in pubblico". Lo disse con una certa esitazione, lanciando un'occhiata in direzione di Amelia. Rhyme fu tentato di dirgli che lei aveva appena finito di lavorare a un caso di omicidio a sfondo sessuale avvenuto nel Bronx in cui la vittima era stata brutalmente smembrata, e che aveva raccontato con entusiasmo di aver trovato una prova importante nell'appartamento del principale sospetto: un album di Polaroid che documentavano il suo lavoretto.

Rhyme notò che Amelia aveva smesso di giocherellare con una ciocca di capelli e che stava ascoltando Bell con estrema attenzione. Be', forse non stavano cospirando insieme, ma conosceva il motivo per cui Amelia si stava interessando così tanto a un caso a cui non avevano il tempo di lavorare. E quel motivo non gli piaceva nemmeno un po'. "Amelia", cominciò, gettando un'occhiata gelida all'orologio appeso a una parete dello studio della dottoressa Weaver.

"Perché no, Rhyme? Che male c'è?" Si passò le dita tra i lunghi capelli rossi che le ricadevano sulla spalla come una cascata.

Bell spostò di nuovo lo sguardo sulla colonna vertebrale. "Siamo un piccolo ufficio, signore. Abbiamo fatto ciò che potevamo; tutti i miei agenti e anche dei volontari sono stati fuori tutta la notte, ma purtroppo non siamo riusciti a trovare niente. Ed, l'agente che adesso è in coma... be', pensiamo che abbia visto una mappa che indica il luogo in cui potrebbe essersi diretto l'assassino. Ma i dottori non sanno quando o se si sveglierà." Si voltò a guardare Rhyme con aria implorante. "Le saremmo infinitamente grati se potesse dare un'occhiata alle prove e darci un suo parere su dove potrebbe essere diretto il ragazzo. Questa faccenda è più grande di noi. Abbiamo davvero bisogno di aiuto."

Ma Rhyme continuava a non capire. Il compito di un criminologo è quello di analizzare le prove per aiutare gli investigatori a identificare un sospetto, e in seguito di testimoniare in tribunale. "Sapete chi è il colpevole e sapete dove vive. Il vostro procuratore distrettuale ha per le mani un caso fin troppo semplice." Se anche avessero rovinato la scena del delitto, come gli agenti delle piccole città talvolta facevano, dovevano essere rimaste abbastanza prove per un'incriminazione per omicidio.

"No, no: non è per il processo che siamo preoccupati, signor Rhyme. È che bisogna trovarli prima che lui uccida quelle ragazze. O almeno prima che uccida Lydia. Pensiamo che Mary Beth possa essere già morta. Vede, proprio in questi giorni stavo leggendo un libro sulle indagini criminali. L'autore sosteneva che in un caso di rapimento a sfondo sessuale in genere si hanno solo ventiquattr'ore per trovare la vittima; dopodiché questa perde la sua umanità agli occhi del rapitore, che non ci pensa due volte prima di ucciderla."

Amelia chiese: "Ha detto che il colpevole è un ragazzo. Quanti anni ha?"

"Sedici."

"Un minorenne, quindi."

"Tecnicamente sì", disse Bell. "Ma a vederlo ne dimostra molti di più, e ha una fedina penale di gran lunga peggiore di quella di tanti adulti che hanno problemi con la legge."

"Avete interrogato i suoi familiari?" domandò Amelia, dando ormai per scontato che lei e Rhyme si sarebbero occupati del caso.

"I suoi genitori sono morti. Ha una famiglia adottiva. Abbiamo perquisito la sua stanza: non abbiamo trovato né botole segrete, né diari, niente di interessante."

Non si trova mai niente di interessante, pensò Lincoln Rhyme, desiderando con tutto se stesso che quell'uomo se ne ritornasse nella sua contea dal nome impronunciabile portandosi dietro i suoi problemi.

"Penso che dovremmo occuparcene, Rhyme", disse Amelia.

"Sachs, l'intervento..."

Lei lo interruppe: "Due vittime in due giorni? Potrebbe essere un progressivo". I criminali progressivi sono come dei drogati. La loro soglia di tolleranza ai crimini che commettono si alza sempre di più, quindi la frequenza e la gravità delle loro azioni crescono di conseguenza.

Bell annuì. "Esatto. E ci sono dei particolari di cui non vi ho ancora parlato. Negli ultimi due anni, ci sono stati altri tre decessi nella contea di Paquenoke, e un suicidio piuttosto sospetto pochi giorni fa. Pensiamo che il colpevole possa essere coinvolto in tutti questi crimini. Semplicemente non abbiamo trovato prove sufficienti per trattenerlo."

Ma allora non c'ero io a lavorare sul caso, giusto? pensò Lincoln, e un istante dopo si rese conto che probabilmente era l'orgoglio, il peccato che lo avrebbe rovinato.

Nonostante le resistenze, Rhyme sentì gli ingranaggi mentali che cominciavano a muoversi, stuzzicati dagli enigmi che quel caso presentava. Ciò che lo aveva mantenuto sano di mente fin dal giorno dell'incidente – che gli aveva impedito di trovarsi un Jack Kevorkian che lo aiutasse a suicidarsi – erano state sfide come quella. Anche se non lo aveva mai ammesso con nessuno, se avesse dovuto scegliere tra il tornare a muoversi come una volta e il mantenere intatta la sua mente analitica, avrebbe detto addio alle cellule di squalo e alla chirurgia senza pensarci due volte e avrebbe scelto il cervello. Tuttavia quell'operazione, nonostante i rischi, era per lui di importanza vitale. Era il suo Santo Graal.

"Non verrai operato prima di dopodomani, Rhyme", insistette Amelia. "E devi soltanto fare un paio di analisi."

Ah, ecco le tue vere motivazioni, Sachs...

Ma Amelia non aveva tutti i torti. E poi ci sarebbero state lunghe ore d'attesa prima dell'operazione: sarebbero state davvero lunghe, senza un whisky invecchiato diciotto anni. Che cosa poteva fare un quadriplegico in una piccola città del North Carolina? Il più grande nemico di Lincoln Rhyme non era il dolore fantasma o la disflessia che affliggono le vittime di lesioni alla colonna vertebrale: era la noia.

"Le dedicherò un giorno", decise Rhyme alla fine. "Sempre che questo non ritardi l'operazione. Sono in lista d'attesa da quattordici mesi per sottopormi a questo intervento."

"Affare fatto, signore", disse Bell. Il suo volto stanco si illuminò.

Ma Thom scosse la testa. "Ascolta, Lincoln, non siamo qui per lavorare. Siamo qui per l'intervento. Una volta eseguita l'operazione, ce ne andremo. Non ho nemmeno la metà dell'attrezzatura che mi serve per prendermi cura di te se decidi di lasciarti coinvolgere."

"Siamo in un *ospedale*, Thom. Non sarei sorpreso se trovassimo *gran parte* di quello che ti serve qui. Parleremo con la dottoressa Weaver. Sono sicuro che sarà felice di darci una mano."

L'aiutante replicò: "Per la cronaca, non penso che sia una buona idea".

Rhyme lo ignorò e fissò Bell. "Da quanto tempo è in fuga, il ragazzo?"

"Solo da un paio d'ore", rispose lo sceriffo. "Le farò portare da un collega le prove che abbiamo trovato e una cartina della zona. Ho intenzione di organizzare una caccia all'uomo. Stavo pensando..."

Si interruppe notando che Rhyme stava scuotendo la testa, accigliato. Amelia cercò di impedirsi di sorridere; sapeva cosa stava per dire.

"No, no. Verremo noi nell'ufficio dello sceriffo. Dovrete trovarci una sistemazione da qualche parte a... qual è il nome del capoluogo della contea?"

"Tanner's Corner."

"Dovrete trovarci un posto dove potremo lavorare. Avrò bisogno di un assistente patologo... Avete un laboratorio nel vostro ufficio?"

"Noi?" chiese sbalordito lo sceriffo. "Decisamente no."

"Okay, le daremo una lista delle attrezzature che ci serviranno. Potrete prenderle in prestito dalla polizia di stato." Rhyme guardò l'orologio. "Possiamo essere lì tra mezz'ora. Giusto, Thom?"

"Lincoln..."

"Giusto?"

"Tra mezz'ora", mormorò l'aiutante, rassegnato.

Chi era di cattivo umore, *adesso?*

"Fatti dare i moduli dalla dottoressa Weaver. Potrai compilarli mentre io e Amelia lavoriamo."

"Va bene, va bene."

Amelia stava stilando un elenco degli strumenti di laboratorio occorrenti. Lo mostrò a Rhyme. Dopo averlo letto, lui annuì e disse: "Aggiungi un'unità osmolare. Per il resto, va bene".

Lei ubbidì e porse l'elenco allo sceriffo, che lo lesse annuendo con aria incerta. "Me ne occuperò io, certo. Ma, davvero, non voglio che vi prendiate troppo disturbo..."

"Jim, spero di poter parlare liberamente."

"Certo, signor Rhyme."

"Mi chiami Lincoln", ripeté il criminologo a bassa voce. "Dare un'occhiata a qualche prova non sarà di grande utilità. Se vuole che questa indagine funzioni dovremo dirigerla Amelia e io. Al cento per cento. Ora, mi dica sinceramente: questo sarà un problema per qualcuno?"

Nel sentire quella richiesta, lo sguardo di Bell si riempì di sollievo. "Farò in modo che non lo sia", rispose.

"Bene. Ora sarà meglio che vada a procurarsi quell'attrezzatura. Dobbiamo *muoverci*."

Lo sceriffo rimase immobile per un attimo, il cappello in una mano, l'elenco di Amelia nell'altra. Poi si diresse verso la porta. Rhyme era convinto che Roland, che conosceva uno sconfinato repertorio di modi di dire del sud, avesse una definizione adatta all'espressione dipinta sul volto di Bell. Non era esattamente sicuro della frase, ma sapeva che aveva qualcosa a che fare con il prendere un orso per la coda.

"Oh, un'ultima cosa", aggiunse Amelia, mentre lo sceriffo oltrepassava la soglia. Lui si fermò e si voltò. "Il sospetto. Come si chiama?"

"Garrett Hanlon. Ma a Tanner's Corner tutti lo chiamano l'Insetto."

Paquenoke è una piccola contea nel nordest del North Carolina. Tanner's Corner, che si trova più o meno al centro della contea, è la città più grande della zona, ed è circondata da piccoli centri abitati e aree commerciali come Blackwater Landing, che sorge sul fiume Paquenoke – soprannominato Paquo dagli abitanti della zona – a pochi chilometri dal capoluogo.

A sud del fiume si trovano le zone residenziali e commerciali della contea. Il paesaggio è punteggiato di terreni paludosi, foreste, campi e stagni. Ci sono molte aree di sviluppo urbano, alcune sicure, altre molto meno. E quasi tutti gli abitanti in questa metà della contea. A nord del Paquo il terreno è pericoloso. La Grande Palude Lugubre ha sommerso e ingoiato roulotte, case e persino alcune fabbriche. Acquitrini infestati dai serpenti hanno preso il posto degli stagni e dei campi, e le foreste, per la maggior parte molto antiche, sono del tutto impenetrabili per chiunque non sia abbastanza fortunato da trovare un sentiero. Nessuno vive da questa parte del fiume, tranne i contrabbandieri di alcool, i tagliatori di droga e una manciata di fuori di testa che si ostinano ad abitare nella palude. Persino i cacciatori evitano di spingersi fin lì, dopo l'incidente di due anni prima, quando Tal Harper fu assalito dai cinghiali, e anche se riuscì a ucciderne dieci non poté impedire agli altri di mangiarlo vivo, prima che arrivassero i soccorsi.

Come la maggior parte della gente della contea, Lydia Johansson andava di rado a nord del Paquo e anche in quei casi non si spingeva mai molto lontano. Ora, con un senso di totale disperazione, si stava rendendo conto di aver oltrepassato il confine di un luogo da cui avrebbe anche potuto non tornare mai più: non solo un confine geografico, ma anche un confine spirituale.

Era terrorizzata dall'essere che la stava trascinando tra i boschi, naturalmente – terrorizzata dal modo in cui la guardava, terrorizzata dal suo tocco, terrorizzata al pensiero di morire per un colpo di calore o per il morso di un serpente, ma ciò che la spaventava più di tutto il resto era la consapevolezza di aver abbandonato la riva sud del fiume: la sua piccola vita fragile ma confortevole. Tutto era in pericolo: i suoi pochi amici e le sue colleghe infermiere dell'ospedale, i medici con i quali flirtava senza speranze, le feste, le repliche delle soap opera, i libri dell'orrore, il gelato, i figli di sua sorella. Persino i lati più tormentati della sua vita adesso le sembravano allettanti: la faticosa lotta con i chili di troppo, le notti di solitudine, le ore di silenzio in cui aveva atteso invano le telefonate del suo uomo.

Ma non c'era nemmeno un pizzico di conforto nel luogo in cui si trovava ora.

Ricordava il terribile spettacolo a cui aveva assistito al capanno: l'agente Ed Schaeffer che giaceva a terra privo di sensi, le braccia e il volto gonfi in modo grottesco per le innumerevoli punture delle vespe. Garrett aveva mormorato: "Non avrebbe dovuto disturbarle. Le vespe attaccano solo quando il loro nido è in pericolo. Guarda come l'ha ridotto. Lo ha schiacciato. È stata colpa sua". Era entrato cautamente per raccogliere una mappa, dell'acqua e qualche merendina confezionata. Le aveva legato i polsi con del nastro adesivo e poi l'aveva condotta nella foresta per chilometri e chilometri.

Il ragazzo si muoveva in modo sgraziato, strattonandola prima in una direzione poi nell'altra. Parlava da solo. Si grattava i foruncoli rossi sul viso. A un certo punto si fermò davanti a una pozza d'acqua e la fissò. Attese che un qualche insetto o un ragno si fosse allontanato dalla superficie, quindi immerse il volto nell'acqua, sciacquandosi la pelle tormentata. Si guardò i piedi, si tolse la scarpa rimasta e la lanciò lontano. Poi ripresero ad addentrarsi nel mattino ormai afoso.

Lydia osservò il corpo scarno del ragazzo. Aveva sentito parlare di lui, dell'Insetto. Tutti a Tanner's Corner lo conoscevano. Ma lei non lo aveva mai visto da vicino. Rimase sorpresa nell'accorgersi che sembrava molto muscoloso, dotato di bicipiti forti, braccia lunghe e robuste, grandi mani. La fronte bassa e l'espressione concentrata del suo viso di tanto in tanto davano l'impressione che fosse stupido, ma Lydia sapeva benissimo che non lo era. Era astuto come un serpente. L'anno precedente, Lydia aveva sentito dire che Garrett era finalmente riuscito a vendicarsi di uno dei giocatori di football che erano soliti prendersi gioco di lui: aveva scassinato il suo armadietto e ci aveva messo dentro una pistola carica, poi aveva avvertito il preside con una telefonata anonima. Ma il vero colpo di genio di Garrett era stato chiamare il giornale locale e un reporter dell'ABC per informarli dell'incidente. I media non avevano tardato a farsi vedere ed erano arrivati proprio mentre gli addetti alla sicurezza stavano esaminando il contenuto dell'armadietto. La presenza delle telecamere aveva impedito al preside di lasciar perdere, cosa che avrebbe fatto volentieri per il miglior quarterback della scuola, e alla fine il giocatore era stato espulso. Nessuno aveva potuto dimostrare che era stato Garrett, anche se tutti lo sapevano.

Lydia guardò la mappa che sporgeva dalla tasca posteriore dei suoi pantaloni. "Dove stiamo andando?" domandò.

"Io, be', senti… non voglio parlare."

Dieci minuti più tardi le ordinò di togliere le scarpe da infermiera e attraversarono insieme un piccolo corso d'acqua inquinato. Quando ebbero raggiunto l'altra sponda, la fece sedere e si sistemò davanti a lei. Guardandole le gambe e lo spacco del vestito, lentamente le asciugò i piedi con una manciata di Kleenex che aveva preso dalla tasca. Lydia sentì per il suo tocco la stessa repulsione che provava quando doveva prendere un campione di tessuto da un cadavere nell'obitorio dell'ospedale. Garrett le rimise le scarpe bianche e gliele allacciò strette, tenendole le dita attorno alla caviglia più a lungo del necessario. Poi consultò la mappa e la trascinò di nuovo tra gli alberi.

Facendo ticchettare le unghie, grattandosi una guancia...

A poco a poco, la vegetazione si fece più intricata e l'acqua degli stagni più profonda. Lydia aveva la sensazione che fossero diretti verso la Grande Palude Lugubre, anche se non aveva alcuna idea del perché. Proprio quando fu chiaro che non potevano proseguire oltre attraverso gli acquitrini, Garrett la spinse verso una foresta di pini che, con grande sollievo della ragazza, era ben più fresca delle paludi che avevano appena lasciato.

Poi il ragazzo prese a camminare più lentamente, guardandosi in giro, come in cerca dei suoi inseguitori, la testa che si muoveva a scatti nervosi in un modo che la disgustava e la spaventava a un tempo. Era così che si comportavano i pazienti psicotici dell'ala E dell'ospedale.

Il ragazzo trovò un altro sentiero. Insieme lo percorsero fino a raggiungere una collina ripida e rocciosa.

"Non ce la faccio a scalarla", mormorò lei. "Non con le mani legate. Scivolerò."

"Stronzate", replicò lui rabbiosamente, come se si stesse rivolgendo a un'idiota. "Hai le scarpe da infermiera. Non scivolerai. Guarda me. Insomma, io sono a piedi nudi e riesco a scalarla. Guardami i piedi, guardami!" Le fece vedere le piante dei piedi: erano gialle e callose. "Adesso muovi le chiappe. Però quando sarai in cima non ti muovere. Mi hai sentito? Ehi, mi stai ascoltando?" Un altro sibilo, una goccia di sputo le cadde sulla guancia, e lei ebbe l'impressione che le corrodesse la pelle come un acido.

Dio, ti odio, pensò.

Ma annuì e cominciò ad arrampicarsi. A metà strada si fermò e si guardò alle spalle. Garrett la fissava facendo ticchettare le unghie. Le osservava le gambe avvolte dalle calze bianche e ancora più su, sotto la gonna, facendosi scorrere la lingua sui denti.

Lei riprese a salire. Udì il fiato sibilante di Garrett che cominciava ad arrampicarsi dietro di lei.

In cima alla collina c'era una radura da cui partiva un unico sentiero che si inoltrava nel fitto degli alberi. La ragazza si incamminò lungo il sentiero, tra le ombre.

"Ehi!" gridò Garrett. "Non mi hai sentito? Ti ho detto di non muoverti."

"Non sto cercando di scappare!" ribatté lei con furia. "Fa un caldo tremendo, voglio solo stare all'ombra."

Lui le indicò un punto sul terreno a una decina di metri da loro. Proprio al centro del sentiero c'era un fitto mantello di aghi di pino. "Avresti potuto caderci dentro", disse con voce raschiante. "L'avresti rovinata."

Lydia guardò con più attenzione. Gli aghi di pino nascondevano un'ampia fossa.

"Cosa c'è là sotto?"

"Una trappola mortale."

"Cosa nasconde?"

"Be', una sorpresina per chiunque ci voglia seguire." Lo disse con orgoglio, sogghignando, come se fosse una mossa particolarmente astuta.

"Ma potrebbe caderci dentro *chiunque*!"

"Cazzo", borbottò lui. "Qui siamo a nord del Paquo. Gli unici che verrebbero qui sono quelli che ci stanno seguendo. E loro si meritano tutto quello che gli può accadere. Muoviamoci." Sibilò di nuovo. La afferrò per il polso, facendola passare accanto alla fossa.

"Non devi per forza tirarmi", protestò lei.

Allora Garrett allentò leggermente la presa, anche se Lydia pensò che lo avesse fatto solo perché il suo dito medio, con quell'unghia lunga e sudicia, potesse protendersi di tanto in tanto e accarezzarle il polso, come una grossa sanguisuga in cerca di un punto in cui aderirle alla pelle.

...quattro

Il furgone Rollx oltrepassò un cimitero, il Tanner's Corner Memorial Gardens. Si stava celebrando un funerale; Rhyme, Amelia e Thom osservarono la triste processione.

"Guardate la bara", disse Amelia.

Era piccola, la bara di un bambino. I presenti erano tutti adulti e non molto numerosi, circa una ventina. Rhyme si chiese per quale ragione fossero così pochi. Spostò lo sguardo dal cimitero alle colline, un paesaggio coperto di alberi, chilometri di foresta immersa nella foschia e di stagni che svanivano in lontananza. Commentò: "Non è male, quel cimitero. Non mi dispiacerebbe essere sepolto in un posto del genere".

Amelia, che aveva osservato il funerale con un'espressione turbata sul viso, si voltò a guardarlo; forse perché, ora che l'operazione era sempre più vicina, non le andava di sentir parlare di morte.

Poi il furgone superò una curva, seguendo l'auto dello sceriffo Jim Bell, e accelerò imboccando un rettilineo; si lasciarono il cimitero alle spalle.

Come aveva detto Bell, Tanner's Corner era esattamente a trenta chilometri dal centro medico di Avery. Il cartello di benvenuto assicurava ai visitatori che la città era abitata da 3018 anime, il che avrebbe anche potuto essere vero, ma in quella calda mattina di agosto solo una piccola percentuale degli abitanti si era avventurata sulla Main Street. Quel luogo polveroso sembrava una città fantasma. Due anziani sedevano su una panchina e osservavano la strada deserta. Rhyme notò due uomini che dovevano essere gli ubriaconi del luogo: avevano l'aria malaticcia ed erano ridotti pelle e ossa. Uno sedeva sul marciapiede, tenendosi la testa tra le mani, probabilmente impegnato a smaltire una sbronza. L'altro era appoggiato a un albero e fissava il furgone lucido con gli occhi infossati, che anche da quella distanza spiccavano per il giallo dell'itterizia. Una donna stava lavando la vetrina del drugstore. Rhyme non vide nessun altro.

"Sembra un posto tranquillo", commentò Thom.

"Da un certo punto di vista, sì", disse Amelia, che ovviamente condivideva il senso di disagio di Rhyme di fronte a quel vuoto.

La Main Street era una striscia stanca di vecchi edifici. Rhyme contò un supermarket, due drugstore, due bar, un ristorante, una compagnia di assicurazioni e uno strano ibrido tra un videonoleggio, un negozio di dolciumi e un salone di bellezza. La rivendita di auto A-OK era schiacciata tra una banca e un negozio di attrezzature nautiche. Tutti vendevano esche. Un cartellone pubblicizzava un McDonald's a undici chilometri da lì, sulla Route 17. Un altro mostrava un'immagine sbiadita dal sole delle navi *Monitor* e *Merimack*, impegnate in battaglia durante la guerra civile. "Visitate il Museo Ironclad". Bisognava percorrere ben trentacinque chilometri per vedere quell'attrazione.

Prendendo nota di tutti quei dettagli sulla vita della piccola città, il criminologo si rese conto con una certa sorpresa di quanto fosse fuori posto in un luogo come quello. Poteva analizzare con successo le prove di qualsiasi caso a New York perché aveva vissuto lì per molti, molti anni; aveva sezionato la città, camminato per le sue strade, studiato la sua storia, la sua flora e la sua fauna. Ma a Tanner's Corner, non sapeva niente del terreno, dell'aria, dell'acqua, degli abitanti, delle auto che guidavano, delle case in cui vivevano, delle fabbriche in cui lavoravano, dei desideri che li tormentavano.

Ripensò ai tempi in cui aveva lavorato per un vecchio detective del dipartimento di polizia di New York. All'epoca era ancora un novellino. Il detective aveva chiesto ai suoi sottoposti:

"Qualcuno sa spiegarmi cosa significa l'espressione 'un pesce fuor d'acqua'?"

Il giovane agente Rhyme aveva risposto: "Significa essere fuori dal proprio elemento. Confusi".

"Già... be', che cosa accade a un pesce che si trova fuori dall'acqua?" aveva ribattuto bruscamente il vecchio poliziotto. "Non si sente *confuso*. Si sente *morto*. La più grande minaccia per un detective è la scarsa familiarità con il suo ambiente. Non dimenticatelo mai."

Thom parcheggiò il furgone e scaricò la sedia a rotelle. Rhyme soffiò nella cannuccia di controllo della Storm Arrow e si diresse verso la ripida rampa dell'ufficio della contea, senza alcun dubbio aggiunta con riluttanza all'edificio subito dopo l'approvazione della legge sui diritti dei disabili.

Tre uomini che indossavano jeans e camicie da lavoro e portavano fondine da coltello infilate alla cintura aprirono la porta laterale dell'ufficio dello sceriffo accanto alla rampa. Poi si diressero verso un furgone Chevrolet rosso scuro.

Il più magro dei tre diede una gomitata al più massiccio, un uomo enorme con la barba e lunghi capelli raccolti in una treccia, e indicò Rhyme con un cenno del capo. Poi gli occhi dei tre, quasi nello stesso istante, si spostarono sui capelli e sul corpo di Amelia. Il tipo robusto notò i capelli corti di Thom, il suo fisico snello, gli abiti impeccabili e l'orecchino d'oro. Con il volto inespressivo sussurrò qualcosa al terzo del gruppo, che non somigliava a un biker, bensì a un uomo d'affari del sud d'altri tempi. Scrollò le spalle. A quel punto persero interesse per i forestieri e salirono sul furgone.

Un pesce fuor d'acqua...

Bell, che camminava accanto a Rhyme, notò il suo sguardo.

"Quello grosso è Rich Culbeau. E gli altri sono i suoi amici. Sean O'Sarian – lo smilzo – e Harris Tomel. Culbeau non è cattivo come sembra. Gli piace giocare a fare il duro ma di solito non crea problemi."

O'Sarian li guardò dal sedile del passeggero – anche se era impossibile capire se stesse osservando Thom, Amelia o Rhyme.

Lo sceriffo raggiunse l'edificio e faticò non poco ad aprire la porta in cima alla rampa per disabili; la vernice con cui era stata dipinta l'aveva sigillata.

"Non ci sono molti invalidi, da queste parti", commentò Thom. Poi domandò a Rhyme: "Come ti senti?"

"Bene."

"Non si direbbe. Sei pallido. Non appena saremo dentro, ti controllerò la pressione."

Entrarono nell'edificio. Doveva risalire al 1950 circa, stimò Rhyme. Le pareti erano nel tipico verde degli edifici pubblici, i corridoi decorati con dipinti fatti con le dita dai bambini della scuola elementare, fotografie d'epoca di Tanner's Corner e una decina di volantini con offerte di lavoro.

Una donna con un bambino piccolo stava percorrendo il corridoio diretta all'uscita principale. Il bambino non riusciva a staccare gli occhi da Rhyme e sorrise deliziato nel vedere la sedia a rotelle motorizzata che lo oltrepassava, mentre il motore emetteva un ronzio acuto.

"Forte", sussurrò, ammirato. Rhyme gli rivolse un sorriso, ma la madre scrollò il figlio per una spalla e gli mormorò qualcosa. Il bambino si affrettò ad abbassare lo sguardo. I due continuarono a percorrere il corridoio, gli occhi fissi davanti a loro. Tuttavia, notò Rhyme, fu proprio la madre a voltarsi a guardarlo, quando uscirono dalla porta.

Forse tra qualche mese non mi fisseranno più in quel modo.

Forse, dopo l'operazione, non sarò più un mostro.

Se funzionerà.

Se sopravviverò.

Naturalmente esistono dei rischi...

No. Non aveva senso pensare in quel modo.

"Questa va bene?" domandò Bell, aprendo la porta di una stanza. "Noi la usiamo per archiviare le prove, ma ora stiamo spostando tutto nel seminterrato."

Una decina di scatoloni erano impilati contro le pareti. Un agente stava spingendo fuori dalla stanza con un carrello un grande televisore Toshiba, mentre un altro portava due scatole che contenevano barattoli pieni di un liquido chiaro. Notando lo sguardo di Rhyme, Bell scoppiò a ridere, poi spiegò: "Questo è un esempio dei tipici crimini che vengono commessi a Tanner's Corner: furto di apparecchi elettronici e produzione illegale di alcool".

"Quello è alcool illegale?" chiese Amelia.

"Proprio così. Invecchiato di ben trenta giorni."

"Marca Ocean Spray?" domandò Rhyme, indicando i recipienti con un cenno del capo.

"Sono i contenitori preferiti dei produttori di alcool illegale, per via del collo largo. Lei beve?"

"Solo whisky."

"Una scelta saggia." Lo sceriffo indicò le bottiglie che l'agente stava portando fuori. "Il dipartimento delle tasse della Carolina e i federali si preoccupano solo dei loro introiti. *Noi* ci preoccupiamo dei cittadini: quella robaccia spesso viene mischiata alla formaldeide, a solvente per vernici o a fertilizzante... e ci muoiono un paio di persone ogni anno."

Rhyme si guardò attorno. "Avremo bisogno di altra corrente elettrica." Con un cenno indicò l'unica presa della stanza.

"Possiamo sistemare delle derivazioni", disse Bell. "Troverò qualcuno che se ne occupi."

Assegnò quel compito a un agente e poi spiegò che aveva chiamato il laboratorio della polizia statale di Elizabeth City per richiedere le attrezzature indicate da Rhyme: gli strumenti sarebbero arrivati entro un'ora. Lincoln ebbe la sensazione che una simile tempestività fosse straordinaria, per la contea di Paquenoke, un segno evidente dell'urgenza di quel caso.

In un caso di rapimento a sfondo sessuale in genere si hanno solo ventiquattr'ore per trovare la vittima; dopodiché questa perde la sua umanità agli occhi del rapitore, che non ci pensa due volte prima di ucciderla.

Non sapeva se la statistica di Bell fosse affidabile. Sapeva tuttavia che molti rapitori e molti criminali che prendevano ostaggi uccidevano le loro vittime poco dopo averle catturate. Qualsiasi cosa poteva far scattare la scintilla: il panico, un malinteso, una richiesta disattesa. Anche secondo lui, Mary Beth molto probabilmente era già morta, e Lydia, l'infermiera, rischiava di fare la stessa fine.

L'agente tornò con due spessi cavi elettrici da cui si diramavano numerose prese. Le assicurò al pavimento con del nastro adesivo.

"Perfetto", disse Rhyme. Poi chiese: "Di quante persone disponiamo per il caso?"

"Tre agenti anziani e otto semplici. Due persone addette alle comunicazioni e uno staff di cinque impiegati. Di solito dobbiamo dividerli con l'ufficio urbanistica e il dipartimento dei lavori pubblici – sì, questo è un tasto dolente per noi – ma a causa del rapimento e della sua presenza qui, Lincoln, li avremo tutti a nostra disposizione. Anche il supervisore della contea darà una mano. Ho già parlato con lui."

Rhyme lanciò un'occhiata alla parete, accigliato.

"Cosa c'è?"

"Ha bisogno di una lavagna", rispose Thom.

"Io stavo pensando a una *cartina* della zona. Ma, sì, vorrei anche una lavagna. Grande."

"Affare fatto", assicurò lo sceriffo. Rhyme e Amelia si scambiarono un'occhiata divertita. Era una delle espressioni preferite di suo cugino Roland Bell.

"Allora, potrei incontrare i suoi agenti anziani per fare il punto della situazione?"

"E abbiamo bisogno di un condizionatore", interruppe Thom. "Dev'essere più fresco, qui dentro."

"Faremo il possibile", disse Bell in tono distratto; non capiva l'ossessione della gente del nord per le temperature moderate.

L'aiutante insistette: "A Lincoln non fa bene stare troppo al caldo".

"Non *preoccuparti*", disse Rhyme.

Fissando Bell, Thom sollevò un sopracciglio e continuò in tono pacato: "Dobbiamo abbassare la temperatura della stanza. Altrimenti lo riporterò subito in albergo".

"Thom", lo ammonì Rhyme.

"Temo che non abbiamo scelta", continuò l'assistente, senza fare una piega.

Bell cedette. "Non è un problema. Me ne occuperò io". Raggiunse la porta e chiamò: "Steve, vieni qui un momento".

Un giovane agente con i capelli a spazzola entrò nella stanza. "Vi presento mio cognato, Steve Farr." L'agente era alto più di un metro e novanta, e aveva grandi orecchie a sventola. La vista di Rhyme parve metterlo a disagio solo per un attimo, e quasi subito le sue labbra si allargarono in un sorriso che suggeriva sicurezza e competenza. Bell gli affidò il compito di trovare un condizionatore per il laboratorio.

"D'accordo, Jim." Girò sui tacchi come un soldato e scomparve nel corridoio.

Una donna fece capolino da dietro la porta. "Jim, c'è Sue McConnell sulla tre. È davvero fuori di sé."

"Va bene. Le parlo io. Dille che sarò subito da lei." Bell si rivolse a Rhyme. "La madre di Mary Beth. Povera donna... Suo marito è morto di cancro solo un anno fa, e adesso questo. Mi creda", aggiunse, scuotendo la testa, "io ho due figli, e so perfettamente come deve sentirsi..."

"Ascolti, Jim, cerchi di procurarmi quella cartina e la lavagna", disse Rhyme.

Bell sbatté le palpebre perplesso sentendo quella nota brusca nella voce del criminologo. "Sicuro, Lincoln. E ascolti, se ci comportiamo troppo da gente del sud, se ci muoviamo troppo lentamente per voi yankee, cerchi di spronarci. D'accordo?"

"Ci può scommettere, Jim."

Uno su tre.

Solo uno su tre degli agenti anziani di Jim Bell sembrò felice di conoscere Rhyme e Amelia. Be', di vedere Amelia, almeno. Gli altri due salutarono con un formale cenno del capo, tutt'altro che contenti che quella strana coppia avesse lasciato la Grande Mela.

L'agente più cordiale si chiamava Jesse Corn, aveva una trentina d'anni e gli occhi velati di stanchezza. Quel mattino era stato sul luogo del delitto e, con la voce rotta dal senso di colpa, ammise che Garrett era fuggito con l'altra vittima, Lydia, proprio davanti a lui. E che quando era arrivato sull'altra sponda del fiume Ed Schaeffer stava morendo per le punture delle vespe.

Il secondo agente, un uomo basso di circa quarant'anni, si chiamava Mason Germain. Occhi scuri, lineamenti tirati, una postura un po' troppo perfetta per un essere umano. Aveva i capelli impomatati, pettinati all'indietro, che mostravano i segni dei denti del pettine. Sapeva di dopobarba da quattro soldi, un odore pesante, muschiato. Salutò Rhyme e Amelia con un cenno rigido e circospetto, e Rhyme immaginò che fosse felice della sua paralisi perché così non era obbligato a stringergli la mano. Amelia, essendo una donna, si guadagnò solo un condiscendente "Signorina".

Lucy Kerr, il terzo agente anziano, non sembrava più felice di fare la loro conoscenza. Era alta quasi quanto Amelia, snella e atletica, con un viso lungo ma grazioso. Se l'uniforme di Mason era spiegazzata e macchiata, quella di Lucy era stirata alla perfezione. I capelli biondi erano raccolti in una treccia. La si poteva facilmente immaginare nelle vesti di modella per L.L. Bean o Land's End – in jeans, camicia e stivali.

Rhyme sapeva che due poliziotti ficcanaso che venivano dal nord (in particolar modo uno storpio e una donna) si sarebbero automaticamente guadagnati la diffidenza degli agenti del luogo. Tuttavia, non riteneva prioritario far loro cambiare atteggiamento. Il rapitore si stava allontanando col passare dei minuti, e lui aveva un appuntamento a cui non voleva assolutamente mancare.

Un agente robusto, l'unico di colore che Rhyme avesse visto fino a quel momento, entrò nella stanza spingendo una grande lavagna. Poi cominciò a spiegare una cartina della contea di Paquenoke.

"Appendila lì, Trey." Bell indicò la parete. Rhyme scrutò brevemente la mappa: era molto dettagliata. L'agente fissò la cartina alla parete servendosi di quattro puntine da disegno e se ne andò.

Rhyme iniziò: "Allora. Raccontatemi esattamente cos'è successo. A partire dalla prima vittima".

"Mary Beth McConnell. Ha ventitré anni. È una studentessa del campus di Avery."

Amelia chiese: "Ha un ragazzo?"

"Secondo la madre, no."

Rhyme: "Il marito di sua madre... è lui quello che è morto? Il padre di Mary Beth?"

"Esattamente."

"C'è un patrigno?" volle sapere Amelia.

"No. E Mary Beth è figlia unica."

"Continui. Che cos'è successo ieri?"

Mason disse: "Be', era molto presto. Mary Beth era..."

"Potrebbe essere più specifico circa l'ora?" lo interruppe Rhyme.

"Be', non sappiamo l'ora esatta", rispose Mason con freddezza. "Non c'erano orologi fermi come sul Titanic, sa."

"Secondo i nostri calcoli non erano ancora le otto", intervenne Jesse Corn. "Billy – il ragazzo che è stato ucciso – stava facendo jogging, e la scena del crimine non è molto lontana da casa sua. Doveva essere di ritorno alle otto e trenta per farsi una doccia e andare a scuola."

Bene, pensò Rhyme annuendo. "Continui."

Mason riprese: "Mary Beth era a Blackwater Landing".

"E che cosa sarebbe, una città?" domandò Amelia, come riflettendo ad alta voce.

"No, una zona qualche chilometro a nord di qui, vicino al fiume. Poco più di una decina di case e una fabbrica. Niente negozi o roba del genere. Perlopiù boschi e paludi."

Rhyme notò numeri e lettere che formavano una griglia lungo i margini della cartina. "Dove si trova? Me lo indichi."

Mason toccò il quadrato L-10. "Per come la vediamo noi, è andata così: Garrett arriva e prende Mary Beth. Sta per violentarla quando arriva Billy Stail, che li vede dalla strada e cerca di intervenire. Garrett afferra una vanga e uccide Billy. Gli spacca la testa. Poi prende Mary Beth e scompare." L'espressione del suo volto si incupì. "Billy era un bravo ragazzo. Davvero. Frequentava regolarmente la chiesa. La scorsa stagione, durante gli ultimi due minuti di una partita contro la Albemarle High, ha intercettato un passaggio e…"

"Sono sicuro che fosse un bravo ragazzo", tagliò corto Rhyme, impaziente. "Garrett e Mary Beth sono a piedi?"

"Esatto", rispose Lucy. "Garrett non sa guidare. Non ha nemmeno la patente. Penso che sia perché i suoi genitori sono morti in un incidente d'auto."

"Che prove avete trovato?"

"Oh, abbiamo l'arma del delitto", disse Mason in tono orgoglioso. "La vanga. L'abbiamo maneggiata con cura, proprio come c'è scritto nei libri."

Rhyme attese che l'agente continuasse. Alla fine chiese: "E allora?"

"Be', qualche impronta."

"Tutto qui?" chiese Amelia.

Lucy annuì, infastidita da quella critica implicita.

Rhyme: "Non avete esaminato il luogo del delitto?"

Jesse: "Certo. Ma non abbiamo trovato niente".

Non abbiamo trovato niente? Nel luogo in cui un criminale uccide una persona e ne rapisce un'altra ci sono abbastanza prove per realizzare un film su chi ha fatto cosa a chi, e probabilmente anche su ciò che gli altri componenti del cast hanno fatto nelle ultime ventiquattr'ore. Ma a quanto pareva, avrebbero dovuto battersi contro due nemici: l'Insetto e l'incompetenza della polizia locale. Rhyme incrociò lo sguardo di Amelia e si accorse che anche lei stava pensando la stessa cosa.

"Chi ha condotto la ricerca?" domandò Rhyme.

"Io", disse Mason. "Sono arrivato per primo. Ero nelle vicinanze quando è arrivata la chiamata."

"E *questo* a che ora è avvenuto?"

"Alle nove e trenta. Un camionista ha visto il corpo di Billy dalla strada e ha chiamato il nove uno uno."

E il ragazzo era stato ucciso prima delle otto. Rhyme era turbato. La scena del crimine era rimasta incustodita per un lasso di tempo di un'ora e mezza almeno. Molte prove potevano essere state sottratte, e molte altre aggiunte. Il ragazzo poteva aver avuto il tempo di violentare e uccidere Mary Beth e nasconderne il corpo, per poi tornare e far sparire o alterare le prove per sviare le indagini. "Ha esaminato la scena del delitto da solo?" volle sapere.

"La prima volta sì", rispose Mason. "Poi sono arrivati altri tre o quattro agenti, che hanno perlustrato a fondo la zona."

E hanno trovato solo l'arma del delitto? Dio onnipotente...

"Posso chiederle", intervenne Amelia, "come fate a sapere che è proprio Garrett il colpevole?"

"L'ho visto io", esclamò Jesse Corn. "Stamattina, quando ha rapito Lydia."

"Questo non significa necessariamente che abbia ucciso Billy e rapito l'altra ragazza."

"Oh", disse Bell. "Le impronte... abbiamo trovato le sue impronte sulla vanga."

Rhyme annuì e si rivolse allo sceriffo: "E le sue impronte erano nel vostro archivio per via dei precedenti arresti?"

"Esatto."

Rhyme ricominciò: "Mi parli di *questa* mattina".

Jesse prese la parola: "Era presto. Poco dopo l'alba. Ed Schaeffer – uno dei nostri agenti – e io stavamo tenendo d'occhio la scena del delitto nel caso Garrett fosse ritornato. Lydia è venuta a portare dei fiori. Io l'ho lasciata sola e sono tornato all'auto... immagino che non avrei dovuto farlo. Un attimo dopo l'ho sentita urlare e ho visto lei e Garrett sparire sul Paquo. Sono scomparsi prima che potessi trovare una barca per arrivare sull'altra riva. Ed non rispondeva alla radio. Io ero preoccupato per lui, e quando sono arrivato lì l'ho trovato moribondo per le punture delle vespe. Garrett aveva preparato una trappola per chiunque avesse tentato di entrare nel capanno".

Bell aggiunse: "Pensiamo che Ed sappia dove ha portato Mary Beth. Ha avuto il tempo di vedere la cartina che c'era nella baracca in cui si era nascosto Garrett. Ma ha perso i sensi prima di poterci dire qualcosa. Garrett poi deve aver recuperato la cartina dopo aver rapito Lydia."

"In che condizioni è l'agente?" chiese Amelia.

"È in stato di choc anafilattico a causa delle punture. Non sappiamo se ce la farà. O se riuscirà a ricordare qualcosa, anche se dovesse riprendere i sensi."

Quindi dovevano basarsi solo sulle prove. Il che, per Rhyme, andava benissimo; mille volte meglio che basarsi sulle testimonianze.

"Nessun indizio dalla scena del crimine di questa mattina?"

"Abbiamo trovato questa." Jesse aprì una borsa di cuoio ed estrasse un sacchetto di plastica trasparente che conteneva una scarpa da ginnastica. "Garrett l'ha persa quando ha rapito Lydia."

Ah, era già qualcosa... Come la maggior parte delle prove fisiche, la scarpa sembrava emanare una particolare energia.

"Bene. La metta là sopra." Il criminologo indicò un tavolo con un cenno del capo. "Nient'altro?"

"Niente."

Cercando di non sembrare troppo critico, Rhyme continuò: "Mi racconti degli altri omicidi di cui Garrett è sospettato".

Fu lo sceriffo a parlare: "Sono avvenuti tutti a Blackwater Landing o nei dintorni. Due delle vittime sono annegate nel canale. Da un primo esame sembrava che fossero cadute e avessero battuto la testa, secondo il medico legale però avrebbero potuto essere state colpite intenzionalmente e spinte in acqua.

Garrett è stato visto nei pressi delle case delle vittime poco tempo prima degli incidenti. Ma non c'erano prove. Poi, lo scorso anno, una persona è morta a causa delle punture di uno sciame di vespe. Proprio come è successo a Ed. Sappiamo che è stato Garrett".

Stava per continuare ma Mason lo interruppe. A bassa voce disse: "Era una ragazza di poco più di vent'anni, proprio come Mary Beth... carina, e una buona cristiana. Stava facendo un sonnellino sulla veranda. Garrett le ha gettato vicino un nido di vespe e lei è stata punta centotrentasette volte. Ha avuto un attacco cardiaco".

E Lucy Kerr: "Ho preso io la chiamata. È stato uno spettacolo terribile. È morta lentamente, patendo le pene dell'inferno".

"Oh, e quel funerale che abbiamo visto venendo qui?" chiese Bell. "Era il funerale di Todd Wilkes. Aveva otto anni. Si è ucciso."

"Oh no", mormorò Amelia. "Come mai?"

"Be', era molto malato", spiegò Jesse Corn. "E non poteva uscire, non poteva fare sport... Era disperato. Ma non solo! Qualche settimana fa, qualcuno ha visto Garrett urlare contro Todd, spaventandolo a morte. Pensiamo che Garrett abbia continuato a molestarlo e a terrorizzarlo fino a farlo crollare."

"E quale sarebbe il movente?" chiese Amelia.

"È uno psicopatico, questo è il suo movente", ringhiò Mason. "La gente si prende gioco di lui e lui vuole vendicarsi. Semplice."

"È schizofrenico?"

Lucy: "Non secondo gli psicologi della scuola: hanno parlato di personalità asociale. Ha un alto quoziente intellettivo e ha sempre preso ottimi voti fino a due anni fa, quando ha cominciato a marinare le lezioni. Posso trovarvi una sua fotografia".

"Non sarà necessario", disse Rhyme, proprio mentre Amelia diceva: "Sì, grazie".

"Perché, Sachs? A noi non interessa lui, ci interessa ciò che ha fatto."

"Perché voglio vederla."

Lo sceriffo aprì un fascicolo. "Questa gliel'abbiamo fatta dopo la faccenda del nido di vespe."

La foto mostrava un ragazzo magro con i capelli a spazzola,

le sopracciglia folte e gli occhi infossati. Aveva uno sfogo cutaneo su una guancia.

"Eccone un'altra." Un ritaglio di giornale mostrava una famiglia di quattro persone sedute attorno a un tavolo da picnic. La didascalia diceva: "Gli Hanlon al picnic annuale di Tanner's Corner una settimana prima che il tragico incidente stradale sulla Route 112 uccidesse Stuart, 39 anni, Sandra, 37, e la figlia Kaye, 10. Nella foto è ritratto anche Garrett, 11 anni, che non era nell'auto al momento del terribile impatto".

"Posso vedere il rapporto sulla scena del crimine di ieri?" chiese Rhyme.

Bell aprì un fascicolo. Thom lo prese. Rhyme non aveva l'apparecchio per voltare le pagine e dovette affidarsi al suo aiutante.

"Non potresti tenerlo più fermo?"

Thom sospirò.

Il criminologo era irritato. Le scene dei crimini erano state esaminate senza la dovuta cura. C'erano numerose Polaroid di impronte di piedi ma mancavano i righelli per determinarne la misura. Perdipiù, nessuna delle impronte era stata numerata o contrassegnata in alcun modo che permettesse di capire se erano state lasciate da persone diverse.

Anche Amelia se ne accorse e scosse la testa, facendo notare quelle lacune.

"Voi mettete sempre i numeri?" chiese Lucy sulla difensiva.

"Naturalmente", rispose Amelia. "È la procedura standard."

Rhyme continuò a esaminare il fascicolo. La descrizione del luogo e della posizione del cadavere del ragazzo non era per niente accurata. La sagoma del corpo era stata tracciata con della vernice spray, che notoriamente rovina e contamina le scene dei delitti.

Nessuno aveva raccolto campioni di terriccio, né nel punto in cui era stato rinvenuto il cadavere né in quello in cui evidentemente c'era stata una lotta tra Billy, Mary Beth e Garrett. Inoltre Lincoln notò dei mozziconi di sigaretta sparsi sul terreno che, come sapeva per esperienza, avrebbero potuto fornire numerosi indizi.

"Avanti."

Thom voltò la pagina.

Il rapporto sulle impronte digitali era un po' meglio. L'impugnatura della vanga aveva quattro impronte complete e diciassette parziali, tutte identificate senza ombra di dubbio come appartenenti a Garrett e a Billy. Per la maggior parte non erano rilevabili a occhio nudo, ma alcune, impresse in una macchia di fango sul manico, erano facilmente visibili senza l'ausilio di prodotti chimici o di illuminazione speciale. Tuttavia Mason era stato superficiale nel trattare la scena del crimine: le impronte dei suoi guanti di lattice sulla vanga avevano coperto molte di quelle dell'assassino. Rhyme non ci avrebbe pensato due volte a licenziare un tecnico che avesse maneggiato delle prove con una così scarsa professionalità, ma dal momento che c'erano parecchie buone impronte, le cose non cambiavano molto.

L'attrezzatura sarebbe arrivata di lì a poco. Rhyme disse a Bell: "Avrò bisogno di un tecnico che mi aiuti con l'analisi e con l'attrezzatura. Preferirei un poliziotto, ma la cosa più importante è che sia qualcuno che conosca il suo lavoro e la zona. Qualcuno di qui".

Mason accarezzò con il pollice il calcio della sua automatica. "Possiamo trovarlo, ma pensavo che l'esperto fosse lei. Voglio dire, è per questo che abbiamo chiesto il suo aiuto, giusto?"

"Una delle ragioni per cui me l'avete chiesto è che io so quando ho bisogno di assistenza." Alzò lo sguardo su Bell. "Ha già in mente un nome?"

Fu Lucy Kerr a rispondere. "Il figlio di mia sorella, Ben, studia scienze all'università del North Carolina."

"È un tipo sveglio?"

"È un Phi Beta, ed è anche molto riservato."

"Non lo voglio certo per fare conversazione."

"Lo chiamerò."

"Bene", disse Rhyme. Poi: "Allora, voglio che Amelia esamini al più presto le scene dei crimini: la stanza del ragazzo e Blackwater".

Indicando il rapporto, Mason obiettò: "Ci abbiamo già pensato noi. Abbiamo fatto un buon lavoro".

"Vorrei che Amelia lo facesse ugualmente", tagliò corto Lincoln. Si voltò a guardare Jesse. "Lei conosce la zona. Può accompagnarla?"

"Certo. Con piacere."

Amelia gli lanciò un'occhiata storta. Ma il suo capo sapeva

che l'agente Sachs avrebbe avuto bisogno di cooperazione, di molta cooperazione. E il criminologo era sicuro che né Lucy né Mason sarebbero stati utili quanto Jesse Corn, già chiaramente infatuato di Amelia.

Continuò: "Voglio che Amelia possa girare armata".

Quando gli agenti statali attraversano un confine non hanno più alcun potere di giurisdizione e, di solito, perdono il diritto di portare armi da fuoco. L'agente Sachs aveva lasciato la Glock e la pistola di scorta nel suo appartamento di Brooklyn.

"Nessun problema", rispose Bell. "Che cosa preferisce?"

"Una Glock nove o dieci millimetri. Ma mi va benissimo anche una Browning tre-ottanta."

"Be'", disse lui, sorpreso, "non saranno molto facili da trovare. Non abbiamo molte richieste di armi così potenti, qui nella contea di Paquenoke."

"Allora andrà bene qualsiasi cosa."

"Jesse è il nostro esperto", borbottò lo sceriffo. "Sono sicuro che le procurerà un'ottima Smith & Wesson."

"Ci puoi scommettere."

"E dovrà farmi avere anche delle manette", aggiunse l'agente Sachs.

"Senz'altro."

Bell notò che Mason stava fissando la mappa con un'espressione corrucciata.

"Qual è il problema?" volle sapere lo sceriffo.

"Vuoi sapere cosa penso?"

"Te l'ho chiesto."

"Fa' quello che ritieni più giusto, Jim", disse Mason con voce tesa, "ma non penso che abbiamo tempo per altre ricerche. È un territorio molto vasto. Dobbiamo muoverci, e in fretta. Catturare quel ragazzo il più presto possibile."

Fu Lincoln Rhyme a replicare. Con gli occhi fissi sulla cartina, sul riquadro L-10, l'ultimo luogo in cui Lydia Johansson era stata vista viva, disse: "Forse non abbiamo abbastanza tempo, nemmeno per muoverci in fretta".

...cinque

"Volevamo adottare proprio lui", disse l'uomo, guardandosi cautamente attorno nel cortile polveroso, in un angolo del quale si trovava un vecchio pick-up senza ruote appoggiato su quattro blocchi di cemento. "Abbiamo chiamato i servizi sociali e chiesto espressamente di Garrett perché avevamo sentito la sua storia e ci dispiaceva per lui. Purtroppo la realtà è che abbiamo avuto dei problemi con lui fin dall'inizio. Era diverso dagli altri bambini. Abbiamo fatto del nostro meglio, ma sono convinto che lui non la pensi così. E siamo spaventati. Molto spaventati."

Era in piedi sulla veranda rovinata dalle intemperie di una casa a nord di Tanner's Corner, e stava parlando con Amelia Sachs e Jesse Corn. Jim Bell e un altro agente erano già stati lì il giorno prima per perquisire la casa e chiedere se i genitori adottivi di Garrett potessero avere idea di dove si fosse nascosto, ma non avevano scoperto niente di utile. Amelia ora si trovava lì solamente per eseguire una nuova perquisizione della stanza del ragazzo ma, nonostante la fretta, stava lasciando che Hal Babbage parlasse a ruota libera, nella speranza di scoprire qualcosa di più su Garrett Hanlon; lei non condivideva completamente il punto di vista del suo capo, secondo cui le prove erano l'unica chiave per comprendere e catturare i criminali.

Ma quella conversazione stava rivelando solo che i genitori adottivi erano davvero, come aveva detto Hal, terrorizzati all'idea che Garrett potesse tornare per fare del male a loro o agli altri figli. Sua moglie, che era in piedi accanto a lui sulla veranda, era una donna grassa, con i capelli ricci color ruggine. Indossava la T-shirt di una stazione radio che trasmetteva musica country. *I miei stivali ballano al ritmo della WKRT.* Come quelli del marito, gli occhi di Margaret Babbage si staccavano spesso dagli agenti per scrutare il cortile e la foresta circostante. Temono il ritorno di Garrett, pensò Amelia.

"Non gli abbiamo mai fatto niente di male", continuò l'uomo. "Non l'ho mai frustato – le nuove leggi lo vietano – ma sono sempre stato fermo con lui: non gli ho mai permesso di infrangere le regole. Per esempio si mangia sempre alla stessa ora. Su questo non transigo. Solo Garrett non si faceva vedere all'ora giusta. Io chiudo la dispensa quando non è ora di mangiare, e così lui spesso saltava il pranzo o la cena. Certe volte lo portavo al gruppo di studio sulla Bibbia del sabato per padri e figli. Oh, nemmeno quello gli piaceva... se ne stava seduto lì e non diceva nemmeno una parola. Vi dirò la verità: mi metteva in imbarazzo. E poi gli facevo pulire quel porcile della sua stanza." Deglutì rumorosamente, in bilico tra la rabbia e la paura. "Insomma, tutte quelle cose che bisogna pretendere dai figli, tutto qui. Ma so che mi odia per questo."

La moglie offrì la sua testimonianza: "Eravamo gentili con lui. Ma lui sicuramente non se ne ricorderà. Si ricorderà soltanto delle volte in cui siamo stati severi". La voce le tremava.

"Ci difenderemo", assicurò il padre adottivo di Garrett rivolgendosi a Jesse Corn. Indicò una pila di chiodi e un martello arrugginito che si trovavano in un angolo della veranda. "Chiuderemo le finestre con le assi, ma se proverà a entrare... ci difenderemo. I nostri figli sanno cosa fare. Sanno dov'è il fucile. Gli ho insegnato come si usa e gli ho spiegato che, se si farà rivedere, Garrett non arriverà di certo con buone intenzioni."

Li ha incoraggiati a sparare? L'agente Sachs era scioccata. C'erano diversi bambini che sbirciavano fuori dalle finestre della casa. Nessuno di loro dimostrava più di dieci anni.

"Hal", disse Jesse Corn con decisione, precedendo Amelia, "non fare niente di azzardato. Se vedi Garrett, chiamaci immediatamente. E non lasciare che i piccoli tocchino le armi. Dammi retta, è meglio così."

"Ci esercitiamo", replicò Hal sulla difensiva. "Ogni giovedì sera dopo cena. Sono in grado di maneggiare una pistola. Ho preso una quattro-dieci, che non è troppo pesante per loro." Strizzò gli occhi come se avesse visto qualcosa in fondo al cortile. S'irrigidì per un istante, quindi si lasciò sfuggire un lungo sospiro e tornò a concentrarsi su Amelia. Fece per dire qualcosa ma si accorse che l'agente non era più interessata a parlargli.

"Mi piacerebbe vedere la sua stanza."

Babbage scrollò le spalle. "Faccia pure. Io però lì non ci entro. Mi fa paura. Accompagnali tu, Mags." Raccolse il martello e una manciata di chiodi. Amelia notò il calcio di una pistola che gli sbucava da una tasca dei pantaloni. L'uomo si rimise al lavoro.

"Jesse", disse l'agente Sachs. "Vada sul retro e controlli dalla sua finestra, veda se ci sono delle trappole."

"È impossibile", spiegò la madre. "Ha dipinto i vetri di nero."

Amelia continuò: "Allora controlli soltanto la zona attorno alla finestra, che non ci siano sorprese. Faccia attenzione a non esporsi troppo, non voglio che diventi un bersaglio facile."

"Certo, stia tranquilla." Annuì in modo così esagerato che Amelia capì che Jesse non aveva alcuna esperienza tattica. L'agente scomparve dietro l'angolo della casa.

"La sua stanza è da questa parte", disse la donna. Amelia la seguì lungo un corridoio poco illuminato, pieno di panni da stirare, di scarpe e di pile di riviste. *La rivista della famiglia, Vita cristiana, Armi & munizioni, Agricoltura, Reader's Digest*. Notò che il corridoio, con tre porte buie che si aprivano su ambo i lati, sarebbe stato il luogo ideale per un'imboscata. Tenne la mano sull'impugnatura della pistola, una vecchia e scomoda Smith & Wesson il cui unico pregio era costituito dalla canna lunga, garanzia di una certa precisione. Mentre avanzava, non poté fare a meno di ripensare al percorso di esercitazione al tiro del dipartimento di polizia di New York sulla Rodman's Neck, nel Bronx. Facce che comparivano dietro porte e finestre. Mezzo secondo per decidere se sparare o non sparare.

Garrett le ha gettato vicino un nido di vespe e lei è stata punta centotrentasette volte...

Oltrepassando ognuna di quelle porte, Amelia sentì un formicolio al collo; i suoi occhi dardeggiavano a destra e a sinistra, le lunghe dita accarezzavano l'impugnatura di legno di quercia della vecchia pistola. La porta della camera del ragazzo era chiusa.

L'Insetto...

Con un cenno del capo, la donna indicò uno scaffale su cui si trovavano tre bombolette nere di insetticida Raid. "Non appena ha saputo cos'è successo a quell'agente stamattina, quello che è stato punto, Hal è uscito a comprarle. E ha tirato fuori la pistola dal cassetto."

"Avete davvero paura che torni qui?"

Dopo una pausa, la donna ammise: "Garrett è un ragazzo con dei gravi problemi. La gente non lo capisce. E io provo più compassione per lui di quanta ne provi Hal. Non so se tornerà, ma se lo farà sono sicura che succederà qualche guaio. Lui non ha problemi a fare del male alla gente. Una volta, a scuola, dei ragazzi continuavano a scassinargli l'armadietto per lasciargli biglietti d'insulti, biancheria sporca e roba del genere. Niente di terribile, volevano solo prenderlo in giro. Ma Garrett ha costruito una gabbia che si spalancava se l'armadietto non veniva aperto nel modo giusto, e in questa gabbia ci ha messo un ragno. Quando i suoi compagni hanno scassinato di nuovo l'armadietto, il ragno ha morso in faccia uno di loro. Lo ha quasi accecato".

Si fermarono davanti alla porta della camera da letto. Sul legno c'era un cartello scritto a mano che diceva: *Pericolo. Vietato l'accesso.* Il disegno rozzo di una vespa dall'aria minacciosa era stato appiccicato con del nastro adesivo sotto il cartello.

Non c'era l'aria condizionata e l'agente Sachs aveva le mani madide di sudore. Se le asciugò sui jeans.

Accese la radio Motorola e si infilò l'auricolare e il microfono che aveva preso in prestito dall'ufficio centrale per le comunicazioni dello sceriffo. Impiegò un attimo a trovare la frequenza che le aveva dato Steve Farr. La ricezione era pessima.

"Rhyme?"

"Sono qui, Sachs. Aspettavo tue notizie. Dove sei stata?"

Amelia preferì evitare di dirgli che aveva passato qualche minuto cercando di scoprire qualcosa di più sulla psicologia di

Garrett Hanlon, così si limitò a rispondere: "Ci abbiamo messo un po' ad arrivare qui".

"Be', cos'abbiamo?" domandò il criminologo.

"Sto per entrare." Controllò la porta. Diavolo. Era chiusa a chiave. Si voltò verso la donna. "Ha la chiave?"

Margaret Babbage esitò un istante, poi gliene porse una. Amelia fece scattare la serratura.

Meglio entrare in fretta o lentamente?

Se ti muovi in fretta non ti possono prendere...

Con un gesto indicò a Margaret di tornare in soggiorno, quindi spalancò l'uscio con un calcio e si ritrasse, premendo la schiena contro la parete del corridoio. Dalla stanza poco illuminata non giungeva alcun rumore.

È stata punta centotrentasette volte...

Bene. Su la pistola. Vai, vai, vai! Entrò nella stanza.

"Gesù." L'agente Sachs assunse una posizione da combattimento. L'indice saldo sul grilletto, la pistola puntata sulla figura che si trovava all'interno della camera.

"Sachs?" chiamò Rhyme. "Che succede?"

"Un attimo", sussurrò lei, accendendo la luce. Si ritrovò a fissare un poster che raffigurava la mostruosa creatura del film *Alien.*

Con la mano sinistra, spalancò le ante dell'armadio.

"Tutto a posto, Rhyme. Devo dire però che non mi piace granché l'arredamento."

Fu allora che venne investita dal fetore. Abiti sporchi, odore corporeo. E qualcos'altro...

"Dannazione", mormorò.

"Cosa c'è?" chiese Rhyme impaziente.

"Questo posto puzza."

"Bene. Conosci la mia regola."

"Per prima cosa, annusare *sempre* la scena del crimine. Rimpiango di averla seguita."

"Avrei voluto pulire." La signora Babbage era comparsa alle sue spalle. "Avrei dovuto, prima che veniste. Ma avevo troppa paura di entrare. Il tanfo di puzzola è difficile da mandar via, a meno che non lo si lavi col succo di pomodoro. E secondo Hal è solo uno spreco di soldi."

Ecco cos'era. Al di sopra dell'odore dei vestiti sporchi aleggiava l'aroma di gomma bruciata che emettevano le puzzole. La donna, che era rimasta sulla soglia, mormorò: "Garrett si infurierà quando scoprirà che gli ha rotto la porta". Continuava a torcersi convulsamente le mani, e sembrava prossima alle lacrime.

Amelia le disse: "Ho bisogno di restare qui un attimo da sola". Chiuse la porta.

"Datti una mossa, Sachs", disse Rhyme bruscamente.

"Ci sono", replicò lei. Si guardò attorno, disgustata dalle lenzuola sporche e grigiastre, dalle pile di vestiti sudici, dai piatti impilati e incollati l'uno all'altro da avanzi ammuffiti di cibo, dai sacchetti di plastica pieni di briciole di patatine. Quella stanza la metteva a disagio. Si accorse di essersi portata una mano alla testa e di aver cominciato a grattarsi il cuoio capelluto compulsivamente. Si fermò, si grattò ancora. Si chiese perché si sentisse così arrabbiata. Forse perché quella trascuratezza faceva pensare che ai suoi genitori non importasse niente del ragazzo e che quello stato di abbandono avesse contribuito a fare di lui un assassino e un rapitore. I gruppi di studio sulla Bibbia e gli orari rigidi dei pasti non erano proprio ciò di cui quel ragazzo avrebbe avuto bisogno. Ma quella gente aveva una pallida idea di quello che aveva fatto?

Amelia studiò rapidamente la stanza e notò che c'erano decine di macchie e di impronte di dita e di piedi sul davanzale. A quanto pareva, Garrett usava la finestra più spesso della porta, e l'agente Sachs non poté fare a meno di chiedersi se il patrigno di notte lo chiudesse dentro a chiave.

Si voltò a guardare la parete davanti al letto e strinse gli occhi. Un brivido gelido la attraversò. "Sembra che abbiamo trovato un collezionista qui, Rhyme."

Esaminò le decine di grandi barattoli: terrari che contenevano colonie di insetti, ammassati gli uni sugli altri attorno a minuscole pozze d'acqua in fondo a ciascun contenitore. Le etichette scritte a mano con una grafia confusa identificavano le varie specie: *La notonetta... Il ragno palombaro*. Una lente d'ingrandimento scheggiata era posata su un tavolo vicino, accanto a una vecchia sedia da ufficio che il ragazzo probabilmente aveva recuperato da una discarica, a giudicare da com'era ridotta.

"Ora capisco perché lo chiamano l'Insetto", disse Amelia. Descrisse i barattoli a Rhyme. Fu scossa da un brivido di repulsione quando un'orda di umidi piccoli insetti strisciò lungo il vetro di uno dei contenitori come una qualche strana creatura mutante.

"Ah, questo ci farà comodo."

"Perché?"

"Perché è un passatempo raro. Se la sua passione fosse il tennis o la numismatica, avremmo più difficoltà a collegarlo a luoghi specifici. Ora, descrivimi la stanza." Lincoln parlava in tono quasi allegro. Amelia sapeva che il criminologo stava immaginando di camminare lungo la griglia – così chiamava il procedimento di analisi della scena di un crimine – servendosi degli occhi e delle gambe di lei. Quando era stato capo dell'unità scientifica della polizia di New York Lincoln Rhyme aveva studiato di persona le scene dei delitti, trascorrendo solitamente più ore sulla griglia di qualsiasi giovane agente dell'unità scientifica. Amelia sapeva che camminare sulla griglia era ciò che gli mancava di più della sua vita prima dell'incidente.

"Com'è il kit per l'analisi della scena del crimine?" volle sapere Rhyme. Jesse Corn ne aveva scovato uno per Amelia nell'ufficio dello sceriffo.

Lei aprì la valigetta di metallo ancora impolverata. Non conteneva nemmeno un decimo dell'equipaggiamento che usava a New York, ma se non altro c'erano gli elementi base: pinzette, una torcia elettrica, sonde, guanti di lattice e sacchetti trasparenti per raccogliere le prove. "È una versione ridotta", rispose Amelia.

"Siamo come pesci fuor d'acqua, qui, Sachs."

"Sono d'accordo con te." Si infilò i guanti e tornò a esaminare la stanza. La camera da letto di Garrett era ciò che veniva comunemente definita "scena del crimine secondaria": non il luogo in cui il vero crimine era stato commesso, bensì quello in cui era stato programmato, per esempio, o in cui il colpevole si era nascosto dopo aver perpetrato il delitto. Molto tempo prima, Rhyme le aveva insegnato che spesso quei luoghi potevano essere molto più importanti delle scene primarie, perché lì i criminali tendevano a essere molto meno circospetti: si toglievano guanti e vestiti, vi lasciavano armi e altre tracce.

Amelia diede inizio alla ricerca, percorrendo il pavimento in strette strisce parallele, come se stesse tosando un prato, palmo a palmo, e poi ripassando perpendicolarmente il territorio già analizzato. "Parlami, Sachs, parlami."

"È un posto spaventoso, Rhyme."

"Spaventoso?" borbottò lui. "Cosa diavolo vuol dire 'spaventoso'?"

Il criminologo non amava le osservazioni generiche. Preferiva gli aggettivi duri, specifici: freddo, fangoso, blu, verde, affilato. Era solito lamentarsi anche quando Amelia definiva qualcosa come "grande" o "piccolo". ("Dimmi quanti centimetri o quanti millimetri, Sachs, altrimenti non dirmi niente." Amelia era ormai abituata a esaminare le scene dei crimini armata di una Glock 10, di guanti di lattice e di un metro retrattile Stanley.)

Lei pensò: Be', io sono *spaventata*. Significherà pure qualcosa, questo. Ma disse: "Ha un mucchio di poster alle pareti. Quelli della serie di *Alien*. E quello di *Starship Troopers*, con quegli enormi insetti che attaccano la gente. Ci sono anche dei disegni che ha fatto lui... molto violenti. La stanza è sporca. Merendine e dolciumi, un sacco di libri, vestiti, insetti dentro a barattoli. Non molto altro".

"I vestiti sono sporchi?"

"Esatto. Qui c'è un paio di pantaloni... sono veramente sudici. Deve averli portati a lungo; scommetto che sono pieni di tracce." Li fece cadere in uno dei sacchetti di plastica.

"Camicie?"

"Solo T-shirt", rispose lei. "Tutte senza taschini." I criminologi amano tasche e taschini, perché contengono informazioni utili di ogni sorta.

Amelia sentì un fruscio alle spalle e si voltò, pronta a sfoderare la pistola. Il rumore veniva dai terrari. Una dozzina di insetti marroni dalle zampe lunghe si stavano arrampicando su una piccola pila di foglie secche.

Avvertì un senso di soffocamento, e per un attimo provò una fitta di panico nel trovarsi in quella stanza calda, maleodorante e buia, con lo sguardo fisso sui quei grappoli di insetti intrappolati. Si sentì formicolare la pelle come se gli insetti le si stessero arrampicando sotto la T-shirt. Fu invasa da un'ondata di rabbia per il ragazzo, immaginando Mary Beth sepolta sottoterra. Ebbe l'impulso di afferrare una bomboletta di insetticida per ucciderli tutti. Ma naturalmente non avrebbe mai fatto niente che potesse contaminare la scena di un crimine (la regola di Rhyme era: "L'unica cosa che un criminologo deve lasciarsi dietro sulla scena di un delitto è il ricordo di essere stato lì"). Si costrinse a calmarsi e continuò la ricerca.

"Ci sono un paio di notes, qui. Ma Jim Bell e gli altri agenti devono averli già esaminati."

"Non fare *nessuna* ipotesi sul lavoro dei nostri colleghi", disse Rhyme bruscamente. "Immagina che sia una scena vergine."

"D'accordo."

Cominciò a sfogliare uno dei blocchi. "Non sono diari. Non ci sono mappe. Nessun riferimento ai rapimenti... Solo disegni di insetti... Oh, aspetta. Sono i ritratti di quelli che tiene nei terrari."

"Niente ragazze, giovani donne? Niente di sado-sessuale?"

"No."

"Portameli. Cosa mi dici dei libri?"

"Saranno un centinaio. Libri di scuola, libri sugli animali, sugli insetti... Un momento, c'è qualcosa, qui: un annuario del liceo di Tanner's Corner. Risale a cinque anni fa."

Rhyme chiese qualcosa a qualcuno nella stanza, poi tornò a rivolgersi ad Amelia: "Jim dice che Lydia ha ventisei anni. Deve essersi diplomata otto anni fa. Comunque controlla la pagina dove potrebbe esserci la McConnell".

L'agente Sachs sfogliò l'annuario fino a trovare la lettera *M*.

"Eccola. La foto di Mary Beth è stata ritagliata con una lama affilata di qualche genere. Di sicuro Garrett rientra nel classico profilo del maniaco."

"A noi non interessano i profili. Ci interessano le prove. Gli altri libri – quelli sugli scaffali – quali sono quelli che legge più spesso?"

"Come faccio a..."

"Guarda lo sporco sulle pagine", la interruppe lui impaziente. "Comincia con quelli più vicini al suo letto. Controllane quattro o cinque."

Amelia prese i quattro libri più malconci. *Il manuale dell'entomologo, Gli insetti del North Carolina, Insetti acquatici del Nord America, Un mondo in miniatura.*

"Li ho trovati! Ci sono molti brani sottolineati. Ha fatto anche molti asterischi."

"Bene. Portami anche quelli. Ma ci *deve* essere qualcosa di più specifico, lì dentro."

"Non vedo nient'altro."

"Continua a cercare, Sachs. Garrett ha sedici anni. Ripensa ai casi di criminali minorenni su cui abbiamo lavorato. Per un adolescente, la sua camera è il centro dell'universo. Prova a pensare da sedicenne. Dove nasconderesti le cose a cui tieni di più?"

Amelia guardò sotto il materasso, dentro e sotto i cassetti della scrivania, nell'armadio, nelle federe dei cuscini. Poi, con la torcia, illuminò lo spazio tra la parete e il letto. Disse: "Ho trovato qualcosa..."

"Cosa?"

Si trattava di una massa di Kleenex appallottolati, di una bottiglietta di lozione nutriente alla vaselina. Esaminò uno dei Kleenex. Era macchiato di qualcosa che sembrava sperma secco.

"Ci sono decine di fazzolettini di carta, sotto il letto. Si è dato da fare con la mano."

"Ha sedici anni", disse Rhyme. "Mi stupirei del contrario. Prendine uno. Potrebbe servirci per l'analisi del DNA."

Amelia trovò qualcos'altro sotto il letto: una cornice portafoto da quattro soldi su cui aveva dipinto rozze immagini di insetti: formiche, vespe, scarafaggi. All'interno della cornice si trovava la foto di Mary Beth McConnell ritagliata dall'annuario. C'era anche un album che conteneva una dozzina di altre fotografie di Mary Beth. Erano state scattate tutte all'insaputa della ragazza. Molte la ritraevano in quello che sembrava il campus di un college o mentre passeggiava per le strade di una piccola città. In due foto era in bikini, al lago. In entrambe la ragazza si stava chinando, mettendo in mostra il solco tra i seni. Amelia spiegò a Rhyme cos'aveva trovato.

"La ragazza dei suoi sogni", mormorò il criminologo. "Continua così."

Lei esaminò la camera per altri venti minuti ma non trovò niente di utile. Nessuna mappa, nessun programma per il rapimento, nessuna guida ai parchi dello stato, nessun indirizzo. E l'assenza di indizi utili non fece altro che ricordarle che col passare di ogni ora Garrett e Lydia si allontanavano sempre di più.

... in genere si hanno solo ventiquattr'ore per trovare la vittima; dopodiché questa perde la sua umanità agli occhi del rapitore, che non ci pensa due volte prima di ucciderla.

"Credo che sia ora di raccogliere le prove e spostarci alla scena primaria."

"Ancora qualche minuto, Sachs. Non dimenticarti che è stata una *tua* idea quella di fare i buoni samaritani, non mia."

Amelia provò un brivido di rabbia nel sentire quelle parole. "Che cosa vuoi?" domandò infuriata. "Vuoi che mi metta a cercare impronte digitali? Che raccolga peli e capelli?"

"Naturalmente no. Non stiamo raccogliendo prove per un processo da sottoporre al procuratore distrettuale. Abbiamo solo bisogno di qualcosa che ci dia un'idea di dove potrebbe aver portato le ragazze. Non le lascerà mai andare. Ha un posto speciale solo per loro. Ed è già stato lì: per prepararlo. Sarà anche giovane e instabile, ma dà l'impressione di essere un criminale ben organizzato. Anche se le ragazze sono morte, sono pronto a scommettere che ha preparato per loro delle tombe graziose e confortevoli."

Benché lavorassero insieme ormai da molto tempo, l'agente Sachs aveva ancora qualche problema con la freddezza di Rhyme. Sapeva che era un tratto tipico dei criminologi, la distanza che bisognava tenere dall'orrore di un delitto, tuttavia era una cosa che lei trovava difficile. Forse perché si rendeva conto di possedere quello stesso genere di freddezza, quel distacco che i migliori analisti delle scene del crimine devono accendere come un interruttore, un distacco che Amelia talvolta temeva potesse far morire il suo cuore senza rimedio.

Tombe graziose e confortevoli...

I suoi occhi scrutarono la stanza ancora una volta. Ho sedici anni, ricordò a se stessa. Sono un ragazzo difficile, sono un orfano, i miei compagni di scuola mi prendono in giro, ho sedici anni, ho sedici anni, sedici... Un pensiero la attraversò, e lei lo afferrò prima che potesse sfuggirle.

"Rhyme, sai cos'è strano?"

"Dimmi tutto, Sachs", disse lui a bassa voce, in tono incoraggiante.

"Garrett è un adolescente, giusto?"

"Giusto."

"Mi sono ricordata di Tommy Briscoe: uscivo con lui, quando avevo sedici anni. Sai che cosa aveva appeso a tutte le pareti della sua camera?"

"Ai miei tempi sarebbero stati dannati poster di Farrah Fawcett."

"Esattamente. Garrett non ha nemmeno una pin-up, nemmeno un poster di *Playboy* o di *Penthouse*. Niente carte di *Magic*, niente Pokémon, niente giocattoli. Niente poster di musicisti rock... e... ehi, senti questa: nemmeno un videoregistratore, un televisore, uno stereo, una radio. Nemmeno un Nintendo. Dio mio! Ha sedici anni e non ha nemmeno un computer." La figlia della sua amica Amy aveva dodici anni, e la sua stanza era praticamente un incrocio tra un negozio di giocattoli e una fiera dell'elettronica.

"Forse i genitori adottivi non hanno abbastanza soldi."

"Dannazione, Rhyme. Se avessi la sua età e volessi ascoltare della musica, mi *costruirei* una radio. Niente ferma gli adolescenti. Il fatto è che queste non sono le cose che lo eccitano. Lui è eccitato dagli insetti; da nient'altro."

"Eccellente, Sachs, continua così."

Certo, pensò lei, ma come? Registrare le proprie osservazioni è solo metà del lavoro di un esperto della scientifica; l'altra metà, quella più importante, consiste nel trarre conclusioni utili da quelle osservazioni.

Lincoln Rhyme, la cui voce non era mai così seducente come quando immaginava la scena di un delitto, le sussurrò: "Avanti, Sachs, entra nella sua mente. *Diventa* Garrett Hanlon. Cosa stai pensando? Com'è la tua vita? Che cosa fai minuto dopo minuto dopo minuto in quell'orribile stanza? Quali sono i tuoi pensieri più segreti?"

Lei chiuse gli occhi. I migliori criminologi, le aveva detto Rhyme, erano come abili romanzieri che riuscivano a immaginare se stessi come personaggi – e che potevano scomparire nel mondo di qualcun altro.

"Sachs..."

"Shhh."

Amelia si stava sforzando di mettere da parte la persona che era in realtà: la poliziotta di Brooklyn, l'appassionata di auto da corsa, l'ex modella per l'agenzia Chantelle di Madison Avenue, la campionessa di tiro al bersaglio, la donna che aveva lunghi capelli rossi e teneva le unghie corte per paura che il suo vizio di conficcarle nel cuoio capelluto e nell'epidermide potesse segnare la sua pelle perfetta con le stigmate della tensione che la guidava.

Stava cercando di dissolversi come una voluta di fumo e di diventare un ragazzo di sedici anni, qualcuno che doveva o voleva prendere le donne con la forza. Qualcuno che doveva, o voleva, uccidere.

Che cosa provo?

"Non mi interessa il sesso normale", disse tra sé e sé. "Non mi interessano le relazioni normali. Le persone sono come insetti – cose da mettere dentro gabbie. In effetti, mi interessano *solo* gli insetti. Sono la mia unica fonte di conforto. Il mio unico divertimento." Lo disse camminando su e giù davanti ai terrari. Infine abbassò lo sguardo sul pavimento. "I segni della sedia!"

"Cosa?"

"La sedia di Garrett... ha le rotelle. È davanti ai recipienti degli insetti. Non fa altro che andare avanti e indietro e fissarli e disegnarli. Dannazione, probabilmente ci parla anche, con quelle bestie. Sono tutta la sua vita." Ma i segni sul legno si fermavano prima del barattolo in fondo alla fila, il più grande di tutti, leggermente distaccato dagli altri. Conteneva delle vespe gialle. Un nido grigio dall'aspetto fragile era appiccicato a un lato del contenitore e le piccole mezzelune gialle e nere si affannavano rabbiosamente, come consapevoli della presenza di Amelia.

Lei si avvicinò e lo esaminò con attenzione. Disse a Rhyme: "C'è un contenitore pieno di vespe. Credo che sia la sua cassetta di sicurezza".

"Perché?"

"Perché è lontano dagli altri. Non lo guarda mai... si capisce dai segni della sedia. Tutti gli altri recipienti contengono dell'acqua: sono per insetti acquatici. Questo è l'unico che ospita insetti volanti. È una grande idea, Rhyme: chi infilerebbe mai la mano in una cosa del genere? E sul fondo c'è una trentina di centimetri di terriccio. Credo che ci abbia sepolto qualcosa."

"Prova a dare un'occhiata."

Amelia aprì la porta e chiese alla signora Babbage un paio di guanti spessi di pelle. Quando la donna glieli portò trovò l'agente Sachs ferma davanti al contenitore delle vespe.

"Non avrà intenzione di toccarle, vero?" domandò la donna in un sussurro disperato.

"Sì."

"Oh, Garrett si arrabbierà moltissimo. Urla contro chiunque si avvicini alle sue vespe."

"Signora Babbage, suo figlio è un criminale in fuga. Le sue reazioni non hanno più alcuna importanza."

"Ma se dovesse tornare e capisse che lei ha toccato il suo contenitore... voglio dire..." La donna era di nuovo sull'orlo delle lacrime.

"Lo troveremo prima che possa tornare qui", la tranquillizzò Amelia. "Non si preoccupi."

Si infilò i guanti e si avvolse una federa attorno al braccio nudo. Sollevò lentamente il coperchio e fece scivolare la mano nel recipiente. Due vespe si posarono sul guanto ma volarono via subito dopo. Le altre ignorarono l'intrusione. Amelia fece attenzione a non disturbare il nido.

Punta centotrentasette volte...

Dovette scavare solo per pochi centimetri prima di trovare il sacchetto di plastica.

"Ecco." Lo estrasse. Prima che potesse richiudere il coperchio nero, una vespa fuggì dal contenitore e scomparve nella casa.

Sostituì i guanti di pelle con quelli di lattice, aprì il sacchetto e ne rovesciò il contenuto sul letto: una decina di vecchi francobolli della collezione filatelica del servizio postale che ritraevano insetti; un rocchetto di lenza da pesca; un centinaio di dollari e quattro dollari d'argento; un'altra cornice portafoto che conteneva l'immagine, apparsa sul giornale, di Garrett e della sua famiglia una settimana prima dell'incidente. Attaccata a una catenella c'era una vecchia chiave rovinata, simile alla chiave di una macchina anche se non era contrassegnata da alcun logo; solo un numero di serie di poche cifre. Lo disse a Rhyme.

"Bene, Sachs. Eccellente. Non so ancora cosa voglia dire ma almeno è un primo passo. Ora passiamo alla scena primaria. Blackwater Landing."

Amelia esitò per un istante e si guardò attorno. La vespa fuggita era tornata e stava tentando di rientrare nel contenitore. Si chiese che tipo di messaggio stesse inviando alle sue compagne.

"Non ce la faccio", disse Lydia a Garrett. "Non riesco ad andare così in fretta", ansimò. Aveva il viso coperto di sudore, e la sua uniforme era fradicia.

"Zitta", la rimproverò lui rabbiosamente. "Devo ascoltare. E non posso farlo se continui a lagnarti."

Ascoltare cosa? si chiese lei.

Lui consultò di nuovo la mappa e la condusse lungo un altro sentiero. Si trovavano ancora nel fitto della foresta di pini ma, anche se erano lontani dal calore del sole, Lydia si sentiva stordita. Riconobbe i primi sintomi di un colpo di calore.

Lui la guardò, spostando lo sguardo nuovamente sui suoi seni, le unghie che ticchettavano.

Il caldo era insopportabile.

"Ti prego", sussurrò lei in lacrime. "Non ce la faccio! Ti prego!"

"Zitta! Non te lo dirò un'altra volta."

Uno sciame di moscerini le avvolse la faccia. Lei ne respirò uno o due e sputò disgustata per ripulirsi la bocca. Dio, odiava quel luogo, quei boschi. Lydia Johansson odiava stare all'aperto. La maggior parte della gente amava i boschi, le piscine, i giardini. Ma la felicità di Lydia era una fragile soddisfazione che perlopiù provava al chiuso: il suo lavoro, le chiacchiere con le sue amiche single bevendo margarita il venerdì sera, i romanzi horror e la TV, la spesa al centro commerciale, le rare notti passate con il suo uomo.

Erano sempre piaceri che si consumavano al chiuso.

Quando era all'aperto, non poteva fare a meno di pensare ai barbecue organizzati dagli amici sposati, ad altre coppie, a famiglie che sedevano attorno a una piscina mentre i bambini giocavano, ai picnic, a donne snelle che indossavano costumi da bagno e sandali infradito, a una vita che desiderava ma non aveva.

Quando era all'aperto, Lydia non poteva fare a meno di pensare alla propria solitudine.

Stava recitando una preghiera al suo angelo custode quando Garrett la interruppe. "Ehi, muoviti. Da questa parte. Dobbiamo bere qualcosa."

La trascinò lungo un altro sentiero che conduceva fuori dalla foresta. All'improvviso gli alberi svanirono e una larga pozza si aprì davanti a loro. Era una vecchia cava con il fondo coperto di acqua verde-blu. Lydia si ricordò che anni prima i ragazzi andavano a fare il bagno lì prima che la palude inghiottisse la zona a nord del Paquo e la rendesse pericolosa.

"Andiamo", disse Garrett, indicando la cava.

"No, non voglio. Mi fa paura."

"Non me ne frega un cazzo di quello che vuoi", ringhiò lui. "Muoviti!"

Le afferrò le mani immobilizzate dal nastro adesivo e la costrinse a scendere lungo un sentiero ripido e roccioso. Il ragazzo si tolse la camicia e si accovacciò. Si sciacquò la pelle rovinata, cercando di nuovo di attenuare il prurito. Si grattò le pustole e si esaminò le unghie. Disgustoso. Alzò lo sguardo su Lydia. "Vuoi sciacquarti? È bello. Puoi anche toglierti il vestito, se vuoi, farti una nuotata."

Piena di orrore al pensiero di restare nuda davanti a lui, Lydia scosse la testa con decisione. Poi si sedette vicino alla riva e si spruzzò d'acqua il volto e le braccia.

"Però non berla. Ho questa."

Da dietro una roccia, prese un sacco di tela polveroso: doveva averlo nascosto lì di recente. Il sacco conteneva alcune bottiglie d'acqua, qualche pacchetto di cracker al formaggio e burro di arachidi. Garrett mangiò un pacchetto di cracker e bevve qualche lunga sorsata d'acqua. Le offrì di bere dalla stessa bottiglia.

Lei scosse la testa.

"Cazzo, non è veleno, se è questo che stai pensando. Devi bere qualcosa."

Ignorando la bottiglia, Lydia si chinò, portando la bocca alla superficie dell'acqua, e bevve. Era salata e metallica. Disgustosa. Tossì e per poco non vomitò.

"Gesù, te l'avevo detto!" Garrett le offrì di nuovo l'acqua. "C'è ogni genere di merda, lì dentro. Smettila di essere così fottutamente stupida." Le gettò la bottiglia. Lei l'afferrò goffamente con le mani legate e bevve a lungo.

L'acqua la rinfrescò all'istante. Ebbe la forza di chiedere: "Dov'è Mary Beth? Che cosa le hai fatto?"

"È in un posto vicino all'oceano. In una vecchia casa delle isole."

Lydia sapeva cosa voleva dire. Si stava riferendo alle Outer Banks, le isole di fronte alla costa atlantica. Quindi Mary Beth si trovava lì. Ora Lydia sapeva perché si erano diretti verso est,

71

verso le paludi dove non c'erano case e dove i posti in cui nascondersi erano ben pochi. Garrett probabilmente aveva una barca con cui avrebbero attraversato la palude fino all'Intracostal Waterway e poi a Elizabeth City e attraverso Albemarle Sound fino alle Outer Banks.

Lui continuò: "Mi piace, là. È molto bello. Ti piace l'oceano?" Le fece quell'ultima domanda in tono strano, come se stesse conversando con un'amica, e per un attimo le sembrò quasi normale. Per un momento la morsa della paura di Lydia si allentò. Ma poi lui si tese di nuovo e rimase ad ascoltare qualcosa, portandosi un dito alle labbra per zittirla, accigliandosi rabbiosamente mentre il suo lato oscuro riprendeva il sopravvento. Infine scosse la testa, come se avesse deciso che il rumore che aveva sentito, quale che fosse, non rappresentava una minaccia. Si sfregò il viso con il dorso della mano. "Andiamo." Con un cenno indicò il sentiero ripido che partiva dal limitare della cava. "Non è lontano."

"Ci vorrà un giorno per arrivare alle Outer Banks. Anche di più."

"Oh, dannazione, non ci arriveremo oggi", disse Garrett, e scoppiò in una risata fredda come se lei avesse appena fatto un'osservazione terribilmente stupida. "Ci nasconderemo qui e lasceremo che gli stronzi che ci stanno cercando passino oltre. Poi andremo da Mary Beth. A passare la notte." Stava guardando altrove, quando disse quelle ultime parole.

"A passare la notte..." sussurrò lei disperata.

Ma Garrett non aggiunse altro. Cominciò a spingerla su per il ripido sentiero, verso il limitare della cava, verso la foresta.

...sei

Cosa c'è di tanto affascinante nei luoghi di morte? Ogni volta che aveva camminato sulla griglia della scena dei delitti, Amelia Sachs si era posta quella domanda, e ora, in piedi sul ciglio della Route 112 a Blackwater Landing, poco lontano dal fiume Paquenoke, se la stava ponendo ancora una volta.

Quello era il luogo in cui il giovane Billy Stail era morto in modo violento, il luogo in cui due giovani donne erano state rapite, il luogo in cui la vita di un poliziotto onesto era stata cambiata per sempre – forse persino stroncata – da un centinaio di vespe. E anche sotto quel sole implacabile, l'atmosfera che regnava intorno ad Amelia era cupa e opprimente.

Lincoln Rhyme aveva scritto un libro, *I luoghi del delitto* – il suo primo progetto dopo l'incidente che lo aveva reso quadriplegico – che parlava delle scene di crimini famosi. Pur non essendo esattamente il tipico libro di intrattenimento, continuava a vendere. La gente era affascinata dal luogo in cui, per esempio, era stato ucciso Paul Castellano, e da quelli attorno a Central Park in cui aveva colpito il serial killer che si era ispirato ad *Alice nel Paese delle Meraviglie*.

Scrutò nuovamente Blackwater Landing. Quella a nord di Tanner's Corner sembrava una zona indefinita di diversi chilo-

73

metri quadrati stretti attorno all'insenatura paludosa in cui le acque di un canale si riversavano nel fiume Paquenoke. Fitti boschi punteggiati di alberi morti, acquitrini stagnanti, erba marcia, lembi nudi di terra arida. Poco lontano dalla scena del delitto, un pendio ripido disseminato di immondizia portava dal ciglio della Route 112 alla riva fangosa. Nel punto in cui il terreno si appiattiva, crescevano salici, cipressi ed erba alta. Un vecchio pontile si protendeva sul fiume per circa una decina di metri prima di inabissarsi sotto la superficie dell'acqua.

Non c'erano abitazioni, nelle immediate vicinanze. Amelia aveva notato alcune grandi case coloniali costruite di recente, mentre si dirigevano lì da Tanner's Corner; ma anche la zona residenziale di Blackwater Landing, come la capitale della contea, d'altronde, sembrava spettrale e trascurata. Impiegò qualche istante a rendersi conto del perché: non c'erano bambini che giocavano nei giardini di quelle case, anche se era il periodo delle vacanze estive. Non c'erano piscine gonfiabili, né biciclette, e neppure passeggini.

Questo le fece tornare alla mente il funerale che avevano intravisto soltanto poche ore prima, e dovette fare uno sforzo per allontanare dai pensieri quel ricordo triste e tornare a concentrarsi sul suo compito.

Esaminare nuovamente la scena del delitto. Il nastro giallo delimitava due zone. La più vicina al fiume comprendeva un salice davanti al quale erano stati posati diversi mazzi di fiori: quello era il punto in cui Garrett aveva rapito Lydia, pensò. L'altra era una piccola radura polverosa circondata da una fitta vegetazione: lì, il ragazzo aveva ucciso Billy Stail e rapito Mary Beth. Notò diversi buchi nel terreno. A circa sei metri dal centro della scena del crimine c'era la sagoma del cadavere di Billy tracciata con della vernice spray, il che denotava, se ce n'era bisogno, la totale incapacità degli agenti del posto a svolgere correttamente indagini su un omicidio.

Un'auto del dipartimento dello sceriffo si fermò sul ciglio della strada, e Lucy Kerr scese. Amelia si chiese il perché della sua presenza. L'agente la salutò con freddezza, rivolgendole un breve cenno del capo. "Ha trovato qualcosa di utile, alla casa?"

"Alcuni indizi." Non diede ulteriori spiegazioni, e indicò il pendio. "Perché non è stato isolato come il resto della scena del delitto?"

La donna poliziotto ribatté, sulla difensiva: "Garrett non ha fatto niente, lì".

"No, ma potrebbe esserci passato. Le vie d'accesso, così come quelle d'uscita alle scene dei crimini, devono essere protette."

Nell'auricolare sentì la voce di Rhyme. "La scena è rovinata come si vede nelle foto?"

"Sembra che ci sia passata sopra una mandria di bisonti. Ho notato almeno una ventina di impronte."

"Cazzo", mormorò il criminologo.

Lucy aveva sentito il commento di Amelia, ma non replicò e continuò a scrutare il punto in cui il canale incrociava il fiume.

L'agente Sachs chiese: "Quella è la barca con cui è scappato?" Spostò lo sguardo sulla riva fangosa del fiume.

"Già, proprio quella", disse Jesse Corn. "Non è di Garrett. L'ha rubata a certa gente che vive su, lungo il fiume. Vuole darle un'occhiata?"

"Più tardi. Ora, quale strada *non* avrebbe preso per arrivare qui? Ieri, voglio dire."

"Non avrebbe?" Jesse indicò l'est. "Non c'è niente, da quella parte, a parte acquitrini e paludi. Non ci può nemmeno passare con una barca. Perciò o è passato per la Route 112 ed è sceso fino a qui, oppure è arrivato in barca."

Amelia Sachs aprì il kit di analisi della scena del delitto e si rivolse a Jesse: "Voglio un campione del terriccio che c'è qui intorno".

"Sicuro", disse lui, poi chiese: "Perché?"

"Perché se riusciamo a trovare sul luogo del delitto della terra che non combacia con quella che si trova naturalmente qui, probabilmente quel terriccio appartiene al luogo in cui Garrett tiene le ragazze."

Intervenne Lucy: "Potrebbe anche provenire dal giardino di Lydia o dal cortile di Mary Beth o dalle scarpe dei ragazzi che sono venuti a pescare qui un paio di giorni fa".

"Naturalmente", replicò l'agente Sachs in tono pacato. "Ma dobbiamo farlo comunque." Passò a Jesse un sacchetto di plastica e lui si allontanò, felice di poter essere d'aiuto. Amelia cominciò a scendere lungo la collina. Si fermò, aprì nuovamente il kit di analisi. No, maledizione, non ci sono, pensò. Notò che Lucy Kerr aveva i capelli raccolti in una treccia legata da alcuni elastici. "Posso prenderli in prestito?" le chiese. "Gli elastici, voglio dire."

Dopo una breve esitazione, l'agente se li tolse. Amelia se li fece scivolare attorno alle scarpe. Poi spiegò: "In questo modo saprò quali sono le mie impronte".

Come se cambiasse qualcosa in questo casino, aggiunse tra sé e sé.

"Sachs, che cos'hai?" domandò Rhyme. La ricezione era ulteriormente peggiorata.

"Non riesco a vedere molto bene lo scenario", rispose lei, scrutando il terreno. "Ci sono davvero troppe impronte. Nelle ultime ventiquattr'ore, devono essere passate di qui almeno otto o dieci persone. Comunque mi sono fatta un'idea di quello che potrebbe essere successo: Mary Beth era in ginocchio. Delle impronte maschili si avvicinano da ovest, dal canale. Sono quelle di Garrett: i segni corrispondono a quelli della scarpa che ha trovato Jesse. Riesco a vedere il punto in cui la ragazza si alza e comincia ad arretrare. Da sud si avvicinano le impronte di un altro uomo. Billy. È arrivato dall'argine. Si muove alla svelta, perlopiù sui talloni, perciò sta correndo. Garrett va verso di lui. Lottano. Garrett deve avergli preso la pala proprio qui. Billy arretra fino a un salice. Garrett si avventa su di lui. Altre tracce di lotta. Poi, davanti all'albero, c'è la sagoma del cadavere di Billy. Macchie di sangue sul terreno e sulla parte inferiore della corteccia dell'albero… Okay, ora posso cominciare la ricerca."

Camminare sulla griglia. Un passo dopo l'altro. Gli occhi fissi sul terreno e sull'erba, sulla corteccia nodosa delle querce e dei salici, poi lo sguardo si spostò sui rami sopra di lei ("La scena del crimine è tridimensionale, Sachs", le ricordava spesso Rhyme).

"Quei mozziconi di sigaretta", disse Amelia a Lucy indicando il terreno. "Perché non sono stati raccolti?"

"Oh", rispose Jesse, "sono solo di Nathan Groomer."

"Chi?"

"È uno dei nostri agenti. Ha cercato di smettere di fumare ma non ci è ancora riuscito."

Amelia sospirò ma riuscì a impedirsi di far notare loro che qualunque agente fumasse sul luogo di un delitto avrebbe dovuto essere sospeso o licenziato.

Esaminò il terreno con la massima attenzione, ma la ricerca si rivelò inutile. Si spostò verso il luogo in cui era avvenuto il rapimento di quella mattina, si chinò per passare sotto il nastro giallo della polizia e incominciò ad analizzare la griglia attorno al salice. Avanti e indietro, lottando contro lo stordimento indotto dall'afa. "Rhyme, non c'è un granché, qui... ma... aspetta. Ho trovato qualcosa." Aveva scorto un lampo bianco vicino all'acqua. Vi si avvicinò e, con cautela, raccolse un Kleenex. Le sue ginocchia protestarono: l'artrite la tormentava da anni. Preferirei inseguire un criminale che dovermi piegare così, pensò. "È un Kleenex. Sembra simile a quelli che abbiamo trovato a casa sua. Solo che su questo c'è del sangue. Parecchio."

Lucy domandò: "Pensa che l'abbia buttato via Garrett?"

L'agente Sachs lo esaminò. "Non saprei. Posso solo dire che non può essere qui da ieri sera. Il contenuto di umidità è troppo basso. La rugiada del mattino lo avrebbe semidisintegrato."

"Eccellente, Sachs. Dove l'hai imparato questo? Non mi sembra di avertene mai parlato."

"Sì, invece", rispose lei in tono assorto. "Nel tuo libro. Capitolo dodici. Carta."

Amelia si avvicinò all'acqua e studiò la piccola barca. All'interno non c'era niente. Chiese: "Jesse, potrebbe portarmi sull'altra riva del fiume?"

Lui, naturalmente, fu più che felice di accontentarla, e lei si domandò quanto tempo sarebbe passato prima che Jesse la invitasse a prendere una tazza di caffè. Anche Lucy salì sulla barca, e i tre, in silenzio, attraversarono il fiume, la cui corrente era più forte di quanto si sarebbe potuto immaginare.

Sull'altra sponda, Amelia trovò delle impronte nel fango: quelle delle scarpe di Lydia; le aveva riconosciute dal disegno sottile delle suole delle scarpe da infermiera. E anche le impronte di Garrett: un piede nudo, l'altro che calzava una scarpa da corsa, il disegno della suola ormai familiare. Le seguì, inoltrandosi nella vegetazione. Le impronte conducevano al capanno da caccia dove Ed Schaeffer era stato punto dalle vespe.

Che diavolo era successo, lì?

"Dio, Rhyme, sembra che qualcuno abbia ripulito la scena del crimine."

I criminali usavano spesso scope, o persino rastrelli, per distruggere o alterare le prove.

Ma Jesse Corn spiegò: "Oh, è per via dell'elicottero".

"Elicottero?" chiese Amelia confusa.

"Be', sì. L'elicottero della Medevac, quello che è venuto a portare via Ed Schaeffer."

"Ma lo spostamento d'aria delle pale ha rovinato la scena del crimine", si lamentò l'agente Sachs. "Secondo la procedura standard bisogna allontanare i feriti prima di far atterrare l'elicottero."

"La procedura standard?" si intromise Lucy Kerr seccamente. "Spiacente, ma eravamo un po' preoccupati per Ed... Pensavamo a salvargli la vita, sa."

L'agente Sachs non replicò. Entrò nel capanno lentamente in modo da non disturbare le decine di vespe che stavano ronzando attorno ai resti del nido. Tuttavia, qualsiasi cosa l'agente Schaeffer avesse visto lì dentro adesso non c'era più, e lo spostamento d'aria generato dalle pale dell'elicottero aveva spazzato il terreno a tal punto che prelevare un campione di terriccio sarebbe stato inutile.

"Torniamo al laboratorio", disse poi a Lucy e Jesse.

Stavano per raggiungere la riva quando alle loro spalle risuonò un fruscio, e un uomo sbucò dalla fitta vegetazione che circondava un gruppo di salici neri.

Jesse Corn fece per prendere la sua arma, ma prima che riuscisse a slacciare la fondina Amelia aveva già sfoderato la Smith & Wesson, armato il cane e inquadrato lo sconosciuto nel mirino. L'uomo si fermò di colpo, alzò le braccia e sbatté le palpebre, sorpreso.

C'era qualcosa di familiare, in quel tipo. Barba, capelli raccolti in una treccia, alto e robusto. Jeans, T-shirt grigia, giacca di denim. Stivali.

Dove lo aveva già visto?

Quando Jesse lo chiamò per nome, Amelia ricordò. "Rich."

Era uno dei tre tizi davanti all'ufficio della contea. Rich Culbeau... quel nome insolito l'aveva colpita. Amelia ripensò al modo in cui lui e i suoi amici l'avevano scrutata, sogghignando, e al modo in cui avevano guardato Thom con disprezzo; tenne sotto tiro Culbeau a lungo. Poi, con estrema lentezza, abbassò la pistola, disarmò il cane e la ripose nella fondina.

"Mi dispiace", si scusò l'uomo. "Non volevo spaventare nessuno. Ciao, Jesse."

"Questa è la scena di un crimine", disse Amelia.

Nell'auricolare sentì la voce di Rhyme: "Chi c'è lì?"

Lei si voltò e rispose sussurrando nel microfono: "Uno di quei cow-boy che abbiamo visto stamattina".

"Stiamo lavorando, Rich", disse Jesse Corn. "Non puoi restare qui."

"Non volevo disturbarvi", ripeté Culbeau, spostando lo sguardo sulla vegetazione. "Ma ho il diritto di cercare di guadagnarmi quei mille dollari come chiunque altro. Non mi potete impedire di cercare."

"Quali mille dollari?"

"Dannazione", sibilò Amelia nel microfono, "hanno messo una taglia sul ragazzo, Rhyme."

"Oh, no! Era l'ultima cosa di cui avevamo bisogno."

I cacciatori di taglie e di trofei erano in assoluto le peggiori minacce per un'indagine.

Culbeau spiegò: "Li ha offerti la madre di Mary Beth. Quella donna ha un bel po' di soldi e scommetto che se la ragazza non verrà ritrovata prima di sera, aumenterà la taglia a duemila dollari... magari anche di più". Spostò lo sguardo sull'agente Sachs. "Non ho intenzione di crearle problemi, signorina. Lei non è di qui, e quando mi guarda probabilmente vede soltanto un tipo poco raccomandabile... un 'cow-boy', come ha detto in quella sua strana radio. Ma non si lasci influenzare troppo dalle apparenze. Jesse, raccontale chi ha salvato quella ragazza che l'anno scorso si era persa nella Grande Palude."

"Sono stati Rich e Harris Tomel a ritrovarla. Era rimasta là per tre giorni. Se non fosse stato per loro sarebbe morta", recitò Jesse.

"Se non fosse stato per me, più che altro", borbottò Culbeau. "Harris aveva paura di sporcarsi gli stivali."

"È stato un bel gesto da parte sua", commentò Amelia freddamente. "Voglio solo essere sicura che non ci intralci nella ricerca delle due donne."

"Non succederà. Non è il caso che se la prenda tanto con me." Culbeau si voltò e si allontanò.

Amelia raccontò a Rhyme dell'incontro con l'uomo.

Lui non diede troppa importanza all'accaduto. "Non abbiamo tempo da perdere con la gente del posto, Sachs. Dobbiamo andare avanti con le indagini. Alla svelta. Torna qui con quello che hai trovato."

Mentre riattraversavano il canale in barca, Amelia chiese a Jesse: "Pensa che ci creerà dei problemi?"

"Culbeau?" fece Lucy Kerr. "È solo un buono a nulla. Fuma erba e beve troppo, ma non ha mai fatto niente più che prendere a pugni qualcuno. Pensiamo che abbia una distilleria clandestina, da qualche parte, e non credo che ci si allontanerebbe troppo, nemmeno per mille bigliettoni."

"Che cosa fanno lui e i suoi amici?"

"Oh, ha visto anche loro?" si stupì Jesse. "Be', Sean – quello magro – e Rich non hanno un lavoro fisso: si arrangiano in qualche modo. Harris Tomel invece è andato a scuola... almeno per un paio d'anni, comunque. Cerca sempre di mettere in piedi una qualche attività. Niente che funzioni, in ogni caso. Tutti e tre però hanno del denaro, e questo significa che possiedono una distilleria clandestina."

"Perché non li arrestate, allora?"

Jesse non parlò e fu Lucy a rispondere: "Prima bisognerebbe trovarla". Fece una pausa, quindi aggiunse: "A volte da queste parti si va in cerca di guai. A volte è meglio lasciar perdere".

Una perla di saggezza, pensò Amelia, che non valeva soltanto al sud.

Raggiunsero l'altra riva e Sachs scese dalla barca prima che Jesse potesse offrirsi di aiutarla, cosa che l'agente fece comunque.

All'improvviso comparve una grande sagoma scura. Si trattava di un'imbarcazione a motore nera lunga dodici metri. Il natante attraversò le acque del canale, li oltrepassò e si diresse verso il fiume. Amelia lesse la scritta sullo scafo: Industrie Davett. "Di cosa si tratta?" domandò.

Fu Lucy a spiegare: "È una compagnia che si trova fuori città. Trasportano carichi lungo la Intracostal attraverso il canale della Grande Palude fino a Norfolk. Asfalto, catrame, roba del genere".

Rhyme aveva sentito attraverso la radio e intervenne: "Cerchiamo di scoprire se stavano trasportando un carico all'ora del delitto e i nomi dei componenti dell'equipaggio".

Amelia girò a Lucy la domanda di Rhyme, ma l'agente rispose:

"Ho già controllato. È una delle prime cose che io e Jim abbiamo fatto. Non abbiamo trovato niente. Se le interessa saperlo, abbiamo anche interrogato tutti quelli che normalmente passano per Canal Road e per la Route 112. Non c'è stato di alcun aiuto".

"Comunque è stata una buona idea", osservò Amelia.

"È solo la procedura standard", ribatté Lucy freddamente, e si incamminò verso l'auto come una liceale che è finalmente riuscita a lanciare una frecciata velenosa alla cheerleader più in vista della scuola.

...sette

"Non gli permetterò di fare assolutamente nulla finché non avrete messo un condizionatore qui dentro."

"Thom, non abbiamo tempo per queste cose", sbottò Rhyme. Disse poi agli inservienti dove scaricare la strumentazione mandata dalla polizia di Stato.

"Steve è uscito a cercarne uno. Non è così facile come avevo immaginato", cercò di scusarsi Bell.

"Non mi serve un condizionatore."

In tono paziente, Thom spiegò: "Sono preoccupato per la disreflessia".

"Non mi sembra di aver mai sentito dire che la temperatura possa influenzare negativamente la pressione sanguigna, Thom", replicò Rhyme bruscamente. "Dove lo hai letto? Io, da nessuna parte. Forse potresti mostrarmi l'articolo..."

"Posso fare a meno del tuo sarcasmo, Lincoln."

"Oh, sono sarcastico, davvero?"

Senza scomporsi, l'aiutante si rivolse allo sceriffo: "Il calore gonfia i tessuti. Il gonfiore fa aumentare la pressione e l'irritazione. E questo può portare alla disreflessia. Che può ucciderlo. Abbiamo bisogno di un condizionatore. Tutto qua".

Thom era l'unico tra quasi una decina di assistenti a essere sopravvissuto più di qualche mese al servizio di Lincoln Rhyme. Tutti gli altri avevano gettato la spugna o erano stati licenziati senza tanti complimenti.

"Lo colleghi alla presa", ordinò Rhyme a un agente che stava spingendo un vecchio gascromatografo in un angolo.

"No." Thom incrociò le braccia sul petto e si parò davanti alla presa di corrente. Il poliziotto, vedendo l'espressione del suo viso, esitò, chiaramente a disagio e impreparato a un confronto con quel giovane testardo. "Quando sarà in fuzione un condizionatore... allora accenderemo anche quello."

"Gesù Cristo!" Rhyme fece una smorfia. Uno degli aspetti più frustranti della sua condizione era l'incapacità di sfogare la rabbia. Dopo l'incidente, si era ben presto reso conto di quanto un'azione semplice come camminare o stringere i pugni – per non dire lanciare un oggetto pesante (il passatempo preferito di Blaine, la sua ex moglie) – potesse servire ad allentare la tensione. "Se mi arrabbio, mi potrebbero venire le convulsioni o le contratture", fece notare stizzito.

"Che non ti ucciderebbero, ma la disreflessia sì." Thom pronunciò quell'ultima frase con uno studiato tocco di allegria che fece infuriare Rhyme ancora di più.

Cautamente, Bell disse: "Datemi cinque minuti". Uscì dalla stanza mentre gli altri agenti continuavano a portare l'equipaggiamento. Per ora, il cromatografo sarebbe rimasto spento.

Lincoln Rhyme osservò l'apparecchio. Si domandò come sarebbe stato toccare nuovamente un oggetto con le dita. Con l'anulare sinistro poteva toccare e avvertire un debole senso di pressione. Ma il pensiero di afferrare veramente qualcosa, di sentirne la consistenza, il peso e la temperatura era quasi inconcepibile.

Terry Dobyns, lo psichiatra del dipartimento di polizia di New York, l'uomo che era stato accanto a Rhyme quando si era risvegliato dall'incidente, gli aveva spiegato dettagliatamente tutte le tipiche fasi della sofferenza. Gli aveva assicurato che le avrebbe sperimentate – e superate – tutte. Ma ciò che il dottore non gli aveva detto era che certe tendono a ripresentarsi in modo subdolo, che possono restare nell'animo come virus addormentati, pronti a scatenarsi in qualsiasi momento.

Nel corso degli anni, Lincoln aveva sperimentato molte volte il rifiuto e la disperazione.

Ora si sentiva consumato dall'ira. Due giovani donne erano state rapite e un assassino era in libertà. Quanto avrebbe voluto precipitarsi sul luogo del delitto, percorrere la griglia, raccogliere dal terreno prove sfuggenti, osservarle attraverso le lussuose lenti di un sofisticato microscopio, premere i pulsanti dei computer e degli altri strumenti, camminare avanti e indietro mentre traeva le sue conclusioni!

Avrebbe voluto mettersi al lavoro senza preoccuparsi del fatto che il caldo avrebbe potuto ucciderlo. Ripensò alle magiche mani della dottoressa Weaver, all'operazione.

"Sembri più tranquillo", osservò Thom cautamente. "Cosa stai tramando?"

"Non sto tramando niente! Vorresti per favore collegare e accendere il gascromatografo? Ha bisogno di tempo per scaldarsi."

L'altro esitò, poi raggiunse l'apparecchiatura, inserì la spina e fece scattare l'interruttore. Sistemò il resto dell'equipaggiamento su un tavolo di cartonfibra.

Steve Farr entrò nell'ufficio, portando a braccia un grande condizionatore d'aria Carrier. L'agente, a quanto pareva, era tanto forte quanto alto, e l'unico segno evidente di fatica era il rossore delle sue orecchie a sventola.

"L'ho rubato all'ufficio urbanistica. Non andiamo molto d'accordo, con la gente che lavora lì", ansimò.

Bell aiutò Farr a montare il condizionatore sulla finestra, e nel giro di pochi minuti l'aria della stanza cominciò a rinfrescarsi.

Una figura apparve sulla soglia... anzi, la occupò per intero. Era un uomo di circa venticinque anni. Le spalle larghe, la fronte prominente. Un metro e novantacinque, quasi centotrenta chili. Per un terribile momento, Rhyme pensò che si trattasse di un parente di Garrett venuto a minacciarli. Ma con una voce acuta e timida, il nuovo arrivato disse: "Sono Ben?"

I tre uomini lo fissarono mentre lui osservava con evidente disagio le gambe e la sedia a rotelle di Rhyme.

Bell gli domandò: "Posso aiutarti?"

"Be', sto cercando il signor Bell?"

"Lo sceriffo Bell. Sono io."

Gli occhi dell'uomo fissarono ancora per un istante le gambe di Rhyme. Poi distolse lo sguardo, si schiarì la voce e deglutì.

"Oh, allora. Sono il nipote di Lucy Kerr?" Ogni sua frase sembrava più una domanda che un'affermazione.

"Ah, il mio assistente di medicina legale!" esclamò il criminologo. "Ottimo! Sei arrivato giusto in tempo."

Un'altra breve occhiata alle gambe, alla sedia a rotelle. "Zia Lucy non mi aveva detto…"

E adesso cosa sarebbe uscito da quella bocca? si domandò Rhyme.

"… non mi aveva parlato di medicina legale", mormorò Ben. "Sono solo uno studente dell'università del North Carolina. Ehm, cosa intende dire, signore, con 'giusto in tempo'?" La domanda sembrava diretta a Rhyme, ma Ben stava guardando lo sceriffo.

"Voglio dire: va' alla scrivania. Da un momento all'altro dovrebbero arrivare dei campioni che devi aiutarmi ad analizzare."

"Campioni… Che tipo di pesce sarà?" chiese a Bell.

"Pesce?" domandò Rhyme. "Pesce?"

"Sì, che tipo di pesce, signore?" disse Ben continuando a fissare Bell. "Sarò felice di aiutarla, ma le devo dire che ho un'esperienza abbastanza limitata con la maggior parte delle specie. Ho intenzione di specializzarmi."

"Non stiamo parlando di pesci. Stiamo parlando di campioni prelevati dalla scena di un crimine! Che cosa credevi?"

"La scena di un crimine? Be', non lo sapevo", sussurrò Ben allo sceriffo.

"Puoi anche parlare direttamente con me", intervenne Rhyme bruscamente.

Sul volto del giovane sbocciò un improvviso rossore e i suoi occhi si fecero attenti. La sua testa parve tremare mentre si costringeva a guardare Rhyme. "Stavo solo… Insomma, lui è lo sceriffo."

Bell disse: "Ma è Lincoln che dirige le indagini. È un criminologo di New York. Ci sta dando una mano".

"Certo." Gli occhi sulla sedia a rotelle, sulle gambe di Rhyme, sulla cannuccia di controllo. E infine di nuovo al sicuro, sul pavimento.

In quell'istante Rhyme decise che odiava quell'uomo. Ben si stava comportando come se si trovasse in presenza della peggior specie di fenomeno da baraccone. Desiderò disperatamente di tornare nella sua camera d'ospedale ad aspettare il bisturi e le cellule di squalo.

E una parte di lui odiò anche Amelia Sachs, perché era stata lei a mettere in piedi tutta quella faccenda.

"Be', signore..."

"'Lincoln' andrà benissimo", tagliò corto Rhyme, cercando di comportarsi in modo civile.

"Il fatto è che non ne so molto, di fisiologia e morfologia. Voglio specializzarmi in sociozoologia marina."

"E sarebbe?" domandò Rhyme impaziente.

"Essenzialmente, è lo studio del comportamento della fauna marina."

Oh, grandioso, pensò il criminologo. Non solo ho un assistente che non riesce nemmeno a guardarmi, ma che vuole persino diventare uno strizzacervelli per pesci. "Bah, non ha importanza. Tu sei uno scienziato. I principi sono principi. I protocolli sono protocolli. Hai mai usato un GC/SM?"

"Sissignore."

Era già qualcosa.

"E microscopi stereoscopici e comparativi?"

Come risposta ottenne un cenno del capo, anche se non così deciso come Rhyme avrebbe voluto.

"Il fatto è che..." Ben spostò lo sguardo su Bell per un attimo, poi, obbediente, tornò a fissare il volto di Rhyme "... zia Lucy mi ha solo chiesto di passare di qui. Non sapevo che avrei dovuto aiutare in un'indagine... Non sono così sicuro che... Voglio dire, devo studiare..."

"Ben, devi aiutarci", tagliò corto Rhyme.

Lo sceriffo spiegò: "Si tratta di Garrett Hanlon".

Ben rimase per un attimo a riflettere su quel nome. Poi: "Oh, quel ragazzo di Blackwater Landing".

Lo sceriffo gli parlò dei rapimenti e dell'incontro ravvicinato di Ed Schaeffer con le vespe.

"Diamine, mi dispiace per Ed", blaterò Ben. "L'ho conosciuto a casa di zia Lucy e..."

"Quindi abbiamo bisogno di te", disse Rhyme, cercando di ritornare all'argomento più urgente.

"Non abbiamo idea di dove sia andato con Lydia", continuò lo sceriffo. "E ci resta pochissimo tempo per salvare quelle ragazze. E come puoi vedere... il signor Rhyme ha bisogno di qualcuno che lo aiuti."

"Be'..." un'occhiata fugace in direzione del criminologo. "Il fatto è che sto preparando un esame."

Cercando di mantenere la calma, Rhyme disse: "Non abbiamo scelta, Ben. Garrett ha tre ore di vantaggio su di noi e potrebbe uccidere una delle sue vittime in qualsiasi momento... sempre che non l'abbia già fatto".

Lo zoologo si guardò attorno nella stanza polverosa come in cerca di aiuto, ma inutilmente. "Credo di poter trovare un po' di tempo, allora, signore."

"Ti ringrazio", disse Rhyme. Soffiò nella cannuccia, dirigendo la carrozzella al tavolo sul quale si trovavano gli strumenti. Si fermò a osservarli. Guardò Ben. "Allora, dopo che mi avrai cambiato il catetere, potremo metterci al lavoro."

Il ragazzo sembrò terrorizzato. Sussurrò: "Vuole che io..."

"Sta solo scherzando", spiegò Thom.

Ma Ben non sorrise. Annuì con evidente disagio, quindi, con la grazia di un bisonte, si avvicinò al gascromatografo e cominciò a studiare il pannello di controllo.

Amelia Sachs entrò quasi di corsa nel laboratorio improvvisato nell'ufficio della contea, mentre Jesse Corn cercava di starle dietro.

Muovendosi con più calma, Lucy Kerr li raggiunse qualche istante dopo. Salutò suo nipote e lo presentò ad Amelia e a Jesse. L'agente Sachs gli mostrò alcune buste di plastica. "Queste sono le prove che ho trovato nella camera di Garrett", disse, quindi, sollevando altre buste, aggiunse: "E queste vengono da Blackwater Landing: la scena primaria".

Rhyme guardò i sacchetti di plastica con un'espressione scoraggiata sul viso. Non solo c'erano pochissime prove fisiche, ma era turbato da ciò che gli era successo poco prima: si trovava ad analizzare gli indizi senza una conoscenza accurata della zona circostante.

Un pesce fuor d'acqua...

"Ben, da quanto tempo vivi qui?" volle sapere Rhyme.

"Da tutta la vita, signore."

"Perfetto. Come si chiama questa zona dello stato?"

Ben si schiarì la gola. "Direi Costa Settentrionale."

"Hai qualche amico geologo che vuole specializzarsi nello studio di questa regione? Cartografo? Naturalista?"

"No. Tutti i miei amici sono biologi marini."

"Rhyme", intervenne Amelia, "quando eravamo vicino al canale, ho visto una barca. Stava trasportando asfalto o catrame da una qualche ditta del posto."

"È la compagnia di Henry Davett", informò Lucy.

E Amelia: "È possibile che abbiano un geologo nel loro staff?"

"Non ne ho idea", rispose Bell, "ma Davett è ingegnere e vive qui da anni. Probabilmente conosce la zona molto bene."

"Potrebbe telefonargli?"

"Senz'altro." Lo sceriffo scomparve.

Tornò un istante dopo. "Ho contattato Davett. Non ci sono geologi, nel loro staff, ma si è offerto di aiutarci. Sarà qui tra una mezz'ora." Chiese: "Allora, Lincoln, come vuole che organizziamo le ricerche?"

"Io resterò qui, con lei e Ben. Analizzeremo le prove. Voglio un piccolo gruppo di ricerca a Blackwater Landing: devono cominciare da dove Jesse ha visto sparire Garrett e Lydia. Guiderò la squadra come potrò, a seconda di ciò che scopriremo dagli indizi."

"Chi vuole nella squadra?"

"La dirigerà Amelia insieme a Lucy."

Bell annuì e Rhyme notò che Lucy non aveva reagito minimamente ai suoi ordini.

"Vorrei offrirmi volontario", si affrettò a dire Jesse Corn.

Bell guardò Rhyme, che annuì e disse: "Forse ce ne serve un altro".

"Quattro persone? Tutto qui?" si stupì lo sceriffo, accigliandosi. "Diavolo, potrei trovare decine di volontari. Un centinaio di uomini."

"No, un gruppo di ricerca ridotto è la scelta migliore, in un caso come questo."

"Chi sarà il quarto?" domandò Lucy. "Mason Germain?"

Rhyme guardò in direzione della porta per vedere se qualcuno li stesse ascoltando. Abbassò la voce. "Qual è la storia di Mason? Ha sicuramente una storia. Non mi piacciono i poliziotti che hanno una storia. Preferisco cominciare da zero."

"Intende dire il suo carattere?" chiese Bell.

"Esattamente."

Lo sceriffo scrollò le spalle. "Mason ha avuto una vita dura. È nato qui ma è cresciuto a nord del Paquo, dalla parte sbagliata delle rotaie, per così dire. Suo padre ha tentato di fare i soldi con un paio di attività, poi ha cominciato a distillare alcool clandestinamente, e quando è stato scoperto si è suicidato. Mason ha dovuto faticare per sollevarsi dalla polvere. Da queste parti usiamo un'espressione: troppo povero per fare il pittore, troppo orgoglioso per fare l'imbianchino. Mason è fatto così. Si lamenta sempre perché non ottiene ciò che vuole. È un uomo ambizioso in una città che non sa cosa farsene dell'ambizione."

"E ce l'ha a morte con Garrett", aggiunse Rhyme.

"Indovinato."

"Perché?"

"Mason mi ha implorato di essere messo a capo delle indagini sul caso di cui le stavamo parlando prima, quello della ragazza morta a Blackwater Landing in seguito alle punture delle vespe. Per la verità penso che i due fossero legati in qualche modo. Forse uscivano insieme, non ne ho idea. Comunque sia, Mason voleva prendere il ragazzo a ogni costo. Solo che non è riuscito ad accusarlo di niente. Quando il vecchio sceriffo è andato in pensione, il consiglio dei supervisori ne ha tenuto conto, e così io ho avuto l'incarico al posto suo, anche se è più vecchio di me ed è in polizia da più tempo. E le cose non sono certo migliorate quando Garrett, dopo essere stato rilasciato, ha continuato a stuzzicarlo con questa faccenda, come se volesse fargli capire che aveva davvero ucciso quella ragazza... comportandosi da stronzo, insomma."

Rhyme scosse il capo. "In un'operazione come questa non abbiamo bisogno di teste calde. Scegliamo qualcun altro."

"Ned Spoto?" suggerì Lucy.

Lo sceriffo scrollò le spalle. "È un tipo in gamba, certo. Sa sparare bene, ma sfodera la pistola solo se è assolutamente necessario."

Rhyme disse: "Fate in modo che Mason non intralci le ricerche".

"Questo non gli piacerà."

"Il mio non è solo un suggerimento", aggiunse il criminologo. "Dovete trovargli qualcos'altro da fare. Qualcosa che sembri importante."

"Farò il possibile", sospirò lo sceriffo, incerto.

Stevie Farr comparve sulla soglia. "Ho appena chiamato l'ospedale", annunciò. "Ed è ancora in condizioni critiche."

"Ha detto qualcosa?"

"Nemmeno una parola. Non ha ancora ripreso conoscenza."

Rhyme si rivolse ad Amelia: "D'accordo... È ora di cominciare. Torna alla fine del sentiero a Blackwater Landing e aspetta che ti chiami."

Lucy stava fissando i sacchetti di plastica delle prove con aria dubbiosa. "Pensate davvero che questo sia il modo giusto per ritrovare quelle ragazze?"

"Ne sono certo", rispose Rhyme bruscamente.

Lucy continuò in tono scettico: "Da come la vedo io, assomiglia troppo a un trucco da prestigiatori".

Il criminologo scoppiò a ridere. "Oh, è esattamente così. Destrezza manuale, conigli che sbucano da cilindri. Ma si ricordi che l'illusione è basata su... su cosa, Ben?"

Il giovane si schiarì la voce, arrossì e scosse la testa. "Ehm, non saprei, signore."

"L'illusione è basata sulla scienza." Lanciò un'occhiata ad Amelia. "Ti chiamerò appena avrò trovato qualcosa."

Le due donne e Jesse Corn lasciarono il laboratorio.

E così, con le preziose prove disposte davanti a sé, l'attrezzatura pronta e l'organizzazione delle ricerche risolta, Lincoln Rhyme appoggiò la testa allo schienale della sedia a rotelle e osservò i sacchetti di plastica che l'agente Sachs gli aveva consegnato, forzando, o forse costringendo, la sua mente ad aggirarsi là dove le sue gambe non potevano portarlo, a toccare ciò che le sue mani non potevano sentire.

...otto

Gli agenti stavano parlando. Mason Germain aveva le braccia incrociate sul petto ed era appoggiato alla parete del corridoio accanto alla porta che conduceva agli uffici del dipartimento dello sceriffo. Riusciva a malapena a sentire le voci dei suoi colleghi.

"Si può sapere come mai ce ne stiamo seduti qui senza fare niente?"

"No, no, no... Non lo sai? Jim ha organizzato un gruppo di ricerche."

"Davvero? No, non lo sapevo."

Dannazione, pensò Mason. Nemmeno lui lo sapeva.

"Ci sono Lucy, Ned e Jesse. E quella poliziotta di Washington."

"Nah, è di New York. Le hai visto i capelli?"

"Non me ne frega niente dei suoi capelli. L'unica cosa che mi interessa è ritrovare Lydia e Mary Beth."

"Hai ragione. Sto solo dicendo che..."

La morsa che serrava lo stomaco di Mason si strinse ancora di più. Ripensò a un uomo per il quale aveva lavorato dopo il liceo, un vecchio camionista brizzolato che lo aveva assunto perché lo aiutasse a portare tabacco di contrabbando sulla strada che conduceva da Winston-Salem a Richmond per venderlo sul mercato nero. L'uomo continuava a dire che una cosa o l'altra era "così secca". Era un'espressione del sud che significava "non diluito", ma il vecchio contrabbandiere l'aveva usata per indicare tutto ciò che era puro e forte. Ora, mentre origliava, in piedi nel corridoio dell'ufficio della contea, Mason Germain stava pensando che il suo desiderio di catturare Garrett Hanlon era assolutamente "secco". Era furioso perché Bell non gli aveva detto della caccia all'uomo e non lo aveva chiamato a far parte del gruppo di ricerca.

In preda alla rabbia percorse il corridoio, diretto verso l'ufficio dello sceriffo, e quasi andò a sbattere contro Bell che stava uscendo dalla stanza in cui si era sistemato quello strano tizio sulla sedia a rotelle che avrebbe dovuto aiutarli nelle indagini. Bell lo guardò sbattendo le palpebre con aria sorpresa.

"Ehi, Mason... Stavo proprio cercando te."

Ma non avevi troppa voglia di trovarmi, si direbbe.

"Voglio che tu vada da Rich Culbeau."

"Da Culbeau? E perché?"

"Sue McConnell ha offerto una ricompensa a chiunque riesca a trovare Mary Beth, e Rich vuole provarci. L'ultima cosa di cui abbiamo bisogno è qualcuno che intralci le indagini. Devi tenerlo d'occhio. Se non è a casa, resta ad aspettarlo lì finché non ritorna."

"Hai mandato Lucy a cercare Garrett... E non mi hai detto niente!"

Bell esitò, scrutando l'agente. "Lei e un paio di altre persone sono andate a Blackwater Landing in cerca delle sue tracce."

"Avresti dovuto sapere che volevo far parte del gruppo di ricerca."

"Non posso mandare tutti. Culbeau è già stato a Blackwater Landing, oggi. Non posso permettere che ci mandi a puttane le indagini."

"Andiamo, Jim. Non penserai che mi beva queste stronzate."

Bell sospirò. "D'accordo. Vuoi la verità? Dal momento che ce l'hai a morte con quel ragazzo, ho deciso di non mandarti. Non voglio che vengano commessi errori: la posta in gioco è la vita di due donne. Dobbiamo trovarlo, e alla svelta."

"È quello che voglio anch'io, Jim. E tu dovresti saperlo. Sono tre anni che tengo d'occhio quell'individuo. Non posso credere che tu abbia deciso di tagliarmi fuori e di affidare il caso a quel fenomeno da baraccone di New York..."

"Ehi, dacci un taglio."

"Stronzate. Conosco Blackwater dieci volte meglio di Lucy. Un tempo ci vivevo, ricordi?"

"La tua è un'*ossessione*! E questo potrebbe influenzare la tua capacità di giudizio."

"Questa è una *tua* idea o te l'ha suggerita *lui*?" Con un cenno indicò la stanza dalla quale proveniva lo strano lamento della sedia a rotelle. Quel suono lo faceva sentire a disagio, come il rumore del trapano del dentista. Il fatto che Bell avesse chiesto l'aiuto di quello storpio avrebbe potuto causare una serie di problemi a cui Mason ora non voleva nemmeno pensare.

"Andiamo, i fatti sono fatti. Tutti sanno quello che provi per Garrett."

"E si dà il caso che tutti siano d'accordo con *me*."

"Be', le cose stanno così, Mason. Non puoi farci niente."

L'agente scoppiò in una risata sarcastica. "E così adesso mi ritrovo a fare da baby-sitter a un contrabbandiere da quattro soldi."

Bell spostò lo sguardo oltre Mason e fece un cenno a un altro agente. "Ehi, Frank..."

Il poliziotto alto e robusto li raggiunse.

"Frank, tu farai coppia con Mason. Dovete andare da Rich Culbeau."

"Ci serve un mandato? Che cos'ha combinato stavolta?"

"No, niente di ufficiale. Mason ti spiegherà tutto. Se Culbeau non è in casa, rimanete ad aspettarlo. E assicuratevi che lui e i suoi amici si tengano ben lontani dal gruppo di ricerca. Tutto chiaro, Mason?"

L'agente non rispose. Si voltò e si allontanò dal suo capo che aggiunse: "Dammi retta, è meglio per tutti".

Non credo proprio, pensò Mason.

"Mason..."

Ma l'uomo non replicò ed entrò nella stanza degli agenti. Dopo un attimo, Frank lo seguì. Mason ignorò i suoi colleghi in uniforme che stavano parlando dell'Insetto e delle prodezze sportive di Billy Stail e si diresse verso il suo ufficio. Una volta seduto alla scrivania, si infilò una mano in tasca ed estrasse una chiave. Fece scattare la serratura di un cassetto della scrivania, prese una Speedloader supplementare e la caricò con sei cartucce .357. Fece scivolare l'arma nella fondina di cuoio e se la assicurò alla cintura. Si avvicinò alla porta dell'ufficio. La sua voce interruppe la conversazione che si stava svolgendo nella stanza accanto e Mason fece un cenno rivolto a Nathan Groomer, un agente biondo di circa trentacinque anni. "Groomer, vado a fare due chiacchiere con Culbeau. Tu verrai con me."

"Be'", cominciò Frank incerto, tenendo tra le mani il cappello che aveva preso dalla sua scrivania. "Pensavo che Jim volesse che venissi io con te."

"Io voglio Nathan", disse Mason.

"Rich Culbeau?" chiese Nathan. "Io e lui siamo come l'acqua e l'olio. L'ho sbattuto dentro per guida in stato di ubriachezza e l'ultima volta non sono andato troppo per il sottile. Se fossi in te porterei Frank."

"Già", disse Frank. "Il cugino di Culbeau lavora con mio suocero. Mi considera uno di famiglia. Mi starà a sentire."

Mason guardò Nathan freddamente. "Voglio te."

Frank tentò di nuovo: "Ma Jim ha detto..."

"E ti voglio *ora*."

"Andiamo, Mason", ribatté Nathan in tono brusco. "Non fare il duro con me."

Mason stava osservando l'anatra selvatica intagliata nel legno sulla scrivania del collega. Era davvero carina. Quell'uomo aveva del talento. Poi disse all'agente: "Sei pronto?"

Nathan sospirò, alzandosi.

"E io cosa dico a Jim?" chiese Frank.

Senza rispondere, Mason uscì dall'ufficio, seguito da Nathan, e si diresse verso la sua auto di pattuglia. Salirono. Mason si sentì avvolgere dal calore dell'abitacolo e dopo aver messo in moto regolò l'aria condizionata sul massimo.

Entrambi si misero la cintura di sicurezza, come lo slogan dipinto sulla fiancata dell'auto invitava tutti i cittadini responsabili a fare. Mason cominciò: "Allora, stammi a sentire. Io..."

"Oh, andiamo, non fare così. Ti ho solo dato un consiglio. Insomma, l'anno scorso Frank e Culbeau..."

"Sta' zitto e ascoltami."

"Va bene, ti ascolto. Comunque non è necessario che mi tratti in questo modo... Dai, racconta: che cos'ha fatto Culbeau questa volta?"

Mason non rispose e domandò: "Dov'è il tuo Ruger?"

"Il mio fucile da caccia? L'M77?"

"Esatto."

"L'ho lasciato a casa, nel furgone."

"Hai anche l'Hightech montato?"

"Naturalmente."

"Andiamo a prenderlo."

Uscirono dal parcheggio, e non appena imboccarono la Main Street Mason accese le luci lampeggianti sul tetto dell'auto. Con la sirena spenta, accelerò, abbandonando la città.

Nathan si mise in bocca una presa di tabacco Red Indian, cosa che non avrebbe potuto fare in presenza di Jim, ma a Mason non importava. "Il Ruger... Allora è per questo che hai voluto me e non Frank."

"Esatto."

Nathan Groomer era il miglior cecchino del dipartimento e uno dei migliori di tutta la contea di Paquenoke. Mason l'aveva visto colpire un cervo a settecento metri di distanza.

"Quindi dopo aver preso il fucile andiamo a casa di Culbeau?"

"No."

"Dove, allora?"

"Andiamo a caccia."

"Ci sono delle belle case, da queste parti", commentò Amelia.

Lei e Lucy si stavano dirigendo in auto a sud lungo Canal Road verso Blackwater Landing. Jesse Corn e Ned Spoto, un agente robusto sulla quarantina, le seguivano a bordo di una seconda auto di pattuglia.

Lucy guardò il quartiere residenziale non lontano dal canale e non replicò.

Di nuovo, Amelia fu colpita dall'assenza di qualsiasi senso della famiglia a Blackwater Landing, dall'assenza di bambini. Proprio come aveva notato attraversando Tanner's Corner.

Bambini, pensò di nuovo.

Meglio cambiare argomento, si disse.

Lucy svoltò a destra sulla Route 112 e infine si fermò sul ciglio della strada, nello stesso punto in cui si erano trovati non più tardi di mezz'ora prima, il pendio che sovrastava le scene del crimine. L'auto di Jesse Corn si fermò dietro di loro. I quattro agenti scesero fino alla riva del fiume e salirono sulla barca. Jesse si sedette nuovamente ai remi, mormorando: "Fratello, a nord del Paquo". Lo disse con un tono così minaccioso che in un primo momento Amelia pensò che stesse scherzando, ma poi si accorse che né lui né gli altri stavano sorridendo. Una volta raggiunta l'altra sponda del fiume, scesero dalla barca e seguirono il percorso di Garrett e Lydia fino al capanno dove Ed Schaeffer era stato punto dalle vespe. Si inoltrarono per una quindicina di metri nei boschi. A quel punto le tracce svanivano completamente.

Su ordine di Amelia, gli agenti presero a muoversi in cerchi sempre più larghi in cerca di un qualsiasi indizio che potesse rivelare la direzione presa da Garrett. Non trovarono niente, così ritornarono nel punto in cui le orme sparivano.

Lucy domandò a Jesse: "Conosci quel sentiero? È quello usato da quei drogati dopo che erano stati fermati da Lou Sturgis l'anno scorso?" Lui annuì. Quindi spiegò all'agente Sachs: "È a una quarantina di metri da qui, a nord". Indicò un punto nel bosco. "Probabilmente Garrett lo conosce, e sa che è il modo migliore per muoversi in fretta qui, evitando di restare bloccati dalla vegetazione."

"Andiamo a dare un'occhiata", li spronò Ned.

Amelia si chiese quale fosse il modo migliore per affrontare il conflitto imminente, e si rese conto che non aveva altra scelta se non quella di andare avanti. Se fosse stata troppo gentile non avrebbe ottenuto niente. Loro erano in tre, lei era da sola (Jesse Corn, ormai ne era certa, era dalla sua parte solo perché lei gli piaceva). "Resteremo qui finché non riceveremo notizie da Rhyme."

Jesse sorrise debolmente, indeciso.

Lucy scosse la testa. "Garrett *deve* aver preso quel sentiero."

"Non possiamo esserne scuri", replicò Amelia.

"La vegetazione è molto fitta, lì", commentò Jesse.

Ned osservò: "Ci sono un sacco di tuckahoe, agrifogli di montagna e rampicanti. Se non si segue quel sentiero, non c'è nessun altro modo per andarsene da qui".

"Dovremo aspettare comunque", disse l'agente Sachs, ripensando a un brano del testo di Lincoln Rhyme sulla criminologia, intitolato *Prove fisiche*:

La maggior parte delle indagini su un sospetto in fuga vengono compromesse se si cede alla tentazione di muoversi troppo in fretta e di intraprendere un inseguimento impulsivo, quando in realtà una lenta analisi delle prove ci indicherà con chiarezza il modo per raggiungere il sospetto e per effettuare un arresto più sicuro e più efficiente.

"Il fatto è che una persona che viene dalla città non può conoscere veramente i boschi. Se non si segue quel sentiero, ci vorrà il doppio del tempo per uscire da qui. Garrett deve per forza essere passato di lì", protestò Lucy.

"Potrebbe essere tornato sulla riva del fiume", le fece notare Amelia. "Forse aveva nascosto un'altra barca."

"È vero", concordò Jesse, guadagnandosi un'occhiataccia da parte di Lucy.

"In quel caso avremmo visto le sue impronte che si dirigevano nell'altra direzione", obiettò Ned.

"No", ribatté Amelia, "non se ha camminato nel sottobosco a cui ha accennato prima."

"Mi sembra improbabile", disse Lucy.

Seguì un lungo silenzio; i quattro agenti rimasero lì, immobili, circondati dall'afa opprimente e da uno sciame di moscerini.

"Aspetteremo", ribadì Amelia. Come per sottolineare la decisione, si sedette su quella che era senz'altro la roccia più scomoda di tutto il bosco e, fingendosi interessata, si mise a osservare un picchio che stava scavando con il becco nella corteccia di una grande quercia davanti a loro.

...nove

"Cominciamo dalla scena primaria", disse Rhyme a Ben. "Blackwater." Con un cenno del capo indicò le prove ammassate sul tavolo di cartonfibra. "Per prima cosa, la scarpa da ginnastica di Garrett. Quella che gli è caduta quando ha rapito Lydia."

Ben sollevò il sacchetto che conteneva la scarpa e lo aprì.

"I guanti!" ordinò Rhyme. "Devi sempre indossare i guanti in lattice, quando maneggi delle prove."

"Per via delle impronte digitali?" chiese lo zoologo.

"Sì, questa è una delle ragioni. L'altra è la contaminazione. Non vogliamo confondere i luoghi in cui sei stato tu con quelli in cui è stato il colpevole."

"Certo. Giusto." Il giovane annuì con eccessiva decisione, come se temesse di dimenticarsi quella regola. Scosse la scarpa, vi guardò dentro. "Sembra che contenga del terriccio o qualcosa del genere."

"Dannazione, non ho chiesto ad Amelia di procurarsi delle superfici sterili per l'analisi." Rhyme si guardò attorno. "Vedi quel numero di *People* laggiù?"

Ben prese la rivista e scosse la testa. "È vecchio di tre settimane."

"Non mi interessano le ultime novità sulla vita amorosa di

Leonardo Di Caprio", borbottò Rhyme. "Strappa il coupon per l'abbonamento che c'è all'interno... Non le detesti anche tu certe cose? Comunque fa proprio al caso nostro: esce dalla tipografia pulito e sterile, e così può essere utilizzato come minisuperficie per le analisi."

Ben fece come gli era stato detto e versò il terriccio e le pietre sul cartoncino.

"Metti un campione nel microscopio: voglio dargli un'occhiata." Il criminologo si avvicinò al tavolo ma l'oculare era qualche centimetro troppo in alto per lui. "Dannazione."

Ben propose: "Forse potrei tenerle io il microscopio".

Rhyme ridacchiò. "Pesa più di dieci chili. No, troveremo un..."

Ma lo zoologo sollevò lo strumento e lo tenne saldamente, con le sue braccia massicce. Naturalmente, Rhyme non poté girare la manopola della messa a fuoco ma vide a sufficienza per farsi un'idea abbastanza precisa di ciò che stava guardando. "Frammenti di calcare e polvere. Analizzane un campione con il GC/SM. Voglio vedere cos'altro c'è lì dentro."

Ben impiegò un attimo a prendere confidenza con l'apparecchio. Dopodiché inserì il campione e premette un pulsante per dare inizio all'analisi.

Il cromatografo è lo strumento più amato dai criminologi. Sviluppato all'inizio del secolo da un botanico russo, anche se non molto usato fino agli anni Trenta, analizza composti di cibo, droghe, sangue e altri elementi, e ne isola le componenti pure. Ci sono almeno una decina di processi diversi, ma quello più comune nel campo delle analisi scientifiche è il gascromatografo che brucia un campione di prove. I vapori così ottenuti vengono separati per indicare le sostanze componenti che formano il campione. Il gascromatografo solitamente è collegato a uno spettrometro di massa che può identificare con precisione numerose sostanze.

Il GC funziona solo con materiali che possono essere vaporizzati – bruciati – a temperature relativamente basse. Il calcare non avrebbe preso fuoco, naturalmente. Ma a Lincoln non interessava la roccia, bensì i materiali residui che avevano aderito al terriccio. Il risultato avrebbe ristretto l'area in cui compiere ricerche.

"Ci vorrà un po'", disse Rhyme. "Nel frattempo, diamo

un'occhiata al terriccio rimasto nella suola della scarpa di Garrett. Ti dirò, Ben, adoro le superfici di gomma, le suole delle scarpe, anche gli pneumatici. Sono come spugne. Ricordatelo."

"Sissignore."

"Prendine un campione e vediamo se proviene da un luogo che non sia Blackwater Landing."

Incapace di farsi coinvolgere di tanto entusiasmo, Ben grattò la suola e raccolse il terriccio sul coupon della rivista. Quindi lo mostrò al criminologo che lo esaminò con attenzione: lui conosceva bene l'importanza del terriccio. Rimane attaccato ai vestiti, lascia tracce come le briciole di pane di Hänsel e Gretel, che conducono alla casa del colpevole e collegano inestricabilmente il criminale e la scena del delitto. Esistono più o meno 1100 diverse varietà di terriccio, e se un campione che proviene dalla scena di un crimine, per esempio, è dell'identico colore del terriccio rinvenuto nel giardino del sospetto, ci sono buone probabilità che questi fosse presente sul luogo del delitto. L'analisi della composizione del terriccio può rafforzare il legame. Locard, il grande criminologo francese, sviluppò un principio scientifico che prese il suo nome e che sostiene che in ogni crimine esiste sempre una sorta di scambio tra il colpevole e la vittima o la scena del crimine. Rhyme aveva scoperto che il terriccio è la sostanza che viene scambiata con maggior frequenza, secondo solo al sangue in un caso di omicidio o di aggressione.

Comunque, il problema del terriccio come prova è che si tratta di un elemento estremamente comune. Per avere un qualche peso in un'indagine, un campione che potrebbe provenire dal criminale deve essere diverso da quello che si trova naturalmente sulla scena del delitto.

Il primo passo nell'analisi del terriccio consiste nel mettere a confronto quello che proviene dalla scena del delitto con quello che il criminologo pensa possa provenire dal colpevole.

Rhyme lo spiegò a Ben, e il giovane prese un sacchetto che Amelia aveva contrassegnato con la scritta *Campione di terra - Blackwater Landing*, specificando la data e l'ora in cui era stato raccolto. C'era anche un'annotazione in una grafia che non era quella di Amelia. *Raccolto dall'agente J. Corn.* Rhyme immaginò il giovane poliziotto entusiasta all'idea di compiacere

Amelia. Ben versò parte del contenuto della busta su un secondo coupon per gli abbonamenti, quindi lo posò accanto al terriccio che aveva prelevato dalla scarpa di Garrett. "Come li mettiamo a confronto?" chiese lanciando un'occhiata verso gli strumenti.

"Usa i tuoi occhi."

"Ma..."

"Guarda i campioni. Controlla se il colore del campione sconosciuto è diverso da quello del campione conosciuto."

"E come faccio?"

Rhyme si impose di rispondere con calma. "Devi solo osservarli."

Il giovane fissò un mucchietto di terra, quindi spostò lo sguardo sull'altro.

Poi ripeté l'operazione una, due volte.

Andiamo, andiamo... non è così difficile. Rhyme si sforzò di essere paziente, una delle cose che gli riuscivano più difficili in assoluto.

"Uno è più scuro, signore", disse Ben alla fine con la sua voce da tenore. "È il campione che proviene da Blackwater Landing. Guardi."

Sollevò i due cartoncini per mostrarglieli. Ma Rhyme fece una smorfia.

"Ho sbagliato qualcosa, signore?"

"No, no, no. Ma il campione conosciuto è bagnato?"

"Ehm, come faccio a saperlo?"

"Mettici dentro un dito."

Ben obbedì. "Sissignore. È piuttosto umido."

"Prima dovremo asciugarlo. I confronti non funzionano se non c'è lo stesso grado di umidità." Lincoln si guardò intorno. Se avessero asciugato il campione al sole avrebbero rischiato di alterarne il colore, ma farlo asciugare all'interno sarebbe stato un processo troppo lungo. Lanciò un'occhiata a Thom e si ricordò che il suo aiutante era un cuoco frettoloso. Esclamò: "Microonde! Vedi se qui dentro c'è un bar... forse hanno un forno a microonde".

Ben si precipitò fuori dalla stanza, tenendo il campione tra le mani come se fosse stato un gattino appena nato.

"Muore dalla voglia di rendersi utile", commentò Thom.

"È lento come un elefante… e infantile come non so cosa. Sto cercando di essere paziente."

"Sforzati un po' di più."

Ben tornò pochi minuti dopo. Il coupon era appoggiato su un vassoio di plastica e il terriccio era molto più chiaro, adesso.

"Che cosa vedi ora?" domandò Rhyme. "C'è qualche differenza tra i due campioni?"

"Be', non so dirglielo, signore."

"Usa il microscopio comparativo."

Ben inserì i campioni nel microscopio e guardò negli oculari. "Non ne sono sicuro. Difficile dirlo. Credo… forse c'è una differenza."

"Fammi vedere."

Ancora una volta, lo zoologo prese il grande microscopio e Rhyme scrutò negli oculari. "È decisamente diverso dal campione conosciuto", disse. "Il colore è più chiaro. E contiene più cristalli. Più granito e argilla e diversi tipi di vegetazione. Quindi non proviene da Blackwater Landing… Se siamo fortunati, proviene dal suo antro."

Un debole sorriso increspò le labbra di Ben, il primo da quando era arrivato, notò Rhyme.

"Cosa c'è?"

"Oh, be', il fatto è che noi chiamiamo così la caverna in cui si nascondono le murene…" Il suo sorriso svanì mentre lo sguardo di Rhyme gli faceva capire chiaramente che quello non era né il luogo né il momento per raccontare aneddoti.

Il criminologo riprese: "Quando ottieni i risultati delle analisi del calcare dal GC/SM, controlla il terriccio prelevato dalla scarpa di Garrett".

"Sissignore."

Qualche istante dopo, lo schermo del computer collegato al cromatografo/spettrometro tremolò e comparvero tracciati simili a valli e montagne. Il criminologo si avvicinò manovrando la sedia a rotelle. Sbatté contro un tavolo e la Storm Arrow sterzò bruscamente a sinistra, facendolo sobbalzare. "Cazzo."

Ben sgranò gli occhi, allarmato. "Va tutto bene, signore?"

"Sì, sì, sì", borbottò lui. "Che cosa ci fa quello stramaledetto tavolo, lì? Non ne abbiamo bisogno."

"Lo sposto subito", si affrettò a dire Ben, e spinse il pesante tavolo in un angolo come se fosse stato fatto di compensato. "Mi dispiace, avrei dovuto pensarci prima."

Rhyme ignorò le parole contrite dello zoologo e osservò lo schermo. "Grandi quantità di nitrati, fosfati e ammoniaca."

Quella non era affatto una buona notizia, ma per il momento Rhyme decise di non dire nulla. Voleva scoprire quali sostanze si trovavano nel terriccio che Ben aveva prelevato dalla suola della scarpa. Gli ordinò di cominciare l'analisi con il GC/SM. E molto presto anche quei nuovi risultati comparvero sul monitor.

Sospirò. "Ancora nitrati, ancora ammoniaca, in grande quantità. Di nuovo alte concentrazioni. E ancora fosfati. E detergente. C'è anche qualcos'altro... Che diavolo è?"

"Dove?" domandò Ben chinandosi verso il monitor.

"In basso. Il database lo ha identificato come canfene. Sai che cos'è?"

"No, signore."

"Be', Garrett ci ha camminato sopra, qualunque cosa sia." Osservò la busta delle prove. "Allora, che cos'altro abbiamo? Quel fazzoletto di carta che ha trovato Amelia..."

Ben prese il sacchetto e lo avvicinò a Rhyme perché potesse osservarlo. Il fazzoletto era intriso di sangue. Il criminologo lanciò un'occhiata all'altro Kleenex, quello che Amelia aveva trovato nella stanza di Garrett. "Sono uguali?"

"Sembra di sì", rispose il giovane. "Sono entrambi bianchi, entrambi delle stesse dimensioni."

"Portali a Jim Bell. Digli che voglio un'analisi del DNA. Quella veloce."

"Quella... veloce?"

"DNA puro e semplice, la reazione a catena della polimerasi. Non abbiamo tempo per un sequenziamento completo. Voglio solo sapere a chi appartiene quel sangue. Manda qualcuno a prelevare un campione dal cadavere di Billy Stail, da Mary Beth e Lydia."

"Un campione? Di cosa?"

Ancora una volta Rhyme si costrinse a non perdere la calma. "Di materiale genetico. Un qualsiasi tessuto che provenga dal cadavere di Billy. Per quanto riguarda le ragazze, la cosa più semplice sarebbe procurarsi dei capelli, sempre che abbiano il bulbo attaccato. Manda un agente a casa di Mary Beth e

103

di Lydia a prendere un pettine o una spazzola e falli portare nello stesso laboratorio che svolgerà le analisi sul Kleenex."

Il giovane prese il sacchetto e lasciò la stanza. Ritornò un istante più tardi. "Avremo i risultati entro un'ora o due, signore. Manderanno i campioni al centro medico di Avery, non alla polizia di stato. Il signor Bell... voglio dire, lo sceriffo Bell, ha pensato che sarebbe stato più semplice."

"Un'ora?" sbottò Rhyme, facendo una smorfia. "È decisamente troppo."

Non poté fare a meno di chiedersi se quel ritardo avrebbe impedito loro di salvare le vite di Lydia e Mary Beth.

Ben spostò il peso da un piede all'altro, le braccia abbandonate lungo i fianchi. "Ehm, potrei richiamarli. Ho spiegato che era molto importante ma... Vuole che li richiami?"

"Lascia perdere, Ben. Diamoci da fare. Thom, è arrivato il momento delle nostre tabelle."

Sotto dettatura di Rhyme, l'assistente cominciò a scrivere sulla lavagna.

RITROVAMENTI SULLA SCENA PRIMARIA
BLACKWATER LANDING

kleenex sporco di sangue
polvere di calcare
nitrati
fosfati
detergente
canfene

Rhyme osservò la lavagna. Più domande che risposte...

Un pesce fuor d'acqua...

Spostò lo sguardo sul terriccio che Ben aveva trovato dentro la scarpa del ragazzo. Poi gli venne in mente qualcosa. "Jim!" gridò, facendo trasalire Thom e Ben. "Jim! Dove diavolo è? Jim!!"

"Cosa c'è?" Lo sceriffo entrò di corsa nella stanza, allarmato. "Qualcosa non va?"

"Quanti lavorano in questo edificio?"

"Non lo so. Più o meno una ventina."

"E vivono tutti nella contea?"

"Più o meno. Alcuni vengono da Paquotank, Albemarle e Chowan."

"Li voglio tutti qui, subito."

"Cosa?"

"Tutti quelli che si trovano nell'edificio. Voglio campioni di terra dalle loro scarpe... aspetti: anche dai tappetini delle loro auto."

"Terra..."

"Terra! Terriccio! Fango! Qualsiasi cosa. Subito!"

Bell si allontanò. Rhyme si rivolse a Ben: "Vedi quel portaprovette laggiù?"

Lo zoologo si avvicinò al tavolo su cui si trovava un lungo supporto che conteneva una serie di provette.

"È un apparecchio per il test a gradiente di densità: indica la gravità specifica di materiali come il terriccio."

Ben annuì. "Ne ho sentito parlare ma non ne ho mai usato uno."

"Non è difficile. Quelle bottiglie laggiù... " Rhyme spostò lo sguardo verso due bottiglie di vetro scuro. L'etichetta della prima diceva "tetra", quella della seconda "etanolo". "Dovrai mescolare quelle due sostanze come ti dirò e riempire le provette fino all'orlo."

"D'accordo. A cosa serve?"

"Mettiti al lavoro. Ti spiegherò tutto quando avremo finito."

Ben miscelò le sostanze chimiche seguendo alla lettera le istruzioni, quindi riempì le venti provette con i liquidi contraddistinti da bande di colore diverso, l'etanolo e il tetrabrometano.

"Versa un campione di terriccio della scarpa di Garrett nella provetta a sinistra. La terra si separerà e otterremo un profilo. Poi faremo lo stesso con i campioni presi dagli agenti che vivono in aree diverse della contea. Se uno dei campioni corrisponderà a quello di Garrett, allora potremo presumere che quel terriccio provenga da una zona non lontana."

Bell arrivò con i primi impiegati e il criminologo spiegò loro ciò che aveva intenzione di fare. Lo sceriffo sorrise, ammirato. "Questa sì che è una grande idea, Lincoln. Mio cugino Roland aveva le sue buone ragioni a cantare le tue lodi."

Ma la mezz'ora che trascorsero ad analizzare i nuovi campioni si rivelò inutile. Nessuno corrispondeva al terriccio grattato dalla suola della scarpa di Garrett. Rhyme si accigliò, osservando l'ultimo campione depositarsi dentro la provetta.

"Dannazione!"

"Dovevamo tentare comunque", commentò Bell.

Uno spreco di tempo prezioso.

"Devo liberarmi dei campioni?" domandò Ben.

"No. Mai buttarli via", disse Rhyme con fermezza. Poi si ricordò di non essere troppo duro nel dargli ordini. Quel ragazzo era lì grazie all'interessamento di una sua parente e al suo senso di solidarietà verso le vittime. "Thom, vieni a darci una mano. Amelia ha richiesto una Polaroid... dev'essere qui da qualche parte. Trovala e fa' dei primi piani di tutte le provette. Annota i nomi di ciascun impiegato sul retro delle fotografie."

L'assistente trovò la macchina fotografica e si mise subito all'opera.

"Adesso dobbiamo analizzare le prove che Sachs ha raccolto a casa dei genitori adottivi di Garrett, i pantaloni che ci sono in quel sacchetto: guarda se trovi qualcosa nei risvolti."

Con cautela, Ben aprì il sacchetto di plastica ed esaminò i pantaloni. "Sissignore, ci sono degli aghi di pino. Parecchi."

"Bene. Sono caduti dai rami o sono tagliati?"

"Sembra che siano tagliati."

"Ottimo. Questo significa che Garrett li ha tagliati per una ragione. E che quella ragione potrebbe avere a che fare con i crimini. Non lo sappiamo ancora di preciso, ma credo che si tratti di camuffamento."

Appoggiò il capo sul cuscino dello schienale della Storm Arrow e spostò lo sguardo sull'orologio. Garrett era in fuga ormai da quasi quattro ore. Un lasso di tempo che gli avrebbe permesso di raggiungere il suo nascondiglio e di stuprare e uccidere la vittima prima di essere raggiunto. Un lasso di tempo che gli avrebbe permesso di far perdere le tracce o di disseminare di trappole i boschi che lui conosceva alla perfezione e che invece per Rhyme erano un territorio alieno.

"Sanno di puzzola", borbottò Ben annusando i vestiti.

E Rhyme: "L'ho notato anch'io. Ma questo non ci è di alcun aiuto. Per il momento, almeno".

"Perché no?" volle sapere lo zoologo.

"Perché non c'è modo di collegare un animale selvatico a

una zona specifica. Una puzzola territoriale potrebbe essere d'aiuto; una sempre in movimento, no. Diamo un'occhiata alle tracce sui vestiti. Taglia un paio di pezzi dai pantaloni e passali nel GC/SM."

Mentre attendevano i risultati, esaminò il resto delle prove. "Fammi vedere il taccuino, Thom." L'aiutante sfogliò le pagine per Rhyme. Erano piene solo di brutti disegni di insetti. Il criminologo scosse la testa. Niente di importante.

"E quegli altri libri?" Con un cenno del capo, indicò i quattro volumi che Amelia aveva prelevato dalla stanza di Garrett. Uno – *Un mondo in miniatura* – era stato letto e riletto così tante volte che stava cadendo a pezzi. Rhyme notò passaggi sottolineati, cerchiati o contrassegnati con asterischi. Ma nessuno di quei brani forniva indizi utili a capire dove il ragazzo potesse aver passato il suo tempo libero. Sembravano quiz sugli insetti. Disse a Thom di mettere i libri da parte, quindi passò a osservare ciò che Garrett aveva nascosto nel contenitore delle vespe: denaro, fotografie di Mary Beth e della sua vera famiglia. La vecchia chiave. La lenza da pesca.

Il denaro era solo una massa accartocciata di biglietti da cinque e da dieci e di dollari d'argento. Notò l'assenza di appunti sui margini delle banconote (molti criminali le usano per annotare messaggi o piani; un modo veloce per liberarsi di prove compromettenti è comprare qualcosa con quei soldi, che inevitabilmente si perdono nel buco nero della circolazione). Ordinò a Ben di passare la PoliLight – una fonte di luce alternativa – sul denaro, e scoprì che sia le banconote sia i dollari d'argento erano coperti da un centinaio di diverse impronte parziali, troppe perché potessero offrire un valido indizio. Sulla cornice portafoto non c'era l'adesivo con il prezzo, così come sul rocchetto di lenza, e quindi non vi era modo di risalire ai negozi in cui Garrett avrebbe potuto averli acquistati.

"È un tipo di lenza piuttosto sottile", commentò Rhyme osservando il rocchetto. "Giusto, Ben?"

"Reggerebbe a malapena un persico sole, signore."

I risultati delle analisi sui pantaloni del ragazzo comparvero sullo schermo del computer. Rhyme lesse ad alta voce: "Kerosene, ancora ammoniaca, ancora nitrati e canfene. Un'altra tabella, Thom, se non ti dispiace."

Il criminologo dettò:

RITROVAMENTI SULLA SCENA SECONDARIA
LA STANZA DI GARRETT

odore di puzzola
aghi di pino tagliati
disegni di insetti
foto di Mary Beth e della famiglia
libri sugli insetti
lenza da pesca
denaro
chiave sconosciuta
kerosene
ammoniaca
nitrati
canfene

Rhyme osservò le tabelle. Alla fine decise: "Thom, telefona a Mel Cooper".

L'aiutante prese l'apparecchio e digitò il numero che ricordava a memoria.

Cooper, che spesso Rhyme prendeva in prestito dalla scientifica del dipartimento di polizia di New York, pesava probabilmente la metà di Ben. Sembrava un timido impiegatuccio, ma era uno dei maggiori esperti di medicina legale del paese.

"Puoi inserire il vivavoce, Thom?"

L'assistente premette un pulsante e un attimo dopo la morbida voce da tenore di Cooper lo raggiunse: "Ciao, Lincoln. Qualcosa mi dice che non sei in ospedale".

"Come lo hai capito, Mel?"

"Non è stata una deduzione molto difficile. L'identificatore di chiamata dice 'ufficio della contea di Paquenoke'. Hai deciso di rimandare l'operazione?"

"No. Sto solo dando una mano in un'indagine. Ascolta, Mel, non ho molto tempo e ho bisogno di qualche informazione su una sostanza chiamata canfene. L'hai mai sentita nominare?"

"No. Ma resta in linea: controllo il database."

Rhyme sentì un frenetico ticchettio di tasti. Cooper era il più veloce dattilografo che avesse mai conosciuto.

"Trovato... Interessante..."

"Non ho bisogno di cose interessanti, Mel. Ho bisogno di fatti."

"È un terpene, carbonio e idrogeno. Deriva dalle piante. Un tempo era usato come ingrediente per pesticidi, ma nei primi anni Ottanta è stato vietato. È stato largamente utilizzato nel tardo Ottocento come carburante per le lampade. All'epoca era un ritrovato all'avanguardia, che poteva rimpiazzare l'olio di balena. Ed era comune quanto un qualsiasi altro gas naturale. Stai cercando un SOSCO?"

"Non è un soggetto sconosciuto, Mel. Lo conoscono tutti da queste parti. Solo che non riusciamo a trovarlo."

"Questa sì che è una vacanza, Lincoln."

"Non era una vacanza fin dall'inizio." Possibile che fosse lui l'unica persona al mondo che detestava le chiacchiere inutili? "Quindi il fatto che abbiamo trovato tracce di canfene significa che il sospetto probabilmente si nasconde in un vecchio edificio."

"Certo. Ma c'è un'altra possibilità. Qui dice che il canfene ormai viene usato solo come componente per profumi, dopobarba e cosmetici di vario tipo."

Rhyme rimase a riflettere per qualche istante, quindi domandò: "Quale percentuale del prodotto finito è costituita dal canfene?"

"Solo una minima traccia. Una parte su mille."

Era una percentuale estremamente bassa.

Rhyme aveva sempre detto agli uomini della sua squadra di non aver paura di fare deduzioni azzardate quando si analizzavano le prove. Tuttavia era dolorosamente consapevole del fatto che alle due donne poteva restare pochissimo tempo, e aveva la sensazione che con le risorse che avevano a disposizione avrebbero potuto seguire solamente una delle possibili tracce.

"Dovremo affidarci alla sorte", annunciò. "Presupporremo che la sostanza provenga da una lanterna e non da un profumo e agiremo di conseguenza. Ora, Mel, ascoltami: ti manderò la fotocopia di una chiave. Ho bisogno che tu faccia qualche ricerca."

"Niente di più facile. È la chiave di un'auto?"

"Non so dirtelo."

"Di una casa?"

"Non lo so."

"È nuova?"

"Non ne ho idea."

In tono dubbioso, Cooper ammise: "Potrebbe essere più difficile del previsto. Comunque fammela avere e farò quello che potrò".

Finita la telefonata, Rhyme ordinò a Ben di fare le fotocopie di entrambi i lati della chiave e di inviarle via fax a Cooper. Poi provò a mettersi in contatto con Amelia via radio ma senza successo. La chiamò sul cellulare.

"Pronto?"

"Sachs, sono io."

"Cosa c'è che non va con la radio?" domandò lei.

"Non c'è ricezione."

"Da che parte dobbiamo andare, Rhyme? Siamo sull'altra sponda del fiume ma abbiamo perso le tracce di Garrett. E, detto tra noi", abbassò la voce in un sussurro, "i miei compagni sono alquanto agitati. Lucy mi strangolerebbe volentieri."

"Ho completato le analisi di base ma non so ancora cosa fare con tutti questi dati; sto aspettando quel tizio della fabbrica di Blackwater Landing, Henry Davett. Dovrebbe essere qui da un momento all'altro. Comunque ascolta, Sachs. C'è un'altra cosa che volevo dirti: ho trovato tracce significative di ammoniaca e nitrati sui vestiti di Garrett e nella scarpa che ha perso."

"Una bomba?" domandò lei, la voce cupa che tradiva la sorpresa.

"Sembra di sì. E quel rocchetto di lenza che hai trovato è troppo sottile perché lo si possa usare per pescare seriamente. Credo che lo abbia utilizzato per costruire delle trappole. Avanzate lentamente, con grande attenzione. Se notate qualcosa che può somigliare a un indizio, tenete a mente che potrebbe essere un trabocchetto. Per ora non ti muovere. Spero di darti qualche indicazione al più presto."

Garrett e Lydia avevano percorso altri cinque o sei chilometri. Il sole splendeva alto nel cielo, ora. Doveva essere circa mezzogiorno, e la giornata era torrida. Il sollievo che la ragazza aveva provato bevendo l'acqua in bottiglia alla cava era svanito ben presto, e ora si sentiva molto debole.

Come se le avesse letto nel pensiero, Garrett disse: "Non manca molto. Là è più fresco. E ho dell'altra acqua".

Ora si trovavano in uno spazio aperto. Macchie di vegetazione, cespugli. Niente case, niente strade. C'erano molti vecchi sentieri che si diramavano in diverse direzioni. Per chiunque li stesse cercando, sarebbe stato quasi impossibile capire quale avevano scelto: era come un labirinto.

Con un cenno Garrett indicò un sentiero stretto, rocce sulla sinistra, e a destra un precipizio di una decina di metri. Camminarono per quasi un chilometro, poi Garrett si fermò e si voltò indietro a guardare.

Stremata, scoraggiata, Lydia si appoggiò a un albero e osservò il ragazzo allampanato, le sue gambe sudicie e le sue mani, la fronte prominente, gli occhi folli. Ti prenderanno, stronzo, pensò. Ti strapperanno il cuore.

Apparentemente tranquillizzato dal fatto che non ci fosse nessuno nelle vicinanze, Garrett scomparve tra i cespugli per riemergere un attimo dopo con un filo di nylon – simile a una sottile lenza da pesca – che tese attraverso il sentiero a pochi centimetri da terra. Era quasi impossibile notarlo da una posizione eretta. Il ragazzo annodò il filo a un bastoncino che infilò in una grossa bottiglia piena di un liquido lattiginoso. Lydia ne sentì l'odore: ammoniaca. Si sentì invadere dall'orrore; lavorando come infermiera, le era capitato di vedere gli effetti delle bruciature alcaline. Tutta quell'ammoniaca avrebbe potuto ferire gravemente anche una decina di persone.

"Non puoi farlo", sussurrò.

"Non mi interessano le tue stronzate." Fece ticchettare le unghie. "Quando avrò finito qui, potremo andare a casa."

A casa?

Lydia fissò la grande bottiglia di ammoniaca mentre Garrett la copriva di ramoscelli. Immaginò la squadra di ricerca colpita dal liquido corrosivo: gente accecata, ustionata, persino uccisa.

Molti anni prima era stata una girl-scout, ma aveva sempre odiato gli stupidi incarichi casalinghi che le ragazze dovevano svolgere per essere premiate. Invidiava i ragazzi, che potevano imparare cose utili: costruire bussole e trappole, ottenere l'acqua dalle piante e scoprire quali bacche erano commestibili e quali no. Lei non aveva idea di dove si trovasse ma aveva sempre avuto un ottimo senso dell'orientamento. Dovevano essere a circa sei chilometri a nord-est di Blackwater Landing, anche se le Outer Banks della Carolina, che sembravano essere la loro destinazione, erano a est di Tanner's Corner. Pareva che Garrett non fosse molto interessato a raggiungere direttamente il luogo in cui Mary Beth era tenuta prigioniera, ma piuttosto ad attirare il gruppo di ricerca nelle profondità dei territori pericolosi a nord del Paquo.

Esisteva un modo per mettere in guardia Jim Bell e gli altri agenti? si domandò la ragazza. Ma non le venne in mente niente, con le mani legate e Garrett che non la perdeva mai di vista. Così decise di pregare il suo angelo custode affinché proteggesse le persone che stavano venendo a salvarla.

Nonostante l'afa opprimente, il ragazzo si muoveva sempre più in fretta e Lydia faceva del suo meglio per stargli dietro. Garrett sembrava più sporco che mai, coperto di polvere e di frammenti di foglie morte. Era come se, man mano che si allontanavano dalla civiltà, lui si stesse trasformando lentamente in un insetto. Le ricordava un libro che avrebbe dovuto leggere ai tempi della scuola ma che non aveva mai finito.

"Lassù." Garrett indicò una collina. "Staremo là. Raggiungeremo l'oceano domani mattina."

L'uniforme di Lydia era zuppa di sudore. I primi due bottoni erano slacciati e lo scollo metteva in mostra il suo reggiseno bianco. Il ragazzo continuava a guardare la superficie tonda dei suoi seni. Ma a lei quasi non importava; ora voleva soltanto fuggire, raggiungere un luogo fresco e ombreggiato, dovunque Garrett la stesse portando.

Quindici minuti dopo, raggiunsero una radura. Davanti a loro si stagliava un vecchio mulino abbandonato, circondato da altissime erbacce. Si ergeva accanto a un corso d'acqua che la palude aveva ormai quasi inghiottito. Un'ala del mulino era bruciata. Tra le macerie si poteva ancora vedere un camino annerito dalle fiamme, quello che, Lydia lo sapeva, veniva definito un "Monumento Sherman", il generale dell'Unione che aveva dato fuoco a case ed edifici durante la sua marcia verso il mare, lasciandosi alle spalle un paesaggio di macerie carbonizzate.

Garrett la condusse nella parte anteriore del mulino che era stata risparmiata dalle fiamme. La spinse all'interno, sbatté la pesante porta di legno di quercia e la chiuse a chiave. Per un lungo istante rimase ad ascoltare accanto a una delle finestre prive di vetri. Poi, felice del fatto che nessuno li avesse seguiti, le passò un'altra bottiglia d'acqua.

Lydia cercò di impedirsi di berla tutta, fino all'ultima goccia. Si riempì la bocca con una sorsata, assaporando il gusto pungente sul palato inaridito, e infine deglutì lentamente.

Quando ebbe finito, Garrett le prese la bottiglia, le slegò le mani e gliele legò nuovamente dietro la schiena. "Devi proprio farlo?" gli domandò Lydia.

Lui alzò gli occhi al cielo come se gli avesse appena rivolto la più stupida delle domande e non rispose. La fece sedere sul pavimento. "Resta qui e tieni chiusa la tua boccaccia." Poi si sedette a terra davanti a lei e chiuse gli occhi. Rimasero così per mezz'ora, circondati dal silenzio più assoluto, e in quel lasso di tempo Lydia si convinse che non solo il suo angelo custode, ma anche tutta la popolazione della contea di Paquenoke l'avevano abbandonata.

...dieci

Una sagoma comparve sulla soglia, insieme a Jim Bell.
Era un uomo di circa cinquant'anni, con capelli radi
e il volto rotondo dai tratti regolari. Aveva un blazer
blu appoggiato su un braccio, la camicia bianca perfettamente stirata e inamidata ma scurita da macchie di sudore sotto le
ascelle, e una cravatta a righe tenuta ferma da un fermacravatta.

In un primo momento Rhyme aveva pensato che potesse trattarsi di Henry Davett, ma gli occhi erano una delle poche parti
del suo corpo uscite indenni dall'incidente – la sua vista era perfetta – e lessero il monogramma sul fermacravatta anche da una
distanza di tre metri: WWJD.

William? Walter? Wayne?

Non aveva idea di chi potesse essere quell'uomo.

Lo sconosciuto lo fissò, socchiudendo gli occhi in segno di
apprezzamento, e annuì. Infine Jim Bell parlò: "Henry, vorrei
presentarti Lincoln Rhyme".

Quindi, quello non era un monogramma. E quel tipo era *davvero* Davett. Rhyme lo salutò con un cenno del capo. Probabilmente quel fermacravatta era appartenuto a suo padre. William
Ward Jonathan Davett. Senza dubbio l'atteggiamento sicuro di
quell'uomo suggeriva che si sentiva perfettamente a suo agio

nell'ostentare ben quattro nomi, una qualità che poteva aver ereditato dal padre.

Davett entrò nella stanza e osservò gli strumenti.

"Ah, conosce i cromatografi?" domandò Rhyme, notando un bagliore d'interesse nell'uomo davanti all'apparecchiatura.

"Il mio dipartimento per la ricerca e lo sviluppo ne ha un paio. Ma questo modello..." Scosse la testa con aria di disapprovazione. "Non li producono nemmeno più. Perché lo state usando?"

"Con il budget dello stato non possiamo permetterci altro", spiegò lo sceriffo.

"Ve ne manderò uno."

"Non è necessario."

"Questa è immondizia", continuò l'uomo bruscamente. "Ve ne farò portare uno nuovo qui nel giro di venti minuti."

Rhyme prese la parola: "*Trovare* le prove non è un problema. Interpretarle, sì. È per questo che mi serve il suo aiuto. Lui è Ben Kerr, il mio assistente".

I due si strinsero la mano. Ben sembrava infinitamente sollevato all'idea che nella stanza insieme a loro ci fosse un'altra persona "normale".

"Siediti, Henry", lo invitò Bell avvicinandogli una poltroncina da ufficio. L'ospite si accomodò e, sporgendosi leggermente in avanti, si lisciò con cura la cravatta. Quel gesto, la postura, i piccoli occhi decisi si fusero nella percezione di Rhyme e il criminologo pensò: Affascinante, discreto... e soprattutto un uomo d'affari dannatamente duro.

Si chiese di nuovo che cosa significasse la sigla WWJD. Non era certo di aver risolto l'enigma.

"Si tratta di quelle donne rapite, vero?"

Bell annuì. "Nessuno ne ha ancora parlato esplicitamente, ma sono sicuro che tutti stiano pensando..." guardò Rhyme e Ben "... che potrebbe aver già violentato e ucciso Mary Beth e scaricato il suo corpo da qualche parte."

Ventiquattr'ore...

Lo sceriffo continuò: "Ma abbiamo ancora la possibilità di salvare Lydia, o, almeno, è quello che speriamo. E dobbiamo fermare Garrett prima che aggredisca qualcun altro".

Davett aveva un tono rabbioso quando parlò. "La morte di

Billy è stata veramente una tragedia. Ho sentito dire che stava solo facendo il buon samaritano, che ha cercato di salvare Mary Beth e si è fatto ammazzare."

"Garrett gli ha spaccato la testa con una vanga. Davvero terribile."

"Quindi, se ho capito bene, il fattore tempo è fondamentale. Cosa posso fare per voi?" Davett si rivolse a Rhyme. "Parlava dell'interpretazione di qualcosa, giusto?"

"Abbiamo alcune prove che indicano gli spostamenti di Garrett e i luoghi dove potrebbe essersi diretto con Lydia. Speravo che lei potesse dirmi qualcosa di questa zona."

Davett annuì. "Conosco il territorio molto bene. Sono laureato in geologia e in ingegneria chimica. Inoltre, vivo a Tanner's Corner da quando sono nato e ho una certa confidenza con la contea di Paquenoke."

Con un cenno del capo, Lincoln indicò le tabelle delle prove. "Potrebbe dare un'occhiata a quegli elenchi e dirci cosa ne pensa? Stiamo cercando di collegare gli indizi a dei luoghi precisi."

Bell aggiunse: "Probabilmente quello che stiamo cercando è un posto che si può raggiungere solo a piedi. A Garrett non piacciono le macchine. Non guida".

Davett inforcò gli occhiali da vista e guardò la lavagna.

RITROVAMENTI SULLA SCENA PRIMARIA
BLACKWATER LANDING

kleenex sporco di sangue
polvere di calcare
nitrati
fosfati
detergente
canfene

RITROVAMENTI SULLA SCENA SECONDARIA
LA STANZA DI GARRETT

odore di puzzola
aghi di pino tagliati
disegni di insetti

foto di Mary Beth e della famiglia
libri sugli insetti
lenza da pesca
denaro
chiave sconosciuta
kerosene
ammoniaca
nitrati
canfene

Scorse l'elenco con attenzione, socchiudendo gli occhi più volte. Si accigliò. "Nitrati e ammoniaca? Sa di cosa si potrebbe trattare?"

Rhyme annuì. "Penso che abbia lasciato dei congegni esplosivi per fermare la squadra di ricerca. Li ho già avvertiti."

Davett fece una smorfia e tornò a studiare la lavagna. "Il canfene... Se non sbaglio un tempo veniva usato per le lanterne. Sa, le vecchie lampade a olio."

"Esattamente. Quindi, dobbiamo pensare che abbia portato Mary Beth in un luogo in disuso. Un edificio del diciannovesimo secolo."

"In questa zona ci saranno migliaia di vecchie case, granai, baracche... Cos'altro avete trovato? Polvere di calcare... Questo non ci aiuterà certo a restringere il campo delle ricerche. C'è una grande dorsale calcarea che attraversa tutta la contea di Paquenoke. Un tempo ha fatto guadagnare un sacco di soldi, da queste parti." Si alzò e mosse un dito in diagonale lungo la cartina, dal limite meridionale della Grande Palude Lugubre verso sud-ovest, dal riquadro L-4 fino al C-14. "Potreste trovare del calcare dovunque, lungo questa linea. Non vi servirà a molto. Tuttavia", fece un passo indietro e incrociò le braccia sul petto, "i fosfati sono un'indicazione utile. Il North Carolina è il maggior produttore americano di fosfati, ma non vengono estratti in questa zona, bensì molto più a sud. Quindi, tenendo conto della presenza del detergente, direi che il ragazzo è venuto a contatto con acque inquinate."

"Dannazione", esclamò Jim Bell, "questo significa soltanto che è stato nel Paquenoke."

"No", lo corresse l'altro, "il Paquo è pulito come acqua di

sorgente. È scuro, ma solo perché è alimentato dalla Grande Palude e dal Lago Drummond."

"Oh, è acqua magica", borbottò lo sceriffo.

"Cosa significa?" domandò Rhyme.

"La gente di qui chiama così l'acqua della Grande Palude", spiegò Davett. "È piena di acido tannico che proviene dai cipressi e dai ginepri in decomposizione. L'acido uccide tutti i batteri e quindi l'acqua resta fresca per parecchio; un tempo la usavano come acqua potabile sulle navi durante i lunghi viaggi. Alcuni credevano che avesse delle doti magiche."

"Quindi", osservò Lincoln, che non si interessava mai alle leggende locali a meno che non potessero aiutarlo nelle indagini, "dove ci porterebbe la presenza di fosfati?"

Davett guardò Bell. "Dove ha rapito la seconda ragazza?"

"Nello stesso posto in cui ha rapito Mary Beth. A Blackwater Landing." Lo sceriffo indicò il riquadro H-9 sulla mappa. "Ha attraversato il fiume, si è fermato in un capanno da caccia che si trova più o meno qui ed è andato a nord per circa un chilometro. Dopodiché il gruppo di ricerca ha perso le sue tracce. Stanno aspettando qualche indicazione da noi."

"Oh, allora non ci sono dubbi", affermò Davett con una convinzione incoraggiante. Indicò un punto a est. "È passato per Stone Creek. Qui. Vedete? Alcune delle cascate di questa zona sembrano schiuma in un boccale di birra. Questo fenomeno comincia a verificarsi nei pressi delle Cascate Hobeth su a nord, e c'è un enorme riflusso. Non sanno niente, di topografia, in quella città."

"Bene", esclamò Rhyme. "Ora, ha qualche idea su dove Garrett possa essersi diretto una volta attraversata quella zona?"

Davett esaminò nuovamente la lavagna. "Dato che avete trovato degli aghi di pino, penso che sia andato da questa parte." Picchiettò con l'indice i riquadri I-5 e J-8. "Ci sono pini dovunque, nel North Carolina, ma da queste parti le foreste sono costituite soprattutto da querce, vecchi cedri, cipressi ed eucalipti. L'unica grande foresta di pini che io conosca si trova a nord-est. Qui, sulla strada che conduce alla Grande Palude." Fissò gli elenchi ancora per un attimo, poi scosse la testa. "Temo di non potervi dire molto altro. Quante squadre di ricerca avete mandato?"

"Una", rispose Rhyme.

"Che cosa?" L'uomo si voltò a guardarlo. "Una sola? Non avete fatto una ricerca a ventaglio?"

"No", rispose Bell, sulla difensiva.

"Da quanti uomini è composta la squadra?"

"Da quattro agenti", borbottò lo sceriffo.

L'ingegnere scosse la testa, incredulo. "È una follia." Con un gesto della mano indicò la mappa. "È un territorio immenso, e la persona che state cercando è Garrett Hanlon... l'Insetto. Praticamente ci vive, a nord del Paquo. Può farvi perdere le sue tracce come e quando vuole."

Lo sceriffo si schiarì la gola. "Rhyme pensa che sia meglio non usare troppe persone."

"Non sono *mai* troppe, in una situazione come questa", spiegò Davett a Rhyme. "Dovreste prendere cinquanta uomini, armarli di fucile e fargli controllare ogni dannato cespuglio. State sbagliando tutto."

Rhyme notò che Ben aveva ascoltato quella breve lezione con un'espressione mortificata sul viso. Lo zoologo evidentemente pensava che fosse *inconcepibile* rivolgersi a uno storpio senza usare i guanti di velluto.

Con calma, Lincoln replicò: "Una grande caccia all'uomo allarmerebbe Garrett molto prima e metterebbe in pericolo le sue vittime".

"No", ribatté Davett con enfasi, "lo spaventerebbe, convincendolo a liberare le due ragazze. Ci sono quarantacinque persone che lavorano nella mia fabbrica. Be', dieci di loro sono donne. Non potremo coinvolgerle. Ma gli uomini... Lasciate che li chiami. Troveremo delle armi. Gli faremo setacciare la zona attorno a Stone Creek."

Rhyme immaginava cosa avrebbero potuto fare cinquanta cacciatori di taglie dilettanti in una situazione del genere. Scosse la testa. "No. Ci serve soltanto una piccola squadra. Dobbiamo colpire chirurgicamente. Lo troveremo."

L'uomo si voltò a guardarlo e affermò con decisione: "Penso che si stia sbagliando".

"Henry", intervenne Bell, "ho chiesto io al signor Rhyme di condurre le indagini. Gli siamo molto grati."

In parte, quei commenti erano rivolti a Rhyme: Bell si stava implicitamente scusando per l'atteggiamento di Davett.

Tuttavia il criminologo era più che felice che quell'uomo fosse lì. Lui non credeva nei presagi, tuttavia, per quanto assurdo potesse sembrargli, aveva la sensazione che la presenza di Davett fosse un segno che l'operazione sarebbe andata bene e che avrebbe avuto delle ripercussioni positive sulle indagini. L'idea gli era stata suggerita dallo scambio di battute con quel duro uomo d'affari che lo aveva guardato negli occhi e gli aveva detto che si stava sbagliando. Davett non aveva nemmeno fatto caso alla condizione di Rhyme; aveva preso in considerazione soltanto le sue azioni, la sua decisione, il suo atteggiamento. Il fatto che il suo corpo fosse danneggiato per lui era irrilevante. E le mani magiche della dottoressa Weaver lo avrebbero avvicinato di un passo al momento in cui *tutti* lo avrebbero trattato così.

Era anche grato dell'aiuto che Davett aveva fornito loro per individuare il possibile percorso di Garrett, naturalmente. Ma lo era altrettanto per la sua schiettezza. Si rese conto che era proprio ciò di cui aveva bisogno per confermare la sua decisione di farsi operare, perché – anche se non lo avrebbe mai ammesso con Amelia – non era mai stato del tutto convinto che fosse una saggia idea. Adesso, grazie a quel breve scambio di battute, era più determinato che mai a sottoporsi all'intervento.

"Apprezzo il suo interessamento", disse con voce pacata, "ma penso che dovremmo continuare la ricerca come abbiamo fatto finora."

L'uomo d'affari sembrò non prendersela per quella risposta. "Ehi, la responsabilità è vostra", disse a Bell. "Io farei le cose in modo diverso, ma questo è un paese libero... Pregherò per quelle povere ragazze." Poi si voltò a guardare Rhyme. "Pregherò anche per lei, detective." Il suo sguardo indugiò ancora per qualche secondo sul criminologo, il quale si rese conto che quell'ultima promessa era sincera e che Davett l'avrebbe fatto davvero.

Quando l'uomo d'affari ebbe lasciato la stanza e si fu incamminato lungo il corridoio, Rhyme si rivolse allo sceriffo: "Il fermacravatta di Davett... J sta per Jesus?"

Bell scoppiò a ridere. "Indovinato. Oh, Henry è un uomo d'affari spietato, ma è anche un uomo di chiesa. Ci va tre volte la settimana. Una delle ragioni per cui gli piacerebbe mandare un esercito a dare la caccia a Garrett è che pensa che il ragazzo potrebbe essere un invasato."

Rhyme comunque continuava a non capire le altre iniziali. "Mi arrendo. Per cosa stanno le altre lettere?"

"Per *What Would Jesus Do?*: Cosa Farebbe Gesù? È quello che tutti i bravi cristiani di questa zona si chiedono quando si trovano a dover prendere una decisione importante. Io non ho idea di cosa farebbe Gesù se si trovasse qui con noi in questo momento. Quello che so è che faremmo meglio a chiamare Lucy e la sua amica e metterle sulle tracce di Garrett."

"Stone Creek?" disse Jesse Corn quando Amelia ebbe riferito al resto della squadra ciò che le aveva detto Rhyme. "È a circa un chilometro in quella direzione."

Si inoltrò nella vegetazione, seguito dalle due donne. Ned Spoto chiudeva la fila, i suoi occhi pallidi scrutavano preoccupati la foresta attorno a loro.

Nel giro di cinque minuti raggiunsero un sentiero. Con un cenno Jesse indicò loro di seguirlo a destra, verso est.

"È questo il sentiero?" domandò Amelia a Lucy. "Quello che secondo voi avrebbe preso?"

"Proprio così", rispose l'agente.

"Avevate ragione", disse Amelia a bassa voce per non farsi sentire dagli altri. "Ma dovevamo aspettare comunque."

"No, il fatto è che lei doveva dimostrare chi comanda", ribatté Lucy senza scomporsi.

È assolutamente vero, pensò l'agente Sachs. Ad alta voce aggiunse: "Ma ora sappiamo che è possibile che sul sentiero ci sia una bomba. Prima non lo sapevamo".

"Avrei tenuto gli occhi aperti comunque." Detto questo, Lucy rimase in silenzio e continuò a camminare, lo sguardo fisso sul terreno a dimostrare che eventuali trappole non l'avrebbero colta impreparata.

Dieci minuti dopo arrivarono alle acque lattiginose e schiumanti di sostanze chimiche di Stone Creek. Sulla riva trovarono due coppie di impronte: impronte di scarpe di una misura piccola ma profonde, lasciate probabilmente da una donna robusta. Si trattava di Lydia, senza dubbio. E le altre erano quelle di un uomo che camminava a piedi nudi. Garrett doveva essersi liberato anche dell'altra scarpa.

"Passiamo di qui", disse Jesse. "Conosco i boschi che ha menzionato il signor Rhyme. È la via più veloce."

Amelia fece per avvicinarsi all'acqua.

"Aspetti", esclamò Jesse.

Lei si fermò, spostando la mano sul calcio della pistola e accovacciandosi. "Che cosa c'è?" domandò. Lucy e Ned, seduti su una roccia e intenti a togliersi le scarpe e le calze, ridacchiarono per la sua reazione.

"Se si bagna gli stivali e le calze e continua a camminare", spiegò Lucy, "si ritroverà con i piedi pieni di vesciche prima di aver fatto cento metri. E non riuscirà più ad andare avanti."

"Non ne sa un granché di passeggiate tra i boschi, vero?" chiese Ned ad Amelia.

Corn emise una risata esasperata e si rivolse al suo collega: "Perché viene dalla *città*, Ned. Non penso che tu sia un vero esperto in materia di metropolitane e grattacieli".

Amelia ignorò lo scherno dell'uno e la galante difesa dell'altro e si tolse gli stivaletti e i calzini neri. Quindi si arrotolò l'orlo dei jeans.

Incominciarono ad attraversare la corrente. L'acqua era meravigliosamente fresca contro la pelle. Amelia fu quasi dispiaciuta quando ebbero raggiunto la riva opposta.

Attesero qualche minuto per far asciugare i piedi, quindi si rimisero calze e scarpe, infine ispezionarono la sponda finché non ritrovarono le impronte. La squadra seguì il sentiero nei boschi ma, man mano che il terreno si faceva più secco e la vegetazione più fitta, persero nuovamente le tracce.

"I pini sono da quella parte", osservò Jesse. Indicò un punto a nord-est. "La scelta più sensata sarebbe stata andare in quella direzione."

Continuarono a camminare per un'altra ventina di minuti, in fila indiana, gli occhi sempre fissi sul terreno. A un certo punto, le querce, gli agrifogli e i carici cedettero il posto ai ginepri e agli abeti. Davanti a loro, a circa quattrocento metri, c'era una fitta schiera di pini. Ma non c'era traccia delle orme del rapitore o della sua vittima, niente che indicasse che si erano inoltrati nella foresta.

"È troppo dannatamente grande", mormorò Lucy. "Come facciamo a trovare le loro tracce là dentro?"

"Separiamoci", suggerì Ned. Guardò con aria scoraggiata l'intrico della vegetazione. "Se ha lasciato una bomba qui sarà praticamente impossibile vederla."

Stavano per dividersi quando Amelia alzò la testa. "Aspettate. State qui." Si mosse lentamente e con circospezione; a soli quindici metri dagli agenti, in un cespuglio morto, circondato da petali in decomposizione, trovò due coppie di impronte nella terra polverosa. Conducevano a un sentiero che si snodava nella foresta.

"Sono passati di qui!" esclamò. "Seguite i miei passi; ho già controllato io: non ci sono trappole."

Un istante dopo i tre agenti la raggiunsero.

"Come ha fatto a scoprirlo?" domandò Jesse Corn, sempre più affascinato.

"Non sentite questo odore?" domandò l'agente Sachs.

"È odore di puzzola", borbottò Ned.

Amelia spiegò: "I pantaloni di Garrett, quelli che ho trovato nella sua stanza, avevano lo stesso tanfo. Quindi ho immaginato che fosse già stato qui... ho solo seguito l'odore."

Jesse scoppiò a ridere e si rivolse a Ned: "Cosa ne dici della nostra ragazza di città?"

Quello alzò gli occhi al cielo e i quattro agenti ripresero a seguire il sentiero, lentamente, verso la macchia di pini.

Diverse volte lungo il cammino attraversarono ampie zone aride in cui alberi e cespugli erano morti. E ogni volta Amelia si sentiva a disagio, perché la squadra di ricerca era esposta a ogni genere di aggressione. A metà della seconda radura, e dopo il suo terzo brutto spavento sentendo un fruscio improvviso nella vegetazione circostante, forse causato da un animale, prese il cellulare.

"Rhyme, sei lì?"

"Cosa c'è? Qualche novità?"

"Abbiamo ritrovato le tracce di Garrett. Ma dimmi: qualcuno degli indizi fa pensare che il ragazzo sia armato?"

"No", rispose Rhyme. "Perché?"

"Ci sono ampie zone aride, nei boschi qui attorno: tutte le piante sono morte a causa delle piogge acide o dell'inquinamento. La nostra copertura è pari a zero. È un posto perfetto per un'imboscata."

"Non credo che c'entrino le armi da fuoco. Abbiamo riscontrato tracce di nitrati, ma se provenissero dalle munizioni di una pistola o di un fucile avremmo trovato anche granelli di polvere bruciata, solvente, grasso, cordite, fulminato di mercurio. E nessuno di questi elementi è presente."

"Questo significa solo che non spara da un bel po' di tempo", disse lei.

"È vero."

Amelia chiuse la comunicazione.

Avanzando con ancora maggior cautela, percorsero diversi chilometri, circondati dall'odore resinoso che regnava nell'aria. Cullati dal caldo e dal ronzio degli insetti, i quattro agenti erano ancora sul sentiero percorso da Garrett e Lydia, anche se ormai le impronte non erano più visibili. Amelia si domandò se non avessero perso...

"Fermi!" gridò la Kerr. Si inginocchiò a terra. Ned e Jesse rimasero immobili. Amelia sfoderò la pistola in una frazione di secondo. Poi capì a cosa si stesse riferendo Lucy: al luccichio argenteo di un filo teso davanti a loro.

"Dannazione", mormorò Ned, "come hai fatto a notarlo?"

Lucy non rispose. Seguendo il filo, strisciò fino al limitare del sentiero. Scostò con cautela alcuni rami, scoprendo una pila di foglie gialle e secche. Incominciò a scostare le foglie, a una a una.

"Vuoi che faccia venire gli artificieri da Elizabeth City?" chiese Jesse.

"Shhh", ordinò Lucy.

Altre foglie, con cautela, con estrema cautela.

L'agente Sachs tratteneva il respiro. Non molto tempo prima, durante le indagini su un caso, era stata vittima di una mina antiuomo. Non era stata ferita gravemente, ma ricordava che in un breve istante il rumore assordante, il calore, l'onda d'urto e i detriti l'avevano avvolta completamente. Non voleva che accadesse di nuovo. Sapeva che spesso gli ordigni fatti in casa erano pieni di pezzi di metallo o monetine che potevano diventare micidiali quanto i frammenti di una granata. Lo aveva fatto anche Garrett? Ripensò alla fotografia del ragazzo, ai suoi occhi ombrosi, infossati. Ricordò i contenitori pieni di insetti, la morte di quella donna di Blackwater Landing, punta centotrentasette volte da uno sciame di vespe. Ripensò a Ed Schaeffer che giaceva in coma in una camera d'ospedale. Sì, decise alla fine, Garrett sicuramente aveva preparato la trappola più terribile che era riuscito a escogitare.

Si acquattò quando Lucy scostò l'ultima foglia della pila.

L'agente sospirò e si mise a sedere sui talloni. "È uno stramaledetto ragno", mormorò.

Anche Amelia lo vide. Quella non era affatto una lenza da pesca, ma un lungo filamento di ragnatela.

Si alzarono in piedi.

"Un ragno", disse Ned, e scoppiò a ridere nervosamente. Anche Jesse ridacchiò.

Ma le loro voci erano prive di allegria, notò Amelia, e quando ripresero a camminare lungo il sentiero, scavalcarono tutti il filo luccicante con grande attenzione.

Lincoln Rhyme stava fissando la lavagna.

RITROVAMENTI SULLA SCENA SECONDARIA
LA STANZA DI GARRETT

odore di puzzola
aghi di pino tagliati
disegni di insetti
foto di Mary Beth e della famiglia
libri sugli insetti
lenza da pesca
denaro
chiave sconosciuta
kerosene
ammoniaca
nitrati
canfene

Sospirò con rabbia. Si sentiva del tutto impotente. Il puzzle di quelle prove continuava a non avere senso.

Un pesce fuor d'acqua...

Spostò lo sguardo su: *Libri sugli insetti.*
Poi lanciò un'occhiata a Ben. "Quindi tu sei uno studente, giusto?"

"Giusto."

"E scommetto che leggi molto."

"È così che passo la maggior parte del tempo, quando non gioco a football."

Rhyme stava fissando le coste dei libri che Amelia aveva preso nella stanza di Garrett. Riflettendo ad alta voce, disse: "Che cosa possono dirci di una persona i suoi libri preferiti? Al di là dell'ovvio interesse che nutre per l'argomento, intendo."

"In che senso?"

"Be', il fatto che una persona legga perlopiù manuali, ci indica una cosa. Il fatto che legga perlopiù romanzi, ci indica qualcos'altro. I libri di Garrett sono tutti di saggistica. Cosa ne deduci?"

"Non saprei, signore." Ancora una volta Ben lanciò un'occhiata alle gambe di Rhyme – forse involontariamente – poi tornò a concentrarsi sull'elenco degli indizi. Borbottò: "Non sono bravo a capire la gente. Gli animali hanno molto più senso, per quanto mi riguarda. Sono molto più socievoli, prevedibili e coerenti delle persone. E dannatamente più intelligenti". Si rese conto di aver cominciato a divagare e, arrossendo, si interruppe di colpo.

Rhyme osservò nuovamente i libri. "Thom, potresti portarmi l'apparecchio per voltare le pagine?" Montato a un'UCA – un'unità di controllo ambientale – che Rhyme poteva azionare con il suo unico dito funzionante, l'apparecchio usava un braccio rivestito di gomma per voltare le pagine dei libri. "È nel furgone, giusto?"

"Penso di sì."

"Mi auguro che tu l'abbia portato. Io ti avevo *detto* di portarlo."

"E io ti ho detto che penso che ci sia", ribatté il giovane assistente senza scomporsi. "Vado a controllare." Uscì dalla stanza.

E dannatamente più intelligenti...

Thom tornò qualche istante con l'apparecchio.

"Ben", disse Rhyme. "Vedi il primo libro della pila?"

"Quello?" chiese lo zoologo osservando i libri. Il volume era *Gli insetti del North Carolina.*

"Inseriscilo nell'apparecchio", gli ordinò. Poi aggiunse, in tono più gentile: "Se non ti dispiace".

L'aiutante mostrò a Ben come sistemare il libro, quindi collegò una serie di cavi all'UCA sotto la mano sinistra di Rhyme.

Il criminologo lesse la prima pagina ma non vi trovò niente di utile. Poi la sua mente ordinò al suo anulare di muoversi. Un impulso venne inviato dal cervello e scese come una spirale attraverso un piccolo assone sopravvissuto nella sua colonna vertebrale dopo aver oltrepassato un milione di assoni morti, e raggiunse il braccio e infine la mano di Rhyme.

Il dito scattò di lato di qualche millimetro.

Il braccio meccanico dell'apparecchiatura scattò a sua volta. La pagina venne girata.

...undici

Seguivano il sentiero attraverso la foresta, circondati dall'aroma oleoso dei pini e dalla dolce fragranza di alcune piante che Lucy riconobbe come vire rupestri. Mentre esaminava con attenzione il terreno davanti a loro in cerca di qualche trappola, di colpo Lucy si rese conto che non vedevano più le impronte di Garrett e di Lydia da parecchio tempo. Si passò una mano sul collo per scacciare quello che le sembrava un insetto e si accorse che in realtà era solo un rivoletto di sudore che le pizzicava la pelle. Si sentiva sporca. In altri momenti – la sera e nei giorni di vacanza – le piaceva stare all'aperto. Non appena tornava a casa dal lavoro, si infilava un paio di short sbiaditi, una T-shirt e un paio di malconce scarpe da ginnastica blu e si dava da fare nel giardino che circondava la sua casa in stile coloniale color verde pallido che Bud, divorato da un bruciante senso di colpa, si era affrettato a lasciarle dopo il divorzio. Lucy coltivava violette dalle foglie lanceolate, scarpe di Venere gialle, orchidee carnose e gigli arancioni. Scavava nel terreno, sistemava le piante sui graticci, le annaffiava, sussurrava loro parole di incoraggiamento come se si stesse rivolgendo ai figli che lei e Buddy non avevano mai avuto.

A volte, durante un incarico che la conduceva nella campagna della Carolina per consegnare un mandato o per chiedere perché la Honda o la Toyota nascosta nel garage di qualcuno appartenesse a qualcun altro, Lucy notava una piantina appena nata e, quando finiva di lavorare, andava a sradicarla per portarla a casa come se fosse stata una trovatella. In quel modo si era procurata un sigillo di Salomone, un tuckahoe, e un bellissimo cespuglio di indigofera che grazie alle sue cure aveva raggiunto il metro e ottanta di altezza.

Anche durante quell'inseguimento così pericoloso, non poté impedirsi di notare la vegetazione circostante: un sambuco, un agrifoglio, plume grass. Passarono accanto a una splendida enagra, poi accanto ad alcune tife e a del riso selvatico, più alto di una persona e dotato di foglie affilate come coltelli. Ed ecco la squaw root, un'erba parassita. Lucy la conosceva anche con un altro nome: radice del cancro. Non appena la vide si affrettò a distogliere lo sguardo e tornò a fissare il sentiero.

Raggiunsero una ripida collina, una serie di rocce alte circa sei metri. Lucy Kerr non ebbe difficoltà ad arrampicarsi; ma quando arrivò in cima si fermò, e pensò che c'era qualcosa di sbagliato.

Amelia Sachs la raggiunse e si fermò a sua volta. Un istante dopo comparvero Jesse e Ned. Jesse respirava affannosamente mentre Ned, sportivo e nuotatore, camminava senza difficoltà.

"Cosa c'è?" chiese Amelia a Lucy, notando la sua espressione accigliata.

"Non ha alcun senso."

"Cosa?"

"Che Garrett sia passato di qua."

"Abbiamo seguito il sentiero, come ci ha detto il signor Rhyme", disse Jesse. "Questa è l'unica foresta di pini che abbiamo incontrato. Le impronte di Garrett venivano da questa parte."

"Venivano. Ma io non le vedo più da un paio di chilometri."

"Perché non pensa che sia venuto da questa parte?" domandò Amelia.

"Guardate la vegetazione." Fece un ampio gesto con la mano. "Ci sono sempre più piante che crescono nelle paludi. Adesso che siamo su quest'altura possiamo vedere meglio il terreno… guardate come sta diventando acquitrinoso. Andiamo, Jesse, pensaci un attimo. Proseguendo in questa direzione, dove può essere arrivato Garrett? Dritto alla Grande Palude Lugubre."

"Che cos'è la Grande Palude Lugubre?" chiese Amelia.

"È una delle più grandi paludi della costa orientale", le spiegò Ned.

Lucy continuò: "Non c'è modo di nascondersi, lì, non ci sono case, non ci sono strade. L'unica cosa che potrebbe fare sarebbe cercare di arrivare in Virgina, ma impiegherebbe giorni e giorni".

"E in questo periodo dell'anno non basterebbe tutto l'insetticida del mondo per non essere mangiati vivi. Per non parlare dei serpenti", aggiunse Ned.

"C'è qualche posto da queste parti in cui Garrett potrebbe nascondersi? Caverne? Case?" Amelia si guardò attorno.

Fu Spoto a rispondere. "Non ci sono caverne. Forse qualche vecchio edificio. Ma la palude sta avanzando e ha sommerso molte vecchie case e molti capanni. Lucy ha ragione: se Garrett è venuto da questa parte è andato a cacciarsi in un vicolo cieco."

"Penso che dovremmo tornare indietro", propose Lucy.

Per un attimo pensò che Amelia avrebbe protestato istericamente, invece prese il cellulare e fece una telefonata. "Siamo nella foresta di pini, Rhyme. C'è un sentiero ma non riusciamo a trovare niente che indichi il passaggio di Garrett. Lucy dice che non avrebbe avuto senso per lui venire da questa parte. Dice che a nord-est di qui ci sono solo paludi. Non potrebbe andare in nessun posto."

La Kerr ipotizzò: "Credo che si sia diretto a ovest. Oppure a sud. Potrebbe aver riattraversato il fiume".

"Oppure andare a Millerton", suggerì Jesse.

La collega annuì. "Da quelle parti ci sono un paio di grosse fabbriche che hanno chiuso quando le compagnie più importanti hanno spostato il loro giro d'affari in Messico. Le banche hanno rilevato un sacco di proprietà. Ci sono decine di case abbandonate in cui Garrett potrebbe nascondersi."

Amelia lo riferì a Rhyme.

Intanto Lucy Kerr pensava: quel detective è un tipo veramente strano.

La poliziotta di New York rimase ad ascoltare e infine chiuse la comunicazione. "Lincoln dice di proseguire. Le prove non fanno pensare che Garrett sia andato a sud."

"Non che manchino i pini, a ovest o a sud", ribatté bruscamente Lucy.

Ma Amelia stava scuotendo la testa. "Sarà anche logico, ma non è questo che indicano le prove. Procediamo."

Ned e Jesse stavano spostando lo sguardo da una all'altra. Lucy lanciò un'occhiata all'agente Corn e si accorse della sua ridicola infatuazione per Amelia; era chiaro che non avrebbe avuto alcun sostegno da parte sua. Insistette: "No. Penso che dovremmo tornare indietro per cercare di capire dove hanno cambiato strada".

Amelia abbassò la testa e la guardò dritto negli occhi. "Facciamo una cosa... Chiamiamo Jim Bell, che ne dice?"

Chiaramente, le voleva ricordare che Jim aveva messo quel dannato Lincoln Rhyme a capo delle indagini e che *lui* aveva incaricato Amelia di comandare il gruppo di ricerca. Era una follia: un uomo e una donna che non erano mai stati prima nel North Carolina, che non sapevano niente della gente e della geografia del luogo si ritrovavano a dare ordini a poliziotti nati e cresciuti lì.

Ma Lucy Kerr sapeva che si era impegnata a fare un lavoro in cui la gerarchia andava rispettata, esattamente come nell'esercito. "D'accordo", mormorò. "Ma sappia che è un'assurdità." Si voltò e ricominciò a camminare, lasciando indietro gli altri. I suoi passi si fecero silenziosi quando cominciò a camminare sul fitto manto di aghi di pino che copriva il sentiero.

Il cellulare di Amelia si mise a squillare e lei rallentò il passo per rispondere.

Lucy continuò ad avanzare sugli aghi di pino, cercando di tenere la rabbia sotto controllo. Era impossibile che Garrett Hanlon fosse passato di lì. Era una perdita di tempo. Avrebbero dovuto portare i cani, chiamare Elizabeth City e far mandare gli elicotteri della polizia statale. Avrebbero dovuto...

All'improvviso il mondo divenne una macchia indistinta e Lucy si lasciò sfuggire un breve grido mentre veniva catapultata in avanti, le mani protese per arrestare la caduta. "Gesù!"

Si ritrovò a terra, senza fiato, schiacciata dal corpo di Amelia, gli aghi di pino conficcati nei palmi delle mani.

"Non si muova", le ordinò l'agente Sachs dopo essersi rimessa in piedi.

"Cosa diavolo le ha preso?" chiese Lucy, le mani che le pungevano.

"Non si muova! Ned, Jesse, lo stesso vale per voi."

I due agenti si fermarono di colpo, pronti a estrarre le pistole, e si guardarono attorno senza capire cosa stesse accadendo. Con estrema prudenza, Amelia abbandonò il manto di aghi di pino e raccolse da terra un lungo bastone. Fece qualche passo in avanti, lentamente, e conficcò il ramo nel terreno.

Mezzo metro davanti a Lucy, proprio dove stava per camminare, il bastone scomparve attraverso uno strato di rami di pino.

"È una trappola."

"Non ho visto nessun filo", disse Lucy. "Stavo tenendo gli occhi bene aperti."

Con cautela, Amelia scostò i rami e gli aghi di pino. Erano stati appoggiati su una ragnatela di lenza da pesca per celare una fossa profonda quasi un metro.

"La lenza non c'entra", disse Ned. "Ma questa è una trappola mortale."

"Perché? Cosa c'è dentro, una bomba?" domandò Jesse.

Amelia gli ordinò: "Mi passi la torcia". Lui obbedì.

Lei diresse il fascio luminoso nella fossa, quindi si affrettò ad arretrare.

"Che cos'è?" chiese Lucy.

"Un nido di vespe", rispose Amelia.

"Cristo, che bastardo", esclamò Ned.

Amelia scostò il resto dei rami che coprivano la fossa e il nido grande come un pallone da football.

"Ragazzi", mormorò Ned, chiudendo gli occhi e domandandosi come sarebbe stato trovarsi le gambe e la vita avvolte da un centinaio di vespe inferocite.

Lucy si massaggiò le mani ancora doloranti per la caduta. Si alzò in piedi. "Come faceva a saperlo?"

"Io non lo sapevo. È stato Lincoln ad avvertirmi per telefono. Stava leggendo i libri di Garrett. C'era un passaggio sottolineato che parlava di un insetto chiamato formica leone: scava una buca e punge a morte il suo nemico quando vi cade dentro. Garrett lo aveva evidenziato e l'inchiostro era vecchio di pochi giorni. Rhyme si è ricordato degli aghi di pino spezzati e della lenza. Ha immaginato che il ragazzo potesse aver scavato una fossa, averci nascosto una bomba e aver coperto il tutto di rami di pino."

"Bruciamo il nido", propose Jesse.

"No", disse Amelia.

"Ma è pericoloso."

Lucy era d'accordo con l'agente Sachs. "Se accendessimo un fuoco, riveleremmo la nostra posizione. Lasciamo il nido scoperto in modo che si possa vederlo. Ce ne occuperemo più tardi. In ogni caso quasi nessuno passa mai da queste parti".

La Sachs annuì. Chiamò Rhyme con il cellulare. "Abbiamo trovato la trappola", lo informò. "Nessuno si è fatto male. Non si trattava di una bomba ma di un nido di vespe... Sì, faremo attenzione... Continua a leggere quel libro. Chiamami, se trovi qualcosa di importante."

Si rimisero in marcia e fu solo dopo che ebbero percorso quasi mezzo chilometro che Lucy riuscì a dire: "Grazie. Avevate ragione, Garrett è passato di qui. Mi sono sbagliata". Esitò per un lungo istante prima di aggiungere: "Jim ha fatto bene a chiedervi di venire da New York per questo caso. All'inizio, non ero molto contenta, ma i risultati ci sono, devo ammetterlo".

Amelia si accigliò. "Farci venire da New York?"

"Per aiutarci con le indagini."

"Ma Jim non ha fatto niente del genere."

"Che cosa?" si stupì l'altra.

"Eravamo già al centro medico di Avery. Lincoln deve sottoporsi a un'operazione. Jim ha saputo che eravamo qui e ci ha chiamati questa mattina per chiederci di esaminare alcuni indizi."

Dopo una lunga pausa Lucy scoppiò a ridere; notevolmente sollevata. "E io che pensavo che Jim avesse buttato via i soldi della contea!"

Amelia scosse la testa. "L'operazione verrà eseguita solo dopodomani. Abbiamo un po' di tempo libero."

"Jim non ci ha detto niente. Qualche volta è anche troppo laconico."

"Temeva che lui pensasse che non eravate in grado di gestire questo caso?"

"Proprio così."

"Il cugino dello sceriffo lavora con noi a New York, e gli ha detto che saremmo stati qui per un paio di settimane."

"Un momento, vuol dire Roland?" domandò Lucy. "Certo, lo conosco! Conoscevo anche sua moglie, prima che morisse. I suoi figli sono davvero dei bravi ragazzi. Abbiamo fatto un barbecue insieme, non molto tempo fa." Scoppiò di nuovo a ridere. "Forse ero solo paranoica... Così eravate ad Avery, al centro medico?"

"Esatto."

"È lì che lavora Lydia Johansson, lo sa?"

"Non lo sapevo."

Nella mente di Lucy Kerr riaffiorarono molti ricordi: alcuni dolci e confortanti, altri spaventosi come lo sciame di vespe che per poco non l'aveva attaccata. Non sapeva se parlarne o meno ad Amelia Sachs, così decise di dire solo: "È per questo che sono così ansiosa di salvarla. Qualche anno fa ho avuto dei problemi di salute, e Lydia era una delle mie infermiere. È veramente una brava persona. La migliore".

"La troveremo", replicò Amelia, e lo disse con un tono che Lucy a volte – non spesso, ma a volte – sentiva nella sua stessa voce. Un tono che non lasciava dubbi.

Ora camminavano più lentamente. La scoperta della trappola aveva spaventato i quattro agenti. Il caldo stava diventando davvero insopportabile. Jesse passò agli altri una bottiglia d'acqua e tutti bevvero senza curarsi di ripulirne l'imboccatura.

Lucy si rivolse ad Amelia. "L'operazione a cui deve sottoporsi il suo amico, è per il suo... problema?"

"Già."

"È rischiosa?" domandò ancora, notando che il volto dell'agente Sachs si era di colpo adombrato.

"È probabile che non serva a niente."

"Allora perché vuole rischiare?"

"C'è una possibilità che serva a qualcosa. Una remota possibilità. È una terapia sperimentale. Nessuno con il genere di lesioni che ha Lincoln – lesioni molto gravi – è mai migliorato."

"È lei preferirebbe che non si facesse operare?"

"Infatti, preferirei di no."

"Perché?"

Amelia esitò. "Perché potrebbe ucciderlo. O farlo peggiorare."

"Come potrebbe peggiorare?"

"Potrebbe entrare in coma a causa dell'anestesia. Oppure perdere la capacità di respirare o di comunicare."

"Gliene ha parlato?"

"Sì."

"Ma non è servito a niente", concluse Lucy.

"Proprio a niente."

L'agente Kerr annuì. "Si capisce che è un uomo testardo."

"Testardo è un eufemismo."

Non lontano da loro, tra i cespugli, risuonò uno schianto, e quando la mano di Lucy finalmente trovò la pistola, Amelia aveva già sfoderato la propria e teneva sotto tiro il petto di un tacchino selvatico. I quattro componenti della squadra sorrisero ma il divertimento durò solo pochi istanti, lasciando il posto a una rinnovata tensione.

Dopo aver riposto le armi nelle fondine, ripresero ad avanzare, e la conversazione per il momento si interruppe.

Le persone reagivano in modo diverso, di fronte alla condizione di Rhyme.

Alcuni adottavano un atteggiamento scherzoso, esplicito, con un sense of humor, talvolta pesante.

Altri, come Henry Davett, ignoravano del tutto la sua menomazione.

Altri ancora si comportavano come Ben: cercavano di fingere che Rhyme non esistesse e pregavano di potersi sottrarre alla sua vista il prima possibile.

Quest'ultimo era l'atteggiamento che Lincoln detestava di più, perché gli ricordava in modo spietato quanto fosse diverso. Ma adesso non aveva tempo per pensare alle reazioni del suo improvvisato assistente. Garrett stava trascinando Lydia sempre più lontano dalla civiltà. E forse Mary Beth McConnell stava già morendo, per una ferita e per disidratazione.

Jim Bell entrò nella stanza. "Pare che ci siano buone notizie dall'ospedale. Ed Schaeffer ha detto qualcosa a una delle infermiere. Subito dopo ha perso di nuovo i sensi, ma penso che sia un buon segno."

"Che cos'ha detto?" domandò Rhyme. "Aveva a che fare con la mappa che ha visto nel capanno?"

"L'infermiera ha detto che ha sussurrato qualcosa come 'importante', e poi 'Amos'." Lo sceriffo si avvicinò alla cartina e indicò un punto a est di Tanner's Corner. "C'è un'area in via di sviluppo, qui, e una delle nuove strade si chiama Amos Street. Ma si trova a sud di Stone Creek. Pensa che dovrei dire a Lucy e ad Amelia di controllare?"

Ah, l'eterno conflitto, pensò il criminologo: fidarsi delle prove o dei testimoni? Secondo lui, comunque, non c'erano dubbi. "Dovrebbero restare dove sono, a nord del fiume."

"Ne è sicuro?"

"Sì."

"D'accordo", borbottò lo sceriffo, riluttante.

Squillò il telefono, e con un rapido scatto dell'anulare sinistro, Rhyme rispose.

La voce di Amelia risuonò nell'auricolare: "Siamo in un vicolo cieco, Rhyme. Ci sono quattro o cinque sentieri che si snodano in direzioni diverse, e non c'è niente che ci lasci capire quale possa aver scelto Garrett".

"Non ho novità per te, Sachs. Stiamo analizzando altre prove."

"Nient'altro nei libri?"

"Niente di preciso. Ma è affascinante: sono letture piuttosto serie, per un sedicenne. È più intelligente di quanto avessi immaginato. Dove ti trovi esattamente?" Rhyme alzò gli occhi. "Ben! Vai alla mappa, per favore."

Lo zoologo obbedì.

Amelia si consultò col gruppo, quindi continuò: "Siamo a circa sei chilometri da dove abbiamo guadato Stone Creek, più o meno in linea retta".

Rhyme riferì a Ben la loro posizione e il giovane indicò il riquadro J-7.

Accanto al massiccio indice del giovane spiccava una sagoma rettangolare. "Ben, hai idea di cosa sia?"

"Penso che sia una vecchia cava."

"Oh, Gesù", mormorò Rhyme, scuotendo la testa frustrato.

"Cosa?" domandò lo zoologo, nuovamente allarmato.

"Perché diavolo nessuno mi ha detto che c'era una cava, da quelle parti?"

Il volto tondo di Ben sembrava ancora più gonfio per l'imbarazzo. Aveva preso quell'accusa come un fatto personale. "Io davvero non…"

Ma Rhyme non lo stava nemmeno ascoltando. Poteva solo biasimare se stesso. Qualcuno gli aveva parlato della cava: Henry Davett, quando gli aveva raccontato del periodo di splendore dell'estrazione di calcare nella zona. In che altro modo le compagnie avrebbero potuto estrarre calcare? Avrebbe dovuto chiedere se c'era una cava molto prima. E i nitrati non provenivano da un qualche ordigno, ma dalle rocce esplose, il genere di residuo che rimane per anni.

Disse ad Amelia: "C'è una cava abbandonata a meno di un chilometro da voi, verso ovest".

Una pausa. Parole sommesse in sottofondo, poi l'agente Sachs disse: "Jesse la conosce".

"Garrett ci è stato. Non so se sia ancora lì. Fate attenzione. E ricordatevi che forse non ha lasciato bombe, ma questo non significa che non vi abbia teso delle trappole. Chiamatemi, quando trovate qualcosa."

Ora che Lydia era al riparo e non aveva più la nausea per il caldo e lo sfinimento, si rese conto che doveva affrontare una situazione altrettanto terrificante.

Il suo carceriere camminava avanti e indietro per un po', guardava fuori dalla finestra, si accucciava in un angolo, facendo ticchettare le unghie e mormorando tra sé e sé, la fissava e infine ricominciava a camminare avanti e indietro. A un certo punto, Lydia aveva visto Garrett abbassare gli occhi sul pavimento del mulino e raccogliere qualcosa che si era fatto scivolare in bocca e aveva masticato avidamente. Il pensiero che potesse trattarsi di un insetto per poco non l'aveva fatta vomitare.

Sedeva per terra, aveva le mani legate e la schiena appoggiata alla parete. La stanza in cui si trovavano forse un tempo aveva ospitato la direzione del mulino. Lydia riusciva a vedere un corridoio parzialmente bruciato che conduceva a un altro edificio, probabilmente quello in cui veniva raccolto e macinato il grano. Dagli squarci nelle pareti e nel soffitto filtrava la luce brillante del pomeriggio. Immaginò il suo angelo custode che entrava attraverso una di quelle aperture.

Qualcosa di arancione attrasse la sua attenzione poco lontano. La ragazza sbatté le palpebre e mise a fuoco alcuni pacchetti di biscotti. C'erano anche delle patatine, dei dolci al burro di arachidi e varie confezioni di cracker al formaggio. Bottigliette di soda e di acqua minerale. Non ci aveva fatto caso, quando erano entrati nel mulino.

Perché tutto quel cibo? Quanto a lungo sarebbero rimasti lì? Garrett aveva detto solo per la notte, ma c'erano abbastanza provviste per un mese. Aveva deciso di tenerla in quel posto più a lungo?

Lydia domandò: "Mary Beth sta bene? Le hai fatto del male?"

"Oh, certo, come se avessi intenzione di farle del male", rispose lui indignato. "Non penso proprio." Anche se il ragazzo aveva parlato rapidamente, l'infermiera notò qualcosa di artefatto nel suo tono, come se si fosse preparato a rispondere proprio a quella domanda. Distolse lo sguardo e tornò a osservare i fasci di luce che illuminavano i resti del corridoio, dal fondo del quale proveniva un suono stridente: la macina del mulino, immaginò.

Garrett continuò: "L'ho portata via per il suo bene. Lei voleva andarsene da Tanner's Corner. Le piace stare in spiaggia. Voglio dire, cazzo, a chi non piacerebbe? È molto meglio di quella merda di Tanner's Corner". Le sue unghie presero a ticchettare più in fretta, più rumorosamente. Era agitato, nervoso. Con le sue grandi mani, aprì un pacchetto di patatine, se ne mise in bocca diverse manciate e le masticò distrattamente; pezzetti di cibo gli cadevano dalle labbra. Le offrì il pacchetto. "Se ne vuoi un po', posso slegarti le mani. Ma dovrò legartele davanti."

Lydia scosse la testa, lottando contro la nausea.

Il ragazzo bevve un'intera lattina di Coca e mangiò altre patatine.

"Questo posto è bruciato due anni fa", aggiunse, accorgendosi che Lydia si stava guardando intorno. "Non so chi è stato. Ti piace quel rumore? La ruota del mulino? È forte. La ruota che gira e gira e gira. Mi fa venire in mente quella canzone che mio padre cantava sempre: 'Big wheel keep on turning'..." Si mise in bocca altro cibo e continuò a parlare. Per un attimo, lei non riuscì a capirlo. Garrett deglutì. "... qui spesso. Ti siedi, ascolti le cicale e le rane. Quando vado fino all'oceano – come adesso – ci passo la notte." Si fermò e d'improvviso si sporse verso di lei. Troppo spaventata per guardarlo in faccia, Lydia tenne gli occhi bassi, ma si rese conto che lui la stava scrutando con attenzione. Poi, un attimo dopo, Garrett si alzò in piedi e andò ad accovacciarsi accanto a lei.

Sentendo l'odore del corpo del ragazzo, Lydia fece una smorfia. Si aspettava da un momento all'altro che le sue mani cominciassero a strisciarle sul petto, tra le gambe.

Ma Garrett non sembrava interessato a lei. Spostò una roccia e raccolse qualcosa da terra.

"Un millepiedi." Il ragazzo sorrise. La creatura era lunga, giallo-verde, e quella vista la disgustò ancora di più. Aveva la terribile sensazione che Garrett stesse per inghiottirla, o che, sadicamente, volesse costringere lei a mangiarla.

"Sono carini, mi piacciono." Garrett lasciò che la creatura gli strisciasse sulla mano e sul polso. "Non sono insetti", le spiegò. "Sono come dei loro cugini. Sono pericolosi, se qualcuno cerca di fargli del male. Gli indiani che vivevano da queste parti li usavano per preparare le frecce avvelenate. Quando un millepiedi è spaventato, caca veleno e scappa. Il predatore passa attraverso i suoi gas e muore. È pazzesco, vero?" Rimase a osservarlo per qualche lungo istante, quindi si fece pensieroso e cominciò a divagare: "Era questo il problema dei film di *Alien*, sai? Li hai visti? Mi hanno davvero fatto incazzare. Voglio dire, era un'ingiustizia. Pensaci, *noi* rapivamo *loro*, giusto? Loro non avevano fatto niente!" Cominciava ad agitarsi. "'Fanculo. Loro avevano solo fame e volevano mangiare. Come si fa ad avercela con loro perché avevano ucciso quella gente sull'astronave? Come si fa ad avercela con qualcosa che segue solo la sua natura?"

Lentamente si calmò, osservando il millepiedi che strisciava verso il suo gomito con la stessa espressione amorevole con cui Lydia guardava i suoi nipotini: affetto, divertimento, quasi amore.

La ragazza si sentì invadere dall'orrore. Sapeva che sarebbe dovuta restare calma, sapeva che non poteva farcela contro Garrett, sapeva che avrebbe dovuto assecondarlo. Ma vedendo quella creatura disgustosa che gli strisciava sul braccio, ascoltando il ticchettio delle sue unghie, osservando la sua pelle rovinata e i suoi occhi arrossati e acquosi, i frammenti di cibo sul mento, Lydia cadde in preda al panico.

Il disgusto e la paura presero a ribollirle dentro e lei si lasciò scivolare finendo con la schiena per terra. Garrett alzò lo sguardo mentre sul volto gli brillava un sorriso estasiato per la sensazione dell'animaletto che si muoveva sulla sua pelle. Allora Lydia lo colpì con entrambi i piedi, più forte che poté. Aveva gambe robuste, abituate a sostenere il suo corpo massiccio durante i turni di otto ore all'ospedale. Il calcio raggiunse Garrett al centro del petto.

Il ragazzo fu scagliato all'indietro. Sbatté la testa contro la parete con un tonfo sordo e, stordito, si accasciò sul pavimento. Poi gridò, un urlo rauco, e si artigliò il braccio; il millepiedi doveva averlo morso.

Sì! pensò Lydia, trionfante. Il suo angelo custode era tornato! Si alzò in piedi e corse alla cieca verso la stanza della macina in fondo al corridoio.

...dodici

Secondo la mappa mentale di Jesse Corn erano quasi arrivati alla cava. "Ancora cinque minuti", disse ad Amelia Sachs. Le lanciò un paio d'occhiate prima di aggiungere: "Sa, volevo chiederle... quando ha sfoderato la pistola, quando quel tacchino è sbucato dal cespuglio... be', e anche a Blackwater Landing, quando Rich Culbeau ci ha sorpresi, è stata... be', è stata veramente in gamba".

Lei non replicò e alzò le spalle.

"Si direbbe che sa come piantare un chiodo", bofonchiò Jesse.

Era un'espressione del sud che Amelia aveva imparato da Roland Bell: significava "sparare".

"È uno dei miei hobby", disse.

"Sul serio?"

"È più comodo che fare jogging e più a buon mercato di una palestra."

"Partecipa mai a qualche gara?"

Lei annuì. "Quella del Club della Pistola di North Shore, a Long Island."

"E cosa fate?" domandò lui con entusiasmo. "Tiro al bersaglio?"

"Esatto."

141

"È anche il mio sport preferito! Be', oltre al tiro al piattello e al lanciapiattello. Ma le pistole sono la mia specialità."

Anche la mia, pensò lei, ma decise che sarebbe stato meglio non trovare troppe cose in comune con l'adorante Jesse Corn.

"Ricarica da sola le munizioni?" domandò lui.

"Sì. Be', le trentotto e le quarantacinque. Il grosso problema è togliere le bolle dalle pallottole."

"Uau! Si prepara da sola le pallottole?"

"Esatto", ammise Amelia. Spesso il sabato mattina gli appartamenti dei suoi vicini di casa profumavano di pancetta e caffè, il suo dell'aroma greve e inconfondibile del piombo fuso.

"Io invece compro caricatori già pronti", confessò lui.

Camminarono in silenzio ancora per qualche minuto, gli occhi bassi sul terreno in cerca del luccichio della lenza da pesca.

"Allora", proseguì imperterrito l'agente, sorridendo timidamente e scostandosi una ciocca di capelli biondi dalla fronte umida di sudore, "le mostrerò il mio..." Lei gli lanciò un'occhiata interrogativa e lui continuò: "Qual è il suo punteggio migliore nel tiro al bersaglio?" Amelia esitò e Jesse la spronò: "Coraggio, può dirmelo! Poi le dirò il mio. Ehi, è solo uno sport... E io lo pratico da dieci anni. Ho un piccolo vantaggio su di lei".

"Duemilasettecento", rispose Amelia.

Jesse annuì. "Esatto – una rotazione di tre pistole, novecento punti per ciascun'arma. Questo è il massimo. Ma qual è il suo punteggio migliore?"

"Duemilasettecento", rispose lei. Una fitta di dolore dovuta all'artrite le attraversò le gambe e il suo volto si contrasse in una smorfia.

Jesse si voltò a guardarla, convinto che stesse scherzando. Ma lei non stava sorridendo. "Ehi! È il punteggio massimo."

"Oh, non lo raggiungo sempre, ma lei mi aveva chiesto il mio punteggio migliore."

"Uau..." Corn aveva gli occhi sgranati. "Non ho mai conosciuto nessuno che fosse arrivato a duemilasettecento."

"Adesso sì", intervenne Ned scoppiando a ridere. "Ehi, Jesse: non preoccuparti, è solo uno sport."

"Duemilasettecento..." Il giovane agente scosse la testa.

Amelia rimpianse di non aver mentito. Sembrava che con

quell'ultima informazione sulle sue prodezze balistiche avesse conquistato Corn una volta per tutte.

"Senta, quando questa storia sarà finita", tornò alla carica lui timidamente, "se avesse un po' di tempo libero, che ne direbbe di venire con me al poligono a buttare via un po' di munizioni?"

Amelia pensò: meglio una scatola di Winchester Special .38 che ascoltare le sue chiacchiere su quanto sia difficile incontrare la donna giusta a Tanner's Corner mentre beviamo una tazza di caffè.

"Vediamo come vanno le cose."

"Ecco", esclamò Lucy. "Guardate." Si fermarono sul limitare della foresta. La cava si stendeva davanti a loro.

Amelia fece cenno agli altri di abbassarsi. Maledizione, che dolore! Prendeva pastiglie di condroitina e di glucosamina tutti i giorni, ma l'umidità e il calore del North Carolina erano un vero inferno per le sue povere giunture. Disse: "Secondo Rhyme, Garrett potrebbe essere ancora qui. E il fatto che non abbiamo trovato prove che indichino che è armato non significa necessariamente che non lo sia".

Osservò la grande pozza, di un diametro di duecento metri e profonda almeno trenta. Le pareti di roccia della cava erano gialle come vecchie ossa e si perdevano nelle acque verdi e salmastre da cui saliva un tanfo terribile. La vegetazione, per un raggio di venti metri attorno alla pozza, era stata uccisa di una brutta morte.

"Tenetevi lontani dall'acqua", li ammonì Lucy in un sussurro. "È pericolosa. Per un po', dopo che è stata chiusa, ci sono venuti a nuotare i ragazzini. È venuto anche mio nipote, una volta, il fratello minore di Ben. Suo padre si è infuriato e voleva prenderlo a cinghiate. Ma io ho pensato che fosse meglio mostrargli la fotografia del cadavere di Kevin Dobbs, un bambino che era annegato ed era rimasto in quest'acqua per una settimana. Non ci è tornato mai più."

"Anche il dottor Spock raccomanderebbe questo approccio", borbottò Amelia. E Lucy scoppiò a ridere.

L'agente Sachs si ritrovò di nuovo a pensare ai bambini.

Non ora, non ora...

Il cellulare prese a vibrare. Mentre si avvicinavano alla loro preda, Amelia aveva disattivato la suoneria. Rispose. La voce di Rhyme disse: "Sachs, dove siete?"

"Alla cava", sussurrò lei.

"Qualche traccia di Garrett?"

"Siamo appena arrivati. Non abbiamo trovato ancora niente. Stiamo per cominciare le ricerche. Tutti gli edifici della zona sono stati abbattuti e non so dove potrebbe essersi nascosto. Tuttavia, i posti dove sistemare le trappole non mancano di certo."

"Sachs..."

"Cosa c'è?" Il tono solenne del criminologo la fece rabbrividire.

"C'è una cosa che devo dirti. Sono appena arrivati i risultati delle analisi del DNA e delle analisi sierologiche eseguite sul Kleenex che hai trovato stamattina."

"E?"

"Il seme era di Garrett. E il sangue... era di Mary Beth."

"L'ha violentata", sussurrò Amelia.

"Sta' attenta, ma fa' in fretta. Non penso che a Lydia resti molto tempo."

Si è nascosta in uno stanzino buio e sudicio che un tempo veniva utilizzato per immagazzinare il grano.

Le mani legate dietro la schiena e ancora stordita per il caldo e la disidratazione, Lydia Johansson aveva percorso barcollando il corridoio, lasciandosi alle spalle Garrett che si contorceva sul pavimento, e aveva trovato quel nascondiglio sotto la stanza della macina. Quando vi era scivolata dentro e aveva richiuso la porta, una decina di topolini spaventati le erano passati accanto, e lei aveva dovuto fare appello a tutto il suo autocontrollo per impedirsi di gridare.

Ora stava ascoltando i passi di Garrett che riecheggiavano al di sopra del sordo rumore della macina, da qualche parte nel mulino.

Il panico le invase la mente, e cominciò a rimpiangere di aver trovato il coraggio di fuggire. Ma, decise, non c'era modo di tornare indietro. Non poteva più arrendersi, adesso. Lo aveva colpito, e lui avrebbe fatto altrettanto con lei se l'avesse trovata. Forse avrebbe fatto anche di peggio. Non aveva altra scelta che cercare di scappare.

No, quello non era il modo giusto di pensare. Uno dei suoi libri sugli angeli diceva che non si poteva "cercare di". O si faceva o non si faceva qualcosa. Lei non avrebbe cercato di fuggire. Sarebbe fuggita. Doveva solo avere fede.

Guardò attraverso una spaccatura nella porta dello stanzino e rimase ad ascoltare con attenzione. Garrett era in una delle stanze vicine e mormorava rabbiosamente tra sé e sé. Lei aveva sperato che il suo rapitore pensasse che fosse corsa fuori passando da una breccia nel corridoio, ma era fin troppo chiaro che sapeva che lei era ancora lì. Decise che non avrebbe potuto restare ancora dov'era. Lui l'avrebbe trovata. Guardò di nuovo attraverso la fessura e, non vedendo Garrett, scivolò fuori dallo stanzino ed entrò nella stanza adiacente, muovendosi silenziosa nelle sue scarpe bianche. L'unica via d'uscita era una scala che conduceva al secondo piano. Con passi incerti, Lydia cominciò a salire. Le mancava il fiato, e, sbilanciata dal fatto di avere le mani legate, continuava a sbattere contro la parete e contro la balaustra di ferro battuto.

Sentì la voce di Garrett echeggiare nel corridoio. "Mi ha morso per colpa tua! Fa male, fa male."

Magari ti avesse punto in un occhio o in mezzo alle gambe, pensò Lydia, e continuò a salire. Vaffanculo vaffanculo vaffanculo!

Lo sentì avvicinarsi, attraversare correndo la stanza sottostante in cerca di lei. Sentì i suoi gemiti gutturali. Ebbe l'impressione di sentire persino il ticchettio delle sue unghie.

Ancora quel brivido di terrore e la nausea che le cresceva dentro.

La stanza in cima alle scale era grande e aveva molte finestre che davano sulla parte bruciata del mulino. C'era una porta, Lydia la spinse ed entrò in quello che era stato il cuore dell'edificio, un ambiente occupato da due gigantesche macine. Il meccanismo di legno era marcito; il rumore che aveva sentito non era prodotto dalle macine ma dalla ruota idraulica che continuava a muoversi, alimentata dalle acque deviate di un torrente. Acqua color ruggine veniva sollevata dalle pale e cadeva in una stretta e profonda cavità simile a un pozzo, della quale non si riusciva a vedere il fondo. Probabilmente l'acqua veniva riversata nel torrente.

"Ferma!" gridò Garrett.

Lei trasalì nell'udire quella voce rabbiosa. Il ragazzo era sulla soglia. Aveva gli occhi sgranati e iniettati di sangue, e si stava massaggiando il braccio sul quale era comparso un ampio livido nero e giallo. "Mi ha morso per colpa tua", mormorò lui, fissandola con odio. "Adesso è morto. Sei tu che me lo hai fatto uccidere! Io non volevo ma mi hai costretto! Adesso torni giù con me. Dovrò legarti anche le gambe."

Fece qualche passo verso di lei.

Lydia fissò quel volto ossuto, quelle sopracciglia folte, quelle grandi mani, quegli occhi colmi d'ira. Nei suoi pensieri irruppero una serie di immagini: un malato di cancro che aveva assistito all'ospedale. Mary Beth imprigionata da qualche parte. Il ragazzo che masticava rabbiosamente i biscotti. Il millepiedi. Il ticchettio delle unghie. Le sue lunghe notti da sola, nella vana attesa di una breve telefonata del suo uomo. I fiori che aveva portato a Blackwater Landing, anche se in realtà non avrebbe voluto farlo...

Era troppo, per lei.

Con calma, si allontanò da Garrett, oltrepassò le macine e, con le mani ancora legate dietro la schiena, si tuffò di testa nella stretta pozza di acqua scura.

Il mirino telescopico dell'Hightech era fisso sui capelli rossi della poliziotta di New York.

Che capelli splendidi, pensò Mason Germain.

Lui e Nathan Groomer si trovavano su un'altura che sovrastava la vecchia cava della Anderson Rock Products, a circa un centinaio di metri dalla squadra di ricerca.

Alla fine, Nathan diede voce alla conclusione che aveva raggiunto mezz'ora prima: "Tutto questo non ha niente a che fare con Rich Culbeau".

"No, infatti. Non esattamente."

"Cosa vorresti dire? In che senso 'non esattamente'?"

"Culbeau è qui da qualche parte insieme a Sean O'Sarian..."

"Quel ragazzo è peggio di due Culbeau messi insieme."

"Senza dubbio", concordò Mason. "E anche di Harris Tomel. Ma non è per questo che siamo qui."

Nathan tornò a guardare gli agenti. "Suppongo di no. Perché stai puntando il mio fucile su Lucy Kerr?"

Dopo un attimo, Mason gli restituì il Ruger M77, rispondendo: "Perché non ho portato il mio fottuto binocolo. Non era Lucy che stavo guardando, comunque".

Si incamminarono lungo il crinale. Mason stava pensando alla poliziotta dai capelli rossi, alla graziosa Mary Beth McConnell e a Lydia. Stava anche pensando a come la vita talvolta poteva essere ingiusta.

Sapeva, per esempio, che ormai avrebbe dovuto ricoprire un incarico più importante, all'interno della polizia. Sapeva che avrebbe dovuto comportarsi diversamente quando aveva fatto richiesta di una promozione. Proprio come avrebbe dovuto comportarsi diversamente quando Kelley lo aveva lasciato per quel camionista, cinque anni prima. Così come avrebbe dovuto comportarsi diversamente durante il loro matrimonio, prima che lei se ne andasse.

Per non parlare del fatto che avrebbe dovuto comportarsi diversamente nel primo caso Garrett Hanlon.

Ora stava pagando il prezzo di quelle scelte sbagliate. La sua vita era ridotta a una serie di giorni solitari, trascorsi a preoccuparsi, a perdere tempo seduto sulla veranda e a bere troppo, senza nemmeno trovare le forze di prendere la sua barca e andare a pesca sul Paquo cercando disperatamente di capire come aggiustare ciò che non poteva essere aggiustato. Lui...

"Vuoi spiegarmi che cosa ci facciamo qui?" lo incalzò Nathan.

"Stiamo cercando Culbeau."

"Hai appena detto che..." Nathan lasciò la frase in sospeso. Quando si accorse che il collega non aveva intenzione di rispondergli, emise un profondo sospiro. "Siamo a dieci chilometri dalla casa di Culbeau, dove dovremmo trovarci in questo momento. E invece ci troviamo a nord del Paquo, io con il mio fucile da caccia e tu con la bocca sigillata."

"Stammi a sentire: se Jim ci chiede qualcosa, dobbiamo dire che eravamo qui a cercare Culbeau."

"Mentre in realtà la vera ragione per cui siamo qui è...?"

Nathan Groomer sapeva colpire un bersaglio a cinquecento metri di distanza, con il suo Ruger. Sapeva convincere un ubriaco a scendere dalla macchina in meno di tre minuti. Sapeva intagliare figure nel legno che vendeva per cinquecento bigliettoni l'una ai collezionisti, quando si degnava di cercare un acquirente. Ma le sue capacità non andavano molto oltre.

"Prenderemo quel ragazzo", disse Mason.

"Garrett?"

"Certo, Garrett! E chi altro? *Loro* lo snideranno..." Con un cenno del capo indicò la squadra di ricerca. "... E *noi* lo prenderemo."

"Cosa intendi dire con 'prenderlo'?"

"Gli spareremo, Nathan. Lo uccideremo."

"Vuoi sparargli?"

"Sissignore", rispose Mason.

"Ehi, aspetta un attimo! Tu non distruggerai la mia carriera solo perché vuoi far fuori quel ragazzo."

"Tu non hai una carriera", ribatté Mason. "Tu hai un lavoro. E se vuoi continuare ad averlo, farai esattamente quello che ti dirò. Ascolta: ho parlato con Garrett, quando era sotto inchiesta per aver ucciso quelle altre persone."

"Davvero? Be', e allora?"

"E sai cosa mi ha detto?"

"No, cosa?"

Mason si stava chiedendo se fosse credibile. Ripensando allo sguardo concentrato di Nathan mentre levigava il dorso di un'anatra di legno, perso per ore in un felice oblio, continuò: "Garrett mi ha detto che se fosse stato costretto, non ci avrebbe pensato due volte a uccidere qualunque poliziotto avesse cercato di fermarlo".

"Lo ha detto davvero? Proprio lui?"

"Sicuro. Mi ha guardato dritto negli occhi e mi ha detto quelle esatte parole. E mi ha anche detto che non vedeva l'ora. Che sperava che ci fossi io al comando ma che avrebbe fatto fuori chiunque fosse a portata di mano."

"Quel figlio di puttana! Lo hai detto a Jim?"

"Certo che sì. Pensavi di no? Ma Jim se ne è fregato. Jim Bell mi è simpatico, lo sai. Ma la verità è che l'unica cosa che gli interessa è conservare il suo comodo lavoro, nient'altro."

L'agente annuì; Mason si stupì del fatto che Nathan gli credesse subito, senza battere ciglio, senza neanche chiedersi se non vi fosse un'altra ragione dietro il suo desiderio di uccidere Garrett.

Groomer rimase a riflettere per un momento. "Ha una pistola?"

"Non lo so, Nathan. Ma, dimmi una cosa: è forse difficile procurarsi un'arma, nel North Carolina?"

"Hai ragione."

"Vedi, Lucy e Jesse – e anche Jim – non conoscono quel ragazzo come lo conosco io."

"Che vuoi dire?"

"Che non conoscono il pericolo che rappresenta."

"Oh."

"Ha ucciso quattro persone, probabilmente anche Todd Wilkes. O almeno lo ha spaventato al punto che Todd si è ucciso. È comunque un omicidio. E quella ragazza che è stata punta: hai visto anche tu come le hanno ridotto la faccia le vespe. E poi c'è anche Ed. Io e te eravamo fuori a bere con lui giusto la settimana scorsa. Adesso è in ospedale e potrebbe anche non farcela."

"Ma io non sono un cecchino o roba del genere, Mase."

Mason incalzò: "Sai che cosa succederà? Garrett ha sedici anni. I giurati diranno: 'Povero ragazzo. I suoi genitori sono morti. Mettiamolo in un centro di recupero'. Se ne starà lì per sei mesi o per un anno e alla fine uscirà per ricominciare tutto daccapo. Ucciderà un altro studente o un'altra ragazza che non ha mai fatto niente di male ad anima viva".

"Ma…"

"Non preoccuparti, Nathan. Stai facendo un favore a Tanner's Corner."

"Non è questo che volevo dire. Il fatto è che, se lo uccidiamo, ci giochiamo l'ultima possibilità di trovare Mary Beth."

Mason emise una breve risatina colma di amarezza. "Mary Beth? E tu pensi che sia ancora viva? Impossibile. Garrett l'ha stuprata, l'ha uccisa e l'ha sepolta da qualche parte. Possiamo smetterla di preoccuparci di lei. Il nostro lavoro è impedire che tutto questo succeda anche a qualcun altro. Capisci?"

Nathan non disse niente, ma il suono secco del caricatore che veniva inserito nel fucile era una risposta più che sufficiente.

2
LA CERVA
BIANCA

...tredici

Fuori dalla finestra c'era un grande nido di vespe. Appoggiando la testa contro il vetro unto della sua prigione, un'esausta Mary Beth McConnell lo fissò. Più di qualsiasi altra cosa in quel luogo terribile, il nido – grigio, umido e disgustoso – le comunicava un senso di impotenza.

Più delle sbarre che Garrett aveva montato con tanta cura davanti alle finestre. Più della massiccia porta di quercia chiusa da tre robusti lucchetti. Più del ricordo del terribile viaggio da Blackwater Landing in compagnia dell'Insetto.

Il nido di vespe aveva la forma di un cono, la punta rivolta verso il basso. Era posato su un ramo biforcuto che Garrett aveva sistemato vicino alla finestra. Probabilmente ospitava centinaia di lucidi insetti neri e gialli: li vedeva entrare e uscire come un liquido nauseante dall'apertura sul fondo.

Garrett se n'era già andato quando lei si era svegliata quella mattina, e dopo essere rimasta a letto per un'ora – stordita e ancora in preda alla nausea per il violento colpo che lui le aveva sferrato alla testa la notte prima – Mary Beth si era alzata in piedi non senza difficoltà e aveva guardato fuori, e la prima cosa che aveva visto era stato il nido.

Era stato Garrett a sistemarlo accanto alla finestra sul retro, vicino alla camera da letto, e in un primo momento lei non era riuscita a capire il perché. Ma poi, sentendosi invadere da un'improvvisa ondata di disperazione, si era resa conto che Garrett Hanlon, il suo carceriere, aveva lasciato lì il nido in segno di vittoria.

Mary Beth McConnell conosceva la storia. Aveva studiato le guerre, gli eserciti che avevano sconfitto altri eserciti. Le bandiere e gli stendardi non erano stati usati solo per identificarsi, ma anche per ricordare agli sconfitti chi era il loro padrone.

E Garrett aveva vinto.

Be', aveva vinto la *battaglia*; il destino della guerra doveva essere ancora deciso.

Mary Beth si premette una mano sulla ferita alla testa. Era stato un terribile colpo alla tempia che le aveva abraso la pelle. Si chiese se il taglio si sarebbe infettato.

Trovò un elastico nello zaino e si raccolse i lunghi capelli scuri in una coda di cavallo. Il sudore le scorreva sul collo e aveva una sete terribile. Il caldo soffocante di quella stanza chiusa le toglieva il fiato, e pensò di togliersi la spessa camicia di denim – portava sempre camicie con le maniche lunghe, quando andava a fare i suoi scavi tra i cespugli o nell'erba alta, per proteggersi dai serpenti e dai ragni. Ma, nonostante l'afa opprimente, decise di tenersela. Non sapeva quando il suo rapitore sarebbe tornato, e sotto aveva soltanto un reggiseno di pizzo rosa. Garrett Hanlon non aveva certo bisogno essere incoraggiato in *quel* senso.

Lanciando un'ultima occhiata al nido, Mary Beth si allontanò dalla finestra. Quindi si aggirò ancora una volta nel capanno di tre stanze, all'inutile ricerca di una via di fuga. Era un'edificio solido e molto antico. Pareti spesse: una combinazione di tronchi e pesanti assi di legno inchiodati insieme. Dalla finestra della stanza principale si vedeva un grande campo di erba alta, delimitato a un centinaio di metri di distanza da una fitta schiera d'alberi. Il capanno era completamente immerso nella vegetazione. Dalla finestra accanto alla quale si trovava il nido, poteva vedere soltanto la superficie luccicante dello stagno che avevano costeggiato il giorno prima per arrivare lì.

Le stanze erano piuttosto piccole ma sorprendentemente pulite. In soggiorno c'era un lungo divano dai toni ocra e marrone, diverse vecchie sedie attorno a un tavolo da pranzo malconcio e un secondo tavolo sul quale si trovavano una decina di grossi contenitori chiusi da una fitta rete e pieni di insetti. La seconda camera era occupata solo da un materasso e da una cassettiera vuota. Nella terza non c'era niente tranne, in un angolo, diversi barattoli di vernice marrone mezzi vuoti; sembrava che Garrett o qualcun altro avesse di recente ritinteggiato l'esterno del capanno. Il colore era scuro, deprimente, e in un primo momento lei non riuscì a capire perché il ragazzo lo avesse scelto, poi si rese conto che era lo stesso marrone della corteccia degli alberi che circondavano l'edificio. Camuffamento. E le tornò alla mente un pensiero che aveva avuto il giorno prima: quel ragazzo era molto più furbo e pericoloso di quanto avesse immaginato.

In soggiorno c'erano scatoloni ricolmi di viveri: merendine ma anche una gran quantità di frutta e verdura in scatola, di una marca che Mary Beth non aveva mai sentito nominare. Dall'etichetta le sorrideva un agricoltore dall'aria stolida; un'immagine anni Cinquanta. La ragazza cercò disperatamente in tutto il capanno qualcosa da bere – dell'acqua o della soda – e non trovò niente. La verdura in scatola doveva essere piena di succo, ma non c'erano né apriscatole né utensili con cui aprire i barattoli. Aveva con sé lo zaino, ma aveva lasciato gli strumenti archeologici a Blackwater Landing. Provò a sbattere una lattina su un angolo del tavolo per aprirla: senza successo.

Da una botola che si apriva nel pavimento del soggiorno si poteva accedere a una cantina. Mary Beth lanciò un'occhiata là sotto e rabbrividì di disgusto. La notte precedente – quando Garrett si era allontanato per un po' – lei aveva trovato il coraggio di scendere in cantina in cerca di una via d'uscita da quell'orribile capanno. Ma non aveva trovato niente, solo decine di vecchie scatole, barattoli e borse.

Non aveva sentito Garrett rientrare e lui era sceso come una furia. Si ricordava di aver urlato e di aver cercato di fuggire... quindi il buio. Quando aveva ripreso i sensi, si era ritrovata sul pavimento di terra battuta con il petto e i capelli sporchi di sangue e aveva visto Garrett avvicinarsi. Lui l'aveva presa tra le braccia, tenendo lo sguardo fisso sui suoi seni. L'aveva sollevata, e lei aveva sentito il pene eretto del ragazzo premerle contro mentre lui lentamente la portava al piano superiore, sordo alle sue proteste...

No! si disse. Non devi pensarci.

E non devi pensare al dolore. O alla paura.

E adesso dov'era, Garrett?

Ora che il ragazzo sembrava essersi dimenticato di lei, Mary Beth temeva per la sua vita esattamente come quando lui era presente. Temeva che sarebbe stato ucciso dagli agenti che la stavano cercando e che lei sarebbe rimasta lì a morire di sete. Mary Beth McConnell ricordava un progetto sponsorizzato dalla società storica dello stato della Carolina al quale avevano lavorato lei e il suo supervisore universitario: la riesumazione di un cadavere sepolto nel diciannovesimo secolo per condurre delle analisi sul suo DNA, per scoprire se apparteneva davvero a un discendente di sir Francis Drake come voleva una leggenda del luogo. Quando la bara era stata aperta, con immenso orrore Mary Beth aveva notato che lo scheletro era proteso in avanti e che c'erano evidenti segni di graffi all'interno del coperchio. L'uomo era stato sepolto vivo.

Quel capanno sarebbe stato la sua bara. E nessuno...

Poi, guardando fuori dalla finestra, ebbe l'impressione di intravedere un movimento in lontananza, sul limitare della foresta. Attraverso i cespugli e le foglie, le sembrò di scorgere la sagoma di un uomo che indossava un cappello a tesa larga. Portava vestiti scuri e aveva un'andatura particolarmente rilassata. Sembra un missionario, pensò.

Un momento... C'era davvero qualcuno? O era uno scherzo della luce tra gli alberi? La ragazza non poteva esserne sicura.

"Qui!" gridò. Ma la finestra era inchiodata, e anche se fosse stata spalancata lei non pensava che l'uomo sarebbe riuscito a sentire la sua voce debole e roca com'era, da quella distanza.

Mary Beth afferrò lo zaino e cominciò a frugarvi dentro freneticamente, sperando di trovare il fischietto che le aveva comprato la madre. La ragazza aveva riso a quel pensiero – un fischietto antistupro a Tanner's Corner? – e lo aveva lasciato sulla cassettiera accanto alla ballerina di porcellana. L'ultima volta che aveva controllato, il fischietto era sparito, e lei si era chiesta se sua madre non glielo avesse per caso nascosto nello zaino.

Non c'era. Forse Garrett lo aveva trovato quando lei aveva perso i sensi sul materasso sporco di sangue. Be', avrebbe comunque urlato per chiedere aiuto il più forte possibile, nonostante la gola riarsa. Afferrò uno dei contenitori di insetti, decisa a servirsene per rompere la finestra. Si preparò al lancio, ma dopo un istante abbassò la mano. No! Il Missionario era scomparso. Nel punto in cui lo aveva visto ora c'erano solo il tronco scuro di un salice, dell'erba e un cespuglio di alloro che ondeggiava sospinto dal vento caldo.

Forse era *quello* che aveva visto.

Forse lui non era mai stato là.

Nella mente di Mary Beth McConnell – accaldata, spaventata, esausta – verità e finzione si stavano fondendo, e tutte le leggende che aveva studiato sulla misteriosa campagna del North Carolina sembravano diventate reali. Forse il Missionario apparteneva a quel gruppo di personaggi, proprio come la Signora di Drummond Lake.

Proprio come gli altri fantasmi della Grande Palude Lugubre.

Proprio come la leggenda della Cerva Bianca, una storia che cominciava a somigliare alla sua in modo allarmante.

Stordita dal caldo, con la testa che le pulsava, Mary Beth si sdraiò sul divano, chiuse gli occhi e pensò alle vespe gialle e nere che entravano e uscivano dal loro nido grigio, simbolo della vittoria del suo carceriere.

Lydia sentì il fondo del torrente sotto i piedi e si diede una spinta per raggiungere la superficie.

Senza fiato e con le mani ancora legate dietro la schiena, si ritrovò in una pozza paludosa a circa cinquanta metri dal mulino. Sbatté i piedi per cercare di raddrizzarsi e il volto le si contrasse in una smorfia di dolore. Doveva essersi slogata o rotta la caviglia, quando si era tuffata.

Ma l'acqua lì era profonda un paio di metri o forse più, e se non avesse continuato a sbattere i piedi avrebbe rischiato di annegare.

Il dolore alla caviglia era atroce, ma Lydia si sforzò di raggiungere la superficie. Si accorse che riempiendosi i polmoni e lasciandosi galleggiare sulla schiena poteva tenere il volto al di sopra del livello dell'acqua e nuotare usando la gamba buona per cercare di raggiungere la riva.

Non aveva ancora percorso due metri quando sentì qualcosa

di gelido strisciarle sulla nuca, avvolgerlesi attorno alla testa e dirigersi verso il suo volto. Un serpente! pensò terrorizzata. In un lampo le tornò alla mente un caso a cui aveva assistito al pronto soccorso: un uomo che era stato morso da un mocassino acquatico, il braccio gonfio il doppio del normale; il dolore lo aveva reso isterico. Lydia girò su se stessa, e il grosso serpente grigio le scivolò sulla bocca. Gridò senza volere. Con i polmoni vuoti e nessun sostegno, sprofondò sotto la superficie sentendosi soffocare. Perse di vista il rettile. Dov'era, dove? Se le avesse morso il viso sarebbe diventata cieca, e se le avesse morso la giugulare o la carotide sarebbe morta.

Dove? Era sopra di lei? Pronto a colpire?

Ti prego, ti prego, aiutami, pensò rivolta all'angelo custode.

E forse l'angelo la udì, perché quando Lydia riaffiorò di nuovo, non c'era più alcuna traccia della creatura e i suoi piedi, avvolti solo dalle calze, finalmente riuscivano a toccare il fondo melmoso (tuffandosi aveva perso le scarpe). Fece una pausa per riprendere fiato e per cercare di calmarsi. Lentamente raggiunse la riva e risalì a fatica un pendio di fango, rami e foglie morte. Attenta all'argilla della Carolina, rammentò a se stessa; può essere peggio delle sabbie mobili.

Non appena ebbe lasciato l'acqua dello stagno, un colpo di pistola, molto vicino, mandò in frantumi l'aria.

Gesù, Garrett ha una pistola! Sta sparando!

Lydia si affrettò a rituffarsi in acqua. Rimase sotto la superficie più che poté, ma alla fine fu costretta a riemergere. Boccheggiante, tornò in superficie proprio nel momento in cui il castoro faceva schioccare di nuovo la coda sull'acqua, producendo un suono secco. L'animale si allontanò verso la sua diga, una costruzione molto grande, lunga cinquanta metri. Per poco la ragazza non si abbandonò a una risata isterica.

Si arrampicò di nuovo, e alla fine, senza fiato, si accasciò sul fango della riva. Dopo cinque minuti ricominciò a respirare normalmente e si calmò. Si tirò su a sedere guardandosi attorno.

Non c'era traccia di Garrett. Lydia si alzò in piedi e cercò di liberarsi le mani, ma nonostante l'acqua il nastro adesivo era ancora troppo stretto perché potesse sbarazzarsene. Dal punto in cui si trovava riusciva a vedere il camino bruciato del mulino. Non c'erano dubbi sulla strada da seguire: sapeva esattamente dove si trovava il sentiero. Doveva soltanto racimolàre le forze – e il coraggio – per mettersi in cammino. Considerò l'idea di nascondersi tra i cespugli fino al tramonto, ma sapeva che con le mani legate, quindi incapace di difendersi, le zanzare l'avrebbero ferita gravemente, forse persino uccisa.

Allora muoviti, si disse. Vai, vai, vai!

Non ci riuscì. Era paralizzata dalla paura, dalla disperazione.

Pensò al suo programma TV preferito – *Touched by an Angel* – che le fece tornare in mente un altro ricordo. Quando il telefilm era finito e aveva lasciato il posto alla pubblicità, la porta di casa si era spalancata ed era comparso il suo amante con una confezione da sei di birra. Non era solito fare sorprese del genere, e insieme avevano passato due ore meravigliose. Lydia sentiva che il suo angelo le aveva ricordato quella sera per darle un segno di speranza.

Aggrappandosi con tutte le forze a quel pensiero, si mise in marcia. Poco lontano da lei risuonò un rumore gutturale. Un debole ringhio.

Sapeva che in quella regione c'erano molte linci rosse, orsi e cinghiali. Pur zoppicando a causa della caviglia dolorante, si mosse con sicurezza verso il sentiero, come se stesse cominciando il suo turno in oncologia, pronta a occuparsi dei pazienti e a cercare di rallegrarli.

Fu Jesse Corn a trovare il sacco.

"Ehi! Guardate qui. Ho trovato qualcosa. Una borsa."

L'agente Sachs scese lungo il pendio roccioso della cava e raggiunse Corn che stava indicando qualcosa su una sporgenza di calcare che era stata fatta saltare con la dinamite. Nessuna meraviglia che Rhyme avesse trovato tante tracce di nitrati; quel luogo era un unico gigantesco campo di demolizioni.

Jesse era in piedi davanti a un vecchio sacco di tela.

"Rhyme, mi senti?" disse Amelia dopo aver composto il numero sul cellulare.

"Sì. C'è molta elettricità statica, non ti sento bene."

"Abbiamo trovato un sacco di tela grezza", gli comunicò. "Sembra che ci sia dentro qualcosa."

Rhyme domandò: "L'ha lasciato lì Garrett?"

Amelia abbassò lo sguardo sul terreno. "Queste sono decisamente le impronte di Garrett e Lydia. Si dirigono verso un pendio in fondo alla cava."

"Seguiamole", disse Jesse.

"Non ancora", replicò lei. "Prima dobbiamo esaminare il sacco."

"Descrivimelo", ordinò il criminologo.

"Tela. Vecchio. Sessanta per ottantacinque centimetri. Non c'è un granché all'interno. È chiuso. Non è legato, solo arrotolato."

"Aprilo con attenzione: ricordati che potrebbe contenere un nido di vespe."

Lei sbirciò all'interno.

"Va tutto bene, Rhyme. Niente trappole."

Lucy e Ned li raggiunsero e i quattro agenti rimasero in piedi per un attimo attorno al sacco come se fosse stato il cadavere di un uomo annegato, appena recuperato dalle acque della cava.

Amelia si infilò un paio di guanti di lattice, particolarmente morbidi a causa del caldo. Le sue mani cominciarono a sudare e a prudere all'istante.

"Bottiglie d'acqua vuote, marca Deer Park. Gli involucri di due pacchetti di cracker al formaggio e burro di noccioline Planters. Nessuno scontrino, nessuna etichetta del prezzo. Vuoi che ti detti i codici a barre per scoprire dove sono stati acquistati?"

"Se avessimo a disposizione una settimana ti risponderei di sì", borbottò Lincoln. "Comunque no, non importa. Qualche altro dettaglio sul sacco?"

"La tela è vecchia, macchiata. C'è una scritta stampata ma è troppo sbiadita, non si legge più. Qualcuno riesce a capire cosa c'è scritto?" domandò agli altri.

Nessuno riuscì a decifrare la scritta.

"Hai idea di cosa contenesse inizialmente?" volle sapere Rhyme.

Amelia prese il sacco e l'annusò. "Puzza di chiuso. Probabilmente non è stato usato per molto tempo. Non so dire cosa ci fosse dentro." Rivoltò il sacco e lo colpì con forza con il palmo della mano. Qualche vecchio chicco di grano rinsecchito cadde sul terreno.

"Grano, Rhyme."

"Che mi prenda un colpo", esclamò Jesse Corn.

Rhyme domandò: "Ci sono fattorie, da quelle parti?"

Amelia girò la domanda al resto della squadra di ricerca.

"Solo qualche allevamento", rispose Lucy, guardando Ned e Jesse che annuirono.

L'agente Corn osservò: "Comunque, il grano viene dato da mangiare al bestiame".

"Certo", concordò Ned. "Direi che questi chicchi vengono da un silo o da un magazzino."

"Hai sentito, Lincoln?"

"Sicuro. Dirò a Ben e a Jim Bell di fare qualche ricerca. C'è altro, Sachs?"

Lei si guardò le mani. Erano annerite. Rivoltò nuovamente il sacco. "Sembra che sia stato in contatto con qualcosa che è bruciato."

"Hai idea di cosa?"

"Sembra sporco di carbone, quindi direi che si tratta di legno." Lanciò un'occhiata alle impronte di Garrett e Lydia. "Ricominciamo a seguirli", disse a Rhyme.

"Ti chiamerò non appena avrò scoperto qualcosa."

Rivolgendosi alla squadra di ricerca, Amelia ordinò: "Torniamo sulla cima". Con le ginocchia percorse da dolori lancinanti, guardò brevemente il limitare della cava, mormorando: "Non sembrava così lontano, quando siamo arrivati qui".

"Be', è questa la regola: quando si sale, una collina è sempre alta il doppio", disse Jesse Corn, grande esperto di proverbi locali, che con aria galante lasciò che Amelia passasse per prima.

...quattordici

Cercando di ignorare la mosca nera e verde che gli ronzava attorno, Rhyme fissava la nuova tabella delle prove.

RITROVAMENTI SULLA SCENA SECONDARIA
CAVA

Vecchio sacco di tela con nome illeggibile
grano – foraggio?
segni di bruciatura sul sacco
acqua Deer Park
cracker al formaggio Planters

Le prove più insolite sono le migliori. Lui era sempre stato molto felice quando sul luogo di un delitto aveva trovato qualcosa di completamente inidentificabile, perché significava che, se fosse riuscito a scoprire di cosa si trattava, avrebbe anche potuto rintracciarne la provenienza.

Ma quegli oggetti – le prove che Amelia aveva trovato alla cava – erano piuttosto comuni. Se la scritta sul sacco fosse stata leggibile, forse sarebbe riuscito a scoprirne l'esatta provenienza. Ma così non era. Se l'acqua e i cracker avessero avuto un'etichetta con il prezzo, Rhyme avrebbe potuto risalire ai negozi in cui erano stati acquistati e infine a un commesso che si ricordava di Garrett e che avrebbe potuto fornire loro qualche informazione su dov'era stato il ragazzo. Ma così non era. E le tracce di legno bruciato? Potevano provenire da qualsiasi barbecue della contea di Paquenoke. Inutili.

Forse il grano avrebbe potuto rivelarsi di qualche utilità: proprio in quel momento, Jim Bell e Steve Farr stavano chiamando tutti i principali magazzini, ma Rhyme dubitava che gli impiegati avrebbero avuto qualcosa da dire, a parte: "Be', noi vendiamo grano in vecchi sacchi di tela. Come chiunque altro".

Dannazione! Non aveva alcuna confidenza con quella zona. Gli ci sarebbero volute settimane – mesi – per sentirsi a suo agio.

Ma naturalmente non avevano settimane o mesi.

I suoi occhi si spostavano da una tabella all'altra, rapidi come la mosca.

RITROVAMENTI SULLA SCENA PRIMARIA
BLACKWATER LANDING

Kleenex sporco di sangue
polvere di calcare
nitrati
fosfati
detergente
canfene

Non c'era più alcuna deduzione da fare, in base a quell'elenco.

Decise che avrebbe fatto meglio a tornare a dedicarsi ai libri sugli insetti.

"Ben, quel volume, *Un mondo in miniatura*. Vorrei dargli un'occhiata."

"Sissignore", disse il giovane in tono assente, gli occhi fissi su una delle tabelle delle prove. Prese il libro e glielo porse.

Trascorse un lungo istante, il libro sospeso nell'aria davanti al petto del criminologo. Rhyme lanciò un'occhiata obliqua a Ben che lo guardò a sua volta e sobbalzò, rendendosi conto di aver offerto qualcosa a un uomo che avrebbe avuto bisogno dell'intervento divino per prenderlo.

"Oh, Dio, signor... senta", si affrettò a dire Ben, rosso per la vergogna. "Mi dispiace tanto. Ero sovrappensiero. Maledizione, come sono stupido. Io..."

"Ben", tagliò corto Rhyme in tono pacato, "chiudi il becco."

Lo zoologo sbatté le palpebre, stravolto. Deglutì. Il libro sembrava piccolo nella sua grande mano ora abbassata. "È stato un incidente, signore. Come le ho detto ero..."

"Chiudi-Il-Becco."

Lo zoologo obbedì. Si guardò intorno in cerca d'aiuto ma non c'era nessuno che potesse venirgli in soccorso. Thom era in piedi con la schiena appoggiata alla parete, silenzioso, le braccia conserte, e non sembrava disposto a fare da paciere.

Rhyme continuò con un basso ringhio: "Ti comporti con me come se camminassi sulle uova, e io non ne posso più. Smettila di essere così dannatamente servile".

"Servile? Stavo solo cercando di essere gentile con una persona che... voglio dire..."

"No, non è così. Finora non hai fatto altro che cercare il modo di svignartela da qui il prima possibile, senza guardarmi più del necessario per non turbare troppo la tua piccola psiche delicata."

Le spalle larghe del ragazzo si irrigidirono. "Be', signore, penso che lei non sia del tutto giusto con me."

"Stronzate! È ora di togliersi i guanti di velluto..." Rhyme scoppiò a ridere. "Cosa ne pensi di questa metafora? Io, che mi tolgo i guanti? Una cosa che non sono di certo in grado di fare molto alla svelta, giusto?... Cosa ne pensi di questa battuta da storpi?"

Ben desiderava disperatamente fuggire via, ma le sue gambe robuste sembravano aver messo radici nel pavimento.

"Quello che ho io non è contagioso, Ben", continuò Rhyme bruscamente. "Pensi che si prenda come la scarlattina? Continui a comportarti come se il fatto di respirare la mia stessa aria potrebbe farti finire su una sedia a rotelle. Maledizione, eviti persino di guardarmi per paura di finire come me!"

"Non è vero!"

"Ah no? Io credo di sì... Come mai ti spaventi in questo modo?"

"Non è così!" ringhiò Ben. "Davvero!"

Rhyme tuonò: "Oh sì, invece. Anche il solo fatto di trovarti nella stessa stanza insieme a me ti *terrorizza*. Sei un fottutissimo codardo".

Lo zoologo si sporse in avanti e, con le labbra che gli tremavano, gridò: "Vaffanculo, Rhyme!" per un istante la rabbia gli impedì di parlare. Poi aggiunse: "Sono venuto qui per fare un favore a mia zia. Ho mandato all'aria tutti miei piani e non vedrò nemmeno un centesimo! Sono rimasto ad ascoltarla dare ordini a tutti quanti come una specie di fottuta primadonna. Ma chi diavolo si crede di essere?" Si interruppe e sbatté le palpebre, fissando Rhyme che stava ridendo a squarciagola.

"Be'?" sbottò Ben. "Perché diavolo sta ridendo adesso?"

"Lo vedi com'è facile?" lo provocò il criminologo sogghignando. Anche Thom cercava a fatica di trattenere una risata.

Ansimando, Ben raddrizzò la schiena. Poi scosse la testa. "Cosa vuol dire? Che cosa è facile?"

"Guardarmi negli occhi e dirmi che sono uno stronzo", rispose Rhyme in tono placido. "Sono come chiunque altro. Non mi piace quando la gente mi tratta come se fossi fatto di cristallo. E so che nemmeno a loro piace tanto stare a preoccuparsi di non mandarmi in frantumi."

"Mi ha fregato. Ha detto quelle cose solo per farmi infuriare."

"Mettiamola così: le ho dette solo per superare le tue resistenze." Rhyme non era pronto a giurare che Ben sarebbe mai diventato come Henry Davett, l'uomo tutto d'un pezzo che sapeva vedere d'istinto l'essenza, lo spirito di un essere umano, ignorando le apparenze. Ma se non altro era riuscito a spingere il giovanotto qualche passo in quella direzione.

"Dovrei uscire da quella porta e non tornare mai più."

"Un sacco di gente vorrebbe farlo, Ben. Ma io ho bisogno di te. Sei in gamba. Sei portato per la medicina legale. Andiamo. Abbiamo finalmente rotto il ghiaccio. Rimettiamoci al lavoro."

Ben inserì *Un mondo in miniatura* nell'apparecchio per voltare le pagine. Lanciò un'occhiata al criminologo e chiese: "Quindi c'è un sacco di gente che riesce a guardarla negli occhi e dirle che è un figlio di puttana?"

Lincoln osservava la copertina del libro e lasciò che fosse Thom a rispondere: "Oh, certo. Ma solo dopo che l'hanno conosciuto meglio, naturalmente".

Lydia si trovava ancora a una trentina di metri dal mulino. Si stava muovendo il più in fretta possibile verso il sentiero che l'avrebbe condotta alla libertà, ma il dolore pulsante alla caviglia la rallentava notevolmente. Inoltre era difficile muoversi in silenzio nella vegetazione senza usare le mani. Come alcuni pazienti che avevano subìto lesioni cerebrali e che aveva assistito all'ospedale, aveva problemi di equilibrio e riusciva solo a barcollare da una radura all'altra, facendo più rumore di quanto avrebbe voluto.

Si tenne a distanza, quando passò davanti al mulino. Fece una breve pausa. Non c'era traccia di Garrett. L'unico suono che sentiva era quello delle acque del torrente che si riversavano nella palude.

Ancora un paio di metri, ancora cinque.

Andiamo, angelo, pensò. Resta con me ancora un po'. Aiutami a uscirne viva. Ti prego, ti prego, ti prego. Solo pochi minuti ancora e saremo a casa, liberi.

Oh, dannazione, che male! Si chiese se l'osso non fosse fratturato. Aveva la caviglia gonfia e sapeva che camminare senza stampelle, se fosse stata rotta, avrebbe reso il dolore dieci volte peggiore. Il colore della pelle si andava scurendo: segno di ematoma. L'avvelenamento del sangue era un'eventualità non troppo remota. Pensò alla cancrena. All'amputazione. Se fosse accaduta una cosa simile, cosa avrebbe detto il suo amante? Probabilmente l'avrebbe lasciata. Lavorando al reparto di oncologia, aveva imparato che molto spesso le persone sparivano dalla vita dei pazienti una volta che questi cominciavano a perdere parti del corpo.

Fece una pausa e rimase ad ascoltare, guardandosi attorno. Era possibile che Garrett fosse fuggito? Che avesse deciso di lasciarla perdere e si fosse diretto alle Outer Banks per stare con Mary Beth?

Riprese a muoversi verso il sentiero che conduceva alla cava. Una volta che lo avesse trovato, avrebbe dovuto fare ancora più attenzione, a causa della trappola all'ammoniaca che Garrett aveva nascosto. Non ricordava esattamente dove si trovasse. Immaginò lo schianto del recipiente contro una roccia vicino alla sua testa, l'ammoniaca che la investiva. Ricordava che durante un turno in pronto soccorso erano arrivati tre operai della fabbrica del signor

Davett. C'era stato un incidente, e una tanica si era rovesciata e li aveva inondati di un concentrato di cloro. Ripensò alle convulsioni che avevano portato alla morte uno dei tre. I medici erano riusciti a salvare gli altri due, ma le ustioni che avevano riportato al volto e al petto erano terrificanti.

Altri dieci metri e... eccolo: il sentiero!

Lydia si fermò di nuovo e rimase ad ascoltare. Niente. Notò un serpente dalla pelle scura che prendeva placidamente il sole sul ceppo di un vecchio cedro.

Fece un paio di passi.

E poi la mano dell'Insetto sbucò dalla vegetazione e le afferrò la caviglia buona. Già instabile, incapace di usare le mani, Lydia non poté fare altro che voltarsi su un fianco per cercare di attutire la caduta. Il suo grido svegliò il serpente che in un istante svanì.

Garrett, imbestialito, le si mise a cavalcioni sul corpo, inchiodandola a terra, il volto rosso di furia. Doveva essere rimasto in attesa per più di quindici minuti, in silenzio, senza muovere un muscolo, finché lei non gli era passata vicino. Come una mantide in attesa della sua prossima vittima.

"Ti prego", mormorò Lydia senza fiato per lo choc e terrorizzata al pensiero che anche il suo angelo custode l'avesse tradita. "Non farmi del male..."

"Zitta", sibilò lui con rabbia, guardandosi attorno. "Mi stai facendo perdere la pazienza."

La fissò come se stesse decidendo se stuprarla e ucciderla lì, in quel momento, oppure no. Poi la fece alzare, strattonandola bruscamente. Avrebbe potuto prenderla per un braccio o farla rotolare sulla schiena per rimetterla in piedi. Ma non lo fece; la cinse con le braccia da dietro, le mani sui suoi seni, e la fece alzare così. Lydia sentì il corpo disgustoso del ragazzo che le premeva contro la schiena e le natiche. Alla fine, dopo un lasso di tempo che le parve interminabile, Garrett la lasciò, ma subito le richiuse le dita ossute attorno al braccio e prese a trascinarla verso il mulino, incurante dei suoi singhiozzi.

Con un suono che Rhyme aveva sempre associato a quello di un coltello che veniva affilato, l'apparecchio davanti a lui voltò un'altra pagina di *Un mondo in miniatura*, che era, a giudicare dalle cattive condizioni del volume, il libro preferito da Garrett Hanlon.

Gli insetti possiedono straordinarie capacità di sopravvi-venza. La falena delle betulle, per esempio, è naturalmente bianca, ma nelle zone che circondano il distretto industria-le di Manchester, in Inghilterra, la colorazione di questa specie è diventata nera per permetterle una perfetta mime-tizzazione con la fuliggine che ricopre i tronchi degli alberi rendendola così meno evidente ai suoi nemici.

Continuò a sfogliare il libro, il fedele anulare sinistro che pre-meva il comando dell'UCA per girare altre pagine... sss, sss, la-ma su acciaio. Lesse alcuni passaggi che il ragazzo aveva sottoli-neato. L'informazione sulla tecnica di caccia della formica leone aveva salvato la squadra di ricerca da una delle trappole. Come gli aveva detto Ben, l'ittiopsicologo, il comportamento animale era spesso un buon modello per quello umano, soprattutto in materia di sopravvivenza.

Le mantidi religiose sfregano l'addome contro le ali, pro-ducendo un rumore particolare che disorienta gli insegui-tori. Le mantidi, tra l'altro, possono mangiare qualsiasi creatura vivente più grande di loro, compresi uccelli e mammiferi...

Si dice che sia stato proprio lo scarabeo stercorario a sugge-rire agli uomini dell'antichità l'idea della ruota...

Un naturalista del Settecento di nome Reaumur scoprì che le vespe costruiscono i loro nidi di carta usando la saliva e la fibra di legno. Fu questo a suggerirgli l'idea di utilizzare la polpa di legno e non il tessuto per fabbricare la carta, co-me si era fatto fino a quel momento...

Ma quale tra quelle molte informazioni poteva essere utile nelle indagini? C'era *qualcosa* che potesse aiutare Rhyme a tro-vare due esseri umani in fuga da qualche parte in centinaia di chilometri quadrati di foreste e paludi?

*Gli insetti fanno un grande uso dell'olfatto. Per loro è un
senso multidimensionale. Gli insetti "toccano gli odori" e li
usano per molti scopi. Per l'apprendimento, per l'intelli-
genza, per la comunicazione. Quando una formica trova del
cibo, ritorna al formicaio e lascia una traccia olfattiva, toc-
cando il terreno di tanto in tanto con l'addome. Quando altre formiche percepiscono quell'odore, lo seguono fino a
raggiungere il cibo. Sanno in quale direzione andare perché
l'odore ha una "forma"; la parte più stretta dell'odore indica il cibo come una freccia. Inoltre gli insetti si servono degli odori per avvertire i loro simili della vicinanza di un nemico. Dal momento che un insetto può distinguere una sin-
gola molecola di odore a chilometri di distanza, gli insetti
vengono sorpresi dai loro nemici molto raramente...*

Bell entrò nella stanza con passo spedito. Sembrava raggian-
te. "Ho appena chiamato l'ospedale. Sembra che Ed stia uscendo dal coma e che abbia già detto qualcosa. Il dottore telefonerà
tra pochi minuti."

Ora a Rhyme non dispiaceva più tanto l'idea di chiedere aiuto a un testimone. Il terribile senso di disorientamento che provava cominciava a pesargli troppo.

Lo sceriffo prese a camminare lentamente avanti e indietro
nel laboratorio, guardando in direzione della porta con aria ansiosa ogni volta che in corridoio risuonavano dei passi.

Lincoln Rhyme appoggiò la testa allo schienale della sedia a
rotelle. Posò lo sguardo sulla tabella delle prove, sulla mappa, e
poi di nuovo sul libro. E per tutto il tempo la mosca verde e nera continuò a volare nella stanza, con una confusa disperazione
che sembrava il riflesso di quella del criminologo.

Un animale sfrecciò attraverso il sentiero e svanì.

"Che cos'era?" chiese Amelia, indicando i cespugli in cui era
scomparsa la creatura. Lo aveva visto per pochi secondi e le era
sembrato un incrocio tra un cane e un grosso gatto randagio.

"Una volpe grigia", rispose Jesse. "Non se ne vedono di fre-
quente, ma devo ammettere che non vengo molto spesso a passeggiare a nord del Paquo."

I membri della squadra si muovevano lentamente, cercando di seguire le deboli tracce del passaggio di Garrett e tenendo gli occhi aperti per non incappare in qualche altra trappola o in un'imboscata.

Ancora una volta, l'agente Sachs ebbe lo sgradevole presentimento che l'aveva tormentata fin da quando, quella mattina, erano passati accanto al cimitero dove si stava svolgendo il funerale del bambino. Si guardò attorno. Ormai si erano lasciati i pini alle spalle e si trovavano circondati da un tipo di vegetazione ben diverso. Quegli alberi non avrebbero sfigurato in una giungla tropicale. Lucy le disse che erano eucalipti, vecchi cipressi, cedri, uniti tra loro da un muschio simile a una ragnatela e da viti rampicanti che assorbivano i rumori come nebbia spessa e accentuavano il senso di claustrofobia di Amelia. Il paesaggio attorno a loro era costellato di funghi e muschio. Nell'aria ristagnava l'aroma della decomposizione.

Amelia guardò il terreno e chiese a Jesse: "Siamo lontani chilometri dalla città. Chi traccia questi sentieri?"

Lui scrollò le spalle. "Contrabbandieri, ragazzini, gente della palude, spacciatori di PCP."

Appoggiandosi al massiccio tronco di un albero, Ned Spoto bevve un sorso d'acqua e intervenne: "A volte riceviamo delle chiamate: c'è stata un sparatoria, qualcuno sta gridando, chiede aiuto, luci misteriose che lanciano segnali. Roba del genere. Solo che quando arriviamo qui non c'è più nessuno... Non ci sono vittime, non ci sono colpevoli, non ci sono testimoni che si lamentano. Certe volte troviamo delle tracce di sangue, ma niente di più. Prendiamo la chiamata – è nostro dovere – ma nessuno di noi viene mai qui da solo".

Jesse aggiunse: "Ci si sente diversi, qui. So che sembra strano ma si ha l'impressione che la vita sia differente, che valga di meno. Preferirei dover arrestare un paio di ragazzi armati, strafatti di polvere d'angelo, che stanno cercando di rapinare un supermarket, piuttosto che venire qua. Almeno, in città ci sono delle regole. Sai più o meno che cosa puoi aspettarti. Mentre qui..." Si strinse nelle spalle.

Lucy annuì. "È vero. Non si possono applicare le solite regole con *nessuno*, a nord del Paquo: non valgono né per noi né per loro. Magari ti ritrovi a sparare a qualcuno prima di avergli letto i suoi diritti, e dopotutto anche questo è normale. È difficile da spiegare."

All'agente Sachs quei discorsi non piacevano affatto. Se non fosse stata certa che anche gli altri poliziotti erano così tesi e provati, avrebbe sospettato che stessero recitando allo scopo di spaventare la ragazza di città.

Alla fine si fermarono in un punto in cui il sentiero si diramava in tre direzioni. Provarono a seguirle tutte e tre per una decina di metri, ma non c'era niente che lasciasse capire da che parte fossero andati Garrett e Lydia. Tornarono sui loro passi.

Amelia sentì le parole di Rhyme riecheggiarle nella mente. *Sta' attenta, Sachs, ma fa' in fretta. Non penso che a Lydia resti molto tempo.*

Fa' in fretta...

Tuttavia, mentre osservava le tre diramazioni del sentiero soffocate dalla vegetazione, pensò che sarebbe stato impossibile per chiunque, anche per Lincoln Rhyme, riuscire a capire quale scegliere.

In quel momento il suo cellulare prese a squillare e sia Lucy sia Jesse Corn sorrisero, sperando, proprio come Amelia, che Rhyme avesse un nuovo suggerimento per loro.

Lei rimase ad ascoltare, annuì, quindi chiuse la comunicazione. Trasse un profondo respiro e guardò i tre agenti.

"Allora?" chiese Jesse.

"Lincoln e Jim hanno appena avuto notizie dall'ospedale. Sembra che Ed Schaeffer abbia ripreso i sensi abbastanza a lungo per dire 'amo i miei figli' prima di morire. All'inizio avevano pensato che avesse detto qualcosa come 'Amos' Street, ma alla fine hanno capito che stava solo cercando di dire 'amo'. Non è riuscito a dire altro. Mi dispiace."

"Oh, Gesù", mormorò Ned.

Lucy chinò il capo e Jesse le circondò le spalle con un braccio, chiedendo: "Che cosa facciamo, adesso?"

Lucy alzò lo sguardo velato di lacrime. "Cattureremo quel ragazzo, ecco cosa", rispose con cupa disperazione. "Sceglieremo il sentiero più logico e continueremo in quella direzione. Lo troveremo. E lo troveremo in fretta. È d'accordo anche lei?" concluse poi, rivolta ad Amelia.

"Per me va benissimo."

...quindici

Lydia Johansson aveva visto quell'espressione negli occhi degli uomini centinaia di volte.

Un bisogno. Un desiderio.

A volte, una voglia senza senso; altre, lo sguardo d'amore di un uomo impotente.

Con la sua corporatura massiccia, i capelli stopposi, il volto segnato dalle cicatrici dell'acne giovanile, Lydia era convinta di avere ben poco da offrire loro. Ma sapeva anche che gli uomini, ancora per qualche anno almeno, le avrebbero chiesto sempre una sola cosa, e lei aveva deciso molto tempo prima che per farsi strada nel mondo avrebbe dovuto sfruttare quel poco potere che aveva.

Adesso erano di nuovo all'interno del mulino. Garrett era in piedi davanti a lei; la sua pelle rovinata luccicava di sudore. Il gonfiore del suo pene eretto era fin troppo evidente attraverso i pantaloni.

I suoi occhi indugiarono sul petto di Lydia, dove l'uniforme bagnata si era strappata quando si era tuffata. Un seno era visibile, e Garrett fissava affascinato il suo grande capezzolo.

Lydia si ritrasse, gemendo per il dolore alla caviglia. Si premette contro la parete, seduta a terra, sentendosi invadere da un gelido e viscido senso di repulsione.

Eppure pensò: dovrei lasciarlo fare?

Era giovane, probabilmente non aveva mai scopato in vita sua. Sarebbe venuto in pochi secondi e tutto sarebbe finito lì. Forse dopo si sarebbe addormentato e lei sarebbe riuscita a rubargli il coltello e a liberare le mani. Poi lo avrebbe colpito, gli avrebbe fatto perdere i sensi e lo avrebbe legato.

Ma le mani rosse e ossute di Garrett, il suo volto butterato, il suo alito disgustoso e il fetore del suo corpo... Come sarebbe riuscita a sopportarlo? E cosa avrebbe detto il suo amante se avesse scoperto cosa aveva fatto?

Lydia chiuse gli occhi per un istante e mormorò una preghiera impalpabile come il suo ombretto Blue Sunset.

Ma il suo angelo custode rimase in silenzio, determinato a non aiutarla a prendere quella particolare decisione.

Sì o no?

Le sarebbe bastato rivolgergli un sorriso, e Garrett nel giro di pochi istanti sarebbe stato dentro di lei. O magari lei avrebbe potuto prenderglielo in bocca... Non avrebbe significato niente.

Scopami in fretta e poi guardiamo un film... Uno scherzo ricorrente tra lei e il suo amante. Lei lo aspettava sulla porta, con indosso soltanto un négligé rosso che aveva comprato per corrispondenza. Gli gettava le braccia al collo e gli sussurrava quelle parole.

Fallo, si disse, e forse riuscirai a fuggire...

Ma non posso!

Gli occhi di Garrett erano fissi su di lei, le accarezzavano il corpo. Il suo pene non avrebbe potuto violarla più di quanto non stessero già facendo quegli occhi arrossati. Gesù, non era solo un insetto: era una creatura sbucata da uno dei romanzi horror di Lydia, qualcosa che avrebbero potuto inventare Dean Koontz o Stephen King.

Le sue unghie ticchettavano.

Ora le stava esaminando le gambe, lisce e carnose; secondo Lydia, la parte migliore del suo corpo. Garrett le domandò: "Perché stai piangendo? È solo colpa tua, se ti sei fatta male. Non saresti dovuta scappare. Coraggio, fammi vedere". Con un cenno, indicò la caviglia gonfia della ragazza.

"Va tutto bene", si affrettò a dire lei, ma, quasi involontariamente, allungò il piede verso di lui.

"Certi stronzi a scuola una volta mi hanno spinto giù dalla collina dietro la stazione di servizio Mobil", disse Garrett. "Mi sono slogato una caviglia. Faceva un male cane."

Falla finita, si disse Lydia. Considerala una scorciatoia per tornare a casa.

Scopami in fretta...

No!

Ma non si scostò quando Garrett le si sedette accanto e le prese la gamba. Le sue lunghe dita – Dio, com'erano grosse – le scivolarono dal polpaccio alla caviglia. Il ragazzo stava tremando. Fissava i buchi nei suoi collant bianchi, attraverso i quali si poteva vedere il rosa della pelle. Le esaminò il piede.

"Non ti sei tagliata. Però è tutto nero. Che cosa significa?"

"Che potrebbe essere rotto."

Lui non fece alcun commento. Era come se per lui il dolore di Lydia non significasse niente. Come se non potesse concepire l'idea che qualcun altro stesse soffrendo. Continuò a osservarle la caviglia. Poi spostò lo sguardo sulla coscia.

Lei sollevò ancora di più la gamba, i muscoli che le tremavano per lo sforzo. Con il piede gli stava quasi sfiorando l'inguine.

Garrett socchiuse gli occhi e prese a respirare affannosamente.

Lydia deglutì.

Lui le spostò il piede, premendoselo contro il pene eretto. Era duro come il legno della ruota del mulino contro cui Lydia aveva sbattuto quando si era tuffata.

Garrett le fece scivolare la mano lungo la gamba e Lydia sentì le sue unghie graffiarle i collant.

No...

Sì...

Di colpo il ragazzo si fermò.

Sollevò la testa e inspirò profondamente. Due volte.

Anche Lydia annusò l'aria. C'era un odore aspro. La ragazza impiegò qualche istante per riconoscerlo. Ammoniaca.

"Merda", sibilò Garrett, gli occhi sgranati per l'orrore. "Come hanno fatto ad arrivare qui così in fretta?"

"Che cosa?" chiese lei.

Lui si alzò di scatto. "La trappola! L'hanno rovesciata! Saranno qui tra dieci minuti! Come cazzo hanno fatto ad arrivare qui così in fretta?" Si chinò verso di lei. Lydia non aveva mai visto tanto odio negli occhi di una persona. "Hai lasciato qualcosa sul sentiero? Gli hai mandato un messaggio?" Il viso di Lydia fu investito da gocce di saliva.

Lei si rannicchiò, certa che Garrett stesse per ucciderla: sembrava aver perso completamente il controllo. "No! Te lo giuro!"

A grandi passi, il ragazzo si diresse verso il fondo della stanza, strappandosi freneticamente i vestiti di dosso. Lei fissò il suo corpo snello, la notevole erezione diminuita solo leggermente. Nudo, corse in un angolo dove c'erano altri vestiti, piegati, sul pavimento. Se li infilò. Si mise anche un paio di scarpe.

Lydia guardò fuori dalla finestra. Non riusciva a vedere nessuno. Doveva essere stata organizzata una squadra di ricerca con Jim e Jesse, forse anche Lucy Kerr. Qualcuno era forse rimasto ferito o accecato dall'ammoniaca?

Garrett, con la voce ridotta quasi a un sussurro, disse: "Devo andare da Mary Beth".

"Non posso camminare", balbettò Lydia tra i singhiozzi. "Cosa ne sarà di *me*?"

Garrett andò alla porta, guardò rapidamente fuori e rientrò. Dalla tasca dei pantaloni prese un coltello a serramanico e fece scattare la lama. Poi si voltò verso Lydia.

"No, no, ti prego..."

"Sei ferita. Non potresti mai starmi dietro."

Lydia fissò la lama. Era sporca e scheggiata. Rivolse una preghiera terrorizzata a sua madre, al suo amante, al suo angelo custode...

Garrett si avvicinò.

Come cazzo avevano fatto ad arrivare lì così in fretta? si chiese di nuovo Garrett Hanlon, correndo dalla porta del mulino al torrente. Il panico che sentiva così spesso gli pungeva il cuore come quercia velenosa sulla sua pelle pallida.

I suoi nemici avevano raggiunto il mulino da Blackwater Landing in poche ore. Era sbalordito: aveva pensato che i poliziotti avrebbero impiegato almeno un giorno, forse anche due, a trovare le sue tracce. Guardò verso il sentiero che si snodava dalla cava. Nessuno in vista. Si voltò nella direzione opposta e cominciò a percorrere un altro sentiero, che si allontanava dalla cava e seguiva il corso del torrente.

Facendo ticchettare le unghie, si chiese: Come, come, come? Rilassati, si impose. Aveva tutto il tempo. Ora che la bottiglia di ammoniaca era andata in frantumi sulle rocce, senza dubbio i poliziotti si stavano muovendo come scarabei, per paura di altre trappole. Probabilmente aveva almeno mezz'ora di vantaggio. Di lì a pochi minuti sarebbe arrivato alla palude e i suoi inseguitori non sarebbero mai riusciti a stargli dietro. Nemmeno con i cani. Di lì a otto ore sarebbe stato con Mary Beth. Sarebbe...

Si fermò.

Sul ciglio del sentiero c'era una bottiglia d'acqua vuota. Sembrava che qualcuno l'avesse gettata via. Ma nessuno veniva mai lì. Annusò l'aria e raccolse la bottiglia. Ammoniaca!

Un'immagine gli balenò nella mente: una mosca intrappolata nella tela di un ragno. Oh, no!

La voce di una donna abbaiò: "Fermo dove sei, Garrett". Una donna attraente dai capelli rossi che indossava un paio di jeans e una T-shirt nera sbucò dai cespugli. Tra le mani teneva una pistola puntata dritta contro di lui. Per un attimo spostò gli occhi sul coltello prima di tornare a fissarlo in faccia.

"È qui!" gridò la donna. "L'ho trovato." Poi abbassò la voce e incrociò lo sguardo di Garrett. "Fa' quello che ti dico e nessuno si farà del male. Getta via il coltello e sdraiati, faccia a terra."

Ma il ragazzo non obbedì.

Rimase immobile, con le spalle curve, le unghie dell'indice e del pollice della mano sinistra che ticchettavano compulsivamente. Sembrava spaventato e disperato.

Amelia Sachs guardò di nuovo il coltello che teneva saldamente in mano. Quella macchia sul metallo era forse sangue di Mary Beth? si chiese. Tenne la Smith & Wesson puntata al petto di Garrett.

Gli occhi dell'agente bruciavano per l'ammoniaca e per il sudore. Si asciugò il volto con una manica.

"Garrett..." Lo blandì con voce calma. "Sdraiati a terra. Nessuno ti farà del male, se fai quello che ti diciamo."

Amelia sentì un grido lontano. Era Ned Spoto. "Ho trovato Lydia! Sta bene. Ma Mary Beth non c'è."

"Dove sei, Amelia?" Era la voce di Lucy.

"Sul sentiero che porta al torrente", rispose l'agente Sachs.

"Getta via il coltello, Garrett. A terra. Poi sdraiati."

Lui la fissò sospettoso. La pelle arrossata, gli occhi umidi.

"Andiamo, Garrett. Ci sono altri tre agenti. Non puoi farcela."

"Come?" domandò lui. "Come avete fatto a trovarmi?" Aveva una voce infantile, non era quella di un ragazzo di sedici anni.

Non gli disse che avevano trovato la trappola di ammoniaca e il mulino grazie a Lincoln Rhyme, naturalmente. Proprio mentre si stavano incamminando lungo il sentiero centrale, il criminologo l'aveva chiamata.

Aveva detto: "Uno degli impiegati con cui ha parlato Jim Bell ha detto che da queste parti non si usa il grano come mangime. Secondo lui proviene da un mulino, e Jim si è ricordato che c'è un mulino abbandonato che è bruciato l'anno scorso. Questo spiegherebbe le tracce di fuliggine".

Bell aveva comunicato alla squadra di ricerca il modo per raggiungere il mulino. Rhyme aveva voluto parlare di nuovo con Amelia e aveva aggiunto: "Mi è anche venuta in mente una cosa sull'ammoniaca".

In uno dei libri di Garrett, Rhyme aveva trovato un passaggio sottolineato che lo aveva colpito in modo particolare. Riguardava l'uso degli odori da parte degli insetti per lanciare avvertimenti. Aveva deciso che dal momento che l'ammoniaca non si trovava negli esplosivi in commercio, come quelli che erano stati usati alla cava, probabilmente il ragazzo aveva collegato l'ammoniaca a una lenza da pesca in modo che quando i suoi inseguitori l'avessero versata, lui, grazie all'odore, avrebbe capito che erano vicini e sarebbe potuto scappare.

Trovata la trappola, Amelia aveva avuto l'idea di riempire di ammoniaca una delle bottiglie d'acqua di Ned e di versare il liquido fuori dal mulino per trarre in inganno il ragazzo.

E lui ci era cascato.

Tuttavia, non stava obbedendo alle sue istruzioni. Garrett si guardò attorno e studiò il volto di Amelia, come se stesse cercando di capire se avrebbe sparato davvero.

Si grattò una chiazza rossastra sul viso e si asciugò il sudore, quindi strinse ancora più forte le dita attorno all'impugnatura del coltello, guardando a destra e a sinistra, gli occhi colmi di disperazione e di panico.

Temendo che il ragazzo potesse cercare di scappare o di aggredirla, Amelia cercò di adottare un tono di voce più dolce, simile a quello di una madre che cerca di convincere il figlio ad andare a letto. "Garrett, fa' come ti ho detto. Andrà tutto bene. Solo, fa' come ti ho detto. Per favore."

"Sei pronto? Spara", sussurrò Mason Germain.

Mason e Nathan Groomer si trovavano sulla cima di una collina, a un centinaio di metri da dove quella stronza dai capelli rossi di New York stava affrontando l'assassino.

Mason era in piedi. Nathan era prono sul terreno bollente. Aveva sistemato il Ruger su un piccolo cumulo di rocce e ora si stava concentrando, cercando di controllare la respirazione come da sempre facevano i cacciatori di alci, anatre e di esseri umani.

"Avanti", lo spronò Mason. "Non c'è vento. Hai la visuale sgombra. Spara!"

"Mason, ma quel ragazzo non sta facendo *niente*."

Videro Lucy Kerr e Jesse Corn raggiungere l'agente di New York, le pistole in pugno puntate su Garrett. Nathan continuò: "L'hanno tutti sotto tiro e lui ha solo un coltello da quattro soldi. Sembra che stia per arrendersi".

"Non sta per arrendersi", ringhiò Germain, spostando il peso da un piede all'altro con impazienza. "Te l'ho detto: sta fingendo. Li ucciderà tutti non appena abbasseranno la guardia. Non ti importa niente che Ed Schaeffer sia morto?"

"Andiamo! Sono sconvolto come chiunque altro, per questa storia. Ma non significa che possiamo cambiare le regole. E poi, guarda tu stesso... Lucy e Jesse sono a meno di due metri da lui."

"Hai paura di colpire *loro*? 'Fanculo, potresti colpire una monetina, da questa distanza, Nathan. Nessuno spara meglio di te. Fai fuoco."

"Io..."

Mason stava osservando la strana scena che si stava svolgendo nella radura. La rossa aveva abbassato l'arma e aveva fatto un passo verso Garrett che impugnava ancora il coltello. La testa del ragazzo ondeggiava avanti e indietro.

La donna fece un altro passo.

Oh, questo sì che è *utile*, stronza.

"È sulla tua linea di fuoco?"

"No. Ma, accidenti", rispose Nathan, "non dovremmo nemmeno essere qui."

"Non è questo il punto", mormorò Mason. "Noi *siamo* qui. Ho autorizzato una missione per proteggere la squadra di ricerca e ti ordino di sparare. Hai tolto la sicura?"

"Sì."

"Allora spara."

Respira, respira, respira...

Guarda attraverso il mirino.

Mason osservò la canna del fucile immobilizzarsi mentre Nathan diventava una cosa sola con la sua arma. Germain aveva già assistito a quello spettacolo, quando andava a caccia con amici più esperti di lui. Era qualcosa di strano che non comprendeva del tutto. La tua arma diventa parte di te un istante prima che tu faccia fuoco, quasi per magia.

Mason attese il suono assordante dello sparo.

Non soffiava un alito di vento. Un bersaglio facile.

Esortò mentalmente Nathan: spara, spara, spara!

Ma invece del rumore del fucile, udì un sospiro. Nathan abbassò il capo. "Non posso."

"Dammi quel fottuto fucile."

"No, Mason. Andiamo."

Ma l'espressione negli occhi dell'agente più anziano lo zittì, e Nathan si affrettò a porgergli l'arma. Si alzò in piedi.

"Quanti colpi ci sono nel caricatore?" chiese Mason bruscamente.

"Io..."

"Quanti colpi ci sono?" insistette l'agente Germain, sdraiandosi a terra e assumendo una posizione identica a quella del suo collega qualche istante prima.

"Cinque. Ma... niente di personale, solo che non sei il miglior tiratore del mondo, e laggiù ci sono tre innocenti. Se tu..."

Non riuscì a finire la frase. C'era un solo modo per terminarla, e Nathan non aveva il coraggio di pronunciare quelle parole.

Certo, Mason lo sapeva, non era il miglior tiratore del mondo. Ma aveva ucciso un centinaio di cervi. E aveva sempre ottenuto ottimi punteggi al poligono di tiro a Raleigh. Oltretutto, lui sapeva che l'Insetto doveva morire, e che doveva morire ora.

Trasse un profondo respiro e posizionò il dito sul grilletto. Scoprì che Nathan gli aveva mentito; non aveva tolto la sicura. Con rabbia, premette il bottone e si sforzò di controllare la respirazione.

Inspira, espira.

Inquadrò il volto del ragazzo nel centro del mirino.

La rossa si avvicinò ancora di più e per un istante la sua spalla fu sulla linea di fuoco.

Gesù Cristo, mi stai rendendo le cose più difficili, bella. La donna scomparve dal suo campo visivo. Poi il suo collo riapparve al centro del mirino. Si spostò a sinistra ma rimase comunque sulla linea di fuoco.

Respira, respira.

Ignorando il fatto che le sue mani stavano tremando più di quanto avrebbero dovuto, Mason si concentrò sul volto arrossato del suo bersaglio.

Mirò al petto di Garrett.

La poliziotta dai capelli rossi passò di nuovo sulla linea di fuoco e di nuovo scomparve.

Germain sapeva che avrebbe dovuto premere il grilletto con dolcezza. Ma, come gli era capitato spesso in vita sua, la rabbia prese il sopravvento e decise per lui, così premette di scatto la falce di luna metallica.

...sedici

Un colpo esplose nella terra alle spalle di Garrett e il ragazzo si portò una mano all'orecchio vicino al quale, proprio com'era accaduto ad Amelia, aveva sentito il sibilo della pallottola.

Dopo una frazione di secondo nella radura riecheggiò il frastuono dello sparo.

L'agente Sachs si voltò. In quel brevissimo intervallo Amelia aveva capito che il colpo non era stato sparato né da Lucy né da Jesse, ma da un punto a un centinaio di metri alle loro spalle. Anche gli altri agenti si erano voltati a guardare, le pistole in pugno, cercando di individuare il cecchino.

Accovacciandosi, Amelia lanciò un'occhiata al volto di Garrett e vi lesse terrore e confusione. Per un istante, uno solo, per lei smise di essere l'assassino che aveva fracassato il cranio di un ragazzo e il violentatore che aveva insanguinato Mary Beth e violato il suo corpo, e fu solo un ragazzino spaventato che gemeva: "No, no!"

"Chi è?" domandò Lucy Kerr. "Culbeau?" Si nascosero tra i cespugli.

"Sta' giù, Amelia", esclamò Jesse. "Non sappiamo contro chi stia sparando. Potrebbe essere un amico di Garrett che cerca di colpirci."

Ma Amelia non ne era convinta. Quel colpo era destinato a Garrett. Scrutò le cime delle colline circostanti, in cerca di qualche traccia del tiratore.

Un altro colpo sibilò nell'aria, mancandoli ancora più clamorosamente.

"Gesù Cristo", sussurrò Jesse Corn. "Un attimo, un attimo. Guardate lassù. È *Mason*. E c'è anche Nathan Groomer. Su quell'altura."

"*Germain*?" domandò Lucy incredula. "Che cosa diavolo ci fa qui?" Premette furiosamente il pulsante di trasmissione del suo walkie-talkie e gridò: "Mason, cosa diavolo stai facendo? Mi senti?... Centrale. Andiamo, centrale! Dannazione, non ricevo alcun segnale."

Amelia prese il cellulare e chiamò Rhyme che rispose al primo squillo. "Sachs, lo avete...?"

"Sì, lo abbiamo preso, Rhyme. Ma quell'agente, Mason Germain, è appostato su una collina qui vicino e sta sparando al ragazzo. E non risponde alla radio."

"No, no, Sachs! Non può ucciderlo. Il sangue che abbiamo trovato sul fazzoletto di carta... il sangue di Mary Beth... Fino a ieri notte era viva! Se Garrett muore non la troveremo mai."

Amelia lo riferì a Lucy, che non era ancora riuscita a mettersi in contatto con Mason via radio.

Un altro colpo. Una roccia andò in frantumi.

"Basta", gridò Garrett. "No, no..."

Cristo...

Amelia disse a Rhyme: "Chiedi a Bell se Mason ha un cellulare, e se sì fallo chiamare, fagli dire di cessare il fuoco".

"Sì, Sachs..."

Rhyme riappese.

Se Garrett muore non la troveremo mai.

La donna rimase a riflettere per un istante, quindi prese una decisione. Gettò la pistola a terra, fece un passo in avanti e si mise tra Garrett e il fucile di Mason. Germain potrebbe aver già tirato il grilletto, la pallottola potrebbe già essere in arrivo e potrebbe colpirmi da un momento all'altro, pensò.

Trattenne il respiro, immaginando la sensazione della pallottola che le penetrava nella schiena.

Trascorse qualche secondo. Non furono sparati altri colpi.

"Garrett, devi mettere giù quel coltello."

"Avete cercato di uccidermi! Cazzo, era una fottuta trappola!"

Amelia si chiese se il ragazzo l'avrebbe aggredita, spinto dalla rabbia o dal panico. "No! Non abbiamo niente a che fare con tutto questo. Guardami, sono davanti a te. Ti sto proteggendo. Quell'uomo non sparerà più."

Garrett la scrutò con occhi nervosi.

L'agente Sachs si chiese se Mason stesse aspettando che lei si spostasse anche di pochi centimetri per poter sparare nuovamente a Garrett. Era ovvio che Germain non era affatto un buon tiratore, e Amelia temette che la colpisse alla spina dorsale.

Ah, Rhyme, pensò, sei venuto qui per sottoporti a un'operazione per cercare di assomigliare di più a me, ma forse oggi sarò io che diventerò più simile a te...

Muovendosi tra i cespugli, Corn stava cercando di raggiungere la cima della collina, agitando le braccia e gridando: "Mason, non sparare! Non sparare!"

Garrett continuò a studiare il volto di Amelia. Alla fine gettò il coltello e cominciò a far ticchettare compulsivamente le unghie.

Mentre Lucy correva ad ammanettarlo, Amelia si voltò verso la collina da cui Mason aveva sparato. Lo vide alzarsi, parlare al telefono. Per un attimo le sembrò che la stesse fissando. Poi Germain si infilò il cellulare in tasca e cominciò a scendere lungo il pendio.

"Cosa diavolo credeva di fare?" ringhiò l'agente Sachs.

"Le stavo salvando il culo, signora", rispose Mason bruscamente. "Non si era accorta che era armato?"

"Mason", intervenne Jesse, "l'agente Sachs stava cercando di calmarlo. E alla fine lo ha convinto ad arrendersi."

Ma Amelia non aveva bisogno di fratelli maggiori. Si avvicinò a Mason. Erano a pochi passi di distanza e lei era più alta di lui di qualche centimetro. Disse: "Faccio questo lavoro da anni. Garrett non mi avrebbe mai attaccata. L'unica minaccia era *lei*. Avrebbe potuto colpire uno di noi".

"Oh, stronzate." Mason si sporse verso di lei, e Amelia sentì l'odore muschiato del dopobarba in cui l'agente sembrava essersi fatto il bagno.

Lei si ritrasse dicendo: "E se avesse ucciso Garrett probabilmente Mary Beth sarebbe morta di fame o di disidratazione".

"*È* morta", ringhiò l'agente. "Quella ragazza è sepolta da qualche parte. Sono pronto a scommettere che non troveremo mai il suo cadavere."

"Lincoln ha ricevuto le analisi del sangue", ribatté la donna. "Era viva fino a ieri sera."

Nell'udire quelle parole, Mason esitò per un istante prima di borbottare: "Non vuol dire che lo sia adesso".

"Andiamo, Mason", intervenne Jesse. "Calmati."

Ma Germain non aveva alcuna intenzione di calmarsi. Sollevò le braccia e si colpì le cosce con le mani. Guardò Amelia Sachs negli occhi e sibilò: "Comunque non so proprio a cosa cazzo ci servite, qui".

"Mason", lo interruppe Lucy, "dacci un taglio. Non avremmo mai trovato Lydia se non fosse stato per il signor Rhyme e per Amelia. Dovremmo ringraziarli. Lascia perdere."

"Ma è *lei* che non lascia perdere."

"Quando qualcuno mi mette sulla linea di fuoco deve avere un'ottima ragione per farlo", disse Amelia con voce pacata. "E non penso che il fatto che lei non sia riuscito ad arrestare questo ragazzo sia una buona ragione per mettersi a giocare al cecchino."

"Non ha il diritto di dirmi come devo fare il mio lavoro. Io…"

"Facciamola finita", disse Lucy, "e torniamo in ufficio. Il caso non è ancora chiuso: se Mary Beth è ancora viva, dobbiamo trovarla."

"Ehi", annunciò Jesse Corn. "C'è l'elicottero."

Un elicottero del centro medico atterrò nella radura davanti al mulino, e i medici fecero sdraiare Lydia su una barella; a quanto pareva, la ragazza mostrava i sintomi di un colpo di calore non grave e aveva una brutta distorsione alla caviglia. In un primo momento, la giovane donna era caduta preda di un attacco isterico: Garrett si era chinato su di lei brandendo un coltello, e, anche se in realtà lo aveva usato solo per tagliare un pezzo di nastro adesivo con cui imbavagliarla, era ancora molto scossa. Alla fine riuscì a calmarsi abbastanza per spiegare agli agenti che Mary Beth non si trovava nel mulino. Garrett la teneva rinchiusa da qualche parte vicino all'oceano, nelle Outer Banks. Non sapeva esattamente dove. Lucy e Mason avevano cercato di convincere Garrett a confessare, ma lui era rimasto seduto, in silenzio, i polsi ammanettati dietro la schiena, lo sguardo fisso sul terreno.

Lucy si rivolse al collega: "Tu, Nathan e Jesse portate Garrett a Easedale Road. Chiederò a Jim di farvi trovare una macchina alla curva per Possum Creek. Amelia vuole perquisire il mulino e io le darò una mano. Mandate un'altra macchina a Easedale Road tra una mezz'ora."

L'agente Sachs era pronta a sostenere lo sguardo di Mason fintanto che lui avesse voluto giocare a marcare il territorio. Ma Germain rivolse la sua attenzione a Garrett, fissando il ragazzo spaventato con uno sguardo gelido, inquietante. Poi fece un cenno a Nathan e disse: "Andiamo. Le manette sono chiuse bene, Jesse?"

"Sicuro", rispose l'agente Corn.

Amelia pensava che fosse un bene che Jesse andasse con loro: forse sarebbe riuscito a tenere a bada Mason. Aveva sentito fin troppe storie su prigionieri che "fuggivano" e che venivano pestati a sangue dagli agenti che li avevano in custodia; capitava spesso che non ne uscissero vivi.

Mason si allontanò con aria accigliata, afferrò bruscamente Garrett per un braccio e lo fece alzare. Prima di essere spinto via da Germain, il ragazzo lanciò ad Amelia un'occhiata disperata.

"Tieni d'occhio Mason. Avrete bisogno di tutta la collaborazione di Garrett per trovare Mary Beth. E se dovesse spaventarsi o infuriarsi troppo, non riuscirete a sapere niente da lui", sussurrò Amelia a Jesse.

"Ci penserò io, Amelia." Una pausa. "Sei stata molto coraggiosa. Fargli da scudo in quel modo! Io non ci sarei mai riuscito."

"Be'", replicò lei, che non era affatto dell'umore di accettare altri complimenti. "A volte si agisce senza riflettere."

Jesse annuì. "Oh, ehi, volevo chiederti… hai un soprannome, per caso?"

"Veramente no."

"Bene. 'Amelia' mi piace così com'è."

Per un ridicolo istante, lei pensò che stesse per baciarla per festeggiare la cattura, ma un istante dopo Jesse si allontanò e raggiunse Mason, Nathan e Garrett.

Ragazzi, pensò esasperata quando lo vide voltarsi e salutarla con la mano, un agente vuole spararmi, mentre il suo collega sta già pensando alla chiesa e al rinfresco!

All'interno del mulino, Amelia cominciò a percorrere la griglia con estrema attenzione, concentrandosi prima di tutto sulla stanza in cui Garrett aveva tenuto prigioniera Lydia. Camminava avanti e indietro, un passo alla volta.

Sapeva che lì potevano trovarsi indicazioni preziose sul posto in cui era tenuta Mary Beth McConnell. Eppure, talvolta il legame tra un criminale e un determinato luogo era così tenue che esisteva solo in forma microscopica. Attraversando la stanza, non trovò niente di utile: solo sporcizia, macchinari in disuso e assi bruciate staccatesi dalle pareti durante l'incendio; viveri, acqua, involucri vuoti di snack e nastro adesivo, tutti senza l'etichetta del prezzo. Trovò la mappa che il povero Ed Schaeffer aveva visto al capanno: vi era indicato il percorso che Garrett aveva seguito per raggiungere il mulino, ma niente di più.

Ma non si diede per vinta e continuò a cercare. In parte la sua testardaggine era dovuta agli insegnamenti di Rhyme, in parte alla sua stessa natura. (E in parte, si disse, se ne stava servendo per rimandare il più possibile l'appuntamento di Rhyme con la dottoressa Weaver.)

Poi Lucy la chiamò. "Ho trovato qualcosa."

Amelia le aveva chiesto di controllare la stanza della macina. Lydia aveva spiegato loro che era stato lì che aveva cercato di fuggire dal suo rapitore, e l'agente Sachs aveva pensato che se c'era stata una lotta tra i due forse qualcosa era caduto dalle tasche di Garrett. Aveva spiegato rapidamente a Lucy come percorrere la griglia, le aveva detto cosa cercare e come maneggiare adeguatamente le prove.

"Guarda", disse Lucy entusiasta, mostrandole una scatola di cartone. "Era nascosta dietro la macina."

La scatola conteneva un paio di vecchie scarpe, un giubbotto impermeabile, una bussola e una cartina della costa del North Carolina. Amelia notò che nelle scarpe e nelle pieghe della mappa c'erano tracce di finissima sabbia bianca.

Lucy fece per spiegare la cartina, ma Amelia la trattenne. "No", le intimò. "Potrebbe contenere degli indizi. Dobbiamo portarla a Lincoln."

"Ma Garrett potrebbe aver segnato il posto in cui tiene Mary Beth."

"Certo. Ma sarà ancora segnato, quando arriveremo al laboratorio. Se perdiamo una prova adesso, la perdiamo per sempre. Continua a cercare qui dentro; io vado a controllare il sentiero dove lo abbiamo fermato. Conduceva all'acqua: forse aveva una barca nascosta da qualche parte. Potrebbe esserci un'altra cartina o qualcosa del genere".

Uscì dal mulino e si diresse verso il torrente. Quando passò accanto alla collina da cui Mason aveva cominciato a sparare, si voltò e si accorse che c'erano due uomini che la stavano fissando. Erano entrambi armati di fucile.

Oh no! Non loro.

"Bene", disse Rich Culbeau. Scacciò una mosca che gli si era posata sulla fonte scottata dal sole. Gettò indietro la testa e la sua spessa, lucida treccia ondeggiò come la coda di un cavallo.

"Grazie mille, signora", le disse l'altro uomo con una punta di sarcasmo nella voce.

Amelia lo riconobbe quasi subito: era Harris Tomel, l'amico di Culbeau che somigliava a un uomo d'affari del sud d'altri tempi.

"Niente ricompensa per noi", continuò Tomel. "E siamo rimasti fuori tutto il giorno sotto il sole."

Culbeau aggiunse: "Il ragazzo vi ha detto dov'è Mary Beth?"

"Dovrete parlarne con lo sceriffo Bell", rispose Amelia.

"Pensavo solo che potesse averlo confessato."

L'agente Sachs si chiese come avevano fatto quei due a trovare il mulino. Certo, forse avevano seguito la squadra di ricerca, ma poteva anche darsi che avessero avuto una soffiata, magari da Mason Germain in cerca di alleati per la sua assurda operazione alternativa.

"Avevo ragione", continuò Culbeau.

"A che proposito?" volle sapere lei.

"Sue McConnell ha alzato la ricompensa a duemila dollari." L'uomo scrollò le spalle.

"Se volete scusarmi, devo tornare al lavoro." Amelia si allontanò, domandandosi dove fosse il terzo del gruppo, quello magro.

Un rumore furtivo risuonò alle sue spalle, e prima che lei potesse reagire qualcuno le fece scivolare la pistola fuori dalla fondina. L'agente si voltò di scatto e si accovacciò mentre l'arma scompariva nella mano scheletrica e coperta di lentiggini di Sean O'Sarian. L'uomo arretrò, sogghignando con aria soddisfatta.

Culbeau scosse la testa. "Sean, andiamo…!"

Amelia allungò la mano verso O'Sarian. "La rivorrei indietro."

"Volevo solo dare un'occhiata. Niente male. Harris fa collezione di pistole. E questa è davvero bella, non credi, Harris?"

Tomel non parlò, si limitò a sospirare e ad asciugarsi il sudore dalla fronte.

"Ha così voglia di mettersi nei guai?" fece Amelia.

"Ridagliela, Sean. Fa troppo caldo per i tuoi stupidi scherzi", gli intimò Culbeau.

O'Sarian finse di restituirle la pistola tenendola per la canna, poi sogghignò e rapidamente ritrasse la mano. "Ehi, bellezza, da dove vieni, esattamente? Ho sentito che sei di New York."

"Smettila di giocare con quella stramaledetta pistola", mormorò Culbeau. "Possiamo scordarci il denaro, ormai. Meglio tornare in città."

"Mi ridia la pistola, subito", gli ordinò Amelia.

Ma O'Sarian le stava saltellando intorno quasi a passo di danza, puntando l'arma contro gli alberi come un bambino di dieci anni che gioca a guardie e ladri: "Bang, bang…"

"Non importa." Amelia si strinse nelle spalle. "Tanto, non è mia. Quando avrà finito di giocarci, la riporti all'ufficio dello sceriffo." Si voltò e oltrepassò O'Sarian.

"Ehi", esclamò l'uomo accigliandosi, deluso dal fatto che non stesse al gioco. "Non…"

Amelia scartò a destra, e in un istante gli fu alle spalle. In una frazione di secondo, estrasse dalla tasca dei jeans il coltello a serramanico, lo fece scattare e puntò la lama contro la gola arrossata di O'Sarian.

"Oh, Gesù, cosa diavolo sta facendo?" balbettò lui prima di rendersi conto che parlando premeva ancora di più la gola contro la punta del coltello.

"Calma, calma", intervenne Culbeau alzando le mani. "Cerchiamo di non…"

"Armi a terra", ordinò Amelia. "Tutti."

"Io non ho fatto niente", protestò Culbeau.

"Ascolti, signorina", disse Tomel, cercando di assumere un tono ragionevole, "non avevamo intenzione di creare problemi. Il nostro amico qui è..."

Sachs spinse ancora di più la punta del coltello contro la pelle dell'uomo.

"Ahh, fate come dice, fate come dice!" li implorò disperatamente O'Sarian digrignando i denti. "Mettete giù quei fottuti fucili."

I due obbedirono.

Disgustata dall'odore acre dell'uomo, Amelia gli fece scivolare una mano lungo il braccio e afferrò la pistola. Lui la lasciò andare. Lei lo spinse via e gli puntò contro l'arma.

"Stavo solo scherzando", disse O'Sarian. "Sono fatto così. Non volevo fare niente di male. Diteglielo anche voi, ragazzi..."

"Cosa sta succedendo qui?" chiese Lucy Kerr, che era comparsa in fondo al sentiero, la mano già pronta sul calcio della pistola.

Culbeau scosse la testa. "Sean stava solo facendo lo stronzo."

"Abitudine che prima o poi gli costerà cara", replicò Lucy.

Amelia, con una sola mano, richiuse il coltello e lo infilò nuovamente nella tasca dei pantaloni.

"Guarda, mi hai tagliato. Mi hai tagliato!" O'Sarian alzò un dito sporco di sangue.

"Dannazione", esclamò Tomel ammirato, anche se Amelia non riusciva a immaginare a cosa si stesse riferendo.

Lucy la guardò. "Cosa vuoi fare riguardo questa faccenda?"

"Voglio farmi una doccia", rispose Amelia.

Culbeau scoppiò a ridere.

L'agente Sachs aggiunse: "Non abbiamo tempo da perdere con loro".

Lucy spostò lo sguardo sui tre uomini. "Questa è la scena di un delitto. E voi tre avete perso la vostra ricompensa." Con un cenno del capo indicò i fucili. "Se volete andare a caccia, fatelo da qualche altra parte."

"Oh, come se in questa stagione ci fosse qualcosa da cacciare", commentò O'Sarian in tono sarcastico.

"E allora tornatevene in città, prima di incasinarvi ancora di più."

Gli uomini raccolsero i fucili. Culbeau si avvicinò a O'Sarian e gli sussurrò poche parole rabbiose. L'altro alzò le spalle e sogghignò. Per un istante, Amelia pensò che Culbeau stesse per sferrargli un pugno, ma alla fine l'uomo sembrò calmarsi e si rivolse a Lucy: "Avete trovato Mary Beth?"

"Non ancora. Ma abbiamo catturato Garrett. E lui ci dirà dov'è."

Culbeau disse: "Mi dispiace per la ricompensa, ma sono contento che lo abbiate preso. Quel ragazzo porta solo guai".

"Grazie, Rich."

Quando i tre uomini si furono allontanati, Amelia chiese alla poliziotta: "Hai trovato qualcos'altro nel mulino?"

"No. Ero venuta qui per darti una mano a cercare la barca."

Si incamminarono lungo il sentiero. "C'è una cosa di cui mi ero dimenticata", disse Sachs. "Dobbiamo mandare qualcuno a occuparsi di quella trappola: il nido di vespe. Bisogna uccidere gli insetti e riempire la buca."

"Oh, Jim ci ha già mandato Trey Williams, uno dei nostri agenti, con una confezione di insetticida e una vanga. Ma non c'erano vespe: era solo un vecchio nido."

"Vuoto?"

"Esatto."

Quindi non era affatto una trappola, ma solo uno stratagemma per rallentare la squadra di ricerca. Amelia si disse che forse anche la bottiglia di ammoniaca non era stata nascosta per nuocere. Garrett avrebbe sicuramente *potuto* preparare una trappola per ustionare o accecare qualcuno, ma si era limitato a posizionare la bottiglia in bilico su una piccola sporgenza rocciosa. Se la squadra non avesse trovato la lenza da pesca, la bottiglia sarebbe caduta al di sotto del sentiero. Garrett sarebbe stato messo in guardia dall'odore dell'ammoniaca, ma nessuno sarebbe rimasto ferito.

Le tornò alla mente lo sguardo terrorizzato e sperduto del ragazzo.

Si rese conto che Lucy le stava parlando.

"Cosa? Scusami, ero sovrappensiero."

L'agente ripeté: "Dove hai imparato a usare così il coltello?"

"In un luogo selvaggio."

"Davvero? E dove?"

"A Brooklyn", rispose Amelia.

Era in attesa.

Mary Beth McConnell stava in piedi davanti alla finestra sudicia. Era nervosa e stordita dal calore della sua prigione e dalla mancanza d'acqua. In tutta la casa non aveva trovato assolutamente niente da bere. Guardando fuori dalla finestra, oltre il nido di vespe, poteva vedere bottiglie d'acqua vuote impilate insieme all'immondizia. Sembravano schernirla, e quella vista non faceva che accrescere la sua sete. Sapeva che non sarebbe riuscita a sopravvivere più di un giorno o due senza bere qualcosa.

Dove sei? Dove? chiese mentalmente al Missionario.

Sempre che avesse visto *davvero* quell'uomo, sempre che non fosse stato solo un parto della sua disperata, asseta immaginazione.

Si appoggiò alla parete bollente del capanno, domandandosi se sarebbe svenuta. Cercò di deglutire, ma aveva la bocca troppo secca. L'aria afosa le avviluppava la faccia come calda lana.

Poi pensò rabbiosamente: oh, Garrett... Sapevo che avresti combinato qualche guaio. Si ricordò del vecchio detto che recitava: nessuna buona azione resta impunita.

Non avrei mai dovuto aiutarlo... ma come avrei potuto *non* farlo? Come non salvarlo dagli scherzi pesanti di quei ragazzi del liceo? Ripensò a quando aveva visto i quattro studenti attorno a Garrett riverso a terra, quando era svenuto in Maple Street. Uno, un tipo alto, amico di Billy Stail, aveva abbassato la zip dei jeans e aveva tirato fuori il pene, pronto a urinare su di lui.

Dovevo fermarli.

Ma dal momento in cui ti ho salvato sono stata tua... All'inizio, dopo quell'episodio, Mary Beth aveva trovato divertente il fatto che Garrett la seguisse come un'ombra, come un ammiratore troppo timido. Aveva persino cominciato a telefonarle per raccontarle le notizie che sentiva al telegiornale e a lasciarle regali davanti alla porta di casa (ammesso che si potessero chiamare *regali*: un lucido scarabeo verde in una piccola gabbia, disegni rozzi e spaventosi di ragni e millepiedi, una libellula legata a un filo... viva, per di più!).

Qualche tempo dopo, Mary Beth aveva cominciato a notare che Garrett le si avvicinava un po' troppo spesso. Sentiva i suoi passi riecheggiare dietro di lei mentre rientrava a casa, la sera tardi. Scorgeva una sagoma tra gli alberi nei pressi della sua casa di Blackwater Landing. Udiva la sua strana voce stridula mormorare parole che non riusciva a capire. Lui la seguiva lungo la Main Street, parlandole incessantemente, facendole perdere tempo prezioso, e la metteva sempre più a disagio fissandole di continuo i seni, le gambe e i capelli.

"Mary Beth, Mary Beth... sapevi che se venisse tessuta un ragnatela tutt'attorno al mondo, peserebbe meno di trenta grammi... Ehi, Mary Beth, sapevi che una ragnatela è cinque volte più resistente dell'acciaio e molto più elastica del nylon? Alcune ragnatele sono veramente forti: sono come amache. Le mosche ci si sdraiano e non si svegliano più."

Avrebbe dovuto accorgersi prima, rifletté ora, che la maggior parte delle sue chiacchiere riguardava ragni e insetti che inseguivano le loro prede.

Lei era arrivata a cambiare molte delle sue abitudini per evitare di incontrare Garrett, trovando nuovi negozi in cui fare compere, strade diverse per tornare a casa e altri sentieri da percorrere con la mountain bike.

Poi era successo qualcosa che l'aveva unita a Garrett ben più di quanto avrebbe mai potuto immaginare. Mary Beth McConnell aveva fatto una scoperta lungo le rive del fiume Paquenoke, nei pressi di Blackwater Landing: una scoperta talmente importante che nemmeno una gang di contrabbandieri, e men che mai Garrett Hanlon, avrebbero potuto tenerla lontana da quel luogo.

Lei non sapeva per quale ragione la storia la eccitasse tanto, ma era sempre stato così. Ricordava quando da bambina, con la sua famiglia, si recava al Colonial Williamsburg. Era a solo due ore di macchina da Tanner's Corner, e ben presto Mary Beth aveva imparato a riconoscere le strade attorno alla città in modo che, quando erano quasi arrivati, chiudeva gli occhi. Poi, una volta che suo padre aveva posteggiato la Buick, si faceva prendere per mano dalla mamma e si faceva accompagnare al parco. Una volta lì, apriva gli occhi e fingeva di trovarsi davvero nell'America coloniale.

Aveva provato quella stessa eccitazione – solo amplificata cento volte – quando, passeggiando lungo le rive del Paquenoke a Blackwater Landing, la settimana precedente, aveva notato un oggetto semisepolto nel terreno fangoso. Si era inginocchiata e aveva cominciato a spostare la terra con la stessa cautela di un chirurgo intento a operare un cuore malato. E, sì, eccole: antiche reliquie, le prove che la sbalordita ventitreenne Mary Beth McConnell cercava da sempre. Le prove che avrebbero potuto dimostrare la sua teoria e che avrebbero riscritto per sempre la storia americana.

Come tutti gli abitanti del North Carolina – e la maggior parte dei bambini d'America – Mary Beth McConnell aveva studiato la Colonia Perduta di Roanoke.

Alla fine del Cinquecento, un gruppo di coloni inglesi si insediò sull'isola di Roanoke, tra la costa del North Carolina e le Outer Banks. Dopo qualche primo amichevole contatto tra i coloni e i nativi americani che vi abitavano, i rapporti tra le due popolazioni si deteriorarono. Con l'avvicinarsi dell'inverno i viveri iniziarono a scarseggiare, e il governatore John White, che aveva fondato la colonia, ritornò in Inghilterra per chiedere aiuto. Ma quando tornò a Roanoke, i coloni – oltre un centinaio di uomini, donne e bambini – erano scomparsi.

L'unico indizio su ciò che era accaduto era la parola "Croatoan" intagliata sui tronchi di diversi alberi nei pressi del fortino. Quello era il nome indiano di Hatteras, a un'ottantina di chilometri a sud di Roanoke. La maggior parte degli storici credevano che i coloni fossero morti in mare mentre cercavano di raggiungere Hatteras o che fossero stati uccisi al loro arrivo, anche se non c'era alcuna prova che fossero mai giunti a destinazione.

Mary Beth aveva visitato l'isola di Roanoke diverse volte, e aveva assistito alla rievocazione della tragedia messa in scena in un piccolo teatro del luogo. Quello spettacolo l'aveva commossa e spaventata, ma non aveva mai riflettuto sulla storia di Roanoke finché non aveva iniziato a frequentare l'università e aveva approfondito lo studio della Colonia Perduta. Un aspetto di quella vicenda che sollevava molte domande senza risposta sul destino dei coloni riguardava una ragazza di nome Virginia Dare e la leggenda della Cerva Bianca.

Era una storia che Mary Beth McConnell – figlia unica, ribelle e molto testarda – poteva capire. Virginia Dare era la prima bambina inglese nata in America. Era la nipote del governatore Smith, e anche lei faceva parte della Colonia Perduta. Probabilmente, come sostenevano i libri di storia, anche lei era morta ad

Hatteras o durante il viaggio verso la città. Ma, continuando nelle sue ricerche, Mary Beth aveva scoperto che qualche tempo dopo la scomparsa dei coloni, quando altri inglesi avevano cominciato a stabilirsi sulle coste americane, iniziarono a circolare numerose leggende sulla Colonia Perduta.

Secondo uno di questi racconti, i coloni non erano stati uccisi ma erano sopravvissuti, e avevano continuato a vivere insieme alle tribù locali. Virginia Dare era cresciuta ed era diventata una bellissima ragazza bionda e dalla pelle chiara, indipendente e determinata. Un uomo medicina si era innamorato di lei, ma lei aveva rifiutato le sue attenzioni, e poco tempo dopo era scomparsa. L'uomo medicina sosteneva di non averle fatto del male, ma di averla trasformata in una cerva bianca, poiché non contraccambiava il suo amore.

Nessuno gli aveva creduto, naturalmente, eppure poco tempo dopo la gente della zona aveva cominciato a vedere di tanto in tanto una bellissima cerva bianca, che sembrava essere a capo di tutti gli animali del bosco. La tribù, spaventata dagli evidenti poteri della cerva, aveva organizzato una battuta di caccia per catturarla.

Un giovane coraggioso era riuscito a trovarla e l'aveva colpita con una freccia dalla punta d'argento che le aveva trapassato il petto. L'animale, in punto di morte, aveva sollevato lo sguardo sul cacciatore e lo aveva fissato con occhi spaventosamente umani. Lui aveva balbettato: "Chi sei?"

"Virginia Dare", aveva sussurrato la cerva, prima di spirare.

Mary Beth aveva deciso di analizzare la storia della Cerva Bianca in tutti i suoi aspetti. Aveva trascorso giorni e notti negli archivi dell'università del North Carolina, di Chapel Hill e della Duke University, a leggere vecchi diari dei sedicesimo e diciassettesimo secolo, e aveva trovato un gran numero di riferimenti a "cervi bianchi" e misteriosi "animali bianchi" nella zona nordorientale dello stato. Ma non c'era stato nessun avvistamento, né a Roanoke né ad Hatteras. Le creature erano state viste lungo le "rive dall'acqua nera dove il fiume Serpentine scorre a ovest della Grande Palude".

Mary Beth conosceva il potere delle leggende, e sapeva che molto spesso esiste una parte di verità anche nelle storie più fantasiose. Aveva pensato che forse i Coloni Perduti, temendo di essere attaccati dalle tribù locali, avevano inciso nei tronchi la parola Croatoan per sviare i loro assalitori, e non si erano diretti a sud bensì a ovest, dove si erano stabiliti lungo le rive del "serpentino" fiume Paquenoke, vicino a Tanner's Corner, in quella che oggi era la zona di Blackwater Landing. Lì i Coloni Perduti erano diventati sempre più potenti, e gli indiani – spaventati dalla minaccia che ormai rappresentavano – li avevano attaccati e uccisi. Basandosi sulla leggenda della Cerva Bianca, Mary Beth si era permessa di immaginare Virginia Dare tra gli ultimi coloni sopravvissuti, intenta a combattere fino alla morte.

Be', quella era la sua teoria, ma non aveva mai trovato nemmeno una prova che l'avvalorasse. Aveva passato giorni interi a Blackwater Landing con antiche mappe, cercando di capire esattamente dove potevano essersi stabiliti i coloni. E finalmente la settimana prima, camminando lungo le rive del Paquo, aveva fatto la sua scoperta, quella che, ne era convinta, poteva essere una traccia della Colonia Perduta.

Sua madre aveva accolto con orrore la sua decisione di compiere degli scavi archeologici a Blackwater Landing.

"Non *là*", aveva replicato preoccupata, come se lei stessa fosse stata in pericolo. "Da quelle parti l'Insetto uccide la gente. Ti troverà e ti farà del male."

"Mamma", aveva ribattuto Mary Beth seccamente, "quando parli così sembri uno di quegli stronzi che a scuola non fanno altro che tormentarlo."

"Hai detto di nuovo quella parola. Ti avevo chiesto di non farlo. Quella parola che inizia con la 'S'."

"Oh, mamma, andiamo... sembri una battista bigotta seduta al banco degli ansiosi", aveva ribattuto lei alludendo al primo banco della chiesa, dove sedevano i fedeli preoccupati solo della loro statura morale o – molto più spesso – di quella altrui.

"Persino il nome mette paura", aveva mormorato Sue McConnell. "Blackwater, acqua nera."

E Mary Beth le aveva spiegato pazientemente che nel North Carolina c'erano decine di posti chiamati Blackwater. Quasi tutti i fiumi che attraversavano le paludi avevano acque nere a causa dei depositi di vegetazione decomposta. Il Paquenoke veniva alimentato dalla Grande Palude Lugubre e dalle paludi minori circostanti.

Ma quelle informazioni non avevano affatto confortato sua madre. "Ti prego, tesoro, non andare. Se dovesse succederti qualcosa, non avrei più nessuno... Rimarrei da sola. Non saprei cosa fare. E tu non vuoi che mi accada una cosa simile, vero?"

Ma il giorno prima Mary Beth, infuocata dalla stessa adrenalina che da sempre spingeva gli esploratori e gli scienziati verso le grandi scoperte, aveva raccolto pennelli, contenitori, sacchetti e vanga e si era incamminata nel calore giallo e umido, determinata a continuare gli scavi.

E cos'era successo? Sua madre aveva ragione! Era stata rapita da Garrett Hanlon, l'Insetto, che si era dimostrato ben più pericoloso di quanto avesse mai immaginato.

Ora, seduta in quel capanno caldo e disgustoso, distrutta dalla sete, la ragazza pensò alla madre. Sue McConnell le aveva detto spesso che lei era la sola cosa importante nella sua vita, ora che il marito si era arreso al cancro. La donna non aveva amici né parenti stretti. Fin dal giorno della morte del padre, Mary Beth si era trovata a ricoprire il ruolo di genitore mentre la mamma era scivolata in un mondo fatto di televisione e patatine fritte. Grassa, confusa e bisognosa, era diventata una specie di bambina patetica.

Ma una delle cose che Mary Beth aveva imparato da suo padre – un uomo coraggioso nella vita come lo era stato nella morte – era che bisognava rispettare il proprio destino e cercare di cambiarlo solo per se stessi. Lei non aveva lasciato l'università, benché sua madre l'avesse implorata, e aveva trovato un impiego vicino a casa. Aveva cercato un equilibrio tra i bisogni della madre e le proprie necessità: laurearsi e trovare un buon lavoro come studiosa di antropologia americana. Se quel posto fosse stato vicino a Tanner's Corner, bene. Ma se avesse dovuto trasferirsi a Santa Fe o in Alaska o a Manhattan, non si sarebbe fatta scrupoli. Ci sarebbe sempre stata, per sua madre, ma per prima cosa doveva pensare alla propria vita.

L'unico problema era che in quel momento, invece di trovarsi a Blackwater Landing intenta a scavare e a raccogliere altre prove, a discutere con il suo supervisore e a scrivere articoli, era intrappolata nel nido d'amore di un adolescente psicotico.

Venne sommersa da un'ondata di disperazione.

Si sentiva prossima al pianto, ma riuscì a ricacciare indietro le lacrime.

Andiamo... Sii forte. Sii la figlia di tuo padre che ha combattuto la malattia fino all'ultimo istante, senza arrendersi mai. Non essere come tua madre.

Sii Virginia Dare a capo dei Coloni Perduti.

Sii la Cerva Bianca, regina di tutti gli animali della foresta.

Mentre stava pensando a una raffigurazione di quel magnifico animale che aveva visto su un libro di storia l'anno precedente, si accorse di un altro rapido movimento ai margini della foresta. Il Missionario sbucò dalla vegetazione, con in mano una canna da pesca e un cestino.

Allora quell'uomo esisteva *davvero*!

Mary Beth afferrò uno dei contenitori di Garrett e lo scagliò contro la finestra. Il vetro andò in frantumi e il contenitore si ruppe contro le sbarre di ferro che chiudevano la finestra.

"Aiuto!" urlò con una voce a malapena udibile a causa della gola riarsa. "Aiuto!"

A un centinaio di metri di distanza, l'uomo si fermò e si guardò attorno.

"La prego! Mi aiuti!" Un lungo gemito.

Il Missionario si guardò alle spalle, scrutò il bosco.

Mary Beth trasse un lungo respiro e cercò di chiamarlo di nuovo, ma la sua gola era troppo secca e dolorante. Cominciò a tossire, sputò un po' di sangue.

Dall'altra parte del campo, l'uomo riprese a camminare e nel giro di pochi istanti scomparve tra gli alberi.

Mary Beth si accasciò sul vecchio divano e pianse per cinque minuti di disperazione e di dolore. Alzò lo sguardo all'improvviso; un movimento aveva attratto la sua attenzione. Era vicino, all'interno del capanno. L'insetto uscito dal contenitore rotto – uno scarabeo che somigliava a un triceratopo in miniatura – era sopravvissuto al trauma della perdita della sua casa. Lei lo osservò marciare ostinatamente sopra gli iceberg di vetri rotti, attraverso le sbarre, e poi via, verso la libertà.

...diciassette

"**L**o abbiamo preso", disse Rhyme a Jim Bell e a suo cognato, l'agente Steve Farr. "Amelia e io. Era questo l'accordo. Adesso devo tornare ad Avery."

"Be', Lincoln", esordì lo sceriffo esitante, "il fatto è che il ragazzo non parla. Non ci ha ancora detto niente su dove si trova Mary Beth."

Ben Kerr era in piedi accanto al diagramma luminoso sullo schermo del computer collegato al GC/SM. La sua titubanza iniziale era svanita, e ora sembrava quasi dispiaciuto che il suo incarico fosse finito. C'era anche Amelia Sachs. Ma non Mason Germain: Rhyme era furioso con lui perché aveva messo in pericolo la vita di Amelia con quell'assurda sparatoria. Bell aveva rabbiosamente ordinato all'agente di tenersi fuori dal caso, almeno per il momento.

"Lo apprezzo molto", disse Rhyme con nonchalance. "Ma la ragazza non si trova in immediato pericolo di vita." Lydia li aveva informati che Mary Beth era viva e aveva spiegato loro in quale zona poteva essere tenuta prigioniera. Se avessero mandato una squadra di ricerca nelle Outer Banks, probabilmente l'avrebbero trovata nel giro di alcuni giorni.

La vera ragione per cui Rhyme era così ansioso di andarsene era un'altra: il desiderio di prendere il rapitore era scomparso nell'istante in cui avevano catturato la preda, ed era stato rimpiazzato dal desiderio ancora più grande di tornare in ospedale a prepararsi per l'operazione. Per quanto assurdo potesse sembrare, ricordava con piacere la discussione con Henry Davett, dicendosi che era stata di buon auspicio. Ripensò al modo in cui l'uomo d'affari lo aveva guardato negli occhi, senza curarsi minimamente della sua condizione. Chissà perché quell'immagine lo spingeva verso l'ospedale, a sottoporsi alle analisi e all'intervento. Lanciò un'occhiata a Ben, e stava per cominciare a spiegargli come smontare tutte le apparecchiature, quando Amelia prese le parti di Bell. "Abbiamo trovato alcune prove al mulino, Rhyme. O meglio, Lucy le ha trovate. Sono prove valide."

Lui rispose, seccato: "Se sono prove così *valide*, qualcun altro sarà in grado di interpretarle e di scoprire a cosa portano".

"Ascolti, Lincoln", attaccò lo sceriffo, "non ho intenzione di farle pressioni, ma qui lei è l'unico che abbia l'esperienza per trattare crimini di questo tipo. Ci troveremmo in alto mare se dovessimo capire come funziona *quello*, per esempio." Con un cenno indicò il GC/SM. "O se dovessimo scoprire cosa significa un campione di terra."

Appoggiando il capo al morbido schienale della Storm Arrow, Lincoln guardò il volto implorante di Amelia. Alla fine, sospirando, chiese: "Garrett non ha detto proprio *niente*?"

"No, ha parlato", disse Farr, grattandosi un orecchio. "Però nega di aver ucciso Billy, e sostiene di aver portato via Mary Beth da Blackwater Landing per il suo bene. Tutto qui. Ma non una parola su dove la tiene."

L'agente Sachs osservò: "Con questo caldo, la ragazza potrebbe morire di sete".

"O di fame", fece notare Farr.

Oh, Cristo santo...

"Thom", si arrese Rhyme, "chiama la dottoressa Weaver al centro medico e avvisala che dovrò trattenermi qui ancora per un po'."

"Non le chiediamo altro, Lincoln", disse Bell, sollevato. "Solo un paio d'ore. Sappia che apprezziamo molto quello che sta facendo per noi: la nomineremo cittadino onorario di Tanner's Corner", aggiunse scherzosamente. "Le doneremo le chiavi della città."

Tutto pur di andarcene da qui il prima possibile, pensò Rhyme cinicamente. Chiese allo sceriffo: "Dov'è Lydia?"

"In ospedale."

"Sta bene?"

"Non ha niente di serio. La terranno in osservazione per ventiquattr'ore."

"E lei cos'ha detto esattamente?"

Fu Amelia a rispondere: "Che Garrett le ha detto di aver portato Mary Beth in qualche luogo a est, vicino all'oceano, nelle Outer Banks. Ha detto anche di non averla veramente rapita. Secondo lui la ragazza lo avrebbe seguito spontaneamente. Si stava solo occupando di lei e lei era felice di trovarsi dov'era."

"Qualcos'altro?"

"Solo che abbiamo preso Garrett del tutto alla sprovvista. Non aveva pensato che saremmo arrivati così in fretta al mulino. Quando ha sentito l'odore dell'ammoniaca si è fatto prendere dal panico, si è cambiato i vestiti, l'ha imbavagliata ed è corso fuori dalla porta."

"Oh", aggiunse Bell, "ha detto anche che la squadra di ricerca è arrivata appena in tempo. Garrett stava per stuprarla."

"Okay... Ben, ci sono alcune cose che dobbiamo analizzare."

Lo studente annuì e si infilò i guanti di lattice: non c'era stato bisogno di ordinarglielo, questa volta, notò il criminologo.

Lincoln volle vedere i viveri e l'acqua trovati al mulino; Ben glieli mostrò. "Nessuna etichetta col prezzo. Come gli altri. Questo non ci sarà di alcun aiuto. Vediamo se è rimasto attaccato qualcosa al lato appiccicoso del nastro adesivo."

Amelia e Ben passarono una decina di minuti a esaminare il rotolo con la lente d'ingrandimento. Alla fine lei staccò qualche frammento di legno dall'adesivo, ma l'analisi al microscopio rivelò che era identico a quello del mulino. "Niente di utile", borbottò.

Ben prese la cartina della contea di Paquenoke. Era segnata con numerose crocette e frecce, che contrassegnavano il percorso compiuto da Garrett per arrivare da Blackwater Landing al mulino. Nemmeno la mappa aveva etichetta del prezzo. Comunque non forniva alcuna indicazione sul luogo in cui il ragazzo si sarebbe diretto una volta lasciato il mulino.

"Avete un ARE?" Chiese Lincoln allo sceriffo.

"Un cosa?"

"Un apparato per il rilevamento elettrostatico."

"Non so nemmeno cosa sia."

"Rileva la presenza di segni non visibili sulla carta. Se Garrett ha scritto qualcosa su un foglio, appoggiandolo sulla mappa, per esempio il nome di una città o un indirizzo, potremo leggerlo."

"Be', non abbiamo questo tipo di apparecchio. Devo chiamare la polizia di stato?"

"Non è necessario. Ben, illumina la cartina con una torcia elettrica, tenendola inclinata."

Lo zoologo obbedì e per una decina di minuti studiarono ogni centimetro della grande mappa, ma non riuscirono a trovare alcun segno.

"Quella scatola a cui accennavi, Sachs. Dove l'avete trovata?"

Ben appoggiò la scatola accanto a Rhyme, in modo che il criminologo potesse sbirciarvi dentro.

"L'ha trovata Lucy. Era nella stanza delle macine".

Il criminologo ordinò a Bell di esaminare la seconda mappa. "Vediamo se c'è qualche traccia tra le pieghe. È troppo grande per i moduli d'abbonamento. Aprila su un giornale."

Trovarono altra sabbia. Lincoln notò immediatamente che si trattava di sabbia dell'oceano, il tipo che poteva provenire dalle Outer Banks, con i granelli chiari, non opachi come se si fosse trattato di sabbia dell'entroterra.

"Analizzane un campione con il GC/SM. Cerchiamo di scoprire se ci può dire qualcos'altro di utile."

Ben mise in funzione il rumoroso macchinario che ormai utilizzava da vero esperto.

Mentre attendevano i risultati, Ben spiegò la cartina sul tavolo, e tutti e tre la esaminarono con attenzione. Era una mappa della costa orientale del North Carolina da Norfolk, Virginia, fino al South Carolina. Esaminarono ogni centimetro della cartina, ma Garrett non aveva cerchiato o sottolineato alcuna località.

Naturalmente, pensò Rhyme; non è mai così facile. Usarono la torcia elettrica anche su quella seconda mappa: nemmeno così riuscirono a trovare un indizio.

I risultati del GC/SM comparvero sullo schermo del computer; Rhyme li lesse rapidamente. "Niente di importante. Cloruro di sodio – sale – insieme a iodina, materiali organici... Tutti elementi contenuti nell'acqua di mare. Non possiamo servirci di queste informazioni per risalire alla sabbia di un luogo ben preciso." Poi chiese a Ben: "Qualche altra traccia nelle scarpe?"

Il giovane zoologo le esaminò con cura, slacciandole, cosa che Rhyme stava per chiedergli di fare. Quel ragazzo ha la stoffa del buon criminologo, pensò. Non avrebbe dovuto sprecare il suo talento studiando pesci nevrotici.

Le scarpe erano un paio di vecchie Nike: una marca così diffusa che sarebbe stato impossibile scoprire in quale negozio Garrett le avesse acquistate.

"Ci sono frammenti di foglie secche. Foglie di acero e di quercia, direi."

Rhyme annuì. "C'è qualcos'altro nella scatola?"

"Niente."

Lincoln alzò lo sguardo sulle tabelle delle prove. I suoi occhi indugiarono ancora una volta sul canfene.

"Sachs, nel mulino, hai visto per caso qualche vecchia lampada o qualche lanterna?"

"No, niente del genere."

"Ne sei sicura", insistette lui in tono irritato, "o semplicemente non ci hai fatto caso?"

Amelia incrociò le braccia sul petto cercando di mantenere la calma: "Le assi del pavimento erano di legno di castagno ed erano larghe venticinque centimetri. Le pareti erano di legno e intonaco. Un muro era coperto da una scritta tracciata con vernice spray blu. Diceva: 'Josh e Brittany, insieme per sempre'. Nella stanza in cui abbiamo trovato Lydia c'era al centro un tavolo rotto e dipinto di nero, tre bottiglie di acqua Deer Park, due sacchetti di Doritos, due sacchetti di Cheetos, sei lattine di Pepsi, quattro lattine di Mountain Dew, otto pacchetti di cracker Planters al formaggio e burro di arachidi. Nella stanza c'erano due finestre: una era chiusa da alcune assi, l'altra aveva un solo pannello di vetro ancora intatto, tutte le maniglie delle porte e delle finestre erano state rimosse. Gli interruttori alle pareti erano antiquati, e comunque, sì, sono sicura che nel mulino non ci fossero vecchie lampade".

"Uau, gliele ha proprio cantate, Lincoln", esclamò lo zoologo scoppiando a ridere.

Adesso che faceva parte del gruppo, si guadagnò un sorrisetto da parte di Rhyme.

Il criminologo osservò ancora una volta l'elenco delle prove, quindi scosse la testa. Si rivolse a Bell. "Mi dispiace, Jim, ma posso solo dirvi che Mary Beth si trova in una casa vicino all'oceano ma – a giudicare dai frammenti di foglie – non direttamente sull'oceano. Le querce e gli aceri non crescono sulla sabbia. È una vecchia casa e ha ancora delle vecchie lampade a canfene. Probabilmente è stata costruita nel diciannovesimo secolo. Temo di non potervi dire altro."

Con sua grande sorpresa, Rhyme si rese conto che l'entusiasmo per la fine di quel lavoro era in qualche modo guastato dalla frustrazione che provava al pensiero che l'ultimo tassello del puzzle continuasse a sfuggirgli. Ma, come gli aveva sempre detto la sua ex moglie ogni volta che usciva alle due del mattino per recarsi sul luogo di un delitto, non puoi salvare il mondo intero. Pensò nuovamente a Henry Davett, il suo strano portafortuna, e aggrappandosi a quell'immagine decise che era arrivato il momento di andarsene. "Le auguro buona fortuna, Jim."

Bell stava osservando la cartina della costa della Carolina, scuotendo la testa. "Be', proverò di nuovo a parlare con Garrett. Forse si deciderà a collaborare. In caso contrario, chiamerò il procuratore distrettuale e, se lui sarà d'accordo, gli offriremo un patteggiamento in cambio delle informazioni. Se le cose dovessero mettersi veramente male, manderò una squadra di ricerca nelle Outer Banks. Mi creda, Lincoln, non so come ringraziarla. Rimarrà qui ancora per un po'?"

"Solo il tempo necessario per mostrare a Ben come smontare l'attrezzatura."

Amelia si rivolse allo sceriffo: "Le spiace se vengo con lei?"

"Niente affatto", rispose Bell. Fece per aggiungere qualcosa – forse un commento sul fascino femminile che avrebbe potuto aiutarli a strappare qualche informazione a Garrett. Ma alla fine – saggiamente, pensò Rhyme – non parlò.

"Mettiamoci al lavoro, Ben", disse Lincoln. Diresse la carrozzella verso il tavolo su cui si trovavano le provette per il test a gradiente di densità. "Adesso ascoltami bene. Gli strumenti di un criminologo sono come le armi di uno stratega. Devono essere trattati nel modo giusto, tenendo sempre presente che la vita di qualcuno potrebbe dipendere dal buon funzionamento di queste apparecchiature. Mi segui?"

"Certo."

...diciotto

La prigione di Tanner's Corner si trovava a due isolati di distanza dall'ufficio dello sceriffo. Amelia e Bell percorsero il marciapiede arroventato dal sole diretti verso l'edificio. Di nuovo la donna si ritrovò a pensare che Tanner's Corner sembrava una città fantasma. Gli orribili ubriaconi che avevano notato al loro arrivo erano ancora in città, silenziosi, seduti su una panchina. Una donna dall'aria appariscente posteggiò la sua Mercedes in uno spazio vuoto del parcheggio e si diresse verso il salone di bellezza. Quel tipo di auto sembrava completamente fuori posto, lì. Non c'era nessun altro per strada.

Amelia notò che una decina di negozi avevano chiuso per fallimento. Uno di questi era un negozio di giocattoli. Il manichino di un bambino con addosso una tutina scolorita dal sole giaceva in un angolo della vetrina. Dov'erano tutti i bambini? si chiese ancora una volta.

Lanciando un rapido sguardo dall'altra parte della strada notò che qualcuno stava fissando lei e lo sceriffo dagli oscuri recessi del bar Eddie's. Il calore era sempre più opprimente. Amelia strizzò gli occhi.

"Vede quei tre tizi?" domandò, indicando il bar con un cenno del capo.

Bell guardò. "Culbeau e i suoi amici?"

"Esatto. Sono in cerca di guai."

"Come sempre."

"Mi hanno portato via la pistola", disse Amelia. "È stato uno di loro. Quello magro... O'Sarian."

Lo sceriffo si accigliò. "Che cosa?"

"Me la sono ripresa", rispose lei, laconica.

"Vuole che lo arresti?"

"No, ma ho pensato che fosse giusto informarla che quei tre non hanno mandato giù la storia della ricompensa. Anzi, se vuole saperlo, credo che ci sia di più. Vogliono uccidere il ragazzo."

"Come tutti gli altri abitanti di Tanner's Corner, d'altronde."

"Ma gli altri abitanti di Tanner's Corner non se ne vanno in giro armati", replicò lei.

Bell ridacchiò. "Be', non proprio tutti, comunque."

"Sarei curiosa di scoprire come hanno fatto a raggiungere il mulino."

Lo sceriffo rimase a riflettere per un istante. "Crede che li abbia informati Mason?"

"Già", confermò Amelia.

"Sarebbe meglio che Mason si prendesse qualche giorno di riposo. Però non credo che sia possibile. Be', eccoci arrivati. Non è un granché, come prigione, ma è funzionale."

Entrarono nel basso edificio di mattoni. Un rumoroso condizionatore d'aria teneva le stanze piacevolmente fresche. Bell disse all'agente Sachs di lasciare la sua pistola nell'armadietto di custodia. Lui fece altrettanto, e insieme entrarono nella stanza degli interrogatori. Lo sceriffo chiuse la porta.

Garrett Hanlon, che indossava la tuta blu della prigione della contea, sedeva a un tavolo di cartonfibra di fronte a Jesse Corn. L'agente sorrise ad Amelia e lei ricambiò, sollevando appena gli angoli della bocca.

Guardando il ragazzo, fu colpita da quanto sembrasse triste e disperato. Aveva un'aria quasi patetica. Notò che aveva nuovi eruzioni cutanee sul viso e sulle braccia. Domandò: "Cosa ti sei fatto alla pelle?"

Lui si guardò il braccio e prese a massaggiarselo, imbarazzato. "Quercia velenosa", mormorò.

"Hai sentito quali sono i tuoi diritti, vero? L'agente Kerr te li ha letti?" Cominciò Bell in tono gentile.

"Sì."

"E li hai capiti?"

"Credo di sì."

"Sta arrivando un avvocato, il signor Fredericks. Aveva un incontro di lavoro a Elizabeth City e sarà qui tra poco. Non sei costretto a parlare con noi finché non arriva lui. D'accordo?"

Garrett annuì.

L'agente Sachs notò il finto specchio alla parete e si chiese chi ci fosse dall'altra parte a manovrare la videocamera.

"Tuttavia speriamo che vorrai parlare comunque con noi, Garrett", continuò lo sceriffo. "Ci sono alcune cose davvero importanti che dobbiamo chiederti. Prima di tutto... Mary Beth è ancora viva?"

"Certo che sì."

"L'hai violentata?"

"Ehi, non farei mai una cosa del genere", rispose il ragazzo, e per un attimo la paura lasciò il posto all'indignazione.

"Ma l'hai rapita", insistette Bell.

"Non proprio."

"Non *proprio*?"

"Sa, lei non capiva che Blackwater Landing è un posto pericoloso, così ho dovuto portarla via, altrimenti non sarebbe mai stata al sicuro. Tutto qui. L'ho salvata. Certe volte bisogna costringere le persone a fare cose che non vogliono fare, ma è per il loro bene. E alla fine anche loro capiscono."

"È da qualche parte vicino alla spiaggia, vero? Nelle Outer Banks, dico bene?"

Il ragazzo sbatté le palpebre e strinse gli occhi arrossati, rendendosi probabilmente conto che gli agenti avevano trovato la mappa e parlato con Lydia. Abbassò lo sguardo sul tavolo e non disse niente.

"Dov'è esattamente, Garrett?"

"Non posso dirglielo."

"Figliolo, sei in guai seri. Sei accusato di omicidio."

"Io non ho ucciso Billy!"

"Come fai a sapere che stavo parlando proprio di Billy?" si affrettò a chiedere Bell. Jesse Corn sollevò un sopracciglio guardando Amelia, colpito dall'astuzia del suo superiore.

Il ragazzo fece ticchettare le unghie. "Lo sa mezzo mondo

che Billy è stato ucciso", replicò. Si guardò attorno e, inevitabilmente, i suoi occhi si fermarono su Amelia Sachs. Lei riuscì a sostenere lo sguardo implorante di Garrett solo per qualche istante.

"Abbiamo trovato le tue impronte sulla vanga con cui Billy è stato ucciso."

"La vanga? Lo hanno ucciso con la vanga?"

"Già."

Garrett sembrò tornare col pensiero a ciò che era accaduto. "Ricordo di averla vista sul terreno. Credo di averla raccolta."

"Perché?"

"Non so. Non ci ho pensato. Voglio dire, era assurdo vedere Billy lì, a terra, tutto insanguinato."

"Be', se non sei stato tu, hai idea di chi possa averlo ucciso?"

"È stato un tizio. Mary Beth mi ha raccontato che stava facendo uno studio per la scuola, lì, vicino al fiume, e che Billy si era fermato a chiacchierare con lei. Allora è arrivato questo tizio. Stava seguendo Billy, e a un certo punto hanno cominciato a litigare e a picchiarsi, poi il tizio ha preso la vanga e lo ha ammazzato... Sono arrivato io e quello è scappato."

"E lo hai visto in faccia?"

"Sissignore."

"Su cosa stavano litigando?" domandò Bell, scettico.

"Su della droga o roba del genere, mi ha raccontato Mary Beth. Billy vendeva della roba ai ragazzi della squadra di football. Sa, tipo gli steroidi."

"Gesù!" esclamò Jesse Corn, e scoppiò in una risata amara.

"Garrett", intervenne Bell. "Billy non aveva niente a che fare, con la droga. Lo conoscevo bene. E non abbiamo mai ricevuto segnalazioni sull'uso di steroidi al liceo."

"Se non sbaglio, Billy Stail ce l'aveva con te", si intromise Jesse. "Billy e un altro paio di ragazzi della squadra di football."

Garrett abbassò nuovamente lo sguardo.

Amelia pensò che quella situazione era davvero ingiusta: due poliziotti grandi e grossi che tempestavano di domande un ragazzino.

"Ti prendevano in giro. Ti chiamavano Insetto. Una volta hai reagito e Billy e i suoi amici ti hanno picchiato."

"Non ricordo."

"Ce l'ha raccontato il preside Gilmore", disse Bell. "Hanno dovuto chiamare la sicurezza."

"Forse. Ma non ho ucciso Billy."

"Ed Schaeffer è morto, sai? È morto per le punture di quelle vespe nel capanno."

"Mi dispiace, ma non è colpa *mia*. Non ce l'ho messo io, il nido, lì."

"Non era una trappola?"

"No, era solo lì nel capanno. Era lì da un sacco di tempo. Ci sono andato molte volte, e mi ci sono anche fermato a dormire, ma le vespe non mi hanno mai disturbato. Pungono solo quando si sentono minacciate."

"Bene, allora parlaci di quest'uomo che secondo te avrebbe ucciso Billy", continuò lo sceriffo. "Lo avevi mai visto prima da queste parti?"

"Sissignore. Due o tre volte negli ultimi due anni. L'ho visto che camminava nei boschi attorno a Blackwater Landing, e una volta l'ho visto anche vicino alla scuola."

"Era un bianco o un nero?"

"Un bianco, molto alto. Forse vecchio come il signor Babbage…"

"Sulla quarantina?"

"Direi di sì. Aveva i capelli biondi. Portava una tuta marrone e una maglietta bianca."

"Ma sull'impugnatura della vanga c'erano solo le tue impronte e quelle di Billy", gli fece notare Bell.

"Penso che portasse i guanti."

"E perché avrebbe dovuto portare i guanti in questa stagione?" chiese Jesse.

"Perché probabilmente non voleva lasciare impronte", ribatté il ragazzo.

Amelia ripensò alle impronte delle scanalature di frizione sulla vanga. Non erano stati lei e Rhyme a rilevarle. Talvolta è possibile individuare quelle lasciate dai guanti di pelle; quelle dei guanti di lana o di cotone sono difficilmente identificabili, anche se questi tessuti possono lasciare tracce di fibre su una superficie irregolare come il manico di legno di un attrezzo.

"Be', le cose potrebbero anche stare come dici tu, Garrett. Ma a nessuno di noi sembra che questa sia la verità."

"Quando sono arrivato, Billy era già morto! Ho solo raccolto la vanga e l'ho guardata. Non avrei dovuto farlo, ma l'ho fatto. Non è successo nient'altro. Sapevo che Mary Beth era in pericolo, e così l'ho portata via, al sicuro." Parlava rivolto ad Amelia, lanciandole occhiate imploranti.

"Torniamo a Mary Beth", disse Bell. "Perché era in pericolo?"

"Perché era a Blackwater Landing." Fece ticchettare di nuovo le unghie... L'esatto contrario del mio vizio, rifletté l'agente Sachs. Io mi conficco le unghie nella carne, lui fa ticchettare un'unghia contro l'altra. Quale dei due è il peggiore? Il mio, decise lei, è più distruttivo.

Ancora una volta, Garrett la fissò con occhi umidi, arrossati.

Smettila! Non riesco a sopportare quell'espressione! pensò lei, distogliendo lo sguardo.

"E cosa mi dici di Todd Wilkes?"

"Todd?" ripeté Garrett.

"Il bambino che si è impiccato. Lo avevi minacciato?"

"No!"

"Suo fratello ha detto che la settimana scorsa ti ha visto mentre gli gridavi contro."

"Stava bruciando dei formicai. È da bastardi, e io gli ho solo detto di smetterla."

"E Lydia?" incalzò lo sceriffo. "Perché l'hai rapita?"

"Ero preoccupato anche per lei."

"Perché era a Blackwater Landing?"

"Esatto."

"Volevi violentarla, vero?"

"No!" Garrett scoppiò in lacrime. "Non volevo farle del male. Non volevo fare del male a nessuno! E non ho ucciso Billy Stail. Tutti cercano di farmi dire che l'ho ucciso io, ma non è così!"

Bell prese un Kleenex e lo porse al ragazzo.

La porta si spalancò e Mason Germain entrò nella stanza. Probabilmente aveva assistito all'interrogatorio da dietro lo specchio e, a giudicare dall'espressione del suo viso, era chiaro che aveva perso la pazienza. Amelia aveva già imparato a detestare il dopobarba di quell'uomo tarchiato.

"Mason..." cercò di fermarlo Bell.

"Stammi a sentire, tu, adesso ci dici immediatamente dov'è quella ragazza! Se non lo farai, finirai a Lancaster e ci resterai finché non verrai processato... Conosci Lancaster? Nel caso non ne avessi mai sentito parlare, lascia che ti dica che..."

"D'accordo, basta così", esclamò una voce stridula.

Un uomo basso con i capelli a spazzola entrò nella stanza. Indossava un completo grigio, camicia azzurra e cravatta a righe. Portava un paio di scarpe con i tacchi alti sette centimetri.

"Non dire una parola", disse a Garrett.

"Ciao, Cal", lo salutò Bell, per niente felice del suo arrivo. Lo sceriffo lo presentò ad Amelia: era Calvin Fredericks, l'avvocato di Garrett.

"Cosa diavolo ti è saltato in mente di interrogare il mio cliente in mia assenza?" Si voltò a guardare Mason. "E tu cosa pensavi di fare con quel discorso su Lancaster? Dovrei farti sbattere dentro per avergli parlato in quel modo."

"Lui sa dov'è la ragazza, Cal", borbottò Mason. "Non vuole dircelo. Gli abbiamo letto i suoi diritti. Gli..."

"A un ragazzino di sedici anni? Be', credo proprio che me la sbrigherò in un batter d'occhio e poi me ne andrò a cena da qualche parte." Si rivolse a Garrett: "Ehi, giovanotto, come te la passi?"

"Mi prude la faccia."

"Ti hanno spruzzato con il Mace?"

"Nossignore, mi prude e basta."

"Be', ce ne occuperemo subito. Portategli una pomata o qualcosa del genere. Ora, io sono il tuo avvocato. L'incarico mi è stato affidato dallo stato. Non devi pagarmi. Ti hanno letto i tuoi diritti? Ti hanno spiegato che non eri costretto a parlare con loro?"

"Sissignore. Ho detto che avrei parlato con lo sceriffo Bell."

L'avvocato si rivolse a Bell: "Oh, questa sì che è bella, Jim. Ma che cosa pensavate di fare? Quattro poliziotti contro un ragazzino?"

Fu Mason a rispondere: "Pensavamo a salvare Mary Beth McConnell. Che il tuo cliente ha rapito."

"Che il mio cliente è sospettato di aver rapito."

"E ha violentato", aggiunse Mason a bassa voce.

"Non l'ho violentata!" gridò Garrett.

"Abbiamo trovato un fazzoletto di carta insanguinato coperto del suo sperma", ringhiò l'agente Germain.

"No, no!" esclamò il ragazzo, il volto arrossato in maniera allarmante. "Mary Beth si era ferita. Aveva sbattuto la testa e io le ho pulito il sangue con un Kleenex che avevo in tasca. Per quanto riguarda il resto... a volte faccio delle cose... so che non dovrei. So che è sbagliato. Ma non posso farne a meno."

"Shhhh, Garrett", gli intimò Fredericks, "non sei tenuto a spiegare niente a nessuno." Guardò Bell e aggiunse: "Questo interrogatorio è finito. Riportatelo in cella".

Mentre Jesse Corn lo accompagnava alla porta, Garrett si fermò all'improvviso davanti ad Amelia. "La prego, deve fare una cosa per me. La prego! La mia stanza, a casa... ci sono dei contenitori."

"Portalo via, Jesse", ordinò lo sceriffo.

Ma Amelia si sorprese a dire: "Un momento". Poi, a Garrett: "I contenitori con gli insetti?"

Il ragazzo annuì. "Potrebbe andare a dargli dell'acqua? O almeno a liberarli – fuori – così non moriranno. I signori Babbage li lascerebbero morire. La prego..."

Lei esitò, sentendo il peso degli sguardi degli altri agenti. Poi annuì. "Lo farò. Te lo prometto."

Garrett le rivolse un debole sorriso.

Bell lanciò ad Amelia un'occhiata dubbiosa, infine indicò la porta e Jesse accompagnò fuori il ragazzo. L'avvocato fece per seguirli, ma lo sceriffo lo fermò e gli puntò l'indice contro il petto. "Tu non vai da nessuna parte, Cal. Ora ce ne restiamo tutti qui finché non arriva McGuire."

"Non toccarmi, Bell", mormorò Fredericks. Tuttavia obbedì e tornò a sedersi. "Gesù Cristo, ma perché diavolo ti sei messo a parlare con un ragazzino di sedici anni senza che io..."

"Chiudi il becco, Cal. Non stavo cercando di estorcergli una confessione. Abbiamo prove più che sufficienti per sbatterlo al fresco per sempre. L'unica cosa di cui mi importa è trovare Mary Beth. Sappiamo solo che è da qualche parte nelle Outer Banks, e se Garrett non collabora sarà come cercare un ago nel pagliaio."

"Non se ne parla nemmeno. Il mio cliente non dirà una parola di più."

"La ragazza potrebbe morire di sete o di fame, Cal. Potrebbe venirle un colpo di calore, potrebbe sentirsi male..." L'avvocato non replicò, e così lo sceriffo aggiunse: "Cal, quel ragazzo è una minaccia. Ci sono già diverse denunce a suo carico…"

"Che la mia segretaria mi ha letto mentre venivo qui. Dannazione, perlopiù viene accusato di aver marinato la scuola! Oh, anche di aver spiato una ragazza, cosa particolarmente divertente, dato che Garrett non si trovava nemmeno sulla proprietà di chi lo ha denunciato ma semplicemente a passare sul marciapiede."

"E il nido di vespe di qualche anno fa?" gli ricordò Mason quasi digrignando i denti.

"È stato rilasciato", fece notare Fredericks tranquillamente. "Non lo avete nemmeno incriminato."

"Le molestie sessuali lo scorso anno", insistette l'agente.

"Oh, certo", disse l'avvocato in tono sarcastico. "Ha palpato le tette a una ragazza durante un allenamento, come ogni giocatore di football ha fatto almeno un centinaio di volte senza che nessuno ci facesse caso. Vogliamo parlare poi degli atti osceni in luogo pubblico? Ho il sospetto che Garrett non sia l'unico adolescente di questa città a farsi le seghe in pubblico… mi scusi, signorina Sachs."

"Ma questo è diverso, Cal." Lo interruppe Bell. "Abbiamo testimoni oculari, prove inconfutabili, e adesso uno dei miei agenti è morto. Possiamo fare quello che vogliamo".

Un uomo magro che indossava un completo color blu brillante entrò nella stanza degli interrogatori. Circa cinquantacinque anni, volto affilato, capelli radi. Lanciò un'occhiata ad Amelia e la salutò con un breve cenno del capo, quindi, con un'espressione ben più cupa, guardò Fredericks. "A giudicare da quello che ho sentito, questo è uno dei casi più semplici di omicidio, rapimento e violenza sessuale che mi siano capitati negli ultimi anni."

Bell presentò ad Amelia Bryan McGuire, il procuratore distrettuale della contea di Paquenoke.

"Ha sedici anni", ribatté Fredericks.

Senza scomporsi, il procuratore spiegò: "Non c'è un solo tribunale in questo stato che non lo processerebbe come un adulto e non lo condannerebbe a un paio di ergastoli".

"D'accordo, allora vieni al punto, McGuire", ribatté l'avvocato con impazienza. "Conosco quel tono, so che vuoi arrivare al patteggiamento."

McGuire fece un cenno a Bell; Amelia dedusse che lo sceriffo e il procuratore distrettuale dovevano aver già discusso di quell'argomento.

"*Certo* che vogliamo patteggiare", continuò Bell. "Ci sono buone possibilità che la ragazza sia ancora viva e vogliamo trovarla prima che sia troppo tardi."

E McGuire: "Abbiamo tali e tante imputazioni a carico del tuo cliente, Cal, che rimarrai stupito quando ti accorgerai di quanto sappiamo essere elastici."

"Stupiscimi, allora", replicò l'avvocato difensore.

"Potrei accontentarmi di due capi d'accusa per sequestro di persona e aggressione e due per omicidio di primo grado: uno per Billy Stail e uno per l'agente Schaeffer. Sissignore, sono disposto a farlo. Il tutto naturalmente a patto che riusciamo a trovare la ragazza viva."

"La morte di Ed Schaeffer", ribatté l'avvocato, "è stata accidentale."

"È stata una fottuta trappola preparata dal ragazzo", protestò Mason.

"Posso concederti omicidio di primo grado per Billy", propose il procuratore, "e omicidio colposo per l'agente."

Fredericks rimase a riflettere per un istante. "Fammi vedere cosa posso fare." I tacchi dell'avvocato riecheggiarono rumorosamente mentre si dirigeva nella cella per consultarsi con il suo cliente. Tornò cinque minuti dopo. Non sembrava affatto contento.

"Com'è andata?" volle sapere Bell, scoraggiato dall'espressione sul volto di Fredericks.

"Male."

"Un muro di gomma?"

"Precisamente."

Bell mormorò: "Se sai qualcosa che non ci stai dicendo, Cal, sappi che non me ne frega un cazzo del segreto professionale..."

"No, no, Jim, sul serio. Dice che sta proteggendo la ragazza. Dice che Mary Beth è contenta dov'è e che dovreste andare a cercare questo tizio in tuta marrone e maglietta bianca."

"Non ha fatto nemmeno una descrizione decente, e se anche ce ne desse una probabilmente la cambierebbe domani, perché si sta inventando tutto."

McGuire si passò una mano tra i capelli. L'avvocato difensore usava Aqua Net, notò Amelia. Il procuratore, Brylcreme. "Ascolta, Cal, questo è un tuo problema. La mia offerta non è negoziabile. Facci sapere dov'è la ragazza, e se è viva procederò con i capi d'accusa ridotti. In caso contrario, andremo al processo e Garrett non uscirà mai più da una cella in vita sua. Sappiamo entrambi che andrà così."

Seguì un istante di silenzio.

Poi Fredericks disse: "Mi è venuta un'idea".

"Davvero?" replicò McGuire, scettico.

"Ascolta... Una volta mi è capitato un caso ad Albemarle di una donna che sosteneva che il figlio era scappato di casa. Ma c'era qualcosa che non mi tornava."

"Parli del caso Williams?" domandò McGuire. "Il caso di quella donna di colore?"

"Proprio così."

"Ne ho sentito parlare. L'hai rappresentata tu?" chiese Bell.

"Esatto. Le sue deposizioni erano una più strana dell'altra, e per di più in passato aveva sofferto di problemi mentali. Ho assunto uno psicologo di Avery, sperando che potesse valutare se la Williams fosse in grado di intendere e di volere. Lui l'ha sottoposta ad alcuni test e durante una delle sedute lei si è aperta completamente e ci ha raccontato cos'era successo."

"L'avete sottoposta all'ipnosi? Quelle stronzate sul recupero della memoria?" chiese il procuratore.

"No, è un approccio diverso. Si chiama terapia della sedia vuota. Non so esattamente come funziona, ma posso dirvi che quella donna ha cominciato a parlare sul serio. Come se avesse avuto bisogno solo di una piccola spinta. Fatemi chiamare lo psicologo. Lo farò venire a parlare con Garrett. Il ragazzo potrebbe aprirsi e incominciare a ragionare... In ogni caso..." ora fu l'avvocato difensore a puntare l'indice contro il petto di Bell. "... tutto ciò di cui parleranno sarà coperto dal segreto professionale, e voi non potrete sapere niente finché il tutore *ad litem* e io non daremo la nostra approvazione."

Bell incrociò lo sguardo di McGuire e annuì. Il procuratore distrettuale assentì. "Chiamalo."

"Bene." Fredericks andò al telefono che si trovava in un angolo della stanza degli interrogatori.

"Mi scusi", intervenne Amelia.

L'avvocato si voltò a guardarla.

"Nel caso in cui ha impiegato quello psicologo... nel caso Williams..."

"Sì?"

"Che cos'era successo al figlio della donna? Era davvero scappato di casa?"

"No, la madre lo aveva ucciso. Lo aveva legato con del filo di ferro a un blocco di cemento e lo aveva annegato in uno stagno dietro casa. Ehi, Jim, come si fa ad avere la linea per l'esterno?"

L'urlo fu così forte che le bruciò la gola riarsa come una lingua di fuoco, e Mary Beth fu certa di aver perso una volta per tutte l'uso delle corde vocali.

Il Missionario, che stava ancora camminando sul limitare della foresta, si fermò di nuovo e si guardò attorno.

Ti prego, ti prego, ti prego, stava pensando la ragazza. Ignorò il dolore e tentò di nuovo: "Sono qui! Aiuto!"

L'uomo guardò il capanno. Poi fece per allontanarsi.

Lei trasse un profondo respiro, pensò alle unghie di Garrett che ticchettavano, ai suoi occhi umidi e alla sua erezione prepotente, pensò alla morte coraggiosa di suo padre, a Virginia Dare... E lanciò l'urlo più acuto di tutta la sua vita.

Questa volta il Missionario si fermò, guardò verso il capanno. Si tolse il cappello, gettò a terra la canna da pesca e il cestino e cominciò a correre verso di lei.

Grazie... Mary Beth cominciò a singhiozzare. Oh, grazie!

L'uomo era magro e abbronzato, aveva circa cinquant'anni ma sembrava in ottima forma. Era chiaramente uno sportivo.

"Cosa c'è?" gridò quando fu a una quindicina di metri dal capanno, e rallentò il passo. "Si sente bene?"

"La prego!" gracchiò Mary Beth. Il dolore alla gola era insopportabile: sputò altro sangue.

L'uomo si avvicinò cautamente alla finestra rotta, facendo attenzione alle schegge di vetro sul terreno.

"Ha bisogno d'aiuto?"

"Sono prigioniera qui. Sono stata rapita..."

"Rapita?"

Mary Beth si asciugò il viso umido di lacrime di sollievo e di sudore. "È stato un ragazzo del liceo di Tanner's Corner."

"Un momento... Ho sentito parlare di questa storia al telegiornale. Quindi è *lei* la ragazza che è stata rapita."

"Esatto."

"E lui dov'è, adesso?"

Mary Beth cercò di rispondere ma la gola le faceva troppo male. Respirò profondamente e alla fine riuscì a sussurrare: "Non lo so. Se n'è andato ieri sera. La prego... Ha un po' d'acqua?"

"Ho una borraccia, insieme all'attrezzatura da pesca. Vado a prendergliela."

"E chiami la polizia. Ha un cellulare?"

L'uomo scosse la testa. "No, mi dispiace, dovrò andare a casa. È ferita?" Le guardò i capelli incrostati di sangue.

"No, sto bene. Ma... l'acqua. Ho bisogno di acqua."

L'uomo si allontanò di buon passo e per un terribile istante Mary Beth temette che non sarebbe tornato. Ma lui raccolse da terra una vecchia borraccia verde e tornò da lei. La ragazza prese il contenitore con mani tremanti e si costrinse a bere lentamente. L'acqua era tutt'altro che fresca, ma a lei sembrò la cosa più squisita che avesse mai bevuto in vita sua.

"Provo a farla uscire di lì", disse l'uomo. Raggiunse la porta d'ingresso. Qualche istante dopo Mary Beth udì un debole tonfo: sicuramente il pescatore stava prendendo a calci la porta o cercava di spalancarla a spallate. Un altro colpo. Altri due. L'uomo prese una roccia e la scagliò contro il legno. Inutile. Tornò alla finestra. "Non cede." Si asciugò il sudore dalla fronte mentre osservava le sbarre della finestra. "Ragazzi, si è costruito una vera prigione, qui. Con un seghetto ci metterei delle ore a liberarla. Andrò a chiedere aiuto. Come si chiama?"

"Mary Beth McConnell. Sono di Tanner's Corner."

"Vado a chiamare la polizia, poi torno qui da lei e cerco di farla uscire."

"La prego, faccia in fretta."

"Vivo a meno di una decina di chilometri, ma ho un amico che abita qui vicino. Andrò da lui a chiamare il nove-uno-uno e torneremo insieme. Il ragazzo che l'ha rapita... ha una pistola?"

"Non lo so. Penso di no, ma non ne sono sicura."

"Stia tranquilla, Mary Beth, andrà tutto bene. Di solito non faccio jogging, ma per lei farò un'eccezione." Si voltò e si incamminò attraverso il campo.

"Signore... grazie."

Ma l'uomo non sembrò accorgersi della sua gratitudine. Corse attraverso l'erba alta e infine scomparve nel bosco senza nemmeno fermarsi a raccogliere l'attrezzatura da pesca.

...diciannove

In strada, di fronte alla prigione, Amelia vide Lucy Kerr seduta su una panchina davanti a un bar: stava bevendo un tè freddo. Attraversò; le due donne si salutarono con un cenno.

"Posso offrirti qualcosa di più forte?" le domandò Amelia.

Lucy scosse la testa. "No, grazie, questo va benissimo."

Amelia entrò nel bar e uscì un minuto più tardi con una birra Sam Adams in un bicchiere di carta. Si sedette accanto all'agente Kerr e le raccontò della discussione tra McGuire e Fredericks e dell'idea dell'avvocato difensore di far parlare Garrett con uno psicologo.

"Spero che funzioni", commentò Lucy. "Secondo Jim ci sono almeno un migliaio di vecchie case sparpagliate per le Outer Banks. Dobbiamo restringere il campo delle ricerche."

Rimasero in silenzio per qualche minuto. Un adolescente solitario passò loro davanti con il suo rumoroso skateboard e svanì in fondo alla strada. Amelia fece notare a Lucy l'assenza di bambini in città.

"È vero", considerò la Kerr. "Non ci avevo mai pensato... non ci sono molti bambini da queste parti. Immagino che parecchie coppie giovani si siano trasferite in posti più vicini all'interstatale o magari in città più grandi. Tanner's Corner non ha più molto da offrire."

"E tu hai figli?" si informò Amelia.

"No. Buddy e io non ne abbiamo mai avuti. Poi abbiamo rotto, e da allora non ho ancora incontrato l'uomo giusto. Quindi niente figli. Devo ammettere che è il mio più grande rimpianto."

"Da quanto tempo sei divorziata?"

"Tre anni."

Amelia fu sorpresa dal fatto che Lucy non si fosse risposata. Era molto attraente, aveva occhi stupendi. Ai tempi in cui aveva lavorato come modella professionista a New York, prima di decidere di seguire le orme di suo padre e di entrare in polizia, aveva frequentato persone affascinanti, e molto spesso aveva notato che i loro sguardi erano vuoti; se gli occhi non erano belli, aveva concluso Amelia Sachs, nemmeno la persona lo era.

Le disse: "Oh, sono sicura che incontrerai la persona giusta con cui mettere su famiglia".

"Ho sempre il mio lavoro", si affrettò a precisare Lucy. "Non mi sento costretta a fare tutto nella vita, sai."

Ma tra le righe c'era qualcosa di non detto, qualcosa che, Amelia ne era sicura, Lucy aveva voglia di rivelare. Si chiese se fosse il caso di insistere o meno. Scelse un approccio morbido. "Scommetto che nella contea di Paquenoke ci sono almeno un migliaio di uomini che vorrebbero uscire con te."

Dopo una pausa, Lucy ammise: "Il fatto è che non esco molto spesso".

"Davvero?"

Un'altra pausa. Amelia osservò la strada deserta e polverosa. Lucy prese fiato per dire qualcosa, ma si trattenne e bevve un lungo sorso di tè ghiacciato. Poi, quasi d'impulso: "Ricordi che ti ho accennato a un mio problema di salute?"

Amelia annuì.

"Si trattava di tumore al seno. Lo stadio della malattia non era troppo avanzato, ma hanno dovuto praticarmi una doppia mastectomia radicale."

"Mi dispiace", sospirò l'altra, sinceramente dispiaciuta. "Ti sei sottoposta ai vari trattamenti?"

"Sì. Sono stata calva per un po'... un look interessante." Sorseggiò il tè. "Sono guarita da tre anni e mezzo. Finora tutto bene." Dopo un attimo continuò: "La malattia mi ha preso alla sprovvista. Non c'erano mai stati casi di cancro nella mia famiglia: mia nonna è sana come un pesce, mia madre lavora ancora cinque giorni alla settimana alla Mattamuskeet Wildlife Reserve. Tre volte l'anno, lei e mio padre vanno in campeggio sugli Appalachi."

"Non puoi avere figli a causa della radioterapia?"

"Oh no, hanno usato uno scudo. È solo che... Non sono più in vena di appuntamenti. Sai dove vanno a finire le mani di un uomo dopo il primo bacio serio..."

Amelia non poteva darle torto.

"Anche se conoscessi un ragazzo carino e uscissimo insieme a prendere un caffè, nel giro di dieci minuti comincerei a preoccuparmi di ciò che potrebbe pensare, e finirei per non rispondere più alle sue telefonate."

"Quindi hai abbandonato l'idea di una famiglia?" domandò Amelia.

"Magari tra qualche anno conoscerò un vedovo con un paio di bambini. Sarebbe bello."

Lo disse con una certa nonchalance, ma Amelia si rese conto che doveva esserselo ripetuto molte volte. Forse anche ogni giorno.

"Hai sempre desiderato avere dei bambini?" le chiese.

Lucy chinò il capo. "Direi addio al distintivo in un batter d'occhio, per un paio di bambini, ma, sai com'è, la vita non sempre va come vorremmo."

"E il tuo ex ti ha lasciato dopo l'operazione? Come hai detto che si chiama?"

"Bud. Non *subito* dopo. Ma abbastanza presto. Dannazione, non posso biasimarlo."

"Perché dici così?"

"Perché è la verità. Io sono cambiata, sono diventata una persona diversa. Sono diventata una donna diversa da quella che lui aveva sposato."

Amelia tacque per qualche istante, prima di lasciarsi andare. "Lincoln non è così. È esattamente il contrario, direi."

Lucy rifletté per un momento. "Quindi c'è qualcosa di più tra voi due? Non siete solo colleghi?"

"Esatto."

"L'avevo immaginato." Scoppiò a ridere. "Ehi, tu che sei la

dura poliziotta che viene dalla grande città... cosa pensi dell'idea di avere dei figli?"

"Mi piacerebbe. Mio padre avrebbe voluto dei nipotini... anche lui era poliziotto. Gli piaceva l'idea di tre generazioni in polizia. Pensava che *People* avrebbe scritto un articolo su di noi. Adorava *People*."

"Ho notato che ne parli al passato."

"È morto qualche anno fa."

"Ucciso in servizio?"

Per un attimo Amelia pensò di mentire, ma alla fine rispose: "No, è morto di cancro".

Lucy rimase in silenzio. Guardò Amelia di sottecchi, spostò lo sguardo sulla prigione. "Lincoln può avere figli?"

Amelia bevve un sorso di birra. "Teoricamente, sì."

Decise di non dirle che quando erano arrivati al centro di ricerca neurologica di Avery, aveva preso da parte la dottoressa Weaver per chiederle se l'intervento avrebbe avuto qualche effetto sulla possibilità di Rhyme di avere dei figli. La dottoressa l'aveva tranquillizzata in merito e aveva cominciato a spiegarle l'operazione che le avrebbe permesso di restare incinta. Ma proprio in quel momento si era presentato Jim Bell con la sua richiesta d'aiuto.

E all'agente Kerr non confidò nemmeno che Rhyme aveva sempre cercato di evitare l'argomento figli, e che a lei non era rimasto altro da fare che chiedersi il perché di tanta riluttanza. Le ragioni potevano essere molteplici. La paura che una famiglia potesse interferire con il suo lavoro del quale aveva assolutamente bisogno per mantenere la sanità mentale. La consapevolezza che i quadriplegici, almeno dal punto di vista statistico, hanno un'aspettativa di vita molto più breve delle altre persone. O forse solo il desiderio di potersi svegliare una mattina, decidere di averne avuto abbastanza e di farla finita. Forse erano tutte quelle ragioni, unite alla convinzione che lui e Amelia non avrebbero potuto essere i genitori più normali del mondo (anche se lei si domandava spesso: cos'è esattamente normale, oggigiorno?).

"Mi sono sempre chiesta se, una volta avuti dei figli, avrei continuato a lavorare. E tu?" Rifletté Lucy.

"Io porto la pistola, ma perlopiù lavoro sulle scene dei delitti. Lascerei perdere gli incarichi più rischiosi... e dovrei cominciare a guidare più piano: nel mio garage di Brooklyn ho una Camero da trecentosessanta cavalli. Non riesco a immaginare uno di quei seggiolini per bambini su un'auto del genere." Sorrise. "Penso che dovrei anche abituarmi a guidare una Volvo station wagon con il cambio automatico. Forse potrei prendere qualche lezione."

"Non stento a immaginarti, mentre esci a tutta velocità dal parcheggio del centro commerciale."

Tra loro scese il silenzio, lo strano silenzio che cala tra gli sconosciuti che hanno appena condiviso complicati segreti e si rendono conto di non potersi spingere oltre.

Lucy guardò l'orologio. "Dovrei tornare in ufficio, adesso. Devo aiutare Jim a fare qualche telefonata per chiedere informazioni sulle Outer Banks." Gettò la bottiglia vuota nel cestino della spazzatura. Scosse la testa. "Continuo a pensare a Mary Beth. Mi chiedo: dove sarà, starà bene, avrà paura?"

Ma Amelia Sachs non stava pensando alla ragazza, bensì a Garrett Hanlon. Dal momento che avevano parlato di bambini, non poteva fare a meno di chiedersi come si sarebbe sentita se *suo* figlio fosse stato accusato di omicidio e di rapimento, se lo avesse atteso la prospettiva di trascorrere una notte in prigione, forse cento notti, forse mille.

"Vieni con me?" le domandò Lucy.

"Ti raggiungo tra un minuto."

"Spero di potervi salutare prima che ve ne andiate."

"Io rimarrò per un po'. L'operazione di Lincoln è tra due giorni, e naturalmente dovrà trattenersi in ospedale almeno per una settimana."

L'agente Kerr si allontanò.

Qualche minuto dopo, la porta della prigione si spalancò e ne uscì Mason Germain. Amelia non lo aveva mai visto sorridere, e lui non stava certo sorridendo, ora. L'uomo si guardò attorno ma non la notò. Si incamminò lungo il marciapiede ricoperto di crepe e scomparve in un edificio – un negozio, forse un bar – tra la prigione e l'ufficio della contea.

Un'auto si fermò sull'altro lato della strada, e ne scesero due uomini: uno era Cal Fredericks, l'avvocato di Garrett, l'altro un tipo robusto sulla quarantina che indossava una camicia e una cravatta dal nodo allentato. Aveva le maniche rimboccate, una giacca sportiva gettata su un braccio e pantaloni beige tutti spiegazzati. Il suo viso era dolce come quello di un maestro di scuola. I due uomini entrarono nella prigione.

Amelia gettò il bicchiere di carta in un vecchio barile accanto all'ingresso del bar. Attraversò la strada ed entrò a sua volta nell'edificio.

...venti

Nella prigione, Cal Fredericks presentò ad Amelia il dottor Elliott Penny.

"Oh, quindi lei lavora con Lincoln Rhyme", disse il dottore sorprendendo Amelia.

"Esatto."

"Cal mi ha detto che è stato soprattutto grazie a voi che Garrett è stato catturato. Lincoln è qui?"

"In questo momento si trova nell'ufficio della contea, ma non si tratterrà a lungo."

"Abbiamo un amico in comune! Mi piacerebbe passare a salutarlo, e spero di avere il tempo di farlo."

"Lincoln dovrebbe rimanere ancora per un'ora o poco più", lo avvisò lei; si rivolse a Fredericks: "Posso chiederle una cosa?"

"Certamente", rispose l'avvocato in tono circospetto; l'agente Sachs, in teoria, lavorava per i suoi nemici.

"Quando Mason Germain stava parlando con Garrett, ha menzionato un posto chiamato Lancaster. Di cosa si tratta?"

"È il centro di detenzione per criminali violenti. Il ragazzo sarà trasferito lì dopo la formalizzazione delle accuse, e ci rimarrà fino al processo."

"È un carcere minorile?"

"No, no."

"Garrett ha solo sedici anni!" gli fece notare Amelia.

"Oh, se non riusciremo ad arrivare a un accordo, McGuire lo processerà come se fosse un adulto."

"È davvero così terribile?"

"Cosa, Lancaster?" L'avvocato si strinse nelle spalle. "Garrett si farà male, lì. Su questo non ci sono dubbi. Non so *fino a che punto* si farà male, ma non c'è dubbio che andrà così. Un ragazzo come lui è l'ultimo anello della catena alimentare, in un posto del genere."

"Non può essere tenuto in isolamento?"

"Non lì. Il carcere è fondamentalmente un gigantesco recinto. Possiamo solo sperare che le guardie lo tengano d'occhio."

"Cosa mi dice della cauzione?"

Fredericks scoppiò a ridere. "Non c'è un giudice al mondo che lo rilascerebbe sotto cauzione."

"Non c'è niente che possiamo fare per farlo trasferire in un altro istituto di detenzione? Lincoln ha molti amici, a New York."

"New York?" Fredericks le rivolse un sorriso gentile ma venato di ironia. "Non penso che questo abbia molto peso, a sud della linea Mason-Dixon. Probabilmente nemmeno a ovest dell'Hudson." Fece cenno al dottor Penny. "No, la nostra unica speranza è convincere Garrett a collaborare e poi arrivare a un accordo con il procuratore."

"I suoi genitori adottivi non dovrebbero essere qui?"

"Certo, dovrebbero. Li ho chiamati, ma Hal ha detto che il ragazzo dovrà cavarsela da solo. Non mi ha neanche permesso di parlare con Maggie... la moglie."

"Ma Garrett non può prendere certe decisioni da solo", osservò lei. "È solo un adolescente."

"Prima della formalizzazione delle accuse o dell'accordo, la corte dovrà nominare un tutore *ad litem*. Non si preoccupi: troveremo qualcuno che si occuperà di lui", spiegò Fredericks.

Amelia si rivolse al dottore: "Che cos'ha intenzione di fare? Vuole tentare il test della sedia vuota?"

Prima di rispondere, Penny lanciò un'occhiata all'avvocato come per chiedergli il permesso di spiegare la procedura. "Non è un test. È una terapia della scuola della Gestalt, una tecnica famosa per gli ottimi e rapidi risultati nel comprendere certi tipi di comportamento. Farò sì che Garrett immagini che Mary Beth sia seduta su una sedia davanti a lui e gli chiederò di parlare con lei, di spiegarle perché ha fatto quello che ha fatto. Spero di fargli capire che la ragazza è turbata e spaventata e che ciò che lui ha fatto è sbagliato, e che lei starà meglio se ci rivelerà dove la tiene prigioniera."

"Funzionerà?"

"La terapia della sedia vuota non viene usata normalmente, in situazioni di questo genere, ma penso che otterremo buoni risultati."

L'avvocato guardò l'orologio. "È pronto, dottore?"

Penny annuì.

"Andiamo." Il dottore e Fredericks entrarono nella stanza degli interrogatori.

Amelia rimase in corridoio, prese un bicchiere d'acqua dal distributore e lo sorseggiò lentamente. Quando l'agente di guardia tornò a leggere il suo giornale, lei fu lesta a entrare nella stanza di osservazione, dove si trovava la videocamera con cui venivano ripresi gli interrogatori. Era deserta. Chiuse la porta e si sedette. Attraverso lo specchio vide Garrett seduto su una sedia al centro della stanza. Il dottore sedeva al tavolo. Cal Fredericks era in un angolo con le braccia conserte, le gambe accavallate.

Una quarta sedia, vuota, era stata messa davanti a Garrett.

Sul tavolo c'erano alcune lattine di Coca imperlate di condensa.

Dal vecchio altoparlante posizionato sopra lo specchio, Amelia sentì le loro voci.

"Garrett, sono il dottor Penny. Come ti senti?"

Nessuna risposta.

"Fa piuttosto caldo qui, vero?"

Garrett continuò a non parlare e abbassò lo sguardo. Fece ticchettare le unghie, ma Amelia non riuscì a sentirne il rumore. Dopo qualche istante si accorse di essersi conficcata l'unghia del pollice nell'indice, fino a farlo sanguinare. Smettila smettila smettila, pensò, e si costrinse a posare le mani sulle ginocchia.

"Garrett, sono qui per aiutarti. Lavoro con il tuo avvocato, il signor Fredericks. Vogliamo tentare di farti ottenere una condanna ridotta per ciò che è successo. Possiamo aiutarti ma abbiamo bisogno della tua collaborazione."

Intervenne Fredericks. "Ora il dottore parlerà con te, Garrett. Proveremo a scoprire alcune cose. Ma voglio che tu sappia che tutto quello che dirai resterà solo tra noi. Non ne parleremo a nessuno senza il tuo permesso. Hai capito bene?"

Il ragazzo annuì.

"Ricordati, Garrett", disse il dottore, "che siamo noi i buoni. Siamo dalla tua parte... Adesso vorrei provare una cosa."

Amelia fissò il volto del ragazzo. Lo vide grattarsi un'eruzione cutanea. Poi lo sentì dire: "Okay".

"Vedi quella sedia?"

"Sì."

"Adesso faremo una specie di gioco. Tu dovrai fingere che seduto su quella sedia ci sia qualcuno di veramente importante."

"Tipo il presidente?"

"No, intendo dire qualcuno di importante per te. Voglio che tu immagini che questa persona sia seduta davanti a te e voglio che le parli. Dovrai essere veramente sincero, potrai dirle tutto quello che vuoi. Potrai parlarle dei tuoi segreti, del tuo rancore, del tuo affetto. Se sei arrabbiato, potrai dirglielo. Se sei innamorato, potrai dirglielo. Se la desideri – come potesti desiderare una ragazza – potrai dirglielo. Ricordati che potrai dire tutto quello che vuoi e nessuno se la prenderà con te."

"Devo parlare con la sedia?" chiese Garrett. "E perché?"

"Per esempio perché potrebbe aiutarti a sentirti meglio dopo tutto quello che è successo oggi."

"Vuol dire, il fatto che mi hanno preso?"

Amelia sorrise.

Anche il dottore riuscì a stento a reprimere un sorriso. Spostò la sedia vuota più vicina a Garrett. "Adesso immagina che qualcuno di importante sia seduto proprio qui. Supponiamo Mary Beth McConnell. E immagina di avere qualcosa da dirle, qualcosa che non le hai mai confessato prima perché era troppo difficile o troppo spaventoso per te, qualcosa di veramente importante."

Garrett si guardò nervosamente attorno, poi fissò il suo avvocato che annuì con aria incoraggiante. Il ragazzo trasse un profondo respiro, poi espirò, lentamente. "Sono pronto, credo."

"Bene. Ora, immagina Mary Beth..."

"Sì, ma non ho niente da dire a lei", lo interruppe Garrett.

"Davvero?"

Il ragazzo annuì. "Le ho già detto tutto."

"Proprio tutto?"

Lui esitò. "Non lo so... forse. Il fatto è che... vorrei immaginare qualcun altro sulla sedia."

"Be', per ora restiamo con Mary Beth. Hai detto che forse c'è ancora qualcosa che vuoi dirle. Pensaci. Forse vuoi dirle che ti ha deluso o ferito o fatto arrabbiare, che vuoi pareggiare i conti con lei... Qualsiasi cosa, Garrett. Puoi dire qualsiasi cosa, non c'è problema."

Lui si strinse nelle spalle. "Non so... Deve proprio essere lei? Non può essere qualcun altro?"

"In questo momento, no. Deve essere Mary Beth."

Di colpo il ragazzo si voltò verso lo specchio e fissò proprio il punto in cui si trovava Amelia. Lei si ritrasse involontariamente, come se Garrett sapesse che lei era lì anche se non poteva affatto vederla. Osservò gli occhi imploranti del ragazzo, poi distolse lo sguardo.

Garrett si rivolse al dottor Penny: "Be', penso che le direi che sono contento perché adesso è al sicuro".

Il dottore si illuminò. "Bene. Cominciamo da qui. Dille che l'hai salvata. Spiegale perché." Indicò la sedia con un cenno.

Il ragazzo, chiaramente a disagio, guardò la sedia vuota. Cominciò: "Mary Beth era a Blackwater Landing e..."

"No, ricordati che stai parlando con lei. Immagina che Mary Beth sia seduta su quella sedia."

Garrett si schiarì la gola. "Eri a Blackwater Landing. Quello è un posto veramente pericoloso. La gente si fa male, a Blackwater Landing; la gente viene uccisa, lì. Ero preoccupato per te. Non volevo che l'uomo con la tuta facesse del male anche a te."

"L'uomo con la tuta?" chiese il dottore.

"Quello che ha ucciso Billy."

Penny spostò lo sguardo su Fredericks che stava scuotendo il capo. Poi disse: "Sai, Garrett, anche se hai salvato Mary Beth, lei potrebbe pensare di aver fatto qualcosa che ti ha fatto infuriare".

"Cosa? Non mi ha mai fatto infuriare, lei."

"Be', però l'hai portata via dalla sua famiglia."

"L'ho portata via solo per metterla al sicuro." Si ricordò le regole del gioco e tornò a fissare la sedia. "Ti ho portata via solo per farti stare al sicuro."

"Non posso fare a meno di pensare", continuò il dottore in tono pacato, "che ci sia qualcos'altro che vorresti dirle. Ho la sensazione che sia qualcosa di molto importante che però non ti senti di esprimere."

Anche Amelia aveva avuto quella sensazione, scrutando il viso del ragazzo. I suoi occhi erano inquieti, ma era chiaro che quello strano gioco lo intrigava. Che cosa stava pensando? Che cosa sapeva? C'era sicuramente qualcosa che voleva dire, ma *cosa*?

Garrett si guardò le unghie lunghe e sporche. "Be', in effetti c'è una cosa."

"Continua."

"È... insomma, è abbastanza difficile."

Cal Fredericks sedeva proteso in avanti, pronto a scrivere su un taccuino.

Penny lo incalzò dolcemente: "Allora, Mary Beth è seduta qui davanti a te. E sta aspettando che tu le dica quello che vuoi".

"Davvero?"

"Certo", lo rassicurò il dottore. "Vuoi parlarle del luogo in cui si trova adesso? Del luogo in cui l'hai portata? Com'è fatto questo posto? O forse vuoi spiegarle perché l'hai portata proprio lì."

"No", replicò Garrett. "Non è questo che voglio dirle."

"E allora cosa?"

"Io..." Non riuscì a finire la frase.

"So che non è facile."

Anche Amelia si stava sporgendo in avanti sulla sedia. Andiamo, si sorprese a pensare, andiamo, Garrett. Vogliamo solo aiutarti. Cerca di venirci incontro.

Con voce ipnotica, Penny continuò: "Coraggio, Garrett. C'è Mary Beth seduta su quella sedia. Sta aspettando. Si sta chiedendo che cosa dirai. Parla con lei". Gli porse una Coca e il ragazzo bevve qualche lunga sorsata, le manette che tintinnavano contro il metallo della lattina. Dopo quella breve pausa, il dottore riprese: "Cos'è che vorresti dirle più di ogni altra cosa? Sento che vuoi dirlo. Sento che hai bisogno di dirlo. E penso che lei abbia bisogno di sentirlo".

Avvicinò ulteriormente la sedia vuota. "Lei è qui, Garrett, seduta proprio davanti a te, e ti sta guardando. È la tua occasione per dirle ciò che non sei mai riuscito a dirle. Coraggio."

Un altro sorso di Coca. Amelia notò che le mani del ragazzo stavano tremando. Cosa stava per dire? si domandò.

All'improvviso, cogliendo di sorpresa sia Fredericks sia Penny, Garrett si sporse in avanti ed esclamò: "Tu mi piaci davvero tanto, Mary Beth. E... insomma, io ti amo". Trasse alcuni profondi respiri, fece ticchettare le unghie un paio di volte, si aggrappò ai braccioli della sedia nervosamente e chinò il capo, il volto paonazzo.

"È questo che le volevi dire?" domandò il dottore.

Il ragazzo annuì.

"Qualcos'altro?"

"Ehm... no."

Questa volta fu Penny a guardare l'avvocato e a scuotere la testa.

"Signore", cominciò Garrett, poi si corresse: "Dottore... avrei, insomma, una domanda..."

"Dimmi pure."

"Ecco... C'è un libro che ho a casa. Si intitola *Un mondo in miniatura*. Qualcuno potrebbe portarmelo?"

"Vedrò cosa posso fare", promise il dottore. Guardò Fredericks che alzò gli occhi al cielo, in preda alla frustrazione. I due uomini si alzarono e si rimisero la giacca.

"Per ora è tutto, Garrett."

Il ragazzo annuì.

Amelia si alzò velocemente e uscì dall'ufficio. L'agente di guardia non si era accorto di niente.

Fredericks e Penny lasciarono la stanza degli interrogatori e Garrett fu riaccompagnato in cella.

In quel momento arrivò Jim Bell. L'avvocato gli presentò il dottore e lo sceriffo chiese: "Avete scoperto qualcosa?"

L'avvocato scosse la testa. "Niente di niente."

In tono cupo, Bell annunciò: "Sono appena stato dal procuratore. Formalizzeranno le accuse alle sei e lo trasferiranno a Lancaster stasera stessa."

"*Stasera?*" ripeté l'agente Sachs.

"È meglio che Garrett lasci la città. C'è davvero troppa gente che avrebbe voglia di farsi giustizia da sola, da queste parti."

"Potrei ritentare più tardi", propose il dottore. "In questo momento il ragazzo è molto agitato."

"Non mi stupisce", mormorò lo sceriffo. "È appena stato arrestato per omicidio e rapimento. Anch'io sarei nervoso, al posto suo. Faccia quello che vuole quando Garrett sarà a Lancaster, ma adesso McGuire lo sommergerà di imputazioni e noi dovremo trasferirlo nel giro di due ore. E, a proposito, Cal, se vuoi tentare la via del patteggiamento, ti consiglio di muoverti ora. McGuire chiederà un'accusa per omicidio volontario."

Nell'ufficio della contea, Amelia Sachs trovò Rhyme irascibile proprio come si era aspettata.

"Coraggio, Sachs, dai una mano al povero Ben con l'equipaggiamento e andiamocene di qui. Ho detto alla dottoressa Weaver che sarei arrivato in ospedale entro la fine dell'*anno*."

Ma lei rimase in piedi accanto alla finestra, a guardare fuori. "Rhyme..."

Il criminologo sollevò lo sguardo, studiandola come avrebbe fatto con una prova che non riusciva a identificare. "Non mi piace, Sachs."

"Cosa?"

"Non mi piace neanche un po'. No, Ben, devi togliere il braccio prima di metterla via."

"Il braccio?" Lo zoologo stava lottando per richiudere un'ALS, una fonte di luce alternativa usata per individuare sostanze invisibili a occhio nudo.

"L'asta", spiegò Amelia, e andò ad aiutarlo.

"Grazie." Il giovane cominciò ad arrotolare uno dei cavi del computer.

"L'espressione che hai, Sachs. È *questo* che non mi piace. La tua espressione e il tono della tua voce."

"Ben, potresti lasciarci soli per cinque minuti?" domandò lei.

"No, non può", ribatté Rhyme bruscamente. "Non abbiamo tempo. Dobbiamo finire di mettere via l'attrezzatura e andarcene di qui."

"Solo cinque minuti", insistette lei.

Ben spostò lo sguardo da Rhyme all'agente Sachs e, dal momento che Amelia lo fissava con occhi imploranti, e non pieni di rabbia, decise di dare retta a lei e uscì dalla stanza.

Rhyme cercò di giocare d'anticipo. "Sachs, abbiamo fatto tutto quello che potevamo... abbiamo salvato Lydia... abbiamo preso il colpevole. Lui sceglierà il patteggiamento e rivelerà il nascondiglio nel quale tiene Mary Beth."

"Non vuole dirlo."

"Ma questo non è un nostro problema. Non c'è altro che noi..."

"Non penso che lo abbia fatto."

"Non pensi che abbia ucciso Mary Beth? Può darsi di no, ma..."

"Voglio dire... non penso che abbia ucciso Billy."

Rhyme scosse la testa, come se volesse scostare dalla fronte una fastidiosa ciocca ribelle. "Tu credi a quella storia dell'uomo in tuta marrone a cui accennava Jim?"

"Sì, ci credo."

"Amelia, Garrett è un ragazzo con molti problemi e ti dispiace per lui. Anche a me dispiace per lui. Ma..."

"Questo non c'entra niente."

"Hai ragione, non c'entra niente", ribatté seccamente il patologo. "L'*unica* cosa che conta sono le prove. E le prove dimostrano che non esiste nessun uomo in tuta e che Garrett è colpevole."

"Le prove *suggeriscono* la sua colpevolezza, Rhyme, ma non la dimostrano. Le prove possono essere interpretate in molti modi diversi. E per di più sono in possesso di nuove prove."

"Per esempio?"

"Mi ha chiesto di prendermi cura dei suoi insetti."

"E con ciò?"

"Be', non sembra un po' strano anche a te che un assassino a sangue freddo si preoccupi del destino di quelle stramaledette bestioline?"

"Questa non è una prova, Sachs. È la sua strategia. È una guerra psicologica: sta cercando di fare breccia nelle nostre difese. Il ragazzo è molto intelligente, non dimenticartelo... ha un alto quoziente intellettivo, ottimi voti a scuola. E pensa alle sue letture. Sono libri difficili, e lui ha imparato molto dagli insetti. Gli insetti non hanno un codice morale. Pensano solo a sopravvivere. *Questa* è la lezione che Garrett ha imparato. *Questa* è stata la sua educazione."

"Ricordi quella trappola che ci ha teso, la fossa ricoperta di rami di pino?"

Lui annuì.

"Era profonda poco più di mezzo metro, e il nido di vespe che c'era sul fondo era vuoto. E poi la bottiglia di ammoniaca non era stata sistemata per far male a qualcuno. Doveva servirgli per capire se ci stavamo avvicinando al mulino."

"Queste non sono prove empiriche, Sachs. Pensa al fazzoletto insanguinato, per esempio."

"Garrett ha ammesso di essersi masturbato. Ma ci ha spiegato che Mary Beth si era ferita alla testa e che lui ha usato quel fazzoletto per pulirle il sangue. E comunque, se anche l'avesse violentata, a cosa gli sarebbe servito un fazzoletto di carta?"

"Per ripulirsi."

"Questo non rientra affatto nel profilo dello stupratore."

Rhyme citò se stesso, la prefazione del suo testo di criminologia: "'Un profilo è una *guida*. Le prove sono...'"

"'...Dio'", concluse Amelia per lui. "Okay, allora... c'erano molte impronte sulla scena del delitto, ricordi? Alcune potrebbe averle lasciate l'uomo in tuta."

"Non ci sono impronte digitali sull'arma del delitto."

"Garrett dice che l'uomo portava un paio di guanti."

"Ma non c'erano nemmeno tracce di pelle."

"Avrebbero potuto essere guanti di tessuto. Lasciami fare qualche analisi e..."

"Andiamo, Sachs, questa è pura speculazione."

"Avresti dovuto sentirlo mentre parlava di Mary Beth. Era *preoccupato* per lei."

"Stava recitando. Qual è la mia regola numero uno?"

"Quale delle molte?"

Senza scomporsi, Rhyme continuò: "Mai fidarsi dei testimoni".

"No, Garrett la ama, le vuole bene. È davvero convinto di proteggerla, in questo modo."

La voce di un uomo la interruppe: "Oh, ma lui la *sta* proteggendo".

Amelia e Rhyme si voltarono verso la porta. Era il dottor Elliott Penny, che aggiunse: "La sta proteggendo da se stesso".

Amelia presentò i due uomini.

"Volevo conoscerla, Lincoln", si presentò Penny. "Sono specializzato in psichiatria forense. Ho incontrato Bert Markham a un congresso e lui mi ha parlato benissimo di lei."

"Bert è un buon amico", disse Rhyme. "So che è stato appena nominato capo della scientifica di Chicago."

"Volevo solo presentarmi." Il dottor Penny indicò il corridoio. "Proprio in questo momento l'avvocato di Garrett sta parlando con il procuratore, ma non credo che le cose si stiano mettendo bene per il ragazzo."

"Che cosa voleva dire prima, quando ha accennato al fatto che Garrett starebbe proteggendo Mary Beth da se stesso?" domandò Amelia. "Ha una doppia personalità?"

"No", rispose il dottore, per niente turbato dallo scetticismo che traspariva dalle parole della donna. "Il ragazzo sicuramente soffre di un qualche disturbo mentale o emotivo, ma non si tratta di qualcosa di strano come una doppia personalità. Lui sa *esattamente* che cos'ha fatto a Mary Beth e a Billy Stail. Sono sicuro che l'abbia nascosta da qualche parte per tenerla lontana da Blackwater Landing, dove non escludo che abbia *davvero* ucciso quelle persone nel corso degli ultimi due anni, e che abbia spinto quel bambino, il piccolo Wilkes, a suicidarsi. Penso che avesse in mente di stuprare e uccidere Mary Beth subito dopo aver ucciso Billy, ma che la parte di lui che davvero ama quella ragazza non gliel'abbia permesso. L'ha portata via da Blackwater Landing più in fretta che ha potuto per impedirsi di farle del male. Penso che l'abbia violentata, ma ai suoi occhi non è stato uno stupro, solo la consumazione di quella che secondo lui è la loro relazione. Tuttavia sentiva ancora il bisogno di ucciderla, e così è tornato ancora a Blackwater Landing il giorno dopo e ha trovato la vittima sostitutiva, Lydia Johansson. Se non fosse stato catturato, senza alcun dubbio l'avrebbe uccisa al posto di Mary Beth."

"Spero che non testimonierà per la difesa", replicò Amelia in tono aspro.

Penny scosse la testa. "A giudicare dalle prove che mi sono state sottoposte quel ragazzo andrà in prigione, che ci siano testimoni oculari o meno."

"Si sbaglia", obiettò lei. "Non credo che Garrett abbia ucciso Billy. E forse il rapimento ha dei risvolti che noi non riusciamo a cogliere."

Il dottore si strinse nelle spalle. "La mia opinione professionale è che il ragazzo è colpevole. Naturalmente non ho ancora potuto sottoporlo a tutti i test, ma già da ora posso dirvi che mostra chiari segni di comportamento dissociativo e sociopatico, e sto pensando a tutti e tre i maggiori sistemi diagnostici: la Classificazione internazionale delle malattie, la DSM-IV e la Nuova lista di controllo di psicopatologia. Garrett presenta una personalità chiaramente antisociale/criminale. Ha un alto QI, si è dimostrato in grado di elaborare schemi strategici organizzati e non mostra alcun segno di rimorso. È un individuo molto pericoloso."

"Sachs", intervenne Rhyme, "qual è il punto, allora? Questa faccenda non ci riguarda più."

Lei ignorò il criminologo e il suo sguardo penetrante. "Ma, dottore..."

Penny alzò una mano. "Posso fare io una domanda a *lei*, adesso?"

"Prego."

"Lei ha figli?"

Dopo una breve esitazione, Amelia rispose: "No. Perché?"

"È comprensibile che lei provi trasporto per un adolescente in difficoltà, come penso tutti noi. Ma forse si sta lasciando influenzare da un suo desiderio di maternità latente."

"E cioè?"

"Intendo dire che se lei prova il desiderio di avere figli, potrebbe non essere in grado di valutare obiettivamente la colpa o l'innocenza di un ragazzino di sedici anni. Soprattutto se è orfano e ha avuto una vita difficile."

"Posso essere perfettamente obiettiva", ribatté Amelia con durezza. "Il fatto è che ci sono troppe cose che non quadrano. Il movente di Garrett non ha senso, lui..."

"Il movente è la gamba debole dello sgabello delle prove, Sachs. Lo sai benissimo."

"Non ho bisogno di altre massime, Rhyme", mormorò lei.

Penny continuò: "L'ho sentita quando ha chiesto a Cal Fredericks di Lancaster, di cosa ne sarebbe stato del ragazzo, e ho capito che era disposta a offrire il suo aiuto."

Amelia inarcò un sopracciglio.

"Be', sono convinto che lei *possa* aiutare Garrett", aggiunse il dottore. "E la cosa migliore che può fare in questo momento è passare un po' di tempo con lui. La contea incaricherà un agente di collaborare con il tutore designato dalla corte, e quindi dovrà prima ottenere la loro approvazione, ma sono sicuro che si possa fare. Il ragazzo potrebbe aprirsi di più con lei riguardo a Mary Beth."

Mentre Amelia rifletteva sull'eventualità, Thom comparve sulla porta, un'espressione perplessa sul viso. Doveva aver sentito quell'ultimo scambio di battute. "Il furgone è pronto, Lincoln."

Rhyme guardò un'ultima volta la mappa, poi si voltò verso Thom. "Sempre sulla breccia, cari amici…"

Jim Bell entrò nella stanza e posò una mano sul braccio insensibile di Rhyme. "Stiamo organizzando le ricerche nelle Outer Banks. Con un po' di fortuna, riusciremo a trovare la ragazza nel giro di qualche giorno. Ascolti, Lincoln, non so proprio come ringraziarla", disse.

Rhyme accettò quelle parole di gratitudine con un cenno e augurò buona fortuna allo sceriffo.

"Verrò a trovarla in ospedale", promise Ben. "Le porterò anche una bottiglia di scotch. Quando le permetteranno di ricominciare a bere alcolici?"

"Mai abbastanza presto."

"Vado a dare una mano a Ben", sussurrò Amelia.

"Se vuole possiamo darle un passaggio fino ad Avery", si offrì Bell.

Lei annuì. "Grazie. Ci vediamo là, Rhyme."

Ma a quanto pareva il criminologo aveva già lasciato Tanner's Corner, non con il corpo ma con la mente, e non replicò. Amelia sentì solo il ronzio della Storm Arrow affievolirsi mentre si allontanava lungo il corridoio.

Quindici minuti più tardi, quando ebbero finito di riporre la maggior parte delle apparecchiature, Amelia congedò Ben Kerr, ringraziandolo per il suo aiuto.

Al suo posto comparve Jesse Corn, e Amelia si domandò se non fosse rimasto a origliare nel corridoio in attesa dell'opportunità di restare solo con lei.

"È una persona eccezionale, vero?" chiese Jesse. "Il signor Rhyme, voglio dire." L'agente cominciò a impilare scatole che non c'era alcun bisogno di impilare.

"Hai ragione", replicò Amelia in tono neutro.

"Quell'operazione di cui stavate parlando, lo farà guarire?"
Lo ucciderà. Lo farà peggiorare. Lo trasformerà in un vegetale.
"No."

Pensò che Jesse le avrebbe chiesto il motivo dell'operazione, invece si limitò a dire: "Certe volte tutti noi abbiamo bisogno di fare *qualcosa*, e non importa se non ci sono speranze".

Amelia scrollò le spalle, pensando: già, hai proprio ragione. Fece scattare la chiusura della custodia di un microscopio e riavvolse gli ultimi cavi elettrici. Notò che sul tavolo c'era ancora una pila di libri, quelli che lei stessa aveva trovato nella stanza di Garrett a casa dei genitori adottivi. Prese *Un mondo in miniatura*, il libro che il ragazzo aveva chiesto al dottor Penny. Lo aprì. Sfogliò qualche pagina, lesse un passaggio.

Esistono 4500 specie conosciute di mammiferi, ma esistono 980.000 specie conosciute di insetti, e tra i due e i tre milioni ancora da scoprire. La diversità e la straordinaria resistenza di queste creature suscitano in noi ben più che semplice ammirazione. Si pensi al biologo ed entomologo di Harvard E.O. Wilson, che ha coniato il termine "biofilia" per indicare la vicinanza emotiva che gli esseri umani provano nei confronti degli altri organismi viventi. E questo legame è possibile con gli insetti tanto quanto lo è con un cucciolo di cane, un cavallo da corsa o, addirittura, con altri esseri umani.

Lanciò un'occhiata in corridoio, dove Cal Fredericks e Bryan McGuire erano ancora impegnati nella loro complicata danza dell'accoppiamento legale.

Chiuse di scatto il libro. Si rigirò nella mente le parole del dottore.

Passare un po' di tempo con lui...

"Ehi, mi sembrerebbe un po' eccessivo invitarti al poligono adesso, ma ti andrebbe di prendere un caffè?" le propose Jesse.

Lei rise tra sé e sé. E così alla fine aveva trovato il coraggio di invitarla. "Temo che non sia possibile. Devo passare a lasciare questo libro per Garrett alla prigione, poi devo raggiungere Rhyme ad Avery. Posso considerare valido l'invito per un'altra volta?"

"Sicuro."

...ventuno

Nel bar Eddie's, a un isolato di distanza dalla prigione, Rich Culbeau sbottò: "Questo non è un gioco!"
"Non penso che sia un gioco", ribatté Dean O'Sarian. "Mi sono solo fatto due risate. Cazzo, mi sono solo messo a ridere! Stavo guardando una pubblicità." Indicò lo schermo unto della TV sopra lo scaffale delle birre. "C'era un tizio che cercava di arrivare all'aeroporto, e la sua macchina..."
"Piantala di scherzare e ascoltami."
"D'accordo. Ti ascolto. Noi andiamo sul retro e troviamo la porta aperta."
"È questo che non capisco", intervenne Harris Tomel. "La porta sul retro della prigione non è mai aperta. È sempre chiusa, la sbarrano da dentro con un paletto o roba del genere."
"Non ci sarà nessun paletto e la porta sarà *aperta*. Okay?"
"Se lo dici tu..." commentò Tomel con aria scettica.
"Sarà aperta", ripeté Culbeau. "Noi entriamo, prendiamo la chiave della sua cella dal tavolino, quello piccolo, di metallo. Avete presente quale?"
Naturalmente lo sapevano. Chiunque avesse passato una notte nella prigione di Tanner's Corner aveva sbattuto gli stinchi almeno una volta contro quel fottuto tavolino accanto alla porta, soprattutto se era stato arrestato per ubriachezza molesta.

"D'accordo, continua", lo incalzò O'Sarian, che ora lo stava ascoltando con attenzione.

"Apriamo la cella ed entriamo. Spruzziamo il ragazzo con il Mace, poi gli ficchiamo la testa in un sacco – quello che uso per annegare i gattini nello stagno – e lo portiamo fuori. Potrà urlare finché gli pare, tanto non lo sentirà nessuno. Harris, tu ci aspetterai con il furgone sul retro. Con il motore acceso."

"Dove lo portiamo?" domandò O'Sarian.

"Le nostre case sono fuori discussione", rispose Culbeau, domandandosi se Sean avesse veramente considerato l'idea di portare Garrett da uno di loro. In quel caso, il suo amico era ancora più stupido di quanto immaginasse. "Al vecchio garage, vicino alla ferrovia."

"Perfetto", disse O'Sarian.

"Una volta lì, cominciamo. Io ho ancora la mia vecchia fiamma ossidrica. Ci vorranno solo cinque minuti per farci dire dov'è Mary Beth."

"E poi noi lo…?" O'Sarian lasciò la frase in sospeso.

"Noi cosa?" ringhiò Culbeau. Poi, abbassando la voce: "Non stavi per dire una di quelle cose che non vogliamo mai dire ad alta voce in pubblico, vero?"

In un sussurro, O'Sarian replicò: "*Tu* stavi dicendo che useremo una fiamma ossidrica su Garrett. Non mi sembra molto meglio di quello che ti stavo chiedendo io".

Culbeau sapeva che Sean aveva ragione, ma naturalmente lo tenne per sé. Si limitò a concludere: "Un incidente può sempre succedere".

"Infatti", fece eco Tomel.

O'Sarian giocherellò con il tappo della birra, che usò per togliersi un po' di sporcizia da sotto le unghie. Il suo buonumore si era guastato.

"Cosa c'è adesso?" domandò Culbeau.

"Questa storia sta diventando troppo rischiosa. Sarebbe più semplice portarlo nei boschi. Al mulino."

"Ma *non ci sono* boschi attorno al mulino", disse Tomel.

O'Sarian scrollò le spalle. "Mi stavo solo chiedendo se ne vale veramente la pena, anche per quei soldi."

"Vuoi tirarti indietro? Possiamo farcela benissimo anche in due." Culbeau si grattò la barba, pensando che faceva così caldo che avrebbe dovuto radersela, ma in tal caso non avrebbe più potuto nascondere il doppio mento. "È meglio spartirsi il bottino in due che in tre."

"Nah, lo sai che non voglio tirarmi indietro. È tutto okay." Lo sguardo di O'Sarian si spostò nuovamente sullo schermo della TV. La soap opera che stavano trasmettendo attrasse la sua attenzione e lui scosse la testa, gli occhi sgranati fissi su una delle attrici.

"Ehi", disse Harris Tomel, guardando oltre la vetrina del bar. "Date un'occhiata. Quello sì che è un bello spettacolo! Mi solleva il morale, e non solo quello."

La poliziotta di New York dai capelli rossi, quella donna così dannatamente svelta con il coltello, stava attraversando la strada con un libro sottobraccio.

O'Sarian borbottò: "Saprei io che cosa farle".

Ma Culbeau ripensò agli occhi gelidi dell'agente e alla sicurezza con cui aveva premuto la punta del coltello contro la gola di Sean. "Non vale la pena perdere tempo con quella."

La rossa entrò nella prigione.

"Cazzo, questo ci complica le cose", commentò O'Sarian.

Culbeau lo tranquillizzò. "Niente affatto. Harris, porta il furgone sul retro e tieni il motore acceso."

"E come ci regoliamo con *quella*?" volle sapere Tomel.

"Abbiamo Mace più che a sufficienza", rispose Culbeau.

All'interno della prigione, l'agente Nathan Groomer si appoggiò allo schienale della sedia traballante e salutò Amelia Sachs con un cenno.

L'infatuazione di Jesse stava cominciando a seccarla, e il sorriso formale di Nathan fu quasi un sollievo. "Salve, signorina."

"Lei è Nathan, giusto?"

"Giusto."

"Carino questo richiamo per uccelli", disse Amelia abbassando lo sguardo sulla scrivania dell'agente. "Che cos'è esattamente?"

Lui rispose in tono timido e allo stesso tempo compiaciuto: "Un'anatra selvatica di circa un anno".

"L'ha fatto lei?"

"È il mio hobby. Ne ho un altro paio sulla scrivania dell'ufficio. Ci dia un'occhiata, se vuole. Pensavo che fosse già partita."

"Me ne andrò tra poco. Lui come sta?"

"Lui chi? Lo sceriffo Bell?"

"No, Garrett."

"Oh, non so. Mason è andato a parlargli. Ha cercato di farsi dire dov'è la ragazza, ma non è servito a niente."

"È ancora con lui?"

"No, se n'è andato."

"Lucy e lo sceriffo Bell?"

"Se ne sono andati tutti. Sono tornati all'ufficio della contea. Posso fare qualcosa per lei?"

"Garrett voleva questo libro." Gli mostrò il volume. "Ha niente in contrario se glielo porto?"

"Che cos'è, una Bibbia?"

"No, è un libro sugli insetti."

Nathan lo prese e lo esaminò con attenzione – in cerca di armi nascoste, immaginò lei. Poi glielo restituì. "Quel ragazzo fa venire i brividi. Sembra uscito da un film dell'orrore. Farebbe meglio a portargli anche una Bibbia."

"Penso che a lui interessi solo questo."

"Suppongo che lei abbia ragione. Mi consegni le sue armi e la farò entrare."

Amelia obbedì, gli porse la Smith & Wesson e si avvicinò alla porta, ma si accorse che Nathan la stava ancora fissando, come in attesa di qualcosa. Lei inarcò un sopracciglio.

"Be', signorina, mi hanno detto che ha anche un coltello."

"Oh, certo. Me ne ero dimenticata."

"Le regole sono regole, sa."

Lei gli porse il coltello a serramanico e chiese: "Devo lasciarle anche le manette?"

"No. Non ci si può mettere nei guai più di tanto, con quelle. Certo, una volta qui c'era un reverendo che ci è riuscito. Ma solo perché sua moglie è tornata a casa prima e lo ha trovato ammanettato alla testata del letto, con Sally Ann Carlson a cavalcioni sopra di lui. Prego, entri pure."

242

Rich Culbeau, in compagnia di un nervosissimo Sean O'Sarian, si fermò accanto a un cespuglio secco di lillà dietro la prigione.

Il retro dell'edificio dava su un ampio campo pieno di spazzatura, erba incolta e vecchi ricambi per auto arrugginiti. Senza contare i preservativi usati.

Il lucido Ford F250 di Harris Tomel comparve oltre la curva, fece manovra e si fermò poco lontano dai due uomini. Culbeau pensò che se Harris fosse passato dall'altra parte avrebbe dato meno nell'occhio, ma fortunatamente la strada era deserta e inoltre, quando chiudeva il chiosco dei gelati, capitava raramente che qualcuno passasse di lì. Se non altro il furgone era nuovo e aveva un motore silenzioso.

"Chi c'è in ufficio?" domandò O'Sarian.

"Nathan Groomer."

"E la poliziotta è con lui?"

"Non lo so. Come diavolo faccio a saperlo? Ma anche se fosse, avrebbe dovuto consegnare a Nathan la pistola e il coltello con cui ti stava facendo quel bel tatuaggio sulla gola."

"E Nathan non sentirà se la ragazza grida?"

Ripensando ancora una volta agli occhi della rossa e al luccichio della lama, Culbeau rispose: "È più probabile che sia il ragazzo a gridare."

"Be', e in quel caso?"

"Gli metteremo il sacco in testa alla svelta. Tieni." Culbeau passò a O'Sarian una bomboletta rossa e bianca di Mace. "Mira in basso: la gente tende a chinarsi."

"Questa roba... lo spray... colpirà anche noi?"

"No, a meno che non te lo spruzzi in faccia come un coglione. È un liquido, non è un gas."

"Di chi mi devo occupare io?"

"Del ragazzo."

"E se la donna è più vicina a me?"

Culbeau mormorò: "Lei è mia".

"Ma..."

"Ho detto che lei è mia."

"Okay", si arrese O'Sarian.

Si chinarono passando davanti alle finestre sudicie che davano sul retro, poi si fermarono accanto alla porta di metallo. Culbeau notò subito che era socchiusa. "Vedi? Te l'avevo detto", sussurrò, soddisfatto. "A un mio cenno entriamo e li sistemiamo con lo spray, senza fare economia." Passò a Sean un sacco di tela spessa. "Poi mettigli questo sulla testa."

O'Sarian strinse saldamente in mano la bomboletta di Mace e indicò con un cenno il sacco che Culbeau teneva tra le mani. "Allora prendiamo anche lei."

Culbeau sospirò e rispose in tono esasperato: "Sì, Sean, prendiamo anche lei".

"Oh, be'... Chiedevo soltanto."

"Quando li avremo sistemati dovremo solo trascinarli fuori. Ricordati, non fermarti per nessuna ragione."

"Okay... Ah, volevo dirti, ho portato la mia Colt."

"Che cosa?"

"La mia trentotto. L'ho comprata." Indicò il calcio della pistola che gli spuntava dalla cintura.

Culbeau rimase a riflettere per un attimo, quindi disse: "Bene". E afferrò la maniglia.

...ventidue

Dal suo letto di ospedale, Lincoln Rhyme poteva vedere il parco del centro medico universitario di Avery. Alberi rigogliosi, un sentiero che si snodava attraverso uno splendido prato verde, una fontana di pietra che, come gli aveva spiegato una delle infermiere, era un'esatta replica del famoso pozzo del campus dell'università del North Carolina di Chapel Hill.

Dalla camera da letto del suo appartamento di Central Park West, a Manhattan, Rhyme poteva vedere il cielo e parte dell'orizzonte della Quinta Avenue. Ma le finestre non arrivavano fino al pavimento, e questo gli impediva di vedere Central Park; solo quando faceva spostare il letto riusciva a scorgere il verde delle piante e dell'erba.

Lì invece, forse perché la struttura era stata costruita pensando ai pazienti con problemi alla spina dorsale e al sistema nervoso, le finestre erano molto più basse e offrivano una vista ampia e piacevole.

Rhyme si chiese ancora una volta se l'operazione avrebbe avuto successo o meno. Sarebbe sopravvissuto?

Naturalmente esistono dei rischi...

Lui sapeva benissimo quanto potesse essere frustrante l'incapacità di compiere anche le azioni più semplici.

Quel viaggio da New York al North Carolina, per esempio, era stato programmato con così tanto anticipo e con tale cura che non gli era pesato affatto. Ma la gravità delle sue lesioni gli veniva ricordata ogni volta che si trovava nell'incapacità di compiere persino i piccoli gesti che una persona sana non si rende nemmeno conto di fare. Massaggiarsi le tempie, lavarsi i denti, asciugarsi le labbra, aprire una bottiglia di soda, raddrizzare le spalle per guardare fuori dalla finestra e vedere i passeri che saltellano nel giardino...

Forse la sua era solo una sciocca speranza.

Aveva consultato i migliori neurologi del paese, e lui stesso era uno scienziato. Aveva studiato e compreso la letteratura sull'argomento e sapeva che era quasi impossibile ottenere dei miglioramenti in caso di lesioni alla spina dorsale di livello C4.

Forse il paesaggio bucolico oltre la finestra di quell'ospedale sconosciuto in quella città sconosciuta sarebbe stato l'ultima immagine della natura che avrebbe visto in vita sua. Tuttavia era assolutamente deciso a procedere con l'intervento.

Ma perché voleva farlo?

Oh, aveva un'ottima ragione.

Eppure era una ragione che il freddo criminologo che era dentro di lui faticava ad accettare e che non avrebbe mai espresso ad alta voce. Non aveva niente a che fare con la possibilità di tornare a camminare sulla scena di un delitto in cerca di prove, di poter ricominciare a lavarsi i denti o ad alzarsi dal letto. No, no, era esclusivamente per Amelia Sachs che voleva affrontare quell'operazione.

Alla fine Rhyme aveva ammesso la verità: era terrorizzato all'idea di perderla. Si era detto che presto o tardi Amelia avrebbe conosciuto un altro Nick, l'affascinante agente in borghese che qualche anno prima era stato il suo amante. Sarebbe stato inevitabile, se lui fosse rimasto immobilizzato com'era ora. Amelia voleva avere dei figli, una vita normale. E Rhyme era disposto a rischiare la vita, a rischiare di aggravare ulteriormente la sua condizione pur di migliorare, anche se quella era una remota possibilità. Oh, naturalmente sapeva che se anche tutto fosse andato per il meglio, non avrebbe mai potuto passeggiare per la Quinta Avenue tenendo Amelia a braccetto. Sperava solo in un minimo miglioramento, un piccolo passo verso una vita più normale. Tuttavia non riusciva a impedirsi di immaginare come sarebbe stato prenderla per mano, sentire il contatto della sua pelle.

Un gesto insignificante per chiunque altro, certo, ma che per lui sarebbe stato miracoloso.

"Posso fare un'osservazione?" disse Thom.

"No. Dov'è Amelia?"

"Non importa, te lo dirò lo stesso. Sono cinque giorni che non tocchi alcool."

"Lo so. E devo dire che la cosa mi fa incazzare."

"Ti stai preparando per l'operazione."

"Ordini del dottore", borbottò lui, scontroso.

"Che io ricordi, non li hai mai rispettati."

Il criminologo fece una smorfia. "Stanno per iniettarmi Dio solo sa quali schifezze, così ho pensato che alzare il tasso alcolico del mio sangue non sarebbe stata un'idea precisamente *geniale*."

"Infatti, hai ragione. Comunque sono orgoglioso di te: per una volta sei riuscito a dar retta a un dottore."

"Oh, l'orgoglio... un'emozione *davvero* utile."

Ma Thom non raccolse la provocazione e aggiunse: "Comunque vorrei dirti una cosa".

"So benissimo che me la dirai, che mi piaccia o no."

"Ho letto molto su questo tipo di cura, Lincoln."

"Oh, davvero? Nel tuo tempo libero, mi auguro."

"Volevo solo dirti che se questa volta non dovesse funzionare, torneremo. L'anno prossimo. E quello dopo ancora. E tra cinque anni. Finché non otterremo dei risultati."

Nell'animo di Lincoln Rhyme i sentimenti erano morti come la sua colonna vertebrale, tuttavia riuscì a dire: "Grazie, Thom. Ora, si può sapere dove diavolo è finita la dottoressa? Speravo di essere trattato un po' meglio, adesso che ho catturato uno psicopatico rapitore".

"È in ritardo solo di una decina di minuti, Lincoln. E, per la cronaca, siamo stati noi a rimandare l'appuntamento già due volte", gli fece notare Thom.

"È in ritardo di quasi venti minuti. Ah, ecco, ci siamo."

La porta della camera d'ospedale si aprì e Rhyme alzò lo sguardo, convinto di vedere la dottoressa Weaver. Non era il chirurgo.

Jim Bell, il volto arrossato e madido di sudore, entrò nella stanza, seguito da Steve Farr. I due uomini sembravano estremamente turbati.

In un primo momento Rhyme pensò che avessero ritrovato il cadavere di Mary Beth, che il ragazzo l'avesse davvero uccisa. Per Amelia sarebbe stato un brutto colpo, rifletté.

Ma, a quanto pareva, lo sceriffo aveva ben altre novità. "Mi dispiace doverglielo dire, Lincoln." E Rhyme capì che non si trattava di Garrett Hanlon o di Mary Beth McConnell, ma di qualcosa che lo riguardava ben più da vicino. "Avrei voluto telefonarle, ma ho pensato che fosse giusto dirglielo di persona. Così sono venuto appena ho potuto."

"Cosa c'è, Jim?"

"Si tratta di Amelia."

"Amelia?" chiese Thom.

"Cosa le è successo?" Naturalmente Rhyme non poteva accorgersi che il suo cuore aveva preso a battere più in fretta, ma sentì il sangue affluirgli al volto. "Cosa c'è? Me lo dica!"

"Rich Culbeau e i suoi amici si sono introdotti nella prigione. Non so di preciso cosa avessero in mente – di sicuro niente di buono – ma uno dei miei agenti, Nathan, è stato trovato ammanettato nell'ufficio. E la cella era vuota."

"Quale cella?"

"Quella di Garrett", rispose Bell, come se quell'ultima informazione spiegasse ogni altra cosa.

Tuttavia Rhyme continuava a non capire. "Che cosa…"

In tono rabbioso, lo sceriffo proseguì: "Nathan ha detto che la sua amica Amelia lo ha minacciato con la pistola e ha fatto evadere Garrett. Adesso sono in fuga, sono armati, e nessuno ha idea di dove siano diretti".

3
IL MOMENTO DELL'AZIONE

...ventitré

S tava correndo come meglio poteva. Le sue gambe erano percorse da ondate di dolore che le si diffondeva anche nel resto del corpo. Era madida di sudore e cominciava già a sentirsi stordita per il caldo e la disidratazione.

Non riusciva ancora a credere a ciò che aveva fatto.

Garrett, accanto a lei, correva silenziosamente attraverso la foresta che si estendeva oltre Tanner's Corner.

Questa è una mossa davvero stupida, signora...

Quando Amelia si era fermata davanti alla cella e aveva consegnato a Garrett *Un mondo in miniatura*, aveva visto il suo volto illuminarsi. Dopo qualche istante, come spinta da una forza invisibile, aveva allungato le braccia attraverso le sbarre e gli aveva posato le mani sulle spalle. Lui, turbato, aveva abbassato gli occhi. "No, guardami", gli aveva detto lei. "Guardami."

E alla fine l'aveva guardata. Amelia aveva scrutato il suo volto arrossato, la sua bocca nervosa e le pozze scure dei suoi occhi. "Garrett, ho bisogno di sapere la verità. Resterà soltanto tra me e te, ma rispondimi: hai ucciso tu Billy Stail?"

"Le giuro di no. Glielo giuro! Ho visto un uomo vestito con una tuta marrone. *Lui* ha ucciso Billy. L'ho visto nei cespugli e sono sceso di corsa giù per la collina. Mary Beth piangeva, aveva paura. Ho preso la vanga e so che è stata una co-

251

sa stupida, ma non riuscivo a pensare. Così ho portato via Mary Beth da lì, perché non volevo che le facessero del male. È la verità!"

"Non è questo che indicano le prove, Garrett."

"Ma dipende solo da come si guarda una cosa", aveva risposto lui con estrema calma. "Insomma, se noi e una mosca vediamo la stessa cosa, la vediamo in modo completamente diverso."

"Che cosa intendi dire?"

"Che *noi* vediamo qualcosa che si muove, una specie di macchia che poi è la mano di qualcuno che cerca di scacciare la mosca. Ma per come funzionano i suoi occhi, *la mosca* vede una mano che si ferma a mezz'aria cento volte. Come una serie di fotografie. È la stessa mano, lo stesso movimento, ma la mosca e noi lo vediamo in modo molto diverso. E i colori... Per noi qualcosa di rosso è solo rosso, ma gli insetti possono vedere una decina di diversi tipi di rosso."

Le prove suggeriscono la sua colpevolezza, Rhyme, ma non la dimostrano. Le prove possono essere interpretate in molti modi diversi.

"E Lydia", aveva insistito Amelia stringendo più saldamente le spalle del ragazzo, "perché l'hai rapita?"

"L'ho già detto a tutti perché... perché anche lei era in pericolo. Blackwater Landing è un posto pericoloso. La gente muore. Le persone scompaiono. La stavo solo proteggendo."

Certo, che è un posto pericoloso, aveva pensato lei. Ma lo è a causa tua?

Poi aveva continuato: "Lydia ci ha raccontato che volevi stuprarla".

"No, no, no... È saltata nell'acqua e si è bagnata e strappata l'uniforme. Io l'ho vista, le ho visto il petto e... insomma, mi sono eccitato. Tutto qui."

"E Mary Beth? Le hai fatto del male? L'hai stuprata?"

"No, no, no! Gliel'ho già detto! Aveva battuto la testa, così le ho asciugato il sangue con quel fazzoletto. Non avrei mai fatto del male a Mary Beth."

Amelia aveva fissato Garrett ancora per un istante.

Blackwater Landing... È un posto pericoloso.

Alla fine gli aveva chiesto: "Se ti faccio uscire di qui, mi porterai da Mary Beth?"

Garrett si era accigliato. "Se l'accompagno da Mary Beth, lei la riporterà a Tanner's Corner. E Mary Beth sarà di nuovo in pericolo."

"Questa è l'unica offerta che posso farti. Ti farò uscire solo se mi porterai da lei. Poi penseremo io e Lincoln Rhyme a proteggerla."

"Può farlo veramente?"

"Sì. Ma se non accetti, resterai in prigione per molto tempo. E se Mary Beth dovesse morire a causa tua, sarebbe un omicidio, proprio come se le avessi sparato. E in quel caso, non usciresti mai più di prigione."

Lui aveva guardato fuori dalla finestra. Ad Amelia era parso che gli occhi del ragazzo stessero seguendo il volo di un insetto che lei non era riuscita a vedere. "D'accordo", aveva acconsentito alla fine.

"Il luogo in cui si trova Mary Beth è molto lontano?"

"A piedi ci vorranno otto, dieci ore. Dipende."

"Da cosa?"

"Da quanti poliziotti manderanno a cercarci e da quanto dovremo stare attenti."

Garrett lo aveva detto con grande sicurezza, e il suo tono aveva turbato Amelia: era come se avesse previsto che qualcuno lo avrebbe fatto uscire o che avrebbe avuto l'opportunità di fuggire, e avesse già pensato a come evitare di essere catturato un'altra volta.

Sì o no? aveva pensato lei, cercando di decidere in fretta.

"Lei è forte, mi piace", aveva detto Garrett in un tono così disarmante che Amelia, completamente assorbita dalla follia di ciò che stava per fare, non aveva potuto impedirsi di scoppiare a ridere.

"Aspettami qui", gli aveva sussurrato poi, ed era tornata nell'ufficio. Dall'armadietto di custodia aveva preso la pistola e il coltello e, contro ogni buon senso, aveva puntato la Smith & Wesson su Nathan Groomer.

"Mi dispiace doverlo fare", aveva detto a bassa voce, "ma voglio la chiave della cella di Garrett. E poi voglio che si volti lentamente e metta le mani dietro la schiena."

L'agente aveva esitato, fissandola incredulo, riflettendo sull'opportunità di provare a reagire. O forse non pensando affatto. Groomer avrebbe potuto sfoderare la pistola, spinto dall'istinto o dalla pura e semplice rabbia.

"Questa è una mossa davvero stupida, signora", le aveva detto. "La chiave."

L'agente aveva aperto un cassetto e buttato la chiave della cella sulla scrivania. Poi aveva messo le mani dietro la schiena. Lei gli aveva preso le manette e gliele aveva chiuse attorno ai polsi; quindi aveva strappato il telefono dalla parete.

Aveva liberato Garrett ammanettando anche lui. La porta sul retro della prigione sembrava aperta, eppure Amelia aveva avuto l'impressione di sentire un rumore di passi e il motore acceso di un'auto. E aveva deciso di uscire dall'ingresso principale. Non avevano avuto difficoltà a fuggire e non erano stati visti da nessuno.

Adesso, nel fitto della foresta, a più di un chilometro dalla città, Garrett la stava conducendo lungo un sentiero approssimativo. Le manette tintinnarono quando lui le indicò la direzione che avrebbero dovuto prendere.

Erano entrambi senza fiato, e Amelia si domandò quanto tempo sarebbe trascorso prima che qualcuno entrasse nella prigione e scoprisse tutto. Pochi minuti, probabilmente. Il procuratore distrettuale, l'avvocato di Garrett, Bell, Mason Germain... chiunque avrebbe potuto capitare da quelle parti e trovare il povero Nathan ammanettato alla scrivania, disarmato e umiliato.

Stava pensando: Rhyme, non ho avuto altra scelta! Capisci? Non ho avuto altra scelta. Sai che effetto avrebbe avuto la prigione su un tipo come Garrett? Se il carcere di Lancaster era davvero ciò che l'agente Sachs temeva, il ragazzo sarebbe stato violentato e picchiato fin dal primo giorno, e forse ucciso entro la prima settimana. (No, *non* mi sto lasciando ingannare dal mio istinto materno, dottor Penny. Ma so che se Lincoln e io avessimo un figlio sarebbe testardo e ostinato quanto noi, e che, se ci succedesse qualcosa, vorrei che qualcuno si occupasse di lui come io mi sto occupando di Garrett...)

Amelia sapeva che quello era l'unico modo di trovare Mary Beth. Rhyme aveva fatto tutto ciò che era in suo potere studiando le prove e gli indizi, e l'espressione spavalda degli occhi di Garrett le aveva fatto capire che il ragazzo non avrebbe mai collaborato.

Avanzavano in fretta. Amelia rimase sorpresa nel notare con quanta grazia Garrett riuscisse a muoversi nell'intrico della vegetazione nonostante i polsi ammanettati. Sembrava saper esattamente dove mettere i piedi, quali rami spingere via e quali evitare.

"Faccia attenzione", la avvisò lui all'improvviso. "Quella è argilla del North Carolina. Ci resterebbe intrappolata come una mosca in una ragnatela."

Procedettero per circa mezz'ora finché il terreno non divenne più morbido e l'aria si riempì dell'odore del metano e della decomposizione. Quando il sentiero diventò impraticabile, lui la condusse su una strada asfaltata a due corsie. Attraversarono e subito si addentrarono nella vegetazione sull'altro lato.

Passarono diverse auto, i guidatori del tutto ignari del crimine che si stava consumando poco lontano.

Amelia li guardò con invidia. Solo venti minuti da fuggiasca, rifletté, e già sentiva un dolore acuto al pensiero della normalità della vita degli altri, e della strada oscura che aveva imboccato la sua.

"Ehi, signorina!"

Mary Beth McConnell si svegliò di soprassalto.

A causa del calore e dell'atmosfera opprimente del capanno, si era addormentata sul vecchio divano.

La voce, ora vicina, chiamò di nuovo: "Signorina, tutto bene? Ehi! Mary Beth?"

La ragazza si alzò di scatto e si diresse verso la finestra rotta. Le girava la testa, e per non perdere l'equilibrio dovette appoggiarsi alla parete per un attimo. Il dolore alla tempia pulsava implacabile, pensò. Vaffanculo, Garrett, pensò.

Qualche istante dopo, il dolore si affievolì e Mary Beth raggiunse la finestra.

Era il Missionario. Con lui c'era anche il suo amico, un uomo alto dai capelli radi in pantaloni grigi e camicia da lavoro. Il Missionario aveva portato un'ascia.

"Grazie, grazie!" sussurrò lei con un filo di voce.

"Signorina, si sente bene?"

"Sì, sto bene. Lui non è tornato." La sua gola era ancora riarsa e dolorante. L'uomo le porse un'altra borraccia dalla quale bevve avidamente.

"Ho chiamato la polizia", le disse il Missionario. "Stanno arrivando: saranno qui tra quindici, venti minuti. Ma non staremo qui ad aspettarli con le mani in mano. Dobbiamo farla uscire, subito."

"Non so come ringraziarvi."

"Stia indietro. Taglio legna da tutta una vita e tra un minuto quella porta sarà buona solo per il camino. Lui è Lott."

"Salve, Lott."

"Salve. Come va la testa?" si informò lui, accigliandosi. "Ha una brutta ferita."

"Sembra più grave di quello che è", lo rassicurò Mary Beth toccandosi la crosta.

Thunk, thunk.

L'ascia si conficcò nella porta. Dalla finestra, la ragazza poteva vedere la lama luccicare sotto il sole. L'estremità tagliente era molto affilata. Un tempo Mary Beth aveva aiutato suo padre a tagliare la legna per il caminetto. Affascinata, lo aveva osservato affilare l'ascia sulla mola, le scintille arancioni che volavano nell'aria come fuochi d'artificio del Quattro Luglio.

"Quel ragazzo che l'ha rapita, chi è?" domandò Lott. "Una specie di pervertito?"

Thunk... Thunk...

"È un ragazzo del liceo di Tanner's Corner. È un tipo veramente strano, fa paura. Guardi qui." Con la mano indicò i contenitori degli insetti.

"Gesù", esclamò Lott avvicinandosi alla finestra per vedere meglio.

Thunk.

Il Missionario riuscì a staccare un'ampia scheggia dalla porta e nell'aria rieccheggiò uno schianto.

Thud.

Mary Beth guardò la porta. Il Missionario non era ancora riuscito a trapassare il legno: Garrett doveva averlo rinforzato, forse inchiodando due porte insieme. La ragazza si rivolse a Lott: "Mi sento come uno di quegli stramaledetti insetti. Lui..." vide una macchia indistinta quando il braccio sinistro di Lott scattò fulmineo attraverso la finestra e l'afferrò per il colletto della camicia. La strattonò contro le sbarre e le premette sulle labbra un bacio umido che puzzava di birra e di tabacco. Con la mano destra le palpò il seno, cercandole i capezzoli sotto la camicia. Lei cercò disperatamente di ritrarsi e lanciò un urlo.

"Oh, dannazione", esclamò il Missionario quando si accorse di ciò che aveva fatto il suo amico.

Mary Beth lo immaginò calare l'ascia sulla testa arrossata dal sole dell'altro, la parte non tagliente, per stordirlo. Ma prima che il Missionario potesse trascinare via Lott, lei afferrò quella mano che le si muoveva sul petto come un ragno e la spinse con forza verso il basso, conficcandogli il polso in una stalagmite di vetro che spuntava dall'intelaiatura della finestra. Lott gridò di dolore e lasciò di colpo la presa. Barcollando, cominciò ad arretrare.

Pulendosi la bocca, la ragazza si allontanò dalla finestra e andò a fermarsi al centro della stanza.

Il Missionario si avvicinò minaccioso all'amico. "Ma perché cazzo hai fatto una cosa del genere?"

Colpiscilo! stava pensando Mary Beth. È pazzo. Consegna anche lui alla polizia.

Ma Lott non stava ascoltando. Si teneva il braccio insanguinato e fissava incredulo la ferita. "Gesù, Gesù, Gesù."

Il Missionario borbottò: "Ti avevo *detto* di essere paziente. Se mi avessi dato retta, l'avremmo fatta uscire in cinque minuti e nel giro di mezz'ora l'avremmo avuta a gambe larghe a casa tua. Adesso guarda che casino hai combinato".

A gambe larghe...

Mary Beth registrò quelle parole un istante prima di rendersi conto del resto: non c'era stata nessuna telefonata alla polizia, nessuno stava venendo a salvarla.

"Sammy, guarda qui. Guarda!" Lott sollevò il polso ferito, il sangue che gli scorreva lungo il braccio.

"Cazzo", ringhiò il Missionario. "Imbecille, adesso dovremo darti dei punti. Non potevi aspettare? Andiamo, vediamo di sistemare questa cosa."

Mary Beth guardò Lott allontanarsi barcollando. Poi l'uomo si fermò a qualche metro dalla finestra, si voltò e urlò: "Troia fottuta! Preparati. Torneremo". L'uomo abbassò lo sguardo, si chinò e per un istante la ragazza lo perse di vista. Quando lui si

257

rialzò, teneva in mano una pietra grande come un'arancia. La scagliò attraverso le sbarre. Mary Beth arretrò goffamente e la pietra la mancò di pochi centimetri. La ragazza si lasciò cadere sul divano, singhiozzando.

Mentre si allontanava nei boschi insieme al Missionario, Lott le gridò di nuovo: "Preparati. Torneremo!"

Erano a casa di Harris Tomel, un edificio in stile coloniale, con cinque camere da letto e un ampio prato che non era mai stato falciato. L'idea che Tomel aveva del giardinaggio era parcheggiare il suo F250 sul davanti della casa e il suo Suburban sul retro.

Si comportava così perché, dal momento che tra loro tre era quello che aveva l'aria da bravo ragazzo, doveva faticare più dei suoi amici per sembrare un duro. Era l'unico a essere stato in un carcere federale, ma solo per una stupida truffa che aveva organizzato a Raleigh quando aveva cercato di vendere delle azioni non sue. Era un tiratore eccellente, ma Culbeau non lo aveva mai visto in azione in una rissa, non aveva mai visto prendersela con qualcuno che non fosse immobilizzato. Inoltre pensava *troppo*, passava troppo tempo a scegliere i vestiti e ordinava liquori costosi persino da Eddie's. E tutto questo strideva con il tipo di lavoro che negli ultimi anni avevano svolto nella contea di Paquenoke.

Così, a differenza di Culbeau, che teneva perfettamente in ordine il suo appartamento, a differenza di O'Sarian, che si premurava sempre di rimorchiare qualche cameriera che pulisse la roulotte in cui viveva, Harris Tomel trascurava deliberatamente la casa e il giardino. Nella speranza, pensava Culbeau, di sembrare un vero figlio di puttana.

Quelli erano esclusivamente affari suoi, e i tre uomini non erano certo a casa di Tomel per parlare del giardino incolto; erano lì per una ragione ben precisa. Tomel aveva ereditato una sterminata collezione di pistole, quando suo padre era scomparso in uno stagno la vigilia di Capodanno di qualche anno prima mentre pescava attraverso il ghiaccio, e non era riaffiorato che qualche giorno dopo.

I tre erano in quello che era stato lo studio del padre di Harris e stavano guardando i fucili sulle rastrelliere nello stesso modo in cui vent'anni prima Culbeau e O'Sarian avevano guardato le file di pacchetti di caramelle nel drugstore di Peterson sulla Maple Street, mentre decidevano cosa rubare.

O'Sarian prese un Colt AR-15 nero, la versione per civili dell'M-16, spinto dalla sua fissazione per il Vietnam.

Tomel scelse una splendida doppietta Browning che Culbeau desiderava con lo stesso ardore con cui desiderava ogni donna della contea, anche se si considerava un uomo da fucile e preferiva centrare il cuore di un cervo da trecento metri di distanza piuttosto che polverizzare un'anatra con un unico colpo. Quel giorno, comunque, decise per un elegante Winchester .30- '06, con un mirino grande quanto il Texas.

Presero anche una generosa scorta di munizioni, acqua, viveri, il cellulare di Culbeau, alcool di contrabbando e sacchi a pelo. Anche se nessuno di loro pensava che la caccia sarebbe durata molto a lungo.

...ventiquattro

N ell'ufficio della contea di Paquenoke, un cupo Lincoln
Rhyme varcò la soglia del laboratorio che era appena
stato smantellato. Accanto al tavolo di cartonfibra su
cui erano stati disposti i microscopi c'erano Lucy Kerr e Mason
Germain. Entrambi avevano le braccia incrociate sul petto, e
quando videro entrare Rhyme e Thom guardarono il criminologo e il suo aiutante con un misto di disprezzo e sospetto.

"Come ha potuto fare una cosa del genere?" domandò Mason. "Cosa diavolo si è messa in testa di fare, la sua amica?"

Ma quelle erano due delle molte domande su Amelia Sachs e
su ciò che aveva fatto che almeno per il momento sarebbero rimaste senza risposta. E così Rhyme si limitò a chiedere: "Qualcuno è rimasto ferito?"

"No", rispose Lucy. "Nathan però è ancora piuttosto scosso, dopo che l'agente Sachs gli ha puntato in faccia la canna di
quella Smith & Wesson. Che *noi* siamo stati così pazzi da lasciarle."

Non era facile per Rhyme mantenere un'espressione calma: il
suo cuore era colmo di paura per Amelia. Lincoln Rhyme aveva
una fiducia pressoché assoluta nelle prove, e le prove dimostra-
vano con estrema chiarezza che Garrett Hanlon era un rapitore
e un assassino. Amelia, che si era lasciata ingannare dalle sue

macchinazioni, stava fuggendo in compagnia di un individuo pericoloso che non avrebbe esitato a ucciderla una volta che non avesse più avuto bisogno di lei.

Il criminologo sapeva solo che doveva trovare Amelia il prima possibile.

Jim Bell entrò nella stanza.

"L'agente Sachs ha preso un'auto?" si informò Rhyme.

"Penso di no", rispose lo sceriffo. "Ho chiesto in giro. Per il momento non ci sono segnalazioni di veicoli scomparsi." Guardò la mappa, che nessuno aveva ancora tolto dalla parete. "È difficile lasciare questa zona senza essere visti. Molte paludi, poche strade. Ho..."

"Prendiamo i cani, Jim", lo interruppe Lucy. "Irv Wanner ha un paio di segugi che ha addestrato per la polizia di stato. Chiama il capitano Dexter a Elizabeth City e fatti dare il numero di Irv. Con il suo aiuto li troveremo."

"Buona idea", disse Bell. "Dovremo..."

"Ho una proposta da farle", intervenne Rhyme senza lasciarlo finire.

Mason fece una risata priva di allegria.

"Cosa?" domandò Bell.

"Faremo un patto."

"Niente patti", disse lo sceriffo. "Per la legge l'agente Sachs è un criminale in fuga. Armato, oltretutto."

"Non sparerà a nessuno", affermò Thom.

Rhyme continuò: "Amelia è convinta che non ci sia altro modo per trovare Mary Beth. È solo per questo che l'ha fatto".

"Non ha importanza", ribatté Bell. "Non si può far evadere un assassino."

"Ma lei non crede che sia un assassino... pensa che il ragazzo sia innocente."

"Oh, Gesù", mormorò Lucy.

"Datemi ventiquattr'ore prima di chiamare la polizia di stato. Li troverò. Potremo accordarci in seguito per le accuse. Ma se coinvolgiamo fin da ora gli agenti statali e i cani, possiamo stare certi che seguiranno alla lettera il manuale, e questo significa che qualcuno quasi certamente finirà male."

"E questo lei lo chiama un patto, Lincoln?" chiese Bell. "La sua amica fa scappare il nostro prigioniero e..."

"Non sarebbe il vostro prigioniero, se non fosse stato per me. Da soli non lo avreste mai trovato."

"Tutto questo è ridicolo", commentò Mason. "Stiamo solo perdendo tempo, e loro si allontanano sempre di più ogni minuto che sprechiamo in inutili chiacchiere. Voglio prendere ogni uomo che c'è in città e andare a cercarli ora. Dobbiamo fare quello che aveva proposto Henry Davett. Distribuire fucili e..."

Lo sceriffo gli impedì di continuare. Si rivolse a Rhyme. "Se le diamo ventiquattr'ore, cosa ci guadagniamo noi?"

"Che resterò con voi e vi aiuterò a trovare Mary Beth, non importa quanto tempo ci vorrà."

Thom disse: "L'intervento, Lincoln..."

"Dimenticati dell'intervento", mormorò lui sentendosi invadere dalla disperazione. Sapeva che la dottoressa Weaver aveva talmente tanti impegni che se avesse saltato l'appuntamento con il tavolo operatorio sarebbe tornato in lista d'attesa. Per un attimo considerò l'idea che Amelia si fosse comportata in quel modo solo per impedirgli di sottoporsi all'operazione, per guadagnare ancora qualche giorno e dargli il tempo di cambiare idea. Ma mise subito da parte quel pensiero e si rimproverò: trovala, salvala. Questa è l'unica cosa che conta.

"A quanto pare ci troviamo di fronte a un problema di lealtà, dico bene?" borbottò Lucy.

Mason fece eco: "Già. Come facciamo a sapere che non ci farà girare a vuoto per dare alla sua amica la possibilità di scappare?"

"Perché", disse Rhyme paziente, "Amelia si sbaglia. Credo che Garrett sia un assassino, e penso abbia usato l'agente Sachs per evadere. Potrebbe ucciderla da un momento all'altro."

Bell alzò gli occhi sulla mappa. "Okay, siamo d'accordo, Lincoln. Ha ventiquattr'ore."

Mason sospirò. "E come diavolo farà a scovarla?" Si avvicinò alla cartina. "Ha intenzione di chiamarla per chiederle dove si trova?"

"È esattamente quello che intendo fare. Thom, riporta qui l'attrezzatura."

Lucy Kerr era al telefono, in piedi vicino alla scrivania dell'ufficio accanto alla sala operativa.

"Polizia di stato del North Carolina, Elizabeth City", rispose la voce brusca di una donna. "Posso esserle utile?"

"Mi passi il detective Gregg."

"Attenda in linea, prego."

"Sì?" disse la voce di un uomo dopo qualche istante.

"Pete, sono Lucy Kerr, di Tanner's Corner."

"Ehi, Lucy, come va? Avete risolto quella faccenda delle ragazze scomparse?"

"Diciamo che è sotto controllo", rispose lei cercando di non lasciar trasparire la rabbia che aveva provato quando Bell le aveva ordinato di ripetere esattamente ciò che le aveva detto Rhyme. "Ma abbiamo un altro piccolo problema."

Un altro piccolo problema...

"Di cosa avete bisogno? Di un paio di agenti?"

"No, solo che rintracciate un telefono cellulare."

"Avete un mandato?"

"L'assistente del procuratore ve lo sta faxando proprio in questo momento."

"Dammi il numero di telefono e il numero di serie."

Lei obbedì.

"Qual è il prefisso, due uno due?"

"È un numero di New York."

"Non c'è problema", disse Gregg. "Vuoi intercettare una conversazione?"

"Mi interessa solo localizzarlo."

Per poter prendere la mira e sparare...

"Quando... Aspetta. Ecco il fax..." Una pausa mentre leggeva. "Oh, si tratta solo di una persona scomparsa?"

"Sì, tutto qui", rispose lei con riluttanza.

"Sai quanto è costoso: dovremo addebitarvelo."

"Certamente."

"Resta in linea. Chiamo i tecnici." Un debole clic.

Lucy si sedette sulla scrivania, le spalle curve, e piegò la mano sinistra, fissandosi le dita rovinate da anni di giardinaggio – una vecchia cicatrice che si era procurata con la lama di un potatoio, il segno attorno all'anulare di cinque anni di fede nuziale.

Osservando le vene e i muscoli sotto la pelle, Lucy Kerr si rese conto di qualcosa. Si rese conto che il crimine di Amelia Sachs aveva risvegliato in lei una rabbia più intensa di qualsiasi altra emozione avesse mai provato.

Quando i chirurghi le avevano asportato parte del corpo, lei si era sentita abbattuta e piena di vergogna. Quando il marito l'aveva lasciata, si era sentita colpevole e rassegnata. E quando alla fine era riuscita a infuriarsi per ciò che era successo, si era trattato di una rabbia sorda, dolorosa, incessante, ma che non era mai veramente divampata.

Adesso, per una ragione che non riusciva del tutto a comprendere, quella poliziotta di New York era riuscita a liberare l'ira incandescente che era cresciuta nel suo cuore, come le vespe che erano sciamate dal nido usato da Garrett per uccidere quella donna a Blackwater Landing.

Era furiosa per i tradimenti che aveva subito, proprio lei che non aveva mai causato intenzionalmente dolore ad anima viva, lei che amava le piante, che era stata una buona moglie per un uomo debole, una buona figlia per i suoi genitori, una buona sorella, una buona poliziotta, che anelava solo ai piaceri innocenti che la vita le sottraeva e sembrava invece donare generosamente a chiunque altro.

Non provava più vergogna né sensi di colpa, né rassegnazione né dolore.

Ma pura e semplice furia per tutti i tradimenti della sua vita. Era stata tradita dal suo corpo, da suo marito, da Dio.

E ora da Amelia Sachs.

"Pronto, Lucy?" disse Pete da Elizabeth City. "Ci sei ancora?"

"Sì, sono qui."

"Ti senti bene? Hai una voce strana."

Lei si schiarì la gola. "Va tutto bene. È tutto pronto?"

"Potete cominciare quando volete. Quando ci sarà la telefonata del soggetto?"

Lucy lanciò un'occhiata nell'altra stanza e domandò: "È pronto?"

Rhyme annuì.

Poi a Gregg: "Ora".

"Resta in linea", disse lui. "Stabilisco il collegamento."

Ti prego, fa' che funzioni, pensò Lucy. Ti prego...

Poi aggiunse un post scriptum alla sua preghiera: così potrò sparare al mio Giuda.

Thom sistemò la cuffia con il microfono sulla testa di Rhyme, quindi compose un numero sulla tastiera.

Se il cellulare di Amelia fosse stato spento, ci sarebbero stati solo tre squilli seguiti dalla piacevole voce femminile che recitava il messaggio della segreteria telefonica.

Uno squillo... due...

"Pronto?"

Nel sentire la voce di Amelia, Rhyme pensò che non aveva mai provato un simile senso di sollievo. "Sachs, stai bene?"

Una pausa. "Sì, sto bene."

Il criminologo lanciò un'occhiata nell'altra stanza e vide Lucy annuire cupamente.

"Stammi a sentire, Sachs. So perché l'hai fatto, ma ti devi arrendere. Tu... Sei ancora lì?"

"Ci sono, Rhyme."

"So cos'hai intenzione di fare. Garrett ha acconsentito a portarti da Mary Beth."

"Esatto."

"Non puoi fidarti di lui", disse Rhyme (pensando, disperato: e nemmeno di me). Lucy gli fece un cenno che significava 'Continua a farla parlare'. "Ho fatto un patto con Jim. Se lo riporti indietro subito, troveremo il modo di far cadere le accuse contro di te. La polizia di stato non è stata ancora coinvolta. E in cambio io resterò qui per tutto il tempo che ci vorrà per trovare Mary Beth. Ho rimandato l'intervento."

Chiuse gli occhi per un istante, trafitto dal senso di colpa. Tuttavia non aveva scelta. Immaginò come dovesse essere stata la morte di quella donna a Blackwater Landing, la morte dell'agente Ed Schaeffer... Immaginò le vespe avventarsi su Amelia. Per salvarla era costretto a tradirla.

"Garrett è innocente, Rhyme. Ne sono sicura. Non potevo permettere che lo portassero a Lancaster. Lo avrebbero ucciso, lì."

"Riconsidereremo le prove. Troveremo *altre* prove. Lo faremo insieme. Tu e io. Come sempre, Sachs, dico bene? Tu e io... Non c'è *niente* che non possiamo scoprire."

Una pausa. "Nessuno è dalla parte di Garrett. È completamente solo, Rhyme."

"Possiamo proteggerlo."

"Non si può proteggere qualcuno da un'intera città, Lincoln."

"Mai il nome di battesimo", le ricordò Rhyme. "Porta sfortuna, ricordi?"

"Tutta questa storia è stata sfortunata fin dall'inizio."

"Ti prego, Sachs..."

"A volte bisogna fidarsi dell'istinto", sussurrò lei.

"L'hai letto stamattina sul tuo oroscopo?" Il criminologo si sforzò di ridere, in parte per rassicurare Amelia in parte per rassicurare se stesso.

Udì un debole fruscio di elettricità statica.

Torna a casa, Sachs, stava pensando. Ti supplico. Possiamo ancora salvare la situazione. La tua vita è appesa a un filo sottile quanto il nervo nel mio collo, una fibra minuscola che continua a funzionare.

E sei altrettanto preziosa per me.

Lei disse: "Garrett mi ha detto che arriveremo da Mary Beth stasera o domattina. Ti chiamerò quando l'avremo trovata".

"Sachs, aspetta. Lascia che ti dica ancora una cosa. Una sola."

"Cosa?"

"Qualunque idea ti sia fatta di Garrett, non fidarti di lui. Tu sei convinta che sia innocente, ma cerca di accettare il fatto che potrebbe anche non esserlo. Ricordati come bisogna avvicinarsi alla scena di un crimine, Sachs..."

"Con la mente aperta", concluse lei, recitando una delle regole di Rhyme. "Nessun preconcetto. Pronti a credere a qualsiasi possibilità."

"Esatto. Promettimi che te ne ricorderai."

"Il ragazzo è ammanettato, Rhyme."

"Va bene, ma non lo liberare. E non permettergli di avvicinarsi alla tua pistola."

"Non glielo permetterò. Ti chiamerò quando avremo trovato Mary Beth."

"Sachs..."

La comunicazione venne interrotta.

Rhyme chiuse gli occhi, cercando di scrollarsi di dosso la cuffia, infuriato per non essere riuscito a far ragionare Amelia. Thom si avvicinò e gli tolse l'apparecchiatura. Quindi, con una spazzola, gli pettinò i capelli scuri.

"Maledizione", mormorò Rhyme.

Nell'altra stanza, Lucy riappese e li raggiunse nel laboratorio. Rhyme capì subito dall'espressione dell'agente che il loro tentativo non aveva funzionato.

"Pete ha detto che sono a circa cinque chilometri dal centro di Tanner's Corner."

Mason brontolò: "Non sono riusciti proprio a fare niente di meglio?"

"Se fosse rimasta al telefono ancora per qualche minuto, sarebbero riusciti a localizzarla con assoluta precisione", rispose Lucy.

Bell stava studiando la mappa. "Allora... a cinque chilometri dal centro."

"Potrebbe tornare a Blackwater Landing?" chiese Rhyme.

"No", rispose Bell. "Sappiamo che sono diretti verso le Outer Banks. Per raggiungere Blackwater Landing dovrebbero andare proprio nella direzione opposta."

"Qual è il modo migliore per raggiungere le Outer Banks?" domandò il criminologo.

"Non possono farcela a piedi", spiegò lo sceriffo. "Dovranno prendere un'auto oppure un'auto e una barca. Ci sono solo due modi per arrivarci: lungo la Route 82 a sud verso la 17; questo li porterebbe a Elizabeth City e da lì potrebbero servirsi di una barca oppure continuare sulla 17 fino alla 158 e proseguire fino alle spiagge. Oppure imboccare Harper Road fino alla 17... Mason, porta con te Frank Sturgis e un paio di altri agenti e andate sulla 112. Organizzate un posto di blocco a Belmont."

Rhyme notò che quella località corrispondeva al riquadro M-10 sulla mappa.

Lo sceriffo continuò: "Lucy, tu e Jesse prendete Harper Road fino a Millerton Road e fermatevi lì". Quello era il riquadro G-14.

Bell chiamò suo cognato nel laboratorio. "Steve, tu coordinerai le comunicazioni. Devi fornire a tutti dei walkie-talkie, se non li hanno già."

"Certo, Jim."

Quindi ordinò a Lucy e a Mason: "Dite a tutti che Garrett indossa una delle tute blu della nostra prigione. Com'è vestita la sua ragazza? Non mi ricordo".

"Non è la mia ragazza", ribatté Rhyme.

"Mi scusi."

"Comunque, ha un paio di jeans e una T-shirt nera."

"Ha anche un cappello?"

"No."

Lucy e Mason uscirono, e nella stanza rimasero solo Bell, Rhyme e Thom.

Lo sceriffo chiamò la polizia di stato e chiese all'agente Gregg di far monitorare la frequenza del cellulare, nel caso la persona scomparsa chiamasse di nuovo.

A un certo punto fece una pausa. Rhyme lo fissò. Lo sceriffo incrociò il suo sguardo e alla fine disse: "Grazie per l'offerta, Pete. Ma per ora è solo una persona scomparsa, niente di serio".

Poi riappese, mormorando: "Niente di serio. Gesù…"

Mezz'ora più tardi, Ben Kerr entrò nell'ufficio. Sembrava contento di poter ricominciare, ma era anche visibilmente turbato dalle ultime novità.

Insieme a Thom finì di sistemare l'attrezzatura della polizia di stato mentre Rhyme fissava gli elenchi delle prove.

RITROVAMENTI SULLA SCENA PRIMARIA
BLACKWATER LANDING

Kleenex sporco di sangue
polvere di calcare
nitrati
fosfati
detergente
canfene

RITROVAMENTI SULLA SCENA SECONDARIA
LA STANZA DI GARRETT

odore di puzzola
aghi di pino tagliati
disegni di insetti
foto di Mary Beth e della famiglia
libri sugli insetti
lenza da pesca

denaro
chiave sconosciuta
kerosene
ammoniaca
nitrati
canfene

RITROVAMENTI SULLA SCENA SECONDARIA
CAVA

vecchio sacco di tela con nome illeggibile
grano – foraggio?
segni di bruciatura sul sacco
acqua Deer Park
cracker al formaggio Planters

RITROVAMENTI SULLA SCENA SECONDARIA
IL MULINO

mappa delle Outer Banks
sabbia di una spiaggia sull'oceano
residui di foglie di quercia e acero

Osservando l'ultimo elenco, Rhyme si rese conto di quanto poco Amelia avesse trovato al mulino. Era sempre un problema, quando si trovavano prove evidenti sulla scena di un crimine, come la mappa e la sabbia. Psicologicamente, si era portati a essere meno diligenti, meno concentrati. Ora il criminologo avrebbe voluto essere in possesso di altri indizi.

Poi ripensò a un dettaglio. Si voltò a guardare Bell. "Ha detto che Garrett indossava una tuta della prigione?"

"Esatto."

"Quindi avrete sicuramente gli abiti che portava quando è stato arrestato."

"Dovrebbero essere ancora alla prigione."

"Potrebbe farli portare qui da qualcuno?"

"I vestiti? Subito."

"Li faccia mettere in un sacchetto di carta", ordinò il criminologo. "Lasciandoli piegati."

Lo sceriffo chiamò la prigione e spiegò tutto all'agente di guardia. A giudicare dalle risposte di Bell, Rhyme dedusse che il poliziotto fosse più che felice di partecipare alle ricerche della donna che lo aveva ammanettato alla scrivania e coperto di vergogna.

Il criminologo studiò la cartina delle Outer Banks. Avrebbero potuto restringere le ricerche alle vecchie case – per via delle lampade a canfene – escludendo quelle che si trovavano direttamente sulla spiaggia, per via delle foglie di quercia e acero. Tuttavia quella zona era veramente vastissima. Centinaia di chilometri quadrati.

Squillò il telefono. Bell rispose. Parlò per circa un minuto, quindi riappese. Si avvicinò alla mappa. "Hanno già posizionato i posti di blocco. Garrett e Amelia potrebbero passare per l'entroterra in modo da aggirarli." Indicò il riquadro M-10. "Ma da dove si trova Lucy c'è un'ottima visuale, e verrebbero sicuramente localizzati."

Rhyme chiese: "Che cosa mi dice della ferrovia a sud della città?"

"È una linea che viene usata solo per i treni merci. Non ci sono mai orari precisi. Certo, potrebbero comunque seguirla a piedi, ed è per questo che ho fatto organizzare il blocco stradale a Belmont. Sono convinto che andranno da quella parte. Garrett potrebbe anche cercare di nascondersi per un po' nella riserva naturale di Manitou Falls, per via della sua passione per gli insetti, la natura e roba del genere. È probabile che passasse molto tempo da quelle parti." Bell indicò il riquadro S-10.

Farr domandò: "Che ne dici dell'aeroporto?"

Lo sceriffo guardò Rhyme. "La sua amica è in grado di pilotare un aereo?"

"No." Rhyme notò un punto sulla cartina e chiese: "Cos'è quella, una base militare?"

"Negli anni Sessanta e Settanta la usavano come deposito di armi, ma è chiusa da anni... è piena di tunnel e di bunker. Se Garrett si nascondesse lì potremmo non trovarlo mai."

"La base è sorvegliata?"

"Non più."

"E quella zona, tra E-5 ed E-6?"

"Questa? Probabilmente è il vecchio parco di divertimenti", rispose lo sceriffo guardando Farr e Ben.

"Esatto", confermò lo zoologo. "Io e mio fratello ci andavamo da ragazzini. Si chiamava Indian Ridge o qualcosa del genere."

Bell annuì. "Era la ricostruzione di un villaggio indiano. Ha chiuso qualche anno fa perché non c'erano più visitatori. Williamsburg e Six Flags erano molto più popolari. Sarebbe un buon posto per nascondersi, ma è nella direzione opposta alle Outer Banks. Garrett non ci andrebbe mai." Lo sceriffo indicò il riquadro G-14. "Mason è qui. Garrett e Amelia dovrebbero percorrere o almeno costeggiare la Harper Road da queste parti. Allontanandosi dalla strada rischierebbero di finire nelle paludi, che sono piene di argilla della Carolina. Ci vorrebbero giorni per attraversarle... ammesso che sopravvivessero, cosa di cui non sono affatto sicuro. Quindi direi che non ci resta che aspettare e vedere che succede."

Rhyme annuì con aria assente, i suoi occhi si muovevano come la sua mascotte – la mosca capricciosa che ora era scomparsa – da un punto all'altro della cartina della contea di Paquenoke.

...venticinque

G arrett Hanlon condusse Amelia attraverso i cespugli fino alla strada asfaltata. Stavano camminando più lentamente, ora, stanchi per il lungo tragitto e per il caldo. C'era qualcosa di familiare in quella zona e Amelia si rese conto che si trovavano su Canal Road, la stessa strada che avevano preso quella mattina per raggiungere la scena del delitto a Blackwater Landing dall'ufficio della contea. In lontananza, poteva vedere le acque scure del fiume Paquenoke. Dall'altra parte del canale scorse le grandi case di cui aveva parlato con Lucy diverse ore prima.

Si guardò attorno. "Non capisco. Ormai sanno che siamo fuggiti. Questa è una delle strade principali che portano in città. Come mai non ci sono posti di blocco?"

"Pensano che siamo andati in un'altra direzione. Avranno messo degli agenti a sud e a est di qui."

"Come fai a saperlo?"

Garrett rispose: "Pensano che sono stupido. Quando sei diverso, è questo che la gente pensa di te. Ma io non sono stupido".

"Comunque stiamo andando da Mary Beth, *giusto*?"

"Sicuro. Solo che non facciamo la strada che credono loro."

Per un istante Amelia fu turbata nel notare la sicurezza e la furbizia del ragazzo, ma si sforzò di concentrarsi sulla strada e continuò a camminare in silenzio. Una ventina minuti dopo si trovavano a meno di un chilometro dal punto in cui Canal Road incrociava la Route 112 a Blackwater Landing, il luogo in cui Billy Stail era stato ucciso.

"Ascolti!" sussurrò Garrett afferrandole il braccio.

Lei inclinò la testa di lato e rimase in ascolto, ma non riuscì a udire niente.

"Nei cespugli." Abbandonarono la strada e si inoltrarono in una fitta macchia di agrifogli.

"Cosa c'è?" chiese lei.

"Shhhh."

Un attimo dopo, sulla strada comparve un grande camion.

"Quello viene dalla fabbrica", sussurrò il ragazzo. "Più avanti, là."

La scritta sulla fiancata del veicolo diceva Industrie Davett. Amelia riconobbe il nome dell'uomo che li aveva aiutati ad analizzare le prove. Quando il camion fu scomparso oltre una curva, lei e il ragazzo tornarono sulla strada.

"Come hai fatto a sentirlo?"

"Oh, bisogna fare sempre attenzione. Come le falene."

"Le falene? Cosa vuoi dire?"

"Le falene sono veramente forti. Loro, insomma, sentono gli ultrasuoni... hanno una specie di radar: quando un pipistrello emette un suono per trovare le falene, loro chiudono le ali, cadono a terra e si nascondono. Gli insetti sentono anche i campi magnetici ed elettrici, sentono cose di cui noi non ci accorgeremmo mai. Lo sapeva che con le onde radio si possono dirigere i movimenti di certi insetti? O che con un'alta frequenza li si può mandare via?" Il ragazzo tacque per qualche secondo, quindi tornò a guardarla e disse: "Devi sempre ascoltare. Altrimenti loro prima o poi ti prenderanno alla sprovvista".

"Loro chi?" domandò lei incerta.

"Be', tutti." Fece un cenno in direzione di Blackwater Landing e del Paquenoke. "Dieci minuti e saremo al sicuro. Non ci troveranno mai."

Ripresero a camminare.

Amelia si chiese che cosa sarebbe effettivamente successo a Garrett una volta che fossero tornati a Tanner's Corner con Mary Beth. Sicuramente alcune accuse contro di lui sarebbero cadute. Inoltre, se la ragazza avesse confermato la storia del vero assassino di Billy – l'uomo in tuta marrone –, forse il procuratore distrettuale avrebbe accettato l'idea che Garrett l'avesse rapita per il suo bene. La difesa della vita altrui veniva considerata da tutte le corti una giustificazione ragionevole, e l'accusa probabilmente avrebbe ritirato tutte le imputazioni.

Ma *chi era* l'uomo in tuta? Perché si aggirava per le foreste di Blackwater Landing? Era stato lui a uccidere quelle tre persone nel corso degli anni? E stava cercando di far ricadere la colpa su Garrett? Era stato *lui* a spaventare il piccolo Todd Wilkes al punto che il bambino si era suicidato? Billy Stail era stato davvero coinvolto in una storia di droga? Sapeva che il problema degli stupefacenti nelle piccole città era grave quanto nelle grandi metropoli.

Poi si rese conto di un altro particolare: Garrett avrebbe potuto identificare il vero assassino di Billy Stail, l'uomo in tuta marrone che forse aveva già saputo della loro fuga e ora li stava cercando per eliminarli. Forse avrebbero dovuto...

All'improvviso Garrett si fermò, un'espressione allarmata sul viso. Si guardò alle spalle.

"Cosa c'è?" sussurrò Amelia.

"Un'auto, molto veloce."

"Dove?"

"Shhh."

Un lampo di luce li abbagliò per un istante.

Devi sempre ascoltare. Altrimenti loro prima o poi ti prenderanno alla sprovvista.

"No!" gridò Garrett terrorizzato, e trascinò Amelia nel fitto dei carici.

Due auto di pattuglia della contea di Paquenoke sfrecciarono lungo Canal Road. Amelia non riuscì a vedere chi guidava la prima, ma si accorse che l'agente che occupava il sedile del passeggero – un uomo di colore che non aveva mai visto – scrutava con attenzione i boschi ai lati della strada. Era armato di fucile.

Al volante della seconda macchina c'era Lucy Kerr.

I due fuggiaschi si appiattirono sul terreno.

Chiudono le ali e cadono a terra...

Le due auto si fermarono bruscamente nel punto in cui Canal Road incrociava la Route 112. Parcheggiarono perpendicolari alla strada sbarrando entrambe le corsie. Gli agenti scesero con le armi in pugno.

"Un posto di blocco", mormorò Amelia. "Dannazione."

"No, no, no", gemette il ragazzo, confuso. "Dovevano pensare che saremmo andati dall'*altra* parte, a est. *Dovevano* pensarlo!"

Un'altra macchina li oltrepassò e rallentò in fondo alla strada. Lucy la fece fermare e interrogò il conducente. Quindi gli agenti lo fecero scendere dal veicolo e aprirono il bagagliaio che perquisirono con cura.

Garrett si rannicchiò in un nido d'erba. "Come cazzo hanno fatto a capire che saremmo venuti da questa parte?" sussurrò. "Come?"

Perché hanno Lincoln Rhyme, pensò Amelia, ma non disse nulla.

"Non li hanno ancora avvistati, Lincoln", gli disse Jim Bell.

"Amelia e Garrett non si metteranno di certo a camminare nel bel mezzo di Canal Road", ironizzò Rhyme irritato. "Saranno nascosti nella vegetazione."

"Hanno organizzato un posto di blocco e gli agenti stanno perquisendo ogni macchina", disse lo sceriffo. "Anche se conoscono i conducenti."

Rhyme guardò di nuovo la cartina appesa alla parete. "Siamo sicuri che non c'è altro modo per andare a ovest partendo da Tanner's Corner?"

"Dalla prigione, l'unica strada possibile attraverso le paludi è Canal Road fino alla Route 112." La voce di Bell sembrava dubbiosa. "Comunque devo dire che mi sembra un grosso rischio, Lincoln, mandare tutti quegli agenti a Blackwater Landing. Se il ragazzo e la sua amica stessero andando a est verso le Outer Banks ci passerebbero accanto e noi non li troveremmo mai. Questa sua idea, be', mi sembra un po' azzardata."

Ma il criminologo non era d'accordo. Venti minuti prima, studiando la mappa, ripercorrendo con lo sguardo la strada che il ragazzo aveva fatto con Lydia – una strada che portava verso la Grande Palude Lugubre e non molto altro – aveva cominciato a riflettere sul perché di quel secondo rapimento. Aveva ripensato a ciò che gli aveva detto Amelia quella mattina mentre stavano ancora inseguendo Garrett.

Lucy dice che non avrebbe avuto senso per lui venire da questa parte.

E questo gli aveva fatto notare che c'era una domanda a cui nessuno aveva ancora saputo rispondere in modo soddisfacente: *perché* Garrett aveva rapito Lydia Johansson? Secondo il dottor Penny lo aveva fatto per ucciderla al posto di Mary Beth. Ma, come avevano scoperto, lui non l'aveva uccisa. Né l'aveva violentata. Non avrebbe avuto alcun motivo per rapirla. Non si conoscevano, lei non lo aveva mai stuzzicato, lui non era mai stato ossessionato da lei e lei non aveva assistito all'omicidio di Billy. Perciò, qual era il punto?

Si era ricordato che Garrett aveva detto spontaneamente a Lydia che Mary Beth si trovava da qualche parte nelle Outer Banks e, aveva aggiunto, la ragazza era felice, non aveva bisogno di essere salvata. Come mai era stato così diretto? E poi le prove raccolte al mulino: la sabbia dell'oceano, la cartina delle Outer Banks... Secondo Amelia, Lucy le aveva trovate facilmente. Troppo facilmente. Quella scena, aveva concluso Rhyme, era stata preparata per sviare le indagini.

Rhyme aveva gridato rabbiosamente: "Siamo stati presi in giro!"

"Cosa intende dire, Lincoln?" aveva domandato Ben.

"Ci ha giocati", aveva risposto il criminologo. Un ragazzino di sedici anni li aveva presi in giro, tutti, fin dall'inizio. Aveva spiegato a Ben che Garrett, nel luogo in cui aveva rapito Lydia, si era deliberatamente tolto una scarpa. In precedenza l'aveva riempita di polvere di calcare, perché tutti coloro che conoscevano la zona – Davett, per esempio – pensassero alla cava dove aveva sistemato altre prove – il sacco annerito e il grano – che ben presto li avrebbero condotti al mulino.

I poliziotti *dovevano* trovare Lydia, insieme al resto delle prove nascoste ad arte, così si sarebbero convinti che Mary Beth si trovava davvero in una casa nelle Outer Banks.

Questo significava che la ragazza era tenuta prigioniera da qualche parte nella direzione opposta, a ovest di Tanner's Corner.

Il piano di Garrett era astuto, però aveva commesso un errore: aveva dato per scontato che la squadra di ricerca avrebbe impiegato diversi giorni a trovare Lydia. In quel lasso di tempo avrebbe potuto raggiungere Mary Beth nel suo vero nascondiglio mentre i poliziotti setacciavano inutilmente le Outer Banks.

Così Rhyme aveva chiesto a Bell quale fosse la strada più veloce per andare a ovest di Tanner's Corner. "Quella per Blackwater Landing", aveva risposto lo sceriffo. "La Route 112." E il criminologo aveva ordinato a Lucy e agli altri agenti di dirigersi immediatamente lì.

C'era la possibilità che Garrett e Amelia avessero già attraversato Blackwater Landing e fossero molto più avanti del previsto, ma Rhyme aveva misurato le distanze e non credeva che a piedi – dovendosi tenere nascosti, per di più – avrebbero potuto arrivare tanto lontano in così poco tempo.

Lucy chiamò dall'incrocio tra Canal Road e la 112. Thom mise in funzione il vivavoce. La poliziotta, che evidentemente non sapeva ancora da che parte stesse Rhyme, disse in tono scettico: "Non c'è nessuna traccia di Amelia e Garrett. Abbiamo controllato ogni macchina che è passata di qui. È ancora sicuro della sua idea?"

"Sì", rispose il criminologo.

A quella risposta lapidaria, lei si limitò a ribattere: "Spero che abbia ragione. Le cose potrebbero mettersi veramente male". Quindi riappese.

Un attimo dopo il telefono di Bell si mise a squillare. Lo sceriffo rispose e rimase ad ascoltare. Alzò lo sguardo su Rhyme. "Altri tre agenti sono su Canal Road, a circa un chilometro a sud della 112. Vogliono raggiungere Lucy e gli altri a piedi, perlustrando la zona. Se Garrett e l'agente Sachs sono nei dintorni della strada, li inchioderanno." Ascoltò ancora per qualche secondo. Lanciò una breve occhiata al criminologo e infine concluse: "Sì, è armata... e mi hanno detto che è anche molto in gamba con la pistola".

Amelia e Garrett erano nascosti tra gli alberi e stavano osservando le auto ferme lungo la strada, che attendevano di oltrepassare il posto di blocco.

All'improvviso dal fondo della strada riecheggiò un altro

suono che, anche senza la sensibilità di una falena, Amelia riuscì a riconoscere: sirene.

Videro un'auto della polizia con i lampeggianti accesi, che proveniva dall'estremità sud di Canal Road, fermarsi poco lontano. Dal veicolo scesero due agenti, a loro volta armati di fucile, che cominciarono a perlustrare la vegetazione ai lati della strada, muovendosi verso i due fuggiaschi. Nel giro di dieci minuti avrebbero raggiunto il loro nascondiglio.

Il ragazzo la guardò con aria ansiosa.

"Cosa c'è?" gli domandò lei.

Lui indicò la sua pistola. "Ha intenzione di sparare?"

Lei lo fissò sconvolta. "No, naturalmente."

Garrett spostò lo sguardo sul posto di blocco. "Ma *loro* spareranno."

"Nessuno sparerà a nessuno!" sussurrò lei con decisione, disgustata al pensiero che Garrett avesse potuto prendere in considerazione quell'eventualità. Si voltò a guardare il bosco alle loro spalle. Era intricato, e sarebbe stato impossibile attraversarlo senza essere visti o sentiti. Poco più in là si poteva scorgere la rete metallica che circondava le Industrie Davett. Notò che nel parcheggio c'erano alcune auto.

Amelia Sachs aveva lavorato come agente di pattuglia per un anno. Questo, unito alla sua passione per le auto, significava che era in grado di scassinare e mettere in moto un veicolo in meno di trenta secondi.

Ma anche se lo avesse fatto, come sarebbero riusciti ad abbandonare la fabbrica? C'era un'entrata per le spedizioni e le consegne, ma si apriva su Canal Road. Ci sarebbe stato comunque il posto di blocco da superare. Potevano rubare un fuoristrada o un pick-up, oltrepassare la recinzione in un punto in cui nessuno sarebbe riuscito a vederli e allontanarsi lungo la Route 112? Attorno a Blackwater Landing c'erano un'infinità di colline ripide e precipizi… ce l'avrebbero fatta a fuggire in quei boschi senza capottare e finire uccisi?

I due agenti a piedi ormai erano solo a una sessantina di metri da loro.

Qualunque cosa decidessero di fare, ora era il momento di agire. Non avevano scelta. "Andiamo, Garrett, dobbiamo scavalcare quella recinzione."

Si diressero furtivamente verso il parcheggio. "Pensa di rubare una macchina?" domandò il ragazzo quando capì dov'erano diretti.

Amelia si lanciò un'occhiata alle spalle. Gli agenti ormai erano a poco più di venti metri.

Lui continuò: "Non mi piacciono le macchine. Mi fanno paura". Ma lei non gli stava prestando attenzione. Stava ancora rigirandosi nella mente le parole del ragazzo.

Chiudono le ali e cadono a terra.

"Dove sono?" chiese Rhyme impaziente. "Gli agenti che stanno perlustrando i boschi, dove sono?"

Bell era al telefono, in piedi vicino alla mappa. Si voltò verso Rhyme e indicò uno dei riquadri. "Sono più o meno qui, vicino all'entrata della fabbrica di Davett. Devono ancora percorrere ottanta, forse cento metri."

"Amelia e Garrett possono aggirare la fabbrica e dirigersi a est?"

"Nah, la proprietà di Davett è circondata da una recinzione. E oltre la fabbrica, la palude è impraticabile. Se si dirigessero a ovest dovrebbero attraversare a nuoto il canale e probabilmente non riuscirebbero ad arrampicarsi sugli argini. Tra l'altro, Lucy e Trey li avvisterebbero immediatamente."

L'attesa era snervante. Rhyme sapeva che Amelia si grattava e si feriva la pelle, cercando di calmare l'ansia che era un oscuro corollario della sua autodisciplina. Abitudini autodistruttive, sì, ma come gliele invidiava! Prima dell'incidente, lui riusciva a scaricare la tensione camminando avanti e indietro, ora però non poteva fare niente per impedirsi di pensare al grave pericolo in cui si trovava Amelia.

Una segretaria comparve sulla soglia.

"Sceriffo, c'è la polizia di stato sulla due."

Jim Bell entrò nell'ufficio dall'altra parte del corridoio e premette un pulsante sul telefono. Parlò per qualche minuto, quindi, quasi di corsa, tornò nel laboratorio. In tono eccitato annunciò: "Li abbiamo trovati! La polizia di stato è riuscita a rintracciare il segnale del cellulare. L'agente Sachs si sta muovendo, a ovest, sulla Route 112. Hanno oltrepassato il posto di blocco".

Rhyme domandò: "E come ci sono riusciti?"

"A quanto pare hanno rubato un furgone o un fuoristrada dal parcheggio di Davett, hanno proseguito per un po' nei boschi e sono tornati sulla strada."

Questa è la mia Amelia, pensò il criminologo. La donna capace di guidare anche sui muri...

"Tra non molto scaricherà l'auto da qualche parte e ne prenderà un'altra", continuò lo sceriffo.

"Come fa a saperlo?"

"Perché è al telefono con un autonoleggio di Hobeth Falls. Lucy e gli altri la stanno inseguendo tenendosi a una certa distanza. Stiamo parlando con gli impiegati di Davett per scoprire a chi appartiene il veicolo rubato. Ma se l'agente Sachs rimarrà al telefono ancora per un po' non avremo più bisogno di una descrizione dell'auto. Ancora qualche minuto e i tecnici ci comunicheranno la sua posizione esatta."

Lincoln Rhyme fissò la cartina anche se ormai la conosceva a memoria. Dopo un istante sospirò e mormorò: "Buona fortuna".

Ma non avrebbe saputo dire se quell'augurio fosse rivolto alla preda o al predatore.

...ventisei

Lucy Kerr spinse la Crown Victoria a centotrenta chilometri orari.

Tu vai veloce, Amelia?

Be', anch'io.

Stavano sfrecciando sulla Route 112, le luci lampeggianti dell'auto di pattuglia che roteavano follemente, proiettando bagliori rossi, bianchi e blu. La sirena era spenta. Accanto a Lucy sedeva Jesse Corn che era al telefono con Pete Gregg della polizia di stato di Elizabeth City. Nella macchina che li seguiva da vicino, c'erano Trey Williams e Ned Spoto. Mason Germain e il silenzioso Frank Sturgis viaggiavano nella terza.

"Dove sono adesso?" chiese Lucy.

Jesse girò quella domanda alla polizia di stato, e qualche secondo dopo le rispose: "Solo a otto chilometri da noi. Si stanno dirigendo a sud. Hanno tagliato la statale".

Ti supplico, pregò Lucy, ti supplico, resta al telefono ancora un altro minuto.

Premette ancora di più sull'acceleratore.

Tu vai veloce, io vado veloce.

Tu spari bene.

Anch'io sparo bene. Non perdo tempo a vantarmene come fai tu, ma conosco le armi fin da quando sono nata.

Dopo che Buddy l'aveva lasciata, Lucy aveva preso tutte le munizioni che aveva in casa e le aveva gettate nelle acque torbide del Blackwater Canal. Aveva temuto che una notte, svegliandosi da sola a letto, la tentazione di richiudere le labbra attorno alla canna della sua arma di ordinanza e di tirare il grilletto, per raggiungere una volta per tutte il luogo in cui suo marito e la natura stessa sembravano volerla spingere, sarebbe stata troppo forte.

Era andata in giro per tre mesi e mezzo con una pistola scarica e aveva arrestato comunque contrabbandieri e ragazzini fatti di vapore di butano, semplicemente bluffando.

Poi una mattina si era svegliata e, come se una sorta di febbre l'avesse finalmente abbandonata, era andata alla Ferramenta Shakey's e aveva acquistato una scatola di cartucce Winchester .357. ("Gesù, Lucy, la contea è conciata peggio di quanto pensassi, se devi comprarti da te le tue munizioni.") Era tornata a casa e aveva caricato la sua arma.

Era stato un avvenimento cruciale per lei. La pistola di nuovo carica era diventata un simbolo della sua capacità di sopravvivenza.

Amelia, ho condiviso con te i miei momenti più oscuri. Ti ho parlato dell'operazione. Ti ho parlato della mia timidezza con gli uomini e del mio amore per i bambini. Ti ho aiutato quando Sean O'Sarian ti ha rubato la pistola. Mi sono scusata quando ho capito che tu avevi ragione e io torto.

Io mi sono fidata di te. Io...

Una mano la toccò sulla spalla. Lucy lanciò un'occhiata a Jesse Corn che le stava rivolgendo uno dei suoi sorrisi gentili. "Tra poco c'è una curva", le ricordò.

Lucy emise un lungo sospiro e cercò di rilassare i muscoli delle spalle.

Rallentò.

Tuttavia, quando imboccarono la curva a cui Jesse aveva accennato – che indicava come limite di velocità sessanta chilometri orari –, l'auto faceva i cento.

"A una trentina di metri davanti a noi", sussurrò Jesse Corn.

Gli agenti erano scesi dalle auto e si erano radunati attorno a Mason Germain e a Lucy Kerr.

Alla fine la polizia di stato aveva perso il segnale del cellulare di Amelia, che tuttavia era rimasto fermo per circa cinque minuti in corrispondenza del luogo che ora stavano osservando: un granaio a meno di una ventina di metri da una casa nei boschi, a un chilometro dalla Route 112. Si trovavano, notò Lucy, a ovest di Tanner's Corner. Proprio come aveva predetto Lincoln Rhyme.

"Tu non credi che Mary Beth sia *là dentro*, vero?" chiese Frank Sturgis che, ora che Ed Schaeffer era morto, era l'agente più anziano in servizio. "Voglio dire, siamo solo a dieci chilometri dalla città. Mi sentirei veramente stupido se la ragazza fosse proprio lì."

"Nah, stanno solo aspettando che passiamo oltre", disse Mason. "Poi andranno a Hobeth Falls e prenderanno la macchina."

Jesse aveva comunicato alla centrale l'indirizzo dell'abitazione. "In ogni caso", disse, "il proprietario è un certo Pete Hallburton. Qualcuno di voi lo conosce?"

"Io, credo", rispose Trey Williams. "È sposato. Nessun legame con Garrett, che io sappia."

"Ha figli?"

Trey scrollò le spalle. "Non lo so, forse sì. Mi ricordo, a una partita di football, l'anno scorso…"

"È estate. I bambini potrebbero essere a casa", mormorò Frank. "Garrett potrebbe averli presi in ostaggio."

"È possibile", disse Lucy. "Il segnale del cellulare di Amelia, però, proveniva dal granaio, non dall'abitazione. *Potrebbero* essere entrati in casa, ma non so… qualcosa mi dice che non hanno preso degli ostaggi. Penso abbia ragione Mason: si sono solo nascosti lì, e quando crederanno di essere al sicuro usciranno allo scoperto e andranno a Hobeth, all'autonoleggio."

"Cosa facciamo adesso?" chiese Frank. "Sbarriamo la strada con le nostre auto?"

"Se facciamo manovra, ci sentiranno", rispose Jesse.

Lucy annuì. "Sì, è vero. Credo che dovremmo raggiungere il granaio a piedi, e in fretta, da due direzioni diverse."

"Io ho del CS", disse Mason. Il CS-38 era un potente gas lacrimogeno usato dall'esercito.

"No, no", protestò Jesse. "Li getteremmo nel panico."

Lucy pensò che non era quella la sua vera preoccupazione.

Era pronta a scommettere che Jesse non volesse esporre a quell'orribile gas la sua nuova fiamma. Tuttavia, dal momento che nemmeno loro avevano maschere antigas, il lacrimogeno avrebbe potuto intralciarli, più che aiutarli. "Niente gas", stabilì. "Io passo dall'ingresso principale mentre tu, Trey..."

"No", si rifiutò Mason con durezza. "Passo io dall'ingresso principale."

Lucy esitò, quindi disse: "D'accordo. Io passo dalla porta laterale. Trey e Frank, voi restate sul retro". Guardò Jesse. "Voglio che tu e Ned teniate d'occhio la porta principale e quella sul retro della casa."

"D'accordo", fece Jesse.

"E le finestre", aggiunse Mason, fissando Ned. "Non voglio che qualcuno se la svigni sotto i nostri nasi."

"Se dovessero uscire a bordo del veicolo, mirate alle gomme o, se avete una Magnum come Frank, al monoblocco. Non sparate a Garrett o ad Amelia a meno che non sia strettamente necessario. Conoscete tutti le regole", continuò Lucy. Mentre pronunciava quelle ultime parole, spostò lo sguardo su Mason, ripensando a quando aveva sparato al ragazzo subito dopo la cattura. Ma l'agente Germain sembrò non farle caso. Via radio, Lucy informò Jim Bell che stavano per fare irruzione nel granaio.

"C'è già un'ambulanza pronta", la informò lo sceriffo.

"Questa non è un'operazione della squadra SWAT", disse Jesse, che aveva sentito la risposta di Bell. "Dobbiamo pensarci due volte, prima di metterci a sparare."

La Kerr spense la radio. Indicò l'edificio con un cenno. "Muoviamoci."

Nascondendosi dietro alle querce e ai pini, si avvicinarono velocemente al granaio. Le finestre erano buie. Per ben due volte, Lucy ebbe l'impressione di scorgere qualche traccia di movimento all'interno, ma avrebbe potuto trattarsi del riflesso degli alberi o delle nuvole.

Gli agenti raggiunsero il retro senza finestre della costruzione. Lucy pensò che era la prima volta in vita sua che faceva una cosa del genere.

Questa non è un'operazione della squadra SWAT...

Ma hai torto, Jesse, è esattamente di questo che si tratta. E sono furiosa all'idea che sia toccato proprio a me doverla dirigere.

Una grossa libellula le si posò su un braccio, lei la scacciò con un gesto nervoso. L'insetto ritornò immediatamente e cominciò a ronzarle intorno, minaccioso, come se Garrett avesse mandato quella creatura in ricognizione.

Che idea stupida, si disse. Scacciò di nuovo la libellula con rabbia.

L'Insetto...

Ti prenderò, pensò Lucy, rivolgendosi mentalmente sia ad Amelia sia a Garrett.

"Non dirò niente", sussurrò Mason. "Entrerò e basta. Quando mi senti aprire la porta con un calcio, Lucy, tu entri dalla porta laterale."

L'agente Kerr annuì. Nonostante la preoccupazione per l'eccessiva irruenza del collega, era felice di poter condividere con qualcuno il fardello di quel difficile incarico.

"Aspetta. Voglio controllare che la porta laterale sia aperta", sussurrò a sua volta.

Gli agenti si sparpagliarono; ciascuno raggiunse la sua posizione. Lucy si accovacciò sotto una delle finestre e si avvicinò alla porta laterale. Non era sbarrata, anzi, era socchiusa. Fece un cenno a Mason che si trovava all'angolo dell'edificio e la stava guardando. Lui annuì e poi alzò le mani per indicarle che sarebbe entrato dopo dieci secondi. Quindi scomparve.

Dieci, nove, otto...

Lucy si voltò verso la porta. Dall'interno del granaio provenivano un odore stantio di legno vecchio, olio da macchina e benzina, e un suono basso e ritmico, quello del motore dell'auto o del furgone che Amelia aveva rubato.

Cinque, quattro, tre...

Lucy trasse un profondo respiro per cercare di calmarsi.

Preparati, si disse.

Poi dalla parte anteriore del granaio riecheggiò un forte schianto. Mason era entrato.

Vai, pensò lei.

"Ufficio dello sceriffo!" gridò Mason. "Nessuno si muova."

Lucy diede un calcio alla porta laterale che si schiuse solo di pochi centimetri: era bloccata da una grossa falciatrice parcheggiata all'interno. Provò ad aprirla con una spallata... inutilmente.

"Merda", sussurrò, e corse all'ingresso principale.

Non era ancora a metà strada quando sentì Mason gridare: "Oh, Gesù".

E poi udì un colpo di pistola.

Seguito da un altro: un secondo dopo.

"Cosa sta succedendo?" domandò Rhyme.

"Okay", disse Bell con voce incerta nel ricevitore. C'era qualcosa nel suo atteggiamento che lo aveva messo in allarme: lo sceriffo era in piedi, con la cornetta premuta con forza contro l'orecchio, l'altra mano serrata in un pugno. Annuì e continuò ad ascoltare, infine spostò lo sguardo sul criminologo. "Ci sono stati degli spari."

"Degli spari?"

"Mason e Lucy hanno fatto irruzione nel granaio. Jesse ha detto che si sono sentiti due colpi." Si voltò e gridò agli agenti che si trovavano nell'altra stanza: "Mandate un'ambulanza a casa degli Hallburton. Badger Hollow Road, sulla 112".

Steve Farr rispose: "Si stanno già dirigendo sul posto".

Rhyme abbandonò il capo contro il poggiatesta della Storm Arrow. Guardò Thom, che non aprì bocca.

Chi aveva sparato? Chi era stato colpito?

Oh, Sachs...

In tono incalzante, Bell disse: "Be', scoprilo, Jesse! Qualcuno è stato ferito? Cosa diavolo sta succedendo?"

"Amelia sta bene?" gridò Rhyme.

"Lo sapremo tra un minuto", rispose Bell.

Il criminologo temette che ci sarebbero voluti giorni.

Alla fine Bell si irrigidì di nuovo mentre Jesse Corn, o forse qualcun altro, lo informava dell'accaduto. Annuì. "Gesù! Che cos'ha fatto?" Ascoltò ancora per qualche secondo, infine si voltò a guardare Rhyme. "Va tutto bene. Nessuno si è fatto male. Mason è entrato nel granaio e ha visto una tuta appesa a una parete. Davanti alla tuta c'era una vanga o un rastrello o qualcosa del genere. Era molto buio. Ha pensato che fosse Garrett con un fucile e così ha sparato un paio di volte. Tutto qui."

"Amelia sta bene?"

"Non c'era nessuno, lì dentro. Solo il veicolo che avevano rubato. Probabilmente Garrett e Amelia erano in casa, e quando hanno sentito gli spari sono scappati nei boschi. Non possono essere andati lontano. Conosco quella zona: è circondata da acquitrini."

Rhyme sibilò rabbiosamente: "Voglio che estrometta Mason dal caso. Le avevo detto che era troppo impulsivo".

Bell era d'accordo con lui. Nel ricevitore ordinò: "Jesse, passami Mason…" Una breve pausa. "Mason, cosa diavolo è questa storia?… Perché hai sparato?… Be', che cosa sarebbe successo se quello fosse stato Pete Hallburton? O sua moglie? O uno dei suoi figli?… No, non mi interessa. Torna qui subito. È un ordine… Ci penseranno *loro* a perquisire la casa. Monta in macchina e torna qui… Non farmelo ripetere due volte. Io… Merda."

Lo sceriffo riagganciò. Un attimo dopo il telefono si mise a squillare, e lui rispose subito. "Lucy, cosa diavolo sta succedendo?…" Rimase ad ascoltare, accigliato, fissando il pavimento. Cominciò a camminare avanti e indietro. "Oh, Gesù… Sei sicura?" Annuì, quindi disse: "D'accordo, non ti muovere, ti richiamo". Riappese.

"Cos'è successo?"

Bell scosse la testa. "Non posso crederci. Ci ha presi in giro. La sua amica ci ha presi in giro."

"Come?"

"Pete Hallburton è *in casa*. Lucy e Jesse gli hanno appena parlato. Sua moglie fa il turno dalle tre alle undici alla fabbrica di Davett. Visto che si era dimenticata la cena, lui è passato a portargliela mezz'ora fa ed è tornato a casa."

"È tornato a casa? Amelia e Garrett erano nascosti nel bagagliaio nella sua auto?"

Bell si lasciò sfuggire un sospiro disgustato. "Ha un pick-up. Una persona non avrebbe mai potuto nascondersi lì sopra. Ma avrebbe potuto nasconderci un cellulare, ed è quello che ha fatto la sua amica. Lo ha infilato dietro la borsa termica che Hallburton teneva sul pianale del camion."

Ora toccò a Rhyme uscirsene con una risata cinica. "Scommetto che Amelia ha telefonato all'autonoleggio, è stata messa in attesa e ha nascosto il telefono."

"Indovinato", mormorò Bell.

Thom intervenne: "Ti ricordi, Lincoln? Amelia ha chiamato

quell'autonoleggio proprio stamattina. Era furiosa perché l'avevano tenuta in attesa troppo a lungo".

"Sapeva che avremmo localizzato il cellulare", borbottò lo sceriffo. "Lei e Garrett hanno aspettato che Lucy e gli altri agenti lasciassero Canal Road, poi si sono mossi." Guardò la mappa. "Hanno quaranta minuti di vantaggio su di noi. Potrebbero essere dovunque."

...ventisette

Q uando le auto della polizia ebbero abbandonato il blocco stradale e scomparvero a ovest lungo la Route 112, Garrett e Amelia raggiunsero di corsa la fine di Canal Road e attraversarono la statale.

Evitarono la scena del crimine a Blackwater Landing e si diressero a sinistra, spostandosi rapidamente nel fitto della foresta di querce e seguendo il corso del fiume Paquenoke.

Dopo quasi un chilometro arrivarono a un affluente del Paquo. Aggirarlo sarebbe stato impossibile, e Amelia non aveva nessuna voglia di nuotare in quelle acque torbide, piene di insetti, fanghiglia e immondizia.

Ma Garrett aveva altri piani. Indicò un punto sulla riva. "La barca."

"Quale barca?"

"Là, là." Gliela indicò nuovamente.

Lei riuscì a malapena a distinguere la sagoma di una piccola imbarcazione coperta di rami e di foglie. Il ragazzo la raggiunse e cominciò a liberarla dal fogliame come meglio poteva con le manette ancora ai polsi. Amelia andò ad aiutarlo.

"Mimetizzazione", le spiegò lui. "L'ho imparato dagli insetti. C'è un piccolo grillo in Francia – il truxalis – che è veramente incredibile: cambia colore tre volte durante l'estate per mimetizzarsi con le diverse sfumature di verde dell'erba. I suoi predatori quasi non riescono a vederlo."

Be', anche Amelia si era in parte servita della profonda conoscenza che il ragazzo aveva degli insetti. Quando Garrett le aveva parlato delle falene – della loro capacità di percepire i segnali elettrici e le onde radio – si era resa conto che Rhyme doveva aver ordinato di localizzare il segnale del suo telefonino. Si era ricordata di essere rimasta in attesa molto a lungo quando aveva chiamato l'autonoleggio Piedmont-Carolina. Si era introdotta nel parcheggio delle Industrie Davett, aveva chiamato il centralino dell'autonoleggio e aveva fatto scivolare il cellulare sul pianale di un pick-up vuoto ma con il motore acceso, parcheggiato davanti all'ingresso riservato agli impiegati.

A quanto pareva il trucco aveva funzionato. Gli agenti si erano lanciati all'inseguimento del veicolo quando questo si era mosso.

Ora, mentre finivano di togliere il fogliame dalla barca, Amelia chiese a Garrett: "L'ammoniaca e la fossa con il nido di vespe... anche questi sono trucchi che hai imparato dagli insetti?"

"Già", disse lui orgoglioso.

"Non avevi intenzione di fare del male a nessuno, vero?"

"No, no! La fossa della formica leone doveva solo spaventarvi e rallentarvi. Ci ho nascosto dentro un nido vuoto di proposito. L'ammoniaca serviva ad avvertirmi della vostra presenza. Fanno così anche gli insetti: gli odori sono una specie di segnale d'allarme." I suoi occhi arrossati e acquosi luccicavano di una strana ammirazione. "È stato forte quello che ha fatto, come mi ha trovato al mulino. Insomma, non pensavo che sareste arrivati così presto."

"E hai lasciato quelle false prove al mulino – la mappa e la sabbia – per sviarci."

"Già, gliel'ho detto: gli insetti sono furbi. Sono costretti a esserlo."

Finirono di liberare dalle foglie l'imbarcazione malconcia. Era color grigio scuro, lunga circa tre metri e mezzo, e munita di un piccolo motore fuoribordo. All'interno c'erano una decina di bottiglie d'acqua da quattro litri e una borsa termica. Amelia prese una bottiglia d'acqua e bevve alcune lunghe sorsate. Poi la porse a Garrett che bevve a sua volta. Quando ebbe finito, il ragazzo aprì la borsa termica che conteneva diverse confezioni di cracker e patatine. Controllò tutto con attenzione, quindi annuì e salì a bordo.

Lei lo seguì e si sedette a prua, di fronte a lui. Garrett le rivolse un sorrisetto astuto, come per farle capire che era conscio del fatto che lei non si fidava abbastanza di lui da voltargli le spalle. Diede uno strattone alla cordicella del motore che si avviò tossicchiando. Allontanò la barca dalla riva e virò, portandola al centro della corrente.

Come moderni Huckleberry Finn, cominciarono a navigare lungo il fiume.

Amelia stava pensando: questo è il momento dell'azione.

Era una frase che suo padre usava spesso. Quando lei gli aveva detto di voler abbandonare la professione di modella per entrare in polizia, suo padre – un uomo azzimato, dai capelli radi, che aveva lavorato come agente di pattuglia per gran parte della sua vita a Brooklyn e a Manhattan – aveva voluto metterla in guardia. Aveva approvato la sua decisione ma, riguardo al mestiere di poliziotto, le aveva detto: "Amie, devi capire che qualche volta è come una corsa, qualche volta puoi fare la differenza e qualche volta è noioso. E qualche volta, anche se non troppo spesso, grazie a Dio, è il momento dell'azione. Pugno contro pugno. Sei sola e non c'è nessuno ad aiutarti. E non parlo soltanto dei criminali. Talvolta ti troverai a lottare contro il tuo capo, o persino contro i tuoi amici. Se vuoi essere un poliziotto, devi essere pronta a essere sola. È inevitabile".

"Posso farcela, papà."

"Questa sì che è la mia bambina! Andiamo a fare un giro in macchina, tesoro."

E ora, seduta su quella barca traballante, pilotata da un adolescente molto disturbato, Amelia stava pensando che non si era mai sentita così sola in vita sua.

Il momento dell'azione… Pugno contro pugno.

"Guardi là", disse Garrett indicando un insetto. "È il mio preferito. La notonetta! Può volare sott'acqua." Il volto del ragazzo si illuminò di entusiasmo. "Sul serio! Ehi, sarebbe forte, vero? Volare sott'acqua. Mi piace l'acqua. Mi piace sentirla sulla pelle." Si massaggiò il braccio e il suo sorriso sbiadì. "Fottuta quercia velenosa… La trovo dappertutto. Certe volte il prurito è tremendo."

Avanzarono tra piccole insenature, isolotti, radici e alberi grigi semisommersi, diretti a ovest, in direzione del sole che stava tramontando.

Per la seconda volta nel giro di poche ore, Amelia ebbe la spiacevole sensazione che Garrett avesse organizzato tutto. Il fatto che avesse nascosto una barca piena di provviste significava che aveva previsto di uscire di prigione. E che il ruolo di Amelia in quella fuga faceva parte di un piano elaborato, curato nei minimi dettagli.

Qualunque idea ti sia fatta di Garrett, non fidarti di lui. Tu sei convinta che sia innocente, ma cerca di accettare il fatto che potrebbe anche non esserlo. Ricordati come bisogna avvicinarsi alla scena di un crimine, Sachs...

Con la mente aperta. Nessun preconcetto. Pronti a credere a qualsiasi possibilità.

Ma poi scrutò di nuovo Garrett. Il ragazzo si stava guardando attorno con occhi pieni di entusiasmo; non somigliava per niente a un criminale evaso, ma piuttosto a un adolescente in vacanza, soddisfatto ed eccitato al pensiero di ciò che avrebbe potuto trovare oltre la prossima ansa del fiume.

"Amelia è davvero brava, Lincoln", disse Ben, riferendosi al trucco del cellulare.

Lo è *davvero*, pensò il criminologo. È brava quanto me. Anzi, concluse con amarezza, in questo caso, è stata persino *migliore* di me.

Rhyme era furioso con se stesso per non aver previsto quella mossa. Quante volte l'aveva messa alla prova a New York, sfidandola a dare il meglio di sé mentre camminava sulla griglia o analizzava insieme a lui le prove in laboratorio! Ma quello non era un gioco, pensò, adesso la sua vita era in pericolo. Gli restavano solo poche ore per trovarli prima che Garrett decidesse che non poteva essergli più d'aiuto e che era arrivata l'ora di ucciderla. Non poteva permettersi di sbagliare un'altra volta.

Arrivò un agente, con un sacchetto di carta del Food Lion che conteneva i vestiti di Garrett.

"Ottimo!" esclamò Rhyme. "Qualcuno prepari una tabella. Thom, Ben... fate una tabella. 'Ritrovamenti sulla scena secondaria – Mulino.' Ben, scrivi, scrivi!"

"Ma ne abbiamo già una", gli fece presente lo zoologo indicando la lavagna.

"No, no, no", ribatté Rhyme bruscamente. "Cancellala. Quelle prove sono false. Garrett le ha sistemate lì per confonderci. Proprio come la polvere di calcare nella scarpa che si è lasciato dietro quando ha preso Lydia. Se riusciremo a trovare delle prove nei suoi vestiti", annuì, indicando il sacchetto, "allora sapremo dov'è *veramente* Mary Beth."

"Se saremo fortunati", disse Bell.

No, pensò Rhyme, se saremo *bravi*. "Taglia un pezzo dei jeans – vicino al risvolto – e passalo nel GC/SM", disse a Ben.

Dietro sua richiesta, Bell lasciò l'ufficio per discutere con Steve Farr di come usare la frequenza di emergenza delle radio senza far capire alla polizia di stato cosa stava succedendo.

Mentre aspettavano i risultati del cromatografo, Rhyme si rivolse a Ben. "Cos'altro abbiamo?" Con un cenno del capo indicò i vestiti.

"Tracce di vernice marrone sui pantaloni di Garrett", rispose lo zoologo esaminando gli indumenti. "Marrone scuro. Sembrano macchie recenti."

"Marrone", ripeté il criminologo. "Di che colore è la casa dei genitori di Garrett?"

"Non lo so", rispose Ben.

"Non mi aspetto che tu sia un'enciclopedia vivente su Tanner's Corner", brontolò Rhyme. "Volevo solo dire: chiamali."

"Oh!" Ben trovò il numero in uno dei fascicoli e telefonò. Parlò per un attimo con qualcuno, quindi riappese. "Un figlio di puttana davvero poco comunicativo, il padre adottivo di Garrett. Comunque la loro casa è bianca, e non c'è niente che sia stato ridipinto di marrone scuro sulla loro proprietà."

"Quindi probabilmente è il colore del luogo in cui tiene Mary Beth."

"Esiste un database delle vernici che possiamo controllare?"

"Ottima idea", rispose Rhyme, "ma purtroppo la risposta è no. Ne ho uno a New York, ma non ci servirebbe a niente da queste parti. E il database dell'FBI è incentrato unicamente sulle vernici delle auto. Comunque continua così. C'è qualcosa nelle tasche? Mettiti i..."

Il giovane si era già infilato i guanti di lattice. "È questo che stava per chiedermi?"

"Esatto", brontolò Rhyme.

"Non gli piace essere prevedibile", scherzò Thom.

"Allora cercherò di anticiparlo più spesso", disse Ben. "Ah, ecco, c'è qualcosa."

Il criminologo strizzò gli occhi fissando alcuni minuscoli pezzetti bianchi che il giovane aveva trovato nelle tasche di Garrett. "Cosa sono?"

Ben li annusò. "Briciole di pane e formaggio."

"Altro cibo. Come i cracker e..."

Ben scoppiò a ridere.

Rhyme si accigliò. "Cosa c'è di così divertente?"

"Il fatto è che... sì, è cibo, ma non è per Garrett."

"Che cosa vuoi dire?"

"Non è mai stato a pesca?" domandò Ben.

"No, mai", rispose il criminologo in tono brusco. "Se vuoi del pesce, vai a comprarlo, lo cucini e lo mangi. Cosa diavolo ha a che fare la pesca con un sandwich al formaggio?"

"Queste briciole non vengono da un sandwich", spiegò lo zoologo. "Sono esche. Una volta preparate, si lasciano ad ammuffire. I pesci che nuotano in profondità li amano. Come i pesci gatto. Più puzzano, meglio è."

Rhyme inarcò un sopracciglio. "Ah, questo sì che è utile. C'è altro?"

"Terriccio nei risvolti." Ben ne fece cadere una piccola quantità su un coupon per abbonamenti di *People* e la esaminò al microscopio. "Niente di molto chiaro", disse. "Solo qualche minima traccia di qualcosa di bianco."

"Fammi vedere."

Lo zoologo sollevò il pesante microscopio Bausch & Lomb e lo portò a Rhyme che guardò negli oculari. "Perfetto! Sono fibre di carta."

"Davvero?"

"È *ovvio*. Cos'altro potrebbero essere? Fibre di carta assorbente. Non ho idea di quale sia la provenienza, però. Comunque quel terriccio è molto interessante. Puoi prenderne un altro campione?"

"Tenterò."

Ben tagliò la cucitura che fissava il risvolto, lo srotolò e fece ricadere altri residui sul coupon.

"Esaminalo al microscopio", ordinò Rhyme.

Lo zoologo preparò un vetrino che inserì nel microscopio stereoscopico. Poi di nuovo sollevò l'apparecchio per Rhyme, in modo che potesse analizzare il campione. "C'è molta argilla. E dico *molta*. Frammenti di roccia feldspatica, probabilmente granito. E quello che cos'è? Ah, muschio di torba."

Colpito, Ben domandò: "Come fa a sapere tutte queste cose?"

"Le so e basta." Rhyme non aveva tempo per spiegargli che un criminologo deve conoscere il mondo fisico tanto quanto quello del crimine. "Cos'altro c'è nei risvolti? Che cos'è *quella*?" Indicò qualcosa sul rettangolo di cartone. "Quella cosa bianca e verde."

"Viene da una pianta", rispose lo zoologo. "Io però non me ne intendo... ho studiato botanica marina, ma non era il mio argomento preferito. Sono appassionato di quelle forme di vita che hanno la possibilità di scappare quando qualcuno cerca di raccoglierle. Mi sembra più sportivo."

"Descrivimela", gli ordinò il criminologo.

Il giovane la osservò con la lente d'ingrandimento. "Un gambo rossastro con una goccia di liquido viscoso sull'estremità. Un fiore bianco a forma di campana... Se dovessi tirare a indovinare..."

"Fallo", sbottò Rhyme. "E alla svelta."

"Sono quasi certo che si tratti di una drosera."

"E che diavolo è? Sembra il nome di una brutta auto."

"È come un'acchiappamosche di Venere. È una pianta insettivora, affascinante. Da ragazzino restavo a guardarle per ore. Il modo in cui mangiano è..."

"*Affascinante*", ripeté il criminologo in tono sarcastico. "Ma le loro abitudini alimentari non mi interessano. Piuttosto, sai dirmi dove si possono trovare? È questo che per me è *affascinante*."

"Oh, praticamente dappertutto."

Rhyme si accigliò. "Cazzo! Un'altra informazione inutile. Va bene, passa un campione di terriccio nel GC/SM quando avrà finito l'analisi del tessuto." Spostò lo sguardo sulla T-shirt di Garrett che si trovava stesa su un tavolo. "Cosa sono quelle macchie?"

La maglietta era coperta da macchie rossastre. Ben le osservò, scrollò le spalle e scosse la testa.

Le labbra sottili del criminologo si curvarono in un sorriso ironico. "Te la senti di assaggiarle?"

Senza la minima esitazione, Ben si portò la T-shirt alla bocca e con la punta della lingua leccò una delle macchie.

Rhyme esclamò: "Complimenti".

Ben lo guardò perplesso. "Pensavo fosse la procedura."

"Dannazione, io non l'avrei fatto nemmeno per tutto l'oro del mondo", borbottò il criminologo.

"Non le credo", disse Ben. Leccò di nuovo. "Mi sembra che sia succo di frutta. Non riesco a capire il gusto."

"Perfetto, aggiungilo alla lista, Thom." Con un cenno, Rhyme indicò il gascromatografo. "Diamo un'occhiata ai risultati dei pantaloni e intanto analizziamo il terriccio."

L'apparecchio aveva appena completato l'identificazione delle sostanze che impregnavano i vestiti di Garrett e i residui di terriccio trovati nei risvolti: zucchero, altro canfene, alcool, kerosene, lievito. Il kerosene era presente in dosi significative. Ben aggiunse quegli elementi alla lista, quindi lui e Rhyme studiarono la tabella.

RITROVAMENTI SULLA SCENA SECONDARIA
MULINO

vernice marrone sui jeans
drosera
argilla
muschio di torba
succo di frutta
fibre di carta
esche
zucchero
canfene
alcool
kerosene
lievito

Qual era il significato di tutto questo? si domandò Rhyme. C'erano troppe prove, e lui non riusciva a vederne il nesso. Lo zucchero proveniva dal succo di frutta o da un altro luogo in cui era stato il ragazzo? Aveva *comprato* il kerosene o semplicemente si era nascosto in una stazione di servizio o in un granaio in cui si trovava una scorta di combustibile? L'alcool era presente in oltre tremila prodotti casalinghi e industriali, dai solventi al dopobarba. Il lievito indubbiamente era stato raccolto al mulino dove il grano era stato macinato per produrre la farina.

Dopo qualche minuto gli occhi di Lincoln Rhyme si spostarono su un'altra tabella.

RITROVAMENTI SULLA SCENA SECONDARIA
STANZA DI GARRETT

odore di puzzola
aghi di pino tagliati
disegni di insetti
foto di Mary Beth e della famiglia
libri sugli insetti
lenza da pesca
denaro
chiave sconosciuta
kerosene
ammoniaca
nitrati
canfene

Si ricordò di qualcosa a cui Amelia aveva accennato quando aveva perquisito la camera del ragazzo.

"Ben, potresti prendermi il taccuino di Garrett? Voglio esaminarlo di nuovo."

"Lo inserisco nell'apparecchio per voltare le pagine?"

"No, puoi sfogliarlo tu", rispose Rhyme.

Davanti a lui sfilarono i disegni di insetti che Garrett aveva fatto: la notonetta, il ragno palombaro, il gerris.

Amelia gli aveva detto che, fatta eccezione per il contenitore delle vespe – la cassaforte di Garrett – tutti gli altri recipienti con gli insetti contenevano acqua. "Sono tutti acquatici."

Ben annuì. "Sembra di sì."

"Garrett è attratto dall'acqua", rifletté Rhyme ad alta voce. Guardò Ben. "E quell'esca? Hai detto che è perfetta per i pesci che nuotano in profondità."

"Esatto."

"Sono pesci di mare o d'acqua dolce?"

"Be', d'acqua dolce, naturalmente."

"E il kerosene serve come combustibile per le barche, giusto?"

"Per i piccoli motori fuoribordo."

"E se Garrett stesse andando a ovest in barca sul Paquenoke?" Borbottò Rhyme. "Che ne pensi di questa ipotesi?"

"Mi sembra che abbia senso, Lincoln. E probabilmente c'è tutto questo kerosene perché Garrett ha fatto avanti e indietro molte volte da Tanner's Corner al luogo in cui tiene Mary Beth per prepararlo per lei."

"Ottima deduzione. Puoi chiedere a Jim Bell di raggiungerci?"

Qualche minuto dopo lo sceriffo entrò nel laboratorio e il criminologo gli espose la sua teoria.

Bell disse: "Sono stati gli insetti d'acqua a darle l'idea, vero?"

Rhyme annuì. "Se riusciamo a capire gli insetti capiremo anche Garrett Hanlon. Se non sbaglio, Ben, dicevi che gli animali sono più socievoli e prevedibili degli esseri umani, giusto?"

"Qualcosa del genere."

E dannatamente più intelligenti.

"Non mi sembra più assurdo di tutto quello che è successo oggi", bofonchiò lo sceriffo.

Rhyme domandò: "C'è un'imbarcazione della polizia?"

"No, ma parecchi dei miei hanno una barca... potremmo usarne una. Solo che, secondo me, non ci servirà a molto."

"Perché no?"

"Lei non conosce il Paquo. Sulla cartina sembra un fiume come qualunque altro, ma ha un migliaio di insenature e di piccoli affluenti che sfociano nelle o dalle paludi. Se Garrett è lì non resterà certamente sul corso principale, glielo garantisco. Trovarlo sarebbe impossibile."

Lo sguardo di Rhyme seguì il Paquenoke che si snodava verso ovest. "Se ha trasportato dei viveri nel luogo in cui tiene la ragazza, significa che non può essere troppo lontano dal fiume. Quanto dovrebbe spingersi a ovest per raggiungere un'area abitata?"

"Un bel po'. Vede questo punto?" Lo sceriffo toccò il riquadro G-7. "È a nord del Paquo, nessuno vive lì. La zona a sud del fiume è abbastanza abitata, e qualcuno lo noterebbe senz'altro."

"Per cui dovrebbe andare a ovest per almeno quindici chilometri."

"Esatto", disse Bell.

"E quel ponte?" Con un cenno Rhyme indicò la mappa, gli occhi fissi sul riquadro E-9.

"Il ponte di Hobeth?"

"Come ci si può arrivare? Dalla statale?"

"Ci sono solo terrapieni. Il ponte è alto circa quindici metri, quindi le rampe che bisogna percorrere per salirci sono lunghe. Ma, oh, aspetti... sta pensando che Garrett potrebbe essere tornato in barca al canale principale per passare sotto il ponte."

"Esatto. Perché gli ingegneri dovrebbero aver riempito i canali minori su entrambi i lati quando hanno costruito le rampe."

Bell annuì. "Già. È possibile."

"Mandi Lucy e gli altri al ponte. E tu, Ben, per favore, chiama Henry Davett. Digli che ci dispiace disturbarlo ma che abbiamo ancora bisogno del suo aiuto."

Pregò: Oh, Sachs, fa' attenzione. È solo questione di tempo e Garrett troverà una scusa per farsi togliere le manette. Poi ti porterà in un qualche luogo isolato. Poi riuscirà a prenderti la pistola... Non lasciare che il trascorrere delle ore ti convinca a fidarti di lui, Sachs. Quel ragazzo ha la pazienza di una mantide.

Se riusciamo a capire gli insetti capiremo anche Garrett Hanlon...

…ventotto

G arrett conosceva i segreti del fiume come un esperto marinaio, e anche quando sembrava che avessero raggiunto un vicolo cieco riusciva sempre a trovare una via d'uscita, un corso d'acqua sottile come il filo di una ragnatela, che permetteva loro di procedere verso ovest attraverso quel labirinto.

Il ragazzo indicò ad Amelia una lontra di fiume, un topo muschiato e un castoro, avvistamenti che avrebbero entusiasmato un naturalista dilettante ma che lasciarono lei indifferente. Gli animali a cui era abituata erano i topi, i piccioni e gli scoiattoli della città, e se ne interessava solo se potevano essere utili a lei e a Rhyme nelle loro indagini.

"Guardi là!" gridò Garrett.

"Cosa?"

Lui le stava indicando qualcosa che lei non riusciva a vedere. Stava fissando rapito un punto vicino alla riva, ma Amelia riusciva a scorgere solo un insetto che si muoveva in fretta sulla superficie dell'acqua.

"Un gerris", le spiegò, poi il suo volto si fece serio. "Gli insetti, insomma, sono molto più importanti di noi. Voglio dire, per la vita di questo pianeta. Sa, ho letto da qualche parte che se tutta la gente della terra sparisse domani, il mondo andrebbe avanti senza problemi, ma se sparissero gli *insetti*, allora la vita finirebbe molto presto, nel giro di una generazione. Le piante morirebbero, quindi morirebbero gli animali e la terra tornerebbe a essere solo una grossa roccia grigia."

Nonostante il suo linguaggio adolescenziale, Garrett parlava con l'autorità di un cattedratico e con lo slancio di un ecologista. Continuò: "Già, gli insetti sono una bella seccatura, ma solo pochi di loro, sì e no l'uno o il due per cento." Il suo volto si illuminò di nuovo. "E poi per quanto riguarda quelli che distruggono i raccolti e roba del genere, be', io ho una mia idea. Insomma, è forte. Voglio allevare un tipo di crisopide dorato per controllare gli insetti cattivi invece di usare l'insetticida. Sarà grande. Non ci ha pensato ancora nessuno."

"Credi di riuscirci, Garrett?"

"Non so ancora esattamente come, ma voglio imparare."

Amelia ripensò a un termine che aveva letto in uno dei libri del ragazzo, biofilia: l'affetto che gli esseri umani possono provare per le altre creature che vivono sul pianeta.

Mentre lo ascoltava parlare – con una passione che rivelava un grande amore per la ricerca e l'apprendimento – Amelia stava pensando che una persona che poteva essere tanto affascinata dagli esseri viventi e che poteva amarli, per quanto in modo strano, non avrebbe mai potuto essere uno stupratore e un assassino.

Si tenne stretta a quel pensiero che la sostenne mentre navigavano nelle acque del Paquenoke e fuggivano da Lucy Kerr, dal misterioso uomo in tuta marrone e dalla piccola città di Tanner's Corner.

Stavano fuggendo anche da Lincoln Rhyme, dalla sua imminente operazione e dalle terribili conseguenze che avrebbe potuto avere su entrambi.

La stretta imbarcazione scivolava senza difficoltà tra gli affluenti del Paquenoke che ora riflettevano la luce dorata del sole al tramonto, camuffando le acque nere come quel grillo di cui Garrett le aveva parlato. Alla fine tornarono sul corso d'acqua principale. Amelia si guardò indietro, verso est, per controllare che nessuna barca della polizia li stesse seguendo. Ma non vide niente, tranne una delle grandi imbarcazioni delle Industrie Davett che risaliva la corrente nella direzione opposta alla loro.

Rallentando, Garrett diresse la barca in una piccola insenatura. Sbirciò attraverso i rami di un salice piangente, fissando lo sguardo su un ponte che attraversava il Paquenoke.

"Dobbiamo passarci sotto", disse ad Amelia. "Non possiamo girarci intorno." Studiò l'arco del ponte. "Vede qualcuno?"

Amelia guardò a sua volta. Notò soltanto qualche lampo di luce. "Forse. Ma non ne sono sicura. C'è troppo riflesso."

"È lì che quegli stronzi ci staranno aspettando", mormorò Garrett, a disagio. "Mi preoccupa sempre, il ponte. C'è sempre gente che ti viene a cercare."

Sempre? Un altro dei suoi commenti da paranoico.

Il ragazzo accostò la barca alla riva e spense il motore. Scese a terra, smontò il motore fuoribordo, lo staccò dalla barca e lo nascose nell'erba alta insieme alla tanica di benzina.

"Cosa stai facendo?" chiese lei.

"Non posso rischiare che ci vedano."

Garrett scaricò dalla barca la borsa termica e le bottiglie d'acqua e legò i remi all'interno dell'imbarcazione con due pezzi di corda unta. Versò l'acqua di metà delle bottiglie, poi le richiuse e le mise da parte.

Parlò a bassa voce, quasi tra sé: "Peccato per l'acqua! Mary Beth è senza e ne avrà bisogno. Ma posso sempre andare a prederne un po' nel lago vicino al capanno." Quindi si immerse nel fiume e afferrò il fianco della barca. "Mi aiuti, dobbiamo capovolgerla."

"Dobbiamo affondarla?"

"No. Solo ribaltarla. Metteremo sotto le bottiglie. Galleggerà bene."

"Ribaltarla?"

"Sicuro."

Amelia capì ciò che il ragazzo aveva in mente. Si sarebbero nascosti sotto la barca per superare il fiume. Lo scafo scuro nell'acqua sarebbe risultato quasi invisibile, dal ponte. Una volta oltrepassato l'ostacolo, avrebbero potuto girare di nuovo la barca e percorrere il tragitto che li separava da Mary Beth.

Garrett aprì la borsa termica e trovò un sacchetto di plastica. "Possiamo metterci dentro le cose che non vogliamo bagnare." Vi infilò il suo libro, *Un mondo in miniatura*. Amelia aggiunse il portafoglio e la pistola. Si infilò la T-shirt nei jeans e fece scivolare il sacchetto dentro il collo della maglietta.

Garrett disse: "Può togliermi le manette?" Le mostrò i polsi.

Lei esitò.

"Non voglio annegare", continuò lui. "Mi comporterò bene... te lo prometto."

Con riluttanza, Amelia estrasse la chiave dalla tasca e gli tolse le manette.

Gli indiani weapemeoc, originari di quello che oggi è il North Carolina, dal punto di vista linguistico facevano parte della nazione Algonquin, ed erano imparentati con i Powhatan, i Chowan e le tribù Pamlico, stanziati nelle regioni medio atlantiche degli Stati Uniti.

Erano principalmente agricoltori, e la loro grande abilità nella pesca era invidiata dalle altre tribù. Erano pacifici,e non avevano interesse per la guerra. Trecento anni fa, lo scienziato inglese Thomas Harriot scrisse, a proposito dei Weapemeoc: "Le armi di cui sono in possesso sono archi ricavati dal legno di amamelide e frecce fatte di canne; non hanno niente per difendersi tranne scudi di corteccia; e qualche armatura di rametti legati insieme".

Toccò ai coloni inglesi trasformare i Weapemeoc in un popolo di combattenti, e riuscirono in quel compito convincendoli che l'ira di Dio si sarebbe abbattuta su di loro se non si fossero convertiti immediatamente alla cristianità, infettandoli con l'influenza e il vaiolo, decimando così la popolazione, esigendo cibo e rifugio che erano troppo pigri per procurarsi da soli e assassinando uno dei più importanti capitribù, Wingina, che secondo i coloni stava progettando un assalto agli insediamenti inglesi, cosa peraltro non vera.

I coloni si mostrarono sorpresi e indignati quando invece di accogliere Cristo nei loro cuori, gli indiani dichiararono fedeltà ai loro dei – spiriti chiamati Manitou – e si rivoltarono contro gli inglesi, primo passo di un'azione di guerra che (secondo la teoria della giovane Mary Beth McConnell) avrebbe dovuto concludersi con l'assalto ai coloni perduti dell'isola di Roanoke.

Dopo aver messo in fuga i coloni, la tribù, prevedendo l'arrivo dei rinforzi inglesi, cominciò a usare il rame, che fino a quel momento era servito solo per le decorazioni, nella fabbricazione delle armi. Le punte di freccia di metallo erano più affilate di quelle di pietra e più facili da realizzare. Comunque, a differenza di ciò che di solito si vede nei film, una freccia scagliata da un arco di solito non penetra molto a fondo nella pelle, e raramente è fatale. Per finire i loro avversari feriti, i guerrieri weapemeoc di solito sferravano il colpo di grazia alla testa con una mazza chiamata molto appropriatamente "bastone dei colpi".

Non era altro che una grossa pietra arrotondata legata all'estremità di un bastone con una striscia di cuoio. Era un'arma molto efficace, e quella che Mary Beth McConnell ora stava fabbricando basandosi sulle sue conoscenze di archeologia nativo-americana era sicuramente letale quanto quelle che – secondo la sua teoria – avevano spaccato i crani e spezzato le spine dorsali dei pionieri di Roanoke durante l'ultima battaglia sulle rive del Paquenoke, nella zona che oggi veniva chiamata Blackwater Landing.

La ragazza l'aveva costruita con due strette assi staccate dallo schienale di una vecchia sedia del soggiorno. La pietra era quella che Lott, l'amico del Missionario, le aveva scagliato contro. Mary Beth l'aveva montata tra le due assi che aveva stretto con lunghe strisce di jeans strappate dalla sua gonna. Il bastone dei colpi era pesante – due o tre chili – ma non troppo per lei, che era abituata a sollevare pietre del peso di anche quindici chili quando lavorava negli scavi archeologici.

Si alzò dal letto e fendette l'aria più volte con la nuova arma, compiaciuta dal senso di potere che quell'oggetto le trasmetteva. Un suono furtivo la distrasse – proveniva dai contenitori degli insetti. La ragazza ripensò al fastidioso vizio di Garrett di far ticchettare le unghie. Fu percorsa da un brivido di rabbia e sollevò la sua arma, pronta a mandare in frantumi il contenitore più vicino.

All'ultimo momento si fermò. Odiava gli insetti, certo, ma non era furiosa con loro, bensì con Garrett. Lasciò stare i contenitori e si diresse alla porta, che colpì diverse volte con il bastone, vicino alla serratura. La porta non cedette. Be', non ci aveva sperato troppo. La cosa importante, comunque, era che la roccia non fosse scivolata fuori dalle assi. Aveva fatto davvero un buon lavoro.

Naturalmente, se il Missionario e Lott fossero tornati con una pistola o un fucile, quell'arma non le sarebbe servita a niente. Tuttavia decise che, se fossero riusciti a entrare, l'avrebbe tenuta nascosta fino all'ultimo momento e poi avrebbe fracassato la testa al primo che avesse tentato di toccarla. Forse l'altro l'avrebbe uccisa, ma almeno lei sarebbe riuscita a sbarazzarsi di uno dei due (era certa che Virginia Dare fosse morta in modo non molto diverso).

Si sedette e guardò fuori dalla finestra: il sole ormai stava scomparendo oltre gli alberi in mezzo ai quali aveva visto il Missionario la prima volta.

Cos'era quella sensazione che la stava attraversando? Paura, probabilmente.

Ma la ragazza decise che forse non si trattava di paura. Era impazienza. Non vedeva l'ora che i suoi nemici tornassero.

Mary Beth si posò in grembo il bastone dei colpi.

Preparati...

Be', lo aveva fatto.

"C'è una barca."

Lucy si spostò nell'ombra di un alloro pungente, sulla riva, vicino al ponte di Hobeth. Aveva già la mano pronta sul calcio della pistola.

"Dove?" chiese a Jesse Corn.

"Là." L'agente indicò un punto sul fiume.

Lei riuscì a vedere una vaga orma scura sull'acqua, a cinquecento metri, che si muoveva seguendo la corrente.

"Io non vedo nessuna barca", disse Lucy.

"No, guarda bene. È capovolta."

"Io non vedo quasi niente", ripeté lei. "Hai la vista buona."

"Sono loro?" domandò Trey.

"Cos'è successo? Si sono ribaltati?"

Ma Jesse Corn disse: "Ma va', sono sotto la barca".

Lucy strinse gli occhi. "Come fai a saperlo?"

"È solo una sensazione", rispose lui.

"C'è abbastanza aria là sotto?" chiese Trey.

"Sicuro. Non è completamente immersa nell'acqua. Facevamo la stessa cosa al Lago Bambert con le canoe, quando eravamo ragazzini. Giocavamo ai sottomarini", intervenne Jesse.

"Cosa facciamo?" chiese Lucy. "Abbiamo bisogno di un'imbarcazione o qualcosa del genere per raggiungerli". Si guardò attorno.

Ned si tolse il cinturone Sam Browne e lo porse a Jesse Corn. "Dannazione, la riporterò a riva a calci."

"Ce la fai a nuotare in quella corrente?" domandò Lucy.

Il giovane agente si tolse gli stivali. "Ho nuotato in questo fiume un milione di volte."

"Ti copriremo", gli assicurò lei.

"Garrett e Amelia sono sott'acqua", osservò Jesse. "Non mi preoccuperei troppo dell'eventualità che si mettano a sparare."

Trey commentò: "Un po' di grasso sulle pallottole e durano anche per settimane, sott'acqua".

"Amelia non sparerà", affermò Corn, il difensore di Giuda.

"Ma noi non vogliamo correre rischi", insistette Lucy. Poi si rivolse a Ned: "Non raddrizzare la barca. Limitati a raggiungerla e a farla virare in questa direzione. Trey, tu vai là, vicino al salice, con il fucile. Jesse e io ci terremo pronti lì sulla riva. Se dovesse succedere qualcosa, si troveranno sotto un fuoco incrociato".

Ned, a piedi nudi e senza camicia, si avviò cautamente lungo la riva fangosa. Si guardò attorno – per controllare che non ci fossero serpenti, fu il pensiero di Lucy – e poi si tuffò.

Lei pensò a quanto dovesse stare scomoda Amelia Sachs sotto quella barca. *Molto* scomoda, sperava. Ancora una volta la rabbia prese a ribollirle dentro.

Cercando di nuotare il più silenziosamente possibile, tenendo la testa al di sopra del livello dell'acqua, Ned si diresse verso l'imbarcazione rovesciata. Lucy sfoderò la sua Smith & Wesson e armò il cane. Lanciò un'occhiata a Jesse Corn, che la stava fissando con aria preoccupata.

Trey era in piedi accanto a un albero e imbracciava il Remington, la canna puntata verso l'alto. Notò che Lucy si era preparata a sparare, e così a sua volta mise un colpo in canna.

Ora la barca si trovava a una decina di metri di loro, al centro della corrente.

Ned era un ottimo nuotatore e la stava raggiungendo velocemente. Ci avrebbe impiegato solo...

Lo sparo risuonò, fragoroso, vicino. Lucy trasalì nel vedere
uno schizzo d'acqua volare nell'aria davanti a Ned.

"Oh, no!" gridò lei, sollevando l'arma e cercando di capire
chi avesse sparato.

"Dove, dove?" blaterò Trey, accovacciandosi e rinsaldando
la presa sul fucile.

Ned si immerse sott'acqua.

Un altro colpo. Un altro spruzzo d'acqua. Trey, in preda al
panico, puntò il Remington e cominciò a far fuoco contro lo
scafo. In pochi secondi esaurì i sette colpi del calibro dodici,
centrando il bersaglio ogni volta, riempiendo l'aria di schegge di
legno e spruzzi d'acqua.

"No!" gridò Jesse Corn. "Ci sono delle persone, lì sotto!"

"Da dove stanno sparando?" gridò l'agente Kerr. "Da sotto
la barca? Da dietro? Non riesco a capire. Dove sono?"

"Dov'è Ned?" urlò Trey. "È stato colpito? Dove diavolo è finito Ned?"

"Non lo so", rispose Lucy, la voce rauca per il panico. "Non
riesco a vederlo."

Trey ricaricò il Remington e tornò a puntarlo sulla barca.

"No!" ordinò Lucy. "Non sparare. Coprimi!"

Corse alla riva e si gettò in acqua. All'improvviso, non lontano da lei, sentì un gemito soffocato.

Un attimo dopo, Ned riemerse in superficie. "Aiutami!" Era
terrorizzato e continuava a guardarsi alle spalle.

Jesse e Trey puntarono le armi sulla riva opposta del fiume e
cominciarono ad avanzare verso l'acqua. Gli occhi increduli di
Corn erano fissi su quel che restava dell'imbarcazione, sui tre-
mendi squarci che Trey aveva aperto nello scafo.

Lucy mise via la pistola e si affrettò a soccorrere Ned. Lo afferrò per un braccio e lo trascinò a riva. Era stato sott'acqua finché il suo fisico glielo aveva permesso, e ora era pallido e debole per la mancanza di ossigeno.

"Cosa cazzo...?" cercò di dire.

"Non lo so", rispose Lucy, aiutandolo a raggiungere i cespugli. Sputando e tossendo, lui si lasciò cadere a terra, su un fianco. Lei lo osservò con attenzione. Non era stato colpito.

Trey e Jesse li raggiunsero, continuando a scrutare la riva opposta in cerca dei loro assalitori.

Ned stava ancora tossendo. "Acqua del cazzo. Sa proprio di merda."

Lentamente la barca stava scivolando verso di loro. Ormai era semiaffondata.

"Sono morti", sussurrò Jesse Corn. "Non possono avercela fatta."

La barca si fece ancora più vicina. Jesse si tolse il cinturone e si incamminò verso l'acqua.

"No", disse Lucy, gli occhi ancora fissi sull'altra riva. "Aspetta che sia arrivata qui."

...ventinove

La barca capovolta andò a sbattere contro le radici sporgenti di un cedro che si estendevano fino alla sponda, e si fermò. Gli agenti rimasero ad attendere per qualche istante. Non notarono alcun movimento, a parte il rollio dello scafo in frantumi. L'acqua era scura, ma Lucy non riusciva a capire se quel colore fosse dovuto al sangue o soltanto al tramonto infuocato.

Pallido e turbato, Jesse Corn guardò Lucy e lei annuì. Mentre lui si avvicinava al relitto per esaminarlo gli altri tre agenti tennero le armi puntate in direzione della barca.

Quando Jesse la raddrizzò con cautela, i resti di alcune grosse bottiglie di plastica scivolarono fuori e presero a galleggiare seguendo la corrente. Sotto lo scafo non c'era nessuno.

"Che cos'è successo?" domandò Jesse. "Non capisco."

"Dannazione", ringhiò amaramente Ned. "Ci hanno presi in giro. Era una fottutissima imboscata."

Lucy non avrebbe mai immaginato che la sua rabbia potesse diventare ancora più bruciante, ma si era sbagliata; ora le sfrigolava dentro come un cavo elettrico scoperto. Ned aveva ragione: Amelia aveva usato la barca come uno dei richiami per uccelli di Nathan Groomer e li aveva attaccati dall'altra riva.

"No", protestò Jesse Corn. "Amelia non farebbe mai una co-

309

sa simile. Ammesso che abbia sparato, lo ha fatto solo per spaventarci. Sa maneggiare una pistola: se avesse voluto colpire Ned, lo avrebbe fatto."

"Maledizione, Jesse, apri gli occhi!" ribatté bruscamente Lucy. "Sparare con una visuale così scarsa? Non importa quanto sia brava, avrebbe comunque potuto sbagliare. E sull'acqua, per di più. Avrebbe potuto esserci un rimbalzo."

Jesse Corn non parlò. Si passò una mano sul volto e fissò l'altra riva del fiume.

"D'accordo, statemi a sentire", disse Lucy con voce bassa e decisa. "Si sta facendo tardi. Andremo avanti finché non sarà notte, poi chiameremo Jim e ci faremo portare l'attrezzatura per accamparci. Dobbiamo presumere che ci stiano dando la caccia, quindi agiremo di conseguenza. Ora attraversiamo il ponte e andiamo a cercare le loro tracce. Siete tutti pronti?"

"Certo."

"Ci puoi scommettere, Lucy."

"Allora forza."

I quattro agenti si incamminarono lungo i cinquanta metri non coperti del ponte, in fila indiana, in modo che, se Amelia Sachs li avesse attaccati di nuovo, non avrebbe potuto colpire più di un agente prima che gli altri riuscissero a mettersi al riparo e rispondere al fuoco. Quella formazione era un'idea che Trey aveva preso in prestito da un film sulla seconda guerra mondiale e, dal momento che era stato lui a suggerirla, si era offerto di essere il primo della fila. Ma Lucy Kerr non glielo aveva permesso e aveva preso il suo posto.

"Per poco non lo colpivi."

Harris Tomel replicò: "Niente affatto".

Ma Culbeau insistette: "Ti ho detto di *spaventarli*. Se avessi colpito Ned, ora saremmo veramente nella merda".

"Non volevo colpirlo. So quello che faccio, Rich. Fidati di me, okay?"

Fottuto scolaretto, pensò Culbeau.

I tre uomini si trovavano sulla riva nord del Paquo e stavano percorrendo il sentiero che costeggiava il fiume.

Anche se Culbeau era incazzato perché Tomel aveva sparato troppo vicino all'agente in acqua, era sicuro che quell'aggressione avesse funzionato. Adesso Lucy e gli altri sarebbero stati docili come agnellini e si sarebbero mossi lentamente.

Gli spari avevano avuto un altro effetto benefico: Sean O'Sarian si era spaventato e una volta tanto stava zitto.

Camminarono ancora per una ventina di minuti, poi Tomel domandò a Culbeau: "Sai in che direzione sta andando, il ragazzo?"

"Sì."

"Ma non hai la più pallida idea di dove sia diretto."

"Naturalmente no", rispose lui. "Se lo sapessi, potremmo andarci direttamente, non ti pare?"

Andiamo, scolaretto, prova a usare quel tuo fottuto cervellino.

"Ma..."

"Non preoccuparti. Lo troveremo."

"Posso avere un po' d'acqua?" chiese O'Sarian.

"Acqua? Vuoi dell'acqua?"

"Già, è proprio quello che vorrei", replicò Sean in tono compiaciuto.

Culbeau gli lanciò un'occhiata sospettosa e gli passò una bottiglia. Era la prima volta che lo vedeva bere qualcosa che non fosse birra, whisky o alcool di contrabbando. O'Sarian bevve avidamente, finì l'acqua e gettò via la bottiglia.

Culbeau sospirò. "Ehi, Sean, sei proprio così sicuro di voler lasciare sul sentiero qualcosa con le tue impronte digitali sopra?"

"Oh, è vero." O'Sarian corse tra i cespugli a recuperare la bottiglia. "Scusa."

Scusa? Sean che si scusava? Culbeau lo fissò per un attimo, incredulo, poi fece cenno di riprendere il cammino.

Arrivarono a una curva. Si trovavano su un'altura e potevano vedere il fiume snodarsi all'orizzonte.

"Ehi, guardate lassù", esclamò Tomel. "C'è una casa. Scommetto che è lì che sono diretti."

Culbeau guardò attraverso il mirino telescopico del suo fucile da caccia. A circa tre chilometri da loro c'era un cottage dal tetto spiovente, molto vicino al fiume. Per il ragazzo e la donna poliziotto sarebbe stato il luogo perfetto in cui nascondersi. Annuì. "Sì, hai ragione. Andiamo."

Un chilometro e mezzo oltre il ponte di Hobeth, il fiume Paquenoke curva bruscamente verso nord.

È profondo già vicino alla riva, lì, e i banchi di fango sono coperti di vegetazione, detriti e immondizia.

Come zattere alla deriva, due sagome umane che galleggiavano sull'acqua mancarono la curva e furono sospinte dalla corrente contro quella barriera di rifiuti.

Amelia Sachs lasciò andare la grande bottiglia di plastica – il suo galleggiante improvvisato – e si aggrappò a un ramo con la mano dalla pelle raggrinzita. Poi si rese conto che non era stata una mossa intelligente perché le tasche erano piene di pietre che aveva usato come zavorra, e quasi subito si sentì trascinare a fondo in quelle acque torbide. Ma, stendendo le gambe, scoprì che in quel punto il fiume era profondo solo un metro e mezzo. Così si alzò incerta e prese ad avanzare faticosamente. Un istante dopo, Garrett apparve accanto a lei e l'aiutò a uscire dall'acqua e a raggiungere la riva fangosa.

Si arrampicarono su un leggero pendio attraverso il fitto della vegetazione e infine, una volta arrivati a una radura erbosa, si lasciarono cadere a terra e rimasero immobili per qualche minuto a riprendere fiato. Amelia si tolse la T-shirt e il sacchetto di plastica. L'acqua era filtrata ma non aveva causato seri danni. Porse a Garrett il suo libro sugli insetti, aprì il tamburo della pistola e la lasciò ad asciugare su un lembo di erba ingiallita.

Si era sbagliata, riguardo al piano di Garrett. Avevano effettivamente usato le bottiglie per tenere a galla la barca rovesciata, ma il ragazzo l'aveva spinta in mezzo al fiume senza usarla come nascondiglio. Poi le aveva detto di riempirsi le tasche di pietre; lui aveva fatto altrettanto e insieme avevano corso lungo il fiume, superando la barca di una cinquantina di metri, per poi immergersi nell'acqua, tenendosi stretti ciascuno a una grande bottiglia di plastica mezza vuota. Garrett le aveva mostrato come tenere indietro la testa. Con la zavorra delle pietre, avevano solo la faccia fuori dall'acqua. In quel modo avevano cominciato a seguire la corrente.

"Lo fa anche il ragno palombaro", le aveva spiegato il ragazzo. "È come un subacqueo. Si porta dietro le sue scorte d'aria." Lo aveva già fatto diverse volte in passato per "scappare", anche se non aveva spiegato perché stesse fuggendo e da chi. Le aveva detto che, se la polizia non fosse stata al ponte, avrebbero fermato la barca, l'avrebbero portata a riva per svuotarla dall'acqua, quindi avrebbero ripreso il viaggio. Se invece gli agenti fossero stati sul ponte, l'imbarcazione rovesciata li avrebbe fatti insospettire, permettendo a loro due di passare inosservati.

Be', non si era sbagliato su quell'ultima parte: erano scivolati sotto il ponte indisturbati. Ma Amelia era ancora scioccata per ciò che era accaduto dopo: senza alcun motivo, gli agenti avevano crivellato di colpi lo scafo.

Anche Garrett era rimasto molto scosso da quei colpi di arma da fuoco. "Pensavano che fossimo là sotto", sussurrò. "Quei bastardi hanno cercato di ucciderci!"

Amelia non parlò.

Il ragazzo aggiunse: "Certo, ho fatto delle cose cattive... ma non sono un *phymata*."

"Che cos'è?"

"Un insetto cacciatore. Resta immobile, in attesa, e poi uccide. Era quello che volevano fare con noi. Insomma, ci hanno sparato. Non ci hanno dato una possibilità."

Oh, Lincoln, pensò lei, che disastro. Perché l'ho fatto?

Avrebbe dovuto arrendersi, ora. Restare ad aspettare gli agenti, rinunciare. Tornare a Tanner's Corner e cercare di sistemare le cose.

Poi guardò Garrett che si stringeva tra le braccia, rabbrividendo di paura, e capì che ormai non poteva più tornare indietro. Avrebbe dovuto giocare quell'assurda partita fino alla fine.

Il momento dell'azione...

"Dove andiamo adesso?"

"Vedi quel cottage laggiù?"

Una piccola costruzione marrone.

"Mary Beth è lì?"

"No, ma hanno una barchetta che possiamo prendere in prestito. Ci asciugheremo e prenderemo qualcosa da mangiare."

Be', in fondo che cos'era un furto con scasso per un agente che aveva aiutato un criminale a evadere di prigione?

Garrett si alzò, si chinò, raccolse la pistola. Lei rimase immobile fissando l'arma blu-nera nelle mani del ragazzo. Con aria esperta, lui controllò il tamburo e vide che era caricato con sei pallottole. Lo richiuse, impugnò l'arma, soppesandola con una disinvoltura che Amelia trovò spaventosa.

Qualunque idea ti sia fatta di Garrett, non fidarti di lui...

Il ragazzo spostò lo sguardo su di lei e un attimo dopo le restituì la pistola tenendola per la canna. "Da questa parte."

Lei ripose la Smith & Wesson nella fondina, il cuore che le martellava ancora nel petto per la paura.

Si incamminarono verso la casa. "Ci vive qualcuno?" domandò lei indicando l'edificio.

"In questo momento no." Garrett si fermò un attimo e si guardò alle spalle. Poi mormorò: "Gli agenti adesso sono incazzati! Ci stanno inseguendo con le armi e tutto il resto. Merda!" Si voltò e accompagnò Amelia sul sentiero che portava alla casa. Rimase in silenzio per qualche minuto. "Vuoi sapere una cosa, Amelia?"

"Cosa?"

"Stavo pensando a un tipo di falena, la Falena Imperatrice."

"Come mai?" chiese lei in tono assente, la mente ancora al terribile fragore dei colpi di fucile destinati a lei e a Garrett. Lucy Kerr aveva tentato di ucciderla. L'eco degli spari oscurava il resto dei suoi pensieri.

"Il colore delle sue ali... Quando sono aperte, insomma, sembrano gli occhi di un animale. Voglio dire, è veramente forte... ha addirittura un puntino bianco in un angolo, come un riflesso di luce nella pupilla. Gli uccelli lo vedono e pensano che sia una volpe o un gatto, e se la fanno sotto per la paura."

"Ma gli uccelli non possono capire dall'odore che è una falena e non un altro animale?" domandò lei, ancora distratta.

Garrett la fissò per un istante come se stesse cercando di capire se stava scherzando. Alla fine rispose: "Gli uccelli non sentono gli odori", come se lei gli avesse appena chiesto se il mondo fosse piatto. Si voltò a guardare in direzione del fiume. "Dovremo rallentarli in qualche modo. Pensi che siano vicini?"

"Molto vicini", rispose Amelia.

Con le armi e tutto il resto.

"Sono loro."

Rich Culbeau stava esaminando le impronte nel fango della

riva. "Sono tracce fresche: avranno dieci, al massimo quindici minuti."

"E vanno verso la casa", disse Tomel.

Ripresero ad avanzare, cautamente.

O'Sarian era ancora tranquillo. Il che lo rendeva ancora più sinistro del solito. Non aveva toccato alcool, non aveva fatto battute, non aveva detto una parola, e dire che era il più logorroico di Tanner's Corner. La sparatoria al fiume lo aveva davvero scosso. Ora, mentre si inoltravano nella foresta, trasaliva a ogni minimo rumore, pronto a far fuoco con il fucile. "Avete visto come sparava quel negro?" disse con la voce colma di rispetto. "Deve aver piazzato almeno dieci pallottole in quella barca in meno di un minuto."

"Erano pallettoni", lo corresse Harris Tomel.

Invece di protestare e di provare a impressionarli con la sua conoscenza delle armi come avrebbe fatto in circostanze normali, O'Sarian si limitò a borbottare: "Oh, già, è vero. Avrei dovuto capirlo". E annuì come uno scolaro che aveva appena imparato qualcosa di nuovo e interessante.

Si avvicinarono alla casa. Sembra un posto carino, pensò Culbeau. Forse una casa delle vacanze di qualche avvocato o di qualche dottore di Raleigh o di Winston-Salem, probabilmente. Un padiglione da caccia con un bar ben fornito, delle belle camere da letto e un congelatore in cui conservare la carne di cervo.

"Ehi, Harris", disse O'Sarian.

Culbeau non lo aveva mai sentito chiamare per nome qualcuno.

"Cosa c'è?"

"Questo affare spara alto o basso?" chiese, sollevando il Colt.

Tomel lanciò un'occhiata a Culbeau, domandandosi a sua volta che fine avesse fatto la parte più folle di O'Sarian.

"È un'arma leggera: sparerà più in alto di quanto sei abituato. Cerca di tenere la canna bassa."

"Perché il calcio è in plastica e non in legno, giusto?" chiese O'Sarian.

"Esatto."

Sean annuì di nuovo, il volto ancora più serio di prima. "Grazie."

Grazie?

I tre uomini raggiunsero l'ampia radura che circondava la casa, almeno cinquanta metri in tutte le direzioni senza nemmeno un cespuglio dietro cui nascondersi. Non sarebbe stato facile avvicinarsi.

"Pensate che siano lì dentro?" domandò O'Sarian, stringendo goffamente il fucile tra le mani sudate.

"Non... Un attimo, state giù!"

Si affrettarono ad accovacciarsi.

"Ho visto qualcosa al piano di sotto, da una finestra." Culbeau guardò attraverso il mirino del fucile da caccia. "Qualcuno si sta muovendo. Non riesco a vedere molto bene. Le tende sono tirate. Ma c'è sicuramente qualcuno." Scrutò le altre finestre. "Cazzo!" esclamò spaventato, buttandosi a terra.

"Cosa c'è?" chiese O'Sarian allarmato, imbracciando il fucile e guardandosi attorno.

"Stai giù! Uno di loro ha un fucile col mirino. Ci tengono sotto tiro dalla finestra del piano di sopra. Dannazione!"

"Dev'essere la ragazza", disse Tomel. "L'Insetto è troppo scemo per sapere da che parte escono le pallottole."

"Quella stronza!" mormorò O'Sarian, nascondendosi dietro un albero e stringendosi al fucile.

"Può coprire tutta la radura, da lì", disse Culbeau.

"Aspettiamo che faccia buio?" chiese Tomel.

"Oh, sì, e magari la poliziotta senza tette verrà anche a darci una mano, giusto? Non mi sembra una grande idea, Harris."

"Be', riesci a colpirla da qui?" Tomel indicò la finestra.

"Probabilmente sì", rispose Culbeau con un sospiro.

Stava per aggiungere qualcosa quando O'Sarian, con voce stranamente normale, disse: "Ma se Rich spara, allora Lucy e il negro lo sentiranno. Penso che dovremmo cercare di entrare nella casa. Uno sparo si sentirebbe molto meno, da lì".

Era esattamente ciò che Culbeau stava per dire.

"Ci vorrà almeno mezz'ora", ribatté Tomel, forse irritato all'idea di essere stato battuto sul tempo da Sean.

O'Sarian fece scattare la sicura del fucile e guardò in direzione della casa, strizzando gli occhi. "Be', dovremmo farcela in meno di mezz'ora. Tu cosa dici, Rich?"

...trenta

Steve Farr accompagnò ancora una volta Henry Davett nel laboratorio.

"Henry", disse Rhyme, "grazie per essere venuto."

Come la volta precedente, Davett non prestò nessuna attenzione alle condizioni del criminologo. Tuttavia, ora Rhyme non riuscì a trarre alcun conforto da quell'atteggiamento. La preoccupazione per Amelia lo stava consumando. Continuava a sentire le parole citate da Jim Bell.

In genere si hanno solo ventiquattr'ore per trovare la vittima; dopodiché questa perde la sua umanità agli occhi del rapitore, che non ci pensa due volte prima di ucciderla.

Quella regola, che era stata applicata a Lydia e a Mary Beth, ora avrebbe determinato anche il destino di Amelia Sachs. La differenza era, secondo Rhyme, che Amelia aveva molto meno di ventiquattr'ore.

"Avevo sentito dire che avevate catturato quel ragazzo."

"È riuscito a scappare", borbottò Ben.

"No!" Davett si accigliò.

"Sì", disse lo zoologo. "Un'evasione vecchio stile."

"Ho trovato altre prove ma non riesco a decifrarle. Speravo che potesse essermi ancora d'aiuto", intervenne il criminologo.

L'uomo d'affari si sedette. "Farò il possibile."

Rhyme fissò per un attimo l'incisione sul fermacravatta di Davett.

Che cosa avrebbe fatto *di preciso* Gesù in un caso come quello? si domandò. Con un cenno indicò la tabella e chiese: "Potrebbe dare un'occhiata alla lista sulla destra?"

"Il mulino... è *lì* che l'avete trovato? Nel vecchio mulino a nord-est della città?"

"Esatto."

"Conoscevo quel posto." Davett fece una smorfia. "Avrei dovuto pensarci."

I criminologi non posso permettere che espressioni come "avrei dovuto" scivolino di soppiatto nel loro vocabolario. "È impossibile pensare a tutto in una storia come questa. Guardi la tabella, per favore", continuò Rhyme. "C'è niente che le sembri familiare?"

Davett lesse con attenzione.

RITROVAMENTI SULLA SCENA SECONDARIA
MULINO

vernice marrone sui jeans
drosera
argilla
muschio di torba
succo di frutta
fibre di carta
esche
zucchero
canfene
alcool
kerosene
lievito

Mentre studiava l'elenco, commentò con voce assorta: "È come un puzzle".

"Questo è il mio lavoro", disse Rhyme.

"Quanto posso spingermi in là con le ipotesi?" chiese Davett.

"Quanto vuole", rispose il criminologo.

"Bene." Davett rimase a riflettere per un istante, poi disse: "Una baia della Carolina".

Rhyme lo incalzò: "Si spieghi meglio".

"È una struttura geologica. Può vederla sulla parte orientale della costa. È molto diffusa, in Carolina, sia a nord sia a sud. Si tratta di pozze ovali di acqua dolce, profonde circa un metro e mezzo. Possono essere piccole come stagni oppure grandi come laghi. Il fondale è composto principalmente da argilla e torba. Proprio come sulla sua tabella."

"Ma la torba e l'argilla sono piuttosto comuni, da queste parti", osservò Ben.

"È vero", concesse Davett. "E se aveste trovato solo quei due elementi, non saprei proprio risalire alla loro provenienza. Ma avete trovato qualcos'altro. Vede, una delle caratteristiche più interessanti delle baie della Carolina è che attorno vi crescono parecchie piante insettivore: si possono trovare centinaia di acchiappamosche di Venere, drosere e ascidii, probabilmente perché dove c'è acqua prosperano gli insetti. Quindi, se avete trovato una droscra insieme ad argilla e muschio di torba, senza alcun dubbio il ragazzo ha passato un po' di tempo nei pressi di una baia della Carolina."

"Bene", borbottò Lincoln. Poi, alzando lo sguardo sulla mappa, domandò: "Cosa intende per 'baia'? Un'insenatura?"

"No, il nome deriva dalle numerose piante di alloro della California* che crescono attorno ai laghetti. Si raccontano leggende di ogni genere, sulle baie della Carolina. I coloni pensavano che fossero state scavate nella terra dai mostri marini o che fossero il frutto delle maledizioni delle streghe. Per qualche anno si è pensato alla teoria dei meteoriti. In realtà sono solo depressioni naturali del terreno causate dal vento e dalle correnti d'acqua."

"Si trovano solo in questa zona?" domandò Rhyme, sperando di riuscire a restringere lo spettro delle ricerche.

"In una certa misura, sì." Davett si alzò e andò alla mappa. Con il dito tracciò un cerchio attorno a un'ampia area a ovest di

---

* Riferimento intraducibile alla parola inglese *bay*, che significa sia alloro sia baia. [*N.d.T.*]

Tanner's Corner, dal riquadro B-2 all'E-2, dall'F-13 al B-12. "Si trovano in particolare qui, poco prima delle colline."

Rhyme era scoraggiato. Quella che l'uomo aveva indicato era una zona di quasi duecento chilometri quadrati.

Davett si accorse della reazione del criminologo e aggiunse: "Vorrei poterle essere di maggior aiuto".

"No, no, apprezzo molto quello che sta facendo. Questa informazione mi sarà utile. Abbiamo solo bisogno di circoscrivere ulteriormente l'area basandoci sulla provenienza delle altre prove."

L'uomo d'affari lesse: "Zucchero, succo di frutta, kerosene..." Scosse la testa. "Non sarà un'impresa facile... signor Rhyme."

"Ci sono sempre indagini più difficili di altre", spiegò il criminologo. "Quando non si hanno prove, non resta che affidarsi alle ipotesi. Quando se ne hanno molte, di solito si può arrivare a una soluzione piuttosto in fretta. Ma quando se ne hanno poche, come in questo caso..." lasciò in sospeso la frase.

"Siamo ostacolati dai fatti", mormorò Ben.

Rhyme si voltò a guardarlo. "Esattamente, Ben. Esattamente."

"Ora devo andare", disse Davett. "La mia famiglia mi sta aspettando." Scrisse un numero di telefono dietro un biglietto da visita. "Mi chiami in qualunque momento."

Rhyme lo ringraziò di nuovo e tornò a fissare la tabella delle prove.

Siamo ostacolati dai fatti.

Rich Culbeau si succhiò il sangue dal braccio ferito dai rovi. Poi sputò sulla corteccia di un albero.

Avevano impiegato venti minuti ad attraversare i cespugli per raggiungere la veranda laterale della casa delle vacanze, senza essere visti da quella stronza con il fucile da caccia. Persino Harris Tomel, che normalmente sembrava appena uscito da un country club esclusivo, era insanguinato e sporco di polvere.

Il nuovo Sean O'Sarian attendeva all'inizio del sentiero, sdraiato a terra, imbracciando il suo fucile, come un soldato della fanteria a Khe Sahn, pronto a fermare Lucy e gli altri vietcong con qualche colpo sparato in aria, nel caso si fossero fatti vedere.

"Sei pronto?" chiese Culbeau a Tomel, che annuì.

Culbeau ruotò la maniglia e aprì la porta, la pistola in pugno, pronto a fare fuoco. Tomel lo seguì.

Dal piano superiore proveniva della musica rock: il ragazzo e la rossa dovevano trovarsi lì.

I due uomini si mossero con estrema cautela, ben sapendo che la poliziotta con il fucile da caccia poteva essere dovunque nella casa ad attenderli.

"Senti qualcosa?" sussurrò Culbeau.

"Solo quella musica."

Attraversarono lentamente il soggiorno immerso nella semioscurità. Davanti a loro si apriva la cucina, dove Culbeau aveva visto muoversi qualcuno – probabilmente Garrett – quando aveva osservato la casa con il mirino telescopico del fucile. Indicò la stanza con un cenno del capo.

"Non penso che ci abbiano sentiti", disse Tomel. Il volume della musica era piuttosto alto.

"Entriamo insieme. Mira alle gambe e alle ginocchia: dobbiamo ancora farci dire dove si trova Mary Beth."

"Intendi anche alla donna?"

Culbeau rimase a riflettere per qualche istante. "Sì, perché no? Potremmo decidere di tenerla viva ancora per un po'. Tu sai per cosa."

Il compare annuì.

"Uno, due… tre."

Spalancarono la porta, entrarono in cucina e per poco non si ritrovarono a sparare alla grande TV che stava trasmettendo le previsioni del tempo. Si accovacciarono e si guardarono intorno, in cerca delle loro prede. Non videro nessuno. Poi Culbeau guardò il televisore e si rese conto che quello non doveva essere il suo posto. Senz'altro qualcuno lo aveva portato dal soggiorno e lo aveva sistemato davanti ai fornelli.

Lanciò un'occhiata fuori dalla finestra. "Cazzo! Lo hanno messo qui perché sapevano che lo avremmo visto dall'altra parte del campo, dal sentiero. E sapevano che avremmo pensato che ci fosse qualcuno in casa." Raggiunse le scale e cominciò a salirle due gradini alla volta.

"Aspetta", disse Tomel. "Lei è lassù con il fucile."

Ma naturalmente la rossa non era al piano superiore. Culbeau spalancò con un calcio la porta della camera da letto in cui aveva visto il fucile e il mirino puntato su di loro. E trovò più o meno quello che si era aspettato di trovare: un pezzo di tubo sottile in cima al quale era stata attaccata con dello scotch una bottiglia vuota di Corona.

Disgustato, esclamò: "*Eccolo* il suo fucile. Gesù Cristo! Ci hanno fregati. Sono riusciti a farci perdere almeno mezz'ora. Quei fottuti poliziotti ormai saranno a cinque minuti da qui. Dobbiamo filarcela".

Uscì dalla stanza come una furia, oltrepassando Tomel che stava cominciando a dire: "È stata furba a..." ma che decise saggiamente di non finire la frase, dopo aver visto l'espressione sul viso di Culbeau.

La batteria si esaurì e il rumore del piccolo motore elettrico si interruppe.

La loro piccola imbarcazione stava scivolando lungo la corrente del Paquenoke, attraverso la nebbia oleosa che copriva la superficie del fiume. Ormai era quasi buio.

Garrett Hanlon prese un remo e diresse la barca verso la riva. "Dobbiamo fermarci da qualche parte", disse. "Prima che sia notte, insomma."

Amelia Sachs notò che il paesaggio era cambiato. Gli alberi si erano diradati e grandi pozze stagnanti incontravano il fiume. Il ragazzo aveva ragione: se avessero sbagliato strada, si sarebbero trovati in una qualche palude impenetrabile.

"Ehi, cosa c'è che non va?" le chiese lui.

"Il fatto è che sono molto, molto lontana da Brooklyn."

"Brooklyn è a New York, giusto?"

"Esatto", rispose lei.

Garrett fece ticchettare le unghie. "E ti spiace non essere lì?"

"Puoi scommetterci."

Dirigendo la barca verso una zona sgombra della riva, il ragazzo commentò: "È la cosa che fa più incazzare gli insetti".

"Cosa?"

"Insomma, è strano. Non hanno problemi a lavorare e non hanno problemi a combattere. Ma impazziscono quando si trovano in un posto che non conoscono, anche quando è un posto sicuro. Lo odiano, non sanno cosa fare."

Okay, pensò Amelia, proprio come me. Devo essere un insetto con il distintivo. Tuttavia preferiva l'espressione che aveva usato Rhyme: un pesce fuor d'acqua.

"Si può sempre capire quando un insetto è veramente agitato perché continua a pulirsi le antenne. Le antenne rivelano l'umore degli insetti. Come le nostre facce. La differenza è", aggiunse Garrett criptico, "che *loro* non fingono." Scoppiò in una strana risata, un suono che Amelia non aveva mai sentito, poi scrutò le ombre della sera. "Su per quel sentiero. Andremo alla mobile home dove mi fermo ogni tanto."

Il ragazzo entrò in acqua e trascinò la barca fino a riva. Amelia lo seguì. Aveva i vestiti ancora bagnati e si sentiva addosso l'odore amaro del fiume. Garrett fece strada attraverso la foresta. Sembrava sapere esattamente dove si trovavano nonostante l'oscurità.

"Come fai a sapere dove stiamo andando?" gli domandò lei.

"Non lo so", rispose Garrett. "Credo di essere un po' come la monarca. So orientarmi abbastanza bene."

"Monarca?"

"Sai, le farfalle. Migrano per migliaia di chilometri e sanno esattamente dove stanno andando. Sono davvero forti: volano seguendo il sole e, insomma, cambiano direzione a seconda della posizione del sole sull'orizzonte. Oh, è quando è coperto o è buio, usano un altro senso: riescono a sentire i campi magnetici della terra."

Quando un pipistrello emette un suono per trovare le falene, loro chiudono le ali, cadono a terra e si nascondono.

Amelia stava sorridendo per l'entusiasmo con cui Garrett le aveva esposto le sue conoscenze quando, di colpo, si fermò e si accovacciò. "Guarda", sussurrò. "Là! C'è una luce."

Un chiarore debole si rifletteva in una pozza scura. Era una strana luce gialla, tremolante come quella di una lanterna.

Ma il ragazzo stava ridendo.

Lei lo guardò con aria interrogativa.

Lui disse: "È solo un fantasma".

"Cosa?" chiese Amelia seccamente. Non si sentiva in vena di scherzi.

"È la Signora della Palude. Sai, quella ragazza indiana che morì la notte prima del suo matrimonio. Il suo fantasma si aggira ancora per la Palude Lugubre in cerca del suo promesso sposo. Non siamo nella Grande Palude, ma è qui vicino." Con un cenno indicò il bagliore. "In realtà è solo un enorme fungo fosforescente."

A lei non piaceva quella strana luminescenza. Le ricordò il senso di disagio che aveva provato la mattina in cui avevano attraversato Tanner's Corner e aveva visto la piccola bara al funerale.

"Non mi piace la palude, con o senza fantasmi", disse.

"Davvero?" si stupì il ragazzo. "Magari alla fine ti piacerà. Un giorno o l'altro."

Raggiunsero una strada, e dopo altri dieci minuti di cammino arrivarono a una radura in cui si trovava una vecchia roulotte. Nella semioscurità, Amelia non riusciva a vedere chiaramente, ma la grossa roulotte sembrava vecchia e malconcia, inclinata su un lato, arrugginita, coperta di muschio e rampicanti.

"È tua?" chiese a Garrett.

"Be', nessuno ci vive più da anni, quindi *direi* che è mia. Ho anche una chiave, ma l'ho lasciata a casa. Non ce l'ho fatta a tornare a prenderla." Girò attorno alla mobile home e riuscì a entrare da una finestra. Un attimo dopo la porta si aprì.

Amelia entrò. Garrett stava frugando in un pensile della minuscola cucina. Trovò dei fiammiferi e accese una vecchia lampada a propano che emanava una luce calda e gialla. Aprì un altro pensile e vi sbirciò dentro.

"Avevo dei biscotti ma quei fottuti topi se li sono mangiati." Prese alcuni contenitori e li esaminò. "Li hanno rosicchiati per bene. Merda! Ma ho dei maccheroni Farmer John... sono buoni, e anche i fagioli." Cominciò ad aprire un paio di barattoli mentre Amelia si guardava attorno. Qualche sedia, un tavolo. Nella camera da letto vide un materasso sudicio. Sul pavimento del soggiorno c'erano una spessa stuoia – simile a quelle usate per fare yoga – e un cuscino. L'ambiente era deprimente: porte e infissi rotti, fori di pallottole nelle pareti, finestre rotte, moquette così sporca che sarebbe stato impossibile pulirla. Ai tempi in cui aveva lavorato come agente di pattuglia a New York, aveva visto molti luoghi simili, ma sempre dall'esterno; e adesso quella sarebbe stata temporaneamente la sua casa.

Ripensò alle parole che le aveva detto Lucy. *Non si possono*

applicare le solite regole a nessuno, a nord del Paquo: non valgo-
no né per noi né per loro. Magari ti ritrovi a sparare a qualcuno
prima di avergli letto i suoi diritti, e dopotutto anche questo è
normale.

Garrett coprì le finestre con degli stracci unti, in modo che nessuno da fuori potesse vedere la luce. Uscì per un attimo e rientrò con una tazza metallica arrugginita; piena di acqua piovana, probabilmente. La porse ad Amelia ma lei scosse la testa.

"Mi sono già bevuta mezzo Paquenoke."

"Questa è meglio."

"Ne sono sicura. Comunque, no, grazie."

Lui bevve dalla tazza, poi mescolò il cibo che stava scaldando sul piccolo fornello. A bassa voce cominciò a cantare un motivetto: "*Farmer John, Farmer John. Tutto è fresco da Farmer John...*" Era solo un jingle pubblicitario, ma lei lo trovò in qualche modo spettrale, e fu felice quando il suo compagno smise. Stava per rifiutare anche il cibo, ma all'improvviso si rese conto di essere affamata. Garrett versò il contenuto della pentola in due ciotole e le porse un cucchiaio. Lei sputò sulla posata e la strofinò con un angolo della camicia. Per qualche minuto rimasero a mangiare in silenzio.

Amelia udì un suono rauco e acuto che proveniva dall'esterno. "Che cos'è? Una cicala?"

"Sì", rispose Garrett. "Sono solo i maschi a emettere quel suono. Fanno un bel po' di rumore, con quei piccoli piatti che hanno sul corpo." Si accigliò e rifletté per qualche secondo. "Vivono una vita talmente strana... Le ninfe si scavano una tana sotterra e restano lì per... insomma, vent'anni prima di schiudersi. Poi tornano in superficie e si arrampicano su un albero. Gli si spacca la pelle sulla schiena e finalmente esce l'adulto. Tutti quegli anni sotterra, nascosti, ad aspettare di uscire per diventare adulti..."

"Perché ti piacciono così tanto gli insetti, Garrett?" domandò Amelia.

Lui esitò. "Non lo so. Mi piacciono e basta."

"Non ti sei mai chiesto il perché?"

Lui smise di mangiare. Si grattò la guancia arrossata. "Credo di aver cominciato a interessarmi agli insetti dopo che i miei genitori sono morti. Ero molto infelice. Era strano... mi sentivo la testa strana. Ero confuso e, non lo so, diverso. Gli psicologi scolastici dicevano che era perché mamma, papà e mia sorella erano morti e, insomma, non facevano che dirmi che dovevo mettercela tutta per superarlo. Ma non ce l'ho fatta. Mi sembrava di non essere una persona vera. Non mi importava di niente. Non facevo altro che stare a letto o andare a leggere nei boschi o nella palude. Per un anno non ho fatto altro. Insomma, quasi non vedevo nessuno. Passavo da una famiglia adottiva all'altra… Ma poi ho letto una cosa importante. In questo libro."

Sfogliò *Un mondo in miniatura* e trovò la pagina. La mostrò ad Amelia. Aveva cerchiato un passaggio intitolato "Caratteristiche di una creatura sana". Lei lo scorse e lesse diversi punti dell'elenco di otto o nove voci.

- *Una creatura sana fa di tutto per crescere e svilupparsi.*
- *Una creatura sana fa di tutto per sopravvivere.*
- *Una creatura sana fa di tutto per adattarsi al suo ambiente.*

Garrett commentò: "L'ho letto ed è stato come… uao! Insomma, mi sono detto che anch'io potevo essere così. Potevo essere di nuovo sano e normale. Ho cercato con tutte le forze di seguire quelle regole e mi sono sentito meglio. È un po' come se quel libro mi avesse salvato la vita. Quindi forse è per questo che li sento vicini… gli insetti, voglio dire. Mi hanno insegnato roba di ogni genere sulla vita".

Una zanzara si posò sul braccio di Amelia. Lei scoppiò a ridere. "Ma ti succhiano anche il sangue." La schiacciò: "Presa".

"Lo sapevi che sono solo le zanzare femmine che succhiano il sangue? I maschi si nutrono di nettare."

"Davvero?"

Lui annuì e restò in silenzio. Guardò la piccola macchia di sangue sul braccio di Amelia. "Gli insetti non se ne vanno mai."

"Cosa intendi dire?"

Garrett cercò un altro brano del libro, e quando lo ebbe trovato glielo lesse ad alta voce: "'Se esiste una creatura che può essere definita immortale, quella creatura è l'insetto, che abitava la terra milioni di anni prima dell'avvento dei mammiferi e che sarà ancora qui anche quando la vita intelligente sarà scomparsa'." Posò il libro e la guardò. "Capisci? Il fatto è che, se ne uccidi, ce ne saranno sempre altri. Hai presente la reincarnazione? Insomma, tornare a vivere un'altra vita."

Amelia annuì.

"Tutto è cominciato a causa delle falene e delle farfalle. Insomma, il bruco non muore veramente, diventa solo qualcos'altro. È triste quando le *persone* se ne vanno, e quello è per sempre. Se mia madre, mio padre e mia sorella fossero insetti e fossero morti, ci sarebbero altri come loro e io non sarei solo."

"Non hai degli amici?"

Garrett scrollò le spalle. "Ho Mary Beth. Lei è più o meno l'unica."

"Mary Beth ti piace molto, vero?"

"Altroché! Mi ha salvato da un ragazzo che voleva farmi qualcosa di veramente brutto. E, voglio dire, lei parla con me..." Fece una pausa. "Forse è proprio *questo* che mi piace di lei. Il fatto che con lei posso parlare. Stavo pensando che, insomma, magari tra qualche anno, quando sarò più grande, potrebbe anche uscire con me. Potremmo fare le cose che fanno tutti. Sai, andare al cinema o fare un picnic. Una volta l'ho vista a un picnic con sua madre e alcuni amici. Si stavano divertendo. Sono rimasto a guardarli per ore. Mi sono seduto sotto un albero con un po' d'acqua e dei biscotti e ho fatto finta di essere con loro. Hai mai fatto un picnic?"

"Certo."

"Ci andavo spesso con la mia famiglia. Voglio dire, con la mia vera famiglia. Era bello. Mamma e Katie apparecchiavano e preparavano da mangiare con la griglia che avevamo comprato al K-Mart. Io e papà ci toglievamo le scarpe e le calze ed entravamo nel fiume a pescare. Ricordo ancora la sensazione del fango e dell'acqua gelata."

Amelia si chiese se fosse quella la ragione per cui amava tanto l'acqua e gli insetti.

"E così pensi che un giorno tu e Mary Beth andrete a fare un picnic."

"Non lo so. Forse." Scosse la testa e le rivolse un sorriso mesto. "Be', non credo. Mary Beth è carina, intelligente, ed è molto più grande di me. Si metterà con qualcuno bello e intelligente. Ma forse potremo essere amici, io e lei. E, anche se non fosse così, l'unica cosa di cui mi importa è che stia bene. Starà con me finché non

sarà al sicuro. O finché tu e il tuo amico, l'uomo sulla sedia a rotelle di cui tutti parlano, non la porterete in un luogo sicuro."
Guardò fuori dalla finestra e rimase in silenzio.

"Al sicuro dall'uomo con la tuta?" domandò lei.

Per qualche istante Garrett non parlò; infine annuì. "Già. Proprio così."

"Vado a prendere un po' d'acqua", disse Amelia.

"Aspetta", la fermò Garrett. Strappò qualche foglia secca da un rametto appoggiato sul ripiano della cucina, se le strofinò tra le mani e poi le sfregò sulle braccia nude, sul collo e sulle guance di Amelia. L'odore delle foglie era molto intenso. "È citronella", le spiegò. "Tiene lontane le zanzare. Non dovrai più scacciarle."

Lei prese la tazza, uscì e guardò il barile di acqua piovana. Era chiuso da un coperchio sottile. Lo sollevò, riempì la tazza e bevve. L'acqua sembrava dolce. Si soffermò ad ascoltare il frinire delle cicale.

O finché tu e il tuo amico, l'uomo sulla sedia a rotelle di cui tutti parlano, non la porterete in un luogo sicuro.

Quella frase le riecheggiò nella mente e diventò: *L'uomo sulla sedia, l'uomo sulla sedia.*

Tornò all'interno. Ripose la tazza. Si guardò attorno nel minuscolo soggiorno. "Garrett, mi faresti un favore?"

"Se posso..."

"Ti fidi di me?"

"Penso di sì."

"Vai a sederti lì."

Lui la fissò per un attimo, quindi si alzò e andò a sedersi sulla vecchia poltrona che lei gli stava indicando.

Amelia attraversò la stanza, prese una delle vecchie sedie di rattan che si trovavano in un angolo e la sistemò davanti alla poltrona su cui sedeva il ragazzo.

"Garrett, ti ricordi quello che ti ha spiegato il dottor Penny in prigione? Quando ti ha parlato della sedia vuota?"

"Devo parlare?" domandò lui, incerto. "Devo fare ancora quel gioco?"

"Esatto. Voglio che tu lo faccia di nuovo. Ti va?"

Lui esitò, si asciugò le mani sui pantaloni e osservò la sedia per qualche secondo. Alla fine disse: "Penso di sì".

...trentuno

Amelia Sachs stava ripensando alla stanza degli interrogatori e all'incontro con lo psicologo. Da dietro lo specchio, aveva osservato con attenzione il ragazzo. Ricordava il modo in cui il dottore aveva cercato di convincerlo a immaginare che Mary Beth fosse seduta sulla sedia vuota. Ma Garrett le era parso confuso e desideroso di parlare con *qualcun altro*. Dapprima sul suo volto aveva visto un'espressione ansiosa e poi la delusione – forse anche la rabbia – quando il dottore aveva insistito per fargli immaginare la ragazza.

Oh, Rhyme, tu ami le prove inconfutabili. Secondo te non possiamo basarci su cose inconsistenti come le parole, le lacrime, le emozioni negli occhi delle persone, quando ci sediamo davanti a loro e ascoltiamo le loro storie... ma queste cose non sono *necessariamente* false. Sono convinta che Garrett Hanoln sia molto di più di ciò che ci dicono le prove.

"Guarda la sedia", disse al ragazzo. "Chi vuoi immaginare che sia seduto lì?"

Lui scosse la testa. "Non lo so."

Lei gli spinse la sedia più vicino e sorrise, incoraggiante. "Puoi dirmelo. Non c'è problema. È una ragazza? Una tua compagna di scuola?"

Ancora una volta lui scosse la testa.

"Puoi dirmelo."

"Be', non lo so. Forse... Forse mio padre".

Amelia ripensò con irritazione agli occhi gelidi e ai modi rozzi di Hal Babbage. Senza dubbio Garrett aveva un sacco di cose da dirgli.

"Solo tuo padre? O anche la signora Babbage?"

"No, no, non lui. Il mio vero padre, voglio dire."

"Il tuo vero padre?"

Garrett annuì. Era agitato, nervoso. Continuava a far ticchettare le unghie.

Le antenne rivelano l'umore degli insetti...

Guardando il volto triste del ragazzo, Amelia si rese conto, non senza una certa preoccupazione, di non avere idea di cosa stava facendo. Sicuramente gli psicologi sapevano come scavare nell'animo dei loro pazienti, sapevano guidarli e proteggerli in ogni tipo di terapia. E ora lei stava forse rischiando di far peggiorare ulteriormente Garrett? Di spingerlo a oltrepassare il confine che finora gli aveva impedito di fare qualcosa di violento, di diventare un pericolo per se stesso e per gli altri? Nonostante il rischio, decise di tentare comunque.

Al dipartimento di polizia di New York era soprannominata la Figlia del Poliziotto, e lei effettivamente aveva ereditato molti tratti da suo padre: la passione per le auto, l'amore per le indagini, l'impazienza ma soprattutto il talento naturale che certi agenti hanno nel capire la psicologia delle persone. Lincoln Rhyme aveva sempre cercato di scoraggiare la sua inclinazione a essere un "poliziotto della gente", e più di una volta le aveva detto che sarebbe stata la sua rovina. Apprezzava invece la sua abilità di criminologa, che lei sapeva di possedere. Ma in fondo al cuore Amelia Sachs era proprio come suo padre, e per lei le prove più importanti erano quelle che si potevano trovare nell'animo umano.

Gli occhi di Garrett si spostarono sulla finestra, verso gli insetti di giugno che sbattevano in voli suicidi contro la zanzariera arrugginita.

"Come si chiamava tuo padre?" chiese Amelia.

"Stuart. Stu."

"E *tu* come lo chiamavi?"

"Di solito 'papà'. Qualche volta 'signore'." Garrett sorrise tristemente. "Ma solo se avevo fatto qualcosa di sbagliato e pensavo che... insomma, fosse il caso di comportarmi bene."

"Voi due andavate d'accordo?"

"Più dei miei amici con i loro padri. Loro ogni tanto venivano presi a cinghiate e i loro padri non facevano altro che urlargli dietro... 'Come hai fatto a non segnare?' 'Perché c'è tutto questo casino nella tua stanza?' 'Perché non hai fatto i compiti?' Ma di solito papà era molto buono con me. Finché..." La sua voce si spense.

"Continua."

"Non lo so." Scrollò le spalle.

Amelia insistette. "Finché *cosa*, Garrett?"

Silenzio.

"Puoi dirmelo."

"Non voglio! È una cosa stupida."

"Be', allora non dirlo a *me*, dillo a *lui*, a tuo padre." Con un cenno, indicò la sedia vuota. "Tuo padre è qui davanti a te. Cerca di immaginarlo." Il ragazzo si sporse in avanti e fissò la sedia con aria intimorita. "Seduto qui c'è Stu Hanlon."

Per un attimo, negli occhi di Garrett comparve un'espressione così colma di nostalgia che Amelia si sentì prossima alle lacrime. Sapeva che si stavano avvicinando a un punto cruciale, e cercò di fargli mantenere la concentrazione. "Coraggio, parlami di lui... Dimmi com'era. Come si vestiva."

Un'esitazione, poi il ragazzo rispose: "Era alto e parecchio magro. Aveva i capelli scuri che gli stavano in piedi ogni volta che andava a tagliarseli. Per tenerli giù doveva mettersi una roba che aveva un buon profumo e glieli faceva stare a posto per un paio di giorni. Si metteva sempre dei bei vestiti. Non aveva nemmeno un paio di jeans, credo. Portava sempre delle camicie, sai, e dei pantaloni col risvolto". Sulle sue labbra sbocciò un debole sorriso. "Si faceva scivolare un quarto di dollaro lungo la gamba dei pantaloni e cercava di farlo cadere proprio nel risvolto, e se ci riusciva io e mia sorella potevamo prenderlo. Era come... era il nostro gioco. A Natale portava a casa dei dollari d'argento per noi e continuava a farseli scivolare sui pantaloni finché non li prendevamo."

I dollari d'argento nel contenitore delle vespe, pensò lei.

"Aveva qualche hobby? Gli piaceva lo sport?"

"Lo sport non tanto. Gli piaceva leggere. Ci portava spesso nelle librerie e leggeva per noi. Un sacco di libri di storia e di viaggi e roba sulla natura. E... oh sì, andava a pescare. Quasi ogni fine settimana."

"Bene, allora immagina che sia seduto qui, con i suoi pantaloni eleganti e la sua camicia. Immagina che stia leggendo un libro. D'accordo?"

"Penso di sì."

"Adesso sta richiudendo il libro..."

"No! Prima, ci metterebbe un segnalibro. Ne aveva tantissimi. Li collezionava. Mia sorella e io di solito gliene compravamo uno per Natale."

"Mette il segnalibro e chiude il volume. Ti sta guardando. Adesso hai l'opportunità di parlare con lui. Che cosa vuoi dirgli?"

Garrett si strinse nelle spalle e scosse la testa. Si guardò attorno come in cerca di qualcosa da fare.

Ma Amelia non aveva intenzione di permettergli di distrarsi. *Il momento dell'azione...*

Disse: "Cerchiamo di pensare a una cosa in particolare di cui vorresti parlargli. Un incidente. Qualcosa che ti ha reso infelice. Ti viene in mente qualcosa del genere?"

Il ragazzo si torceva le mani in grembo e continuava a far ticchettare le unghie.

"Parla con lui, Garrett."

"Be', credo che ci sia una cosa."

"Cosa?"

"Ehm, quella sera... la sera in cui sono morti."

Amelia fu percorsa da un brivido improvviso. Sapeva che si stavano addentrando in un territorio pericoloso. Per qualche istante considerò la possibilità di tirarsi indietro. Ma non lo fece. "Vuoi parlare a tuo padre di qualcosa che è successo quella notte?"

Lui annuì. "Sai, stavano andando fuori a cena in macchina. Era mercoledì. Ogni mercoledì andavamo a mangiare da Benningan's. A me piaceva il pollo fritto: prendevo pollo fritto, patatine e una Coca. E Katie, mia sorella, ordinava le cipolle fritte e io le davo un po' delle mie patatine e lei un po' delle sue cipolle... qualche volta facevamo dei disegni sul piatto vuoto con il ketchup."

Il volto del ragazzo era pallido e tirato. Quanto dolore c'è nei suoi occhi, pensò Amelia, costringendosi a tenere a bada le emozioni. "Che cosa ricordi di quella sera?"

"È successo davanti a casa, nel vialetto. Loro erano in macchina, papà, mamma e mia sorella. Stavano andando a cena e..." Deglutì rumorosamente "... il fatto era che ci stavano andando senza di me."

"Davvero?"

Lui annuì. "Era tardi. Ero stato nei boschi, vicino a Blackwater Landing, e avevo... insomma, avevo perso il senso del tempo. Ho corso per quasi un chilometro per arrivare in tempo, ma mio padre non ha voluto che andassi con loro. Era arrabbiato perché avevo fatto tardi. Io volevo tanto andare! Faceva molto freddo. Mi ricordo che io tremavo e anche loro tremavano. C'era della brina sui finestrini, ma loro non mi hanno lasciato salire in macchina."

"Forse tuo padre non ti ha visto. Per via della brina."

"No, mi ha visto. Ero lì, vicino alla macchina. Ho bussato sul finestrino e lui mi ha visto, però non mi ha aperto la portiera. Era arrabbiato e mi ha gridato qualcosa, io continuavo a pensare: l'ho fatto infuriare e ho freddo, non mangerò pollo fritto e patatine. Non andrò a cena con la mia famiglia." Le lacrime cominciarono a scorrergli lungo le guance.

Amelia avrebbe voluto circondargli le spalle con un braccio per confortarlo, ma non si mosse. "Coraggio." Con un cenno indicò la sedia. "Parla con tuo padre. Che cosa vuoi dirgli?"

Il ragazzo guardò Amelia; lei ancora una volta gli indicò la sedia e alla fine Garrett spostò lo sguardo.

"Fa tanto freddo!" mormorò, quasi senza fiato per l'emozione. "Fa freddo e voglio salire in macchina. Perché mio padre non vuole farmi salire in macchina?"

"No, devi dirlo a *lui*. Immagina che sia seduto qui."

Amelia stava pensando che quel metodo era simile a quello che usava Rhyme quando la spingeva a immedesimarsi con il criminale sulla scena del delitto. Era una sensazione straziante... e ora percepiva chiaramente la paura del ragazzo. Ma non poteva arrendersi. "Diglielo... dillo a *tuo padre*."

Garrett guardò la vecchia sedia con occhi colmi di disagio. Si sporse in avanti. "Io..."

Lei sussurrò: "Avanti, Garrett. Va tutto bene. Ci sono io con te. Diglielo".

"Volevo solo andare da Bennigan's con voi!" esclamò lui cominciando a singhiozzare. "Tutto qui. Insomma, volevo che cenassimo tutti insieme. Volevo solo venire con voi! Perché non mi hai lasciato salire in macchina? Mi hai visto arrivare e hai messo la sicura alla portiera. Non avevo fatto così tardi!" Ora si stava arrabbiando. "Mi hai chiuso fuori! Eri infuriato con me e non era giusto. Che cosa ho... non era così grave. Sicuramente ti avevo fatto qualcos'altro per farti arrabbiare tanto. Ma cosa? Perché non volevi che venissi con voi? Perché non mi hai detto cosa ti avevo fatto?" Il tono di voce era quasi isterico. "Torna indietro e dimmelo. Torna indietro! Voglio saperlo! Che cos'ho fatto? Dimmelo, dimmelo!" Singhiozzando, balzò in piedi e sferrò un calcio alla sedia, scagliandola dall'altra parte della stanza dove cadde su un lato, poi l'afferrò con un urlo selvaggio e la sbatté sul pavimento. Amelia si ritrasse, turbata dalla violenza che aveva scatenato. Garrett continuò ad avventarsi sulla sedia fino a mandarla in frantumi. Alla fine, si lasciò cadere sul pavimento, stringendosi tra le braccia. Amelia si alzò e andò ad abbracciarlo: singhiozzava e tremava.

Cinque minuti più tardi cominciò a calmarsi e smise di piangere. Si alzò in piedi, asciugandosi il volto su una manica della T-shirt.

"Garrett..." cominciò a dire Amelia in un sussurro.

Lui scosse la testa. "Vado fuori", disse. Raggiunse la porta e uscì.

Amelia rimase seduta immobile per qualche lungo istante, poi puntò la sveglia dell'orologio da polso alle cinque del mattino. Era esausta, ma nonostante la stanchezza non si sdraiò sulla stuoia che lui le aveva preparato. Spense la lanterna, tolse uno degli stracci che coprivano le finestre e si sedette sulla poltrona ammuffita. Si chinò in avanti, inalando l'odore pungente delle foglie di citronella, e rimase a osservare la sagoma curva del ragazzo che sedeva sul ceppo di una quercia abbattuta, lo sguardo rivolto alle costellazioni di lucciole che affollavano la foresta attorno a lui.

...trentadue

Lincoln Rhyme mormorò: "Non posso crederci". Aveva appena finito di parlare con una furiosa Lucy Kerr e aveva scoperto che Amelia aveva sparato diversi colpi contro un agente, sotto il ponte di Hobeth. "Non posso crederci", ripeté a Thom con la voce ridotta a un sussurro.

Il suo aiutante era uno specialista nel trattare i corpi feriti e gli spiriti feriti *a causa* dei corpi feriti. Ma quella era una faccenda diversa, molto più grave. E il giovane non poté fare altro che dire: "È stato un equivoco. Ne sono sicuro. Amelia non farebbe mai una cosa del genere".

"Non lo farebbe mai", ripeté Rhyme rivolgendosi a Ben, ora. "Assolutamente mai." Si convinse che Amelia non avrebbe mai sparato a un collega nemmeno per spaventarlo. Ma pensò anche che la disperazione poteva spingere a correre i rischi più assurdi. (Oh, Sachs, perché devi essere così impulsiva e ostinata? Perché devi somigliarmi tanto?)

Bell stava parlando al telefono nell'ufficio di fronte al laboratorio. Rhyme poteva sentirlo mentre salutava affettuosamente sua moglie e i suoi figli. Probabilmente non erano abituati ad assenze forzate di quel genere: era evidente che la polizia di Tanner's Corner non si era mai trovata ad affrontare un caso impegnativo come quello di Garrett Hanlon.

Ben Kerr sedeva accanto a uno dei microscopi, le braccia massicce incrociate sul petto. Stava studiando la mappa. A differenza dello sceriffo, non aveva telefonato a casa per avvertire qualcuno che sarebbe rimasto a lavorare tutta la notte, e Rhyme si chiese se il giovane zoologo fosse sposato o avesse una ragazza, oppure se la sua vita fosse tutta assorbita dalla scienza e dai misteri dell'oceano.

Lo sceriffo riappese e tornò nel laboratorio.

"Qualche nuova idea, Lincoln?"

Rhyme indicò con un cenno la tabella delle prove.

RITROVAMENTI SULLA SCENA SECONDARIA
MULINO

vernice marrone sui jeans
drosera
argilla
muschio di torba
succo di frutta
fibre di carta
esche
zucchero
canfene
alcool
kerosene
lievito

Riepilogò le informazioni in loro possesso sulla casa in cui era tenuta Mary Beth. "C'è una baia della Carolina nei pressi della casa. Metà dei brani sottolineati nei libri di Garrett sugli insetti riguardano il camuffamento, e la vernice marrone che abbiamo trovato sui suoi pantaloni è più o meno del colore della corteccia degli alberi, quindi la casa probabilmente si trova in una foresta o nelle sue vicinanze. Le lampade a canfene venivano usate nell'Ottocento, quindi il luogo dev'essere piuttosto antico, probabilmente di epoca vittoriana. Le altre tracce non ci sono di molto aiuto. Il lievito potrebbe provenire dal mulino; le fibre di carta da qualsiasi posto. E il succo di frutta e lo zucchero, poi, dal cibo o dalle bevande che Garrett ha portato con sé."

Il telefono si mise a squillare.

L'anulare di Rhyme cliccò sull'UCA, e lui rispose alla chiamata.

"Sì?" disse nel microfono.

"Lincoln."

Il criminologo riconobbe la voce bassa ed esausta di Mel Cooper.

"Cos'hai scoperto, Mel? Ho bisogno di qualche buona notizia."

"Spero che siano buone. Ricordi quella chiave che hai trovato? È tutto il giorno che setacciamo libri e database, e alla fine siamo riusciti a scoprire da dove viene."

"E sarebbe?"

"È la chiave di una roulotte costruita dalla McPherson Deluxe Mobile Home Company. La ditta ha prodotto roulotte dal 1946 fino ai primi anni '70, poi è fallita. Ma grazie al numero di serie sulla chiave abbiamo scoperto che appartiene a una roulotte costruita nel '69."

"Puoi darmi una descrizione?"

"Non abbiamo trovato nessuna immagine."

"Dannazione! Dimmi, Mel, è una di quelle case mobili che si tengono solo in un parcheggio per roulotte oppure è una di quelle che si possono portare in giro?"

"È piuttosto grande, ventiquattro metri per sei. Non è il genere di roulotte che ci si porta in giro facilmente. E comunque non è motorizzata. Va trainata."

"Grazie, Mel. Fatti una bella dormita."

Rhyme interruppe la comunicazione. Riferì a Bell quelle nuove informazioni. "Che cosa ne pensa, Jim? Ci sono parcheggi di roulotte da queste parti?"

Lo sceriffo sembrò dubbioso. "Ce ne sono un paio, uno sulla Route 17 e uno sulla 158. Ma sono piuttosto lontani dalla zona in cui sono diretti Garrett e Amelia. E poi sono posti affollati in cui sarebbe difficile nascondersi. Vuole che mandi qualcuno a controllare?"

"Quanto sono lontani?"

"Un centinaio di chilometri."

"No. Probabilmente Garrett ha trovato una mobile home abbandonata nei boschi da qualche parte e la usa come rifugio." Rhyme guardò la cartina, pensando: ed è lì, in un pun-

337

to qualsiasi di un territorio vasto più di duecento chilometri quadrati.

Si chiese se il ragazzo fosse già riuscito a farsi togliere le manette, se avesse già preso la pistola di Amelia. Forse lei si stava addormentando proprio in quel momento e aveva la guardia abbassata. Probabilmente Garrett stava solo aspettando il momento giusto per avvicinarsi a lei, armato di una pietra o di un nido di vespe...

Si sentì invadere dall'ansia. Stirò i muscoli del collo, spingendo la testa all'indietro, e sentì lo schiocco di un osso. Rimase immobile, temendo l'inizio di un'altra serie delle dolorose contratture che ogni tanto gli squassavano i pochi muscoli ancora collegati a nervi funzionanti. Gli sembrava un'ingiustizia inconcepibile: lo stesso trauma che aveva reso insensibile la maggior parte del suo corpo ancora gli infliggeva terribili tremori alle parti della sua anatomia rimaste intatte.

Tuttavia questa volta il dolore non arrivò, ma Thom si accorse comunque dell'espressione allarmata che era comparsa sul volto di Rhyme. "Lincoln, adesso basta... Ti controllo la pressione e poi ti metto a letto. Non accetto obiezioni."

"D'accordo, Thom, d'accordo. Dobbiamo solo fare una telefonata, prima."

"Ma guarda com'è tardi... Chi può essere sveglio a quest'ora?"

"Il punto", disse Rhyme stancamente, "non è tanto chi può essere sveglio, quanto chi sta per essere svegliato."

Mezzanotte, nella palude.

I rumori degli insetti. Le ombre veloci dei pipistrelli. Un gufo o due. La luce fredda della luna.

Lucy e gli altri agenti percorsero i sei chilometri che li separavano dalla Route 30 dove li stava aspettando un camper. Bell aveva tirato qualche filo e aveva "requisito" il veicolo alla Fred Fisher Winnebego. Steve Farr lo aveva portato lì ed era rimasto ad aspettare la squadra di ricerca. Ora avevano un posto dove passare la notte.

Una volta sul camper, Jesse, Trey e Ned mangiarono avidamente i sandwich al roastbeef portati da Farr. Lucy bevve un'intera bottiglia d'acqua, lasciò perdere il cibo e decise di farsi una doccia. Farr e lo sceriffo, grazie a Dio, avevano preparato uniformi pulite.

Lucy telefonò alla centrale e disse a Jim Bell che avevano individuato i fuggiaschi in un cottage. "A quanto pare stavano guardando la TV, ci crederesti?"

Ma dal momento che era ormai troppo buio per seguire il sentiero fino al cottage, gli agenti avevano deciso di aspettare l'alba per riprendere l'inseguimento.

Lucy prese gli abiti puliti ed entrò in bagno. Nel minuscolo box doccia indugiò a lungo sotto il debole getto d'acqua. Cominciò lavandosi i capelli, il viso e il collo, poi, come sempre esitante, passò al petto piatto, sentendo sotto le dita le cicatrici, e infine, con maggior sicurezza, al ventre e alle cosce.

Ancora una volta si chiese il perché della sua avversione per il silicone e per la chirurgia ricostruttiva che, come le aveva spiegato il dottore, consisteva nel prelevare del grasso dalle cosce o dai glutei per ricrearle i seni. Persino i capezzoli potevano essere ricostruiti o tatuati.

Perché sarebbe stato falso, innaturale.

Quindi, perché scomodarsi?

Ma poi le venne in mente Lincoln Rhyme. Il criminologo era un uomo solo in parte. Le sue gambe e le sue braccia erano false... una sedia a rotelle e un aiutante. Ma pensando a lui, pensò anche ad Amelia Sachs, e la sua rabbia bruciante riprese ad ardere.

Cercò di accantonare quei pensieri.

Si asciugò e poi si infilò una T-shirt, tornando per un attimo con la mente al cassetto pieno di reggiseni dell'armadio nella sua camera degli ospiti: erano due anni che meditava di buttarli via, ma per qualche ragione non lo aveva mai fatto. Si infilò la camicia e i pantaloni dell'uniforme e uscì dal bagno. Jesse aveva appena finito di parlare al telefono.

"Qualche novità?"

"No", rispose lui. "Jim e il signor Rhyme stanno ancora analizzando le prove."

Lucy scosse la testa quando Jesse le offrì un sandwich, quindi andò a sedersi al tavolo e tolse dal fodero la pistola di ordinanza. "Steve?"

Il giovane poliziotto con i capelli a spazzola sollevò lo sguardo dal giornale che stava leggendo.

"Hai portato quello che ti avevo chiesto?" disse lei.

"Oh, certo." Dallo scomparto portaoggetti del camper prese una scatola gialla e verde di pallottole Remington. Lei tolse dal caricatore della sua arma le cartucce Speedloader e le sostituì con le nuove pallottole a punta cava che causavano danni molto più gravi ai tessuti quando colpivano un essere umano.

Jesse Corn la osservò con attenzione, ma attese un istante prima di parlare. Come Lucy aveva previsto, l'agente mormorò, in modo che solo lei potesse sentirlo: "Amelia non è pericolosa".

L'agente Kerr posò la pistola e lo guardò negli occhi. "Jesse, tutti dicevano che Mary Beth era vicino all'oceano e poi salta fuori che è nella direzione opposta. Tutti dicevano che Garrett era solo un ragazzino stupido e invece è astuto come un serpente e ci ha presi in giro più di una volta. Non possiamo più essere certi di *niente*. Forse Garrett da qualche parte ha un deposito di armi e ha in mente un piano per farci fuori non appena saremo caduti nella sua trappola."

"Ma con lui c'è Amelia. Lei non lo permetterebbe."

"Amelia è una dannata traditrice, e non possiamo fidarci di lei. Stammi a sentire, Jesse: ho visto l'espressione che avevi quando hai scoperto che lei non era sotto quella barca. Eri sollevato. So che Amelia ti piace e che speri di piacerle… No, no, lasciami finire! Ha fatto evadere di prigione un assassino, e se in quel fiume ci fossi stato tu al posto di Ned, Amelia ti avrebbe sparato senza pensarci due volte."

Lui fece per protestare, ma lo sguardo gelido della donna lo trattenne.

"È facile infatuarsi di una donna così", continuò lei. "È bella, e non è di qui, viene da un posto che consideri esotico… Ma non può capire com'è la vita quaggiù. Non può capire Garrett. Tu lo conosci: è completamente pazzo, ed è solo un caso se non è già stato condannato all'ergastolo."

"So che Garrett è pericoloso. Su questo non discuto. Ma è ad Amelia che sto pensando."

"E *io* sto pensando a noi e a tutta la gente che vive a Blackwater Landing che quel ragazzo potrebbe decidere di uccidere domani o la prossima settimana o il prossimo anno, se ce lo facciamo scappare. Jesse, devo essere sicura di poter contare su di te. Altrimenti, vattene a casa. Chiederò a Jim di mandare Frank o Lou a sostituirti."

Jesse lanciò un'occhiata alla confezione di pallottole. Poi tornò a guardare la sua collega.

"Puoi contare su di me, Lucy. Te lo assicuro."

"Bene. Spero che tu stia parlando sul serio. Perché alle prime luci dell'alba ho intenzione di trovarli e di catturarli. Entrambi vivi, spero. Ma, credimi, ormai questo è diventato un optional."

Mary Beth McConnell sedeva da sola nel capanno, esausta ma troppo spaventata per dormire.

Sentiva rumori di ogni genere.

Aveva rinunciato a riposarsi sul divano temendo che al risveglio avrebbe trovato il Missionario e Lott che la scrutavano dalla finestra, pronti a introdursi nella casa. Così, si era sistemata su una delle sedie della sala da pranzo, comoda più o meno quanto una pila di mattoni.

Rumori...

Sul tetto, sulla veranda, nel bosco.

Non sapeva che ora fosse. Aveva paura persino a premere il pulsante che illuminava il quadrante del suo orologio, come se quel debole bagliore potesse in qualche modo attrarre gli aggressori.

Era esausta. Troppo stanca per chiedersi ancora perché le fosse accaduta una cosa simile, e cosa avrebbe potuto fare per impedirla.

Nessuna buona azione resta impunita...

Guardò la distesa d'erba che si stendeva davanti al capanno, ormai completamente nera. La finestra era come una cornice attorno al suo destino: chi sarebbe comparso in fondo al campo? I suoi assassini o i suoi salvatori?

Cos'era quel rumore? Un ramo che sfregava contro la corteccia di un albero o un fiammifero che veniva acceso?

Cos'era quel puntino luminoso tra gli alberi: una lucciola o un falò?

E quel movimento: un cervo che fuggiva spaventato da un

gatto selvatico o il Missionario e il suo amico che si sedevano attorno al fuoco per bere birra e mangiare prima di attraversare il bosco, raggiungerla e soddisfare i loro corpi in altri modi?

Mary Beth McConnell non lo sapeva. Quella notte, come le era già successo molte volte in passato, sentiva solo l'ambiguità della vita.

Trovi i resti di coloni morti da secoli ma ti chiedi se la tua teoria non sia completamente sbagliata.

Tuo padre muore di cancro, una morte lunga e dolorosa che secondo i dottori è inevitabile, ma tu pensi: forse avrebbe potuto non esserlo.

Due uomini sono là fuori nel bosco e progettano di violentarti e ucciderti.

O forse no.

Forse hanno deciso di lasciar perdere. Forse si sono ubriacati e si sono addormentati. O magari il pensiero delle conseguenze li ha spaventati e hanno deciso che le loro grasse mogli e le loro mani callose sono più sicure di ciò che avevano in programma di fare a lei.

A gambe larghe a casa tua...

Uno schianto fragoroso riempì la notte. La ragazza trasalì. Era un colpo di pistola. Sembrava provenire dal punto in cui aveva visto il falò. Un istante dopo risuonò un secondo colpo. Più vicino. L'uomo con la pistola stava venendo verso di lei?

Con il respiro affannoso per l'orrore, Mary Beth afferrò la sua arma. Aveva paura di guardare oltre il rettangolo nero della finestra, era terrorizzata al pensiero di vedere il volto flaccido di Lott comparire lentamente oltre le sbarre.

Si alzò il vento e cominciò a scuotere gli alberi, i cespugli, l'erba.

Mary Beth ebbe l'impressione di sentire un uomo che rideva, ma quel suono ben presto si perse nell'ululato del vento, simile al richiamo di uno degli spiriti Manitou dei Weapemeoc.

Le parve di sentire un uomo gridare: "Preparati, preparati..."

Ma forse no.

"Hai sentito quegli spari?" chiese Rich Culbeau a Harris Tomel.

Erano seduti attorno a un fuoco ormai quasi spento. Tutti e tre si sentivano a disagio, e non erano né sbronzi né soddisfatti quanto sarebbero stati se quella fosse stata una normale battuta di caccia.

"Una pistola", fece Tomel. "Di grosso calibro. Una dieci millimetri. Forse una quarantaquattro o una quarantacinque. Automatica."

"Stronzate", borbottò Culbeau. "Non si può capire se è un'automatica oppure no."

"Io ci riesco", ribatté Tomel, salendo in cattedra. "Un revolver è più rumoroso per via dello spazio che c'è tra il tamburo e la canna. Logico, no?"

"Stronzate", ripeté Culbeau. Poi domandò: "Quanto erano lontani?"

"L'aria è umida. È notte... Io direi cinque o sei chilometri." Tomel sospirò. "Vorrei farla finita alla svelta. Sono stanco di questa storia."

"Hai ragione", disse Culbeau. "È stato più facile a Tanner's Corner. Adesso la situazione si sta complicando."

"Maledetti insetti", disse Tomel scacciando una zanzara.

"Perché credi che qualcuno stia sparando a quest'ora della notte? È quasi l'una."

"Un procione tra i rifiuti, un orso nero nella tenda, un uomo che si sbatte la moglie di qualcun altro..."

Culbeau annuì. "Guarda: Sean sta dormendo. Riesce a dormire in qualsiasi momento, in qualsiasi posto." Diede un calcio alle braci per raffreddarle.

"Sono le sue fottute medicine."

"Davvero? Non lo sapevo."

"È per *questo* che dorme in qualsiasi momento, in qualsiasi posto. Si comporta in modo strano, non ti sembra?" constatò Tomel, lanciando un'occhiata a O'Sarian come se stesse guardando un serpente addormentato.

"Io lo preferivo quando era fuori di testa. Adesso che è sempre serio mi mette addosso una paura del diavolo. Tiene quel fucile come se si stesse tenendo l'uccello."

"Hai ragione. Ehi, tu hai il repellente per zanzare. Mi stanno mangiando vivo. Passamelo, e già che ci sei passami anche la bottiglia di whisky."

Nel sentire il colpo di pistola, Amelia Sachs spalancò gli occhi. Si guardò attorno nella camera da letto della mobile home. Garrett dormiva sul materasso.

Un altro colpo.

Ma chi poteva mettersi a sparare a quell'ora? si chiese.

I colpi le ricordarono l'incidente sul fiume: Lucy e gli altri agenti che aprivano il fuoco sulla barca sotto la quale credevano che si fossero nascosti lei e Garrett. Immaginò i geyser d'acqua che si levavano nell'aria sotto i colpi del fucile.

Ascoltò con attenzione ma non udì altri spari. Poteva sentire solo il rumore del vento e il frinire delle cicale.

Vivono una vita talmente strana... Le ninfe si scavano una tana sottoterra e restano lì per... insomma, vent'anni prima di schiudersi... Tutti quegli anni sottoterra, nascosti, ad aspettare di uscire per diventare adulti.

Ben presto la sua mente tornò a occuparsi di ciò a cui stava pensando prima che i colpi di pistola la distraessero.

Amelia Sachs stava pensando a una sedia vuota.

Non alla terapia della scuola della Gestalt del dottor Penny, né a ciò che Garrett le aveva raccontato di suo padre, di quella terribile notte di cinque anni prima. No, la sedia vuota a cui stava pensando era ben diversa: era la Storm Arrow rossa di Lincoln Rhyme.

Dopotutto era quello il motivo per cui erano in North Carolina. Rhyme aveva deciso di rischiare tutto, la sua vita, quel che rimaneva della sua salute, il suo rapporto con Amelia, per riuscire una volta per tutte ad alzarsi da quella sedia, per lasciarsela alle spalle, vuota. In senso figurato, almeno, perché quella particolare operazione non gli avrebbe permesso di fare esattamente questo.

E ora, mentre giaceva sveglia in quell'orribile roulotte, Amelia Sachs capì che cosa l'aveva turbata tanto nell'insistenza di Rhyme circa l'intervento. Naturalmente temeva che potesse morire sul tavolo operatorio, che l'operazione lo facesse peggiorare, oppure che non servisse a niente e che lui cadesse in depressione.

Ma quelle non erano le sue paure più profonde. Non erano quelle le ragioni per cui aveva fatto il possibile per impedirgli di farsi operare. No, no... ciò che la spaventava di più era l'idea che l'intervento *potesse* avere successo.

Oh, Rhyme, non capisci? Non *voglio* che tu cambi. Ti amo così come sei. Se fossi come chiunque altro, cosa sarebbe di noi? Tu dici: "Tu e io, come sempre, Sachs". Ma questo è basato su ciò che siamo *ora*. Io e le mie stupide unghie e il mio continuo bisogno di muovermi, muovermi, muovermi... Tu e il tuo corpo danneggiato e la tua mente raffinata che si muove molto più in fretta di quanto potrò andare io con la mia Camero.

La tua mente che mi tiene più stretta di quanto potrebbe mai fare il più appassionato degli amanti.

E se tu tornassi a essere *normale*? Se tornassi ad avere le tue gambe e le tue braccia, Rhyme, perché dovresti continuare a volermi? Perché dovresti avere bisogno di me? Diventerei soltanto una collega, per te. Tu incontreresti un'altra delle donne difficili che in passato hanno fatto deragliare la tua vita – un'altra moglie egoista, un'altra amante sposata – e spariresti dalla mia vita così com'è sparito il marito di Lucy Kerr dopo l'operazione al seno.

Ti voglio così come sei...

Amelia rabbrividì, spaventata dall'egoismo di quel pensiero che tuttavia non poteva negare.

Resta sulla tua sedia, Rhyme! Non voglio vederla vuota... Voglio una vita con te, una vita com'è sempre stata. Voglio dei figli da te, dei figli che cresceranno e ti conosceranno esattamente come sei.

Si sorprese a fissare il soffitto nero. Chiuse gli occhi. Ma solo un'ora più tardi, cullata dalla melodia monotona del vento e delle cicale, riuscì finalmente a scivolare in un sonno profondo ma agitato.

...trentatré

A melia fu svegliata poco dopo l'alba da un ronzio ritmico, che nei suoi sogni era stato il placido frinire delle cicale udite addormentandosi, ma in realtà era la suoneria del suo orologio. La spense.

Il suo corpo era attraversato da terribili fitte di dolore, la reazione dell'artrite a una notte passata su una stuoia stesa su un pavimento di metallo.

Tuttavia si sentiva stranamente di buonumore. La luce del sole filtrava dalle finestre inondando l'interno, e lei lo prese come un buon auspicio. Quel giorno avrebbero trovato Mary Beth McConnell e sarebbero tornati a Tanner's Corner con lei. La ragazza avrebbe confermato la versione di Garrett, e Jim Bell e Lucy Kerr avrebbero cominciato le ricerche del vero assassino, l'uomo in tuta marrone.

Garrett si stava svegliando. Si tirò su a sedere sul materasso sporco. Si passò le lunghe dita tra i capelli scompigliati. Amelia fece altrettanto, pensando: non è molto diverso da qualsiasi altro adolescente la mattina. Goffo e carino. Pronto a vestirsi, a prendere l'autobus per andare a scuola, a vedere gli amici, a studiare, a flirtare con le ragazze e a giocare a football. Lo vide guardarsi attorno in cerca della T-shirt e per la prima volta notò quanto fosse magro. Avrebbe voluto procurargli qualcosa di nutriente da mangiare – cereali, latte, frutta – lavargli i vestiti e fargli fare una doccia. Questo vuol dire avere dei figli, pensò Amelia. Non passare un pomeriggio con i figli di qualche amico o una giornata con la sua nipotina, la figlia di Amy. Vuol dire esserci ogni giorno quando si svegliano, con le loro stanze in disordine e i loro cattivi odori da adolescenti, vuol dire preparare loro da mangiare, comprare loro dei vestiti, discutere con loro, prendersi cura di loro.

"Buongiorno", lo salutò, sorridendo.

Lui ricambiò il sorriso. "Dobbiamo andare", disse. "Dobbiamo andare a prendere Mary Beth. L'ho lasciata sola troppo a lungo. Starà morendo di sete."

Amelia si alzò faticosamente in piedi.

Garrett si guardò il petto coperto da eruzioni cutanee e sembrò imbarazzato. Si affrettò a infilarsi la maglietta. "Vado fuori. Devo… sai, devo fare una cosa. Lascerò in giro un paio di nidi di vespe vuoti per rallentarli se venissero a cercarci." Uscì ma tornò un istante dopo e le porse una tazza d'acqua. Timidamente gliela offrì: "Questa è per te". Uscì di nuovo.

Lei bevve. Moriva dalla voglia di lavarsi i denti e di farsi una lunga doccia. Forse quando avessero…

"È *lui*!" sussurrò un uomo in tono concitato.

Amelia si bloccò e sbirciò fuori dalla finestra. Non vide niente. Ma da un folto gruppo di cespugli vicino alla roulotte, la voce continuò: "Lo tengo sotto tiro".

La donna riconobbe la voce: era quella dell'amico di Culbeau, Sean O'Sarian. Quei tre li avevano trovati e avevano intenzione di uccidere il ragazzo o di torturarlo per farsi dire dov'era Mary Beth e mettere le mani sulla ricompensa.

Evidentemente, Garrett non aveva sentito niente. Amelia poteva vederlo: era a una decina di metri e stava sistemando sul sentiero un nido di vespe vuoto. Udì dei passi tra i cespugli diretti verso la radura in cui si trovava il ragazzo.

Impugnò la Smith & Wesson e uscì di soppiatto. Si accovacciò e, gesticolando, cercò disperatamente di attirare l'attenzione di Garrett. Ma lui non la vide.

I passi tra i cespugli si stavano facendo più vicini.

"Garrett", sussurrò lei.

Lui si voltò, vide Amelia che gli faceva cenno di raggiungerla, e si accigliò notando la preoccupazione nel suo sguardo. Poi lanciò un'occhiata a sinistra, verso i cespugli, e lei vide il terrore coglierlo all'improvviso. Garrett protese le mani in avanti come per difendersi e gridò: "Non fatemi del male, non fatemi del male, non fatemi del male!"

Amelia armò il cane della pistola, posò l'indice sul grilletto e mirò alla sagoma di O'Sarian che stava emergendo dai cespugli e si stava avvicinando a Garrett.

Accadde così velocemente...

Garrett si gettò a terra, spaventato, gridando: "No, no!"

Lei sollevò l'arma, impugnandola con entrambe le mani.

L'uomo sbucò dalla vegetazione, la pistola in pugno.

Proprio in quel momento l'agente Ned Spoto comparve da dietro la roulotte, accanto ad Amelia, e dopo un primo momento di stupore, balzò verso di lei con le braccia protese. L'agente Sachs trasalì e mentre, barcollando, cercava di allontanarsi, la sua arma fece fuoco.

A dieci metri da lei – oltre la leggera nuvola di fumo che si levava dalla canna della Smith & Wesson – Amelia vide la pallottola colpire la fronte dell'uomo che era uscito dai cespugli: non Sean O'Sarian ma Jesse Corn. Un foro nero comparve sopra l'occhio destro del giovane agente. La testa di Jesse fu scagliata all'indietro e un'orribile nube rossastra esplose dietro di lui. Senza emettere un suono, l'agente si accasciò a terra.

Il corpo fu scosso da qualche spasmo nervoso prima di giacere completamente immobile. Amelia lo fissò, pietrificata. Si lasciò cadere in ginocchio mentre la pistola le scivolava dalle mani.

"Oh, Gesù", mormorò Ned, fissando a sua volta il cadavere di Jesse. Prima che l'agente riuscisse a riprendersi dallo choc e a sfoderare la pistola, Garrett gli si avventò contro. Il ragazzo raccolse da terra la Smith & Wesson di Amelia e la puntò alla testa di Ned, quindi lo disarmò e gettò la pistola lontano, tra i cespugli.

"Mettiti giù!" gli gridò Garrett. "Faccia a terra!"

"Gesù, Gesù", mormorò Ned.

"Subito!"

Ned obbedì, le lacrime che gli scorrevano copiose sulle guance abbronzate.

"Jesse!" Era la voce di Lucy Kerr che proveniva da poco lontano. "Dove sei? Chi ha sparato?"

"No, no, no…" gemette Amelia. Dal cranio fracassato dell'agente Corn il sangue fuoriusciva a fiotti.

Garrett Hanlon guardò il cadavere e poi oltre, da dove proveniva un rumore di passi sempre più vicini. Circondò le spalle di Amelia con un braccio. "Dobbiamo andare."

Lei non rispose, e rimase completamente inerte a osservare la scena davanti ai suoi occhi – la fine della vita dell'agente e quella della sua stessa vita –, e allora Garrett la aiutò ad alzarsi, la prese per mano e la trascinò via. Svanirono nei boschi, come innamorati in cerca di un riparo dalla tempesta imminente.

4
UN NIDO
DI VESPE

...trentaquattro

Cosa diavolo sta succedendo? si domandò un frenetico Lincoln Rhyme. Un'ora prima, alle cinque e trenta del mattino, aveva finalmente ricevuto una telefonata da un impiegato della divisione immobiliare del dipartimento delle imposte del North Carolina. L'impiegato era stato svegliato all'una e trenta e gli era stato assegnato il compito di controllare le tasse arretrate di tutte le proprietà occupate ufficialmente da una mobile home McPherson. Per prima cosa Rhyme aveva cercato di appurare se i genitori di Garrett ne avessero mai posseduta una e – quando aveva scoperto che così non era – aveva dedotto che se lui usava quel luogo come nascondiglio la roulotte era quasi sicuramente abbandonata. E se era abbandonata il proprietario aveva sicuramente delle tasse arretrate ancora da pagare.

L'assistente del direttore gli aveva detto che c'erano due proprietà di quel genere, nello stato. Una era nei pressi di Blue Ridge, a ovest, e la proprietà e la roulotte erano state vendute durante un'asta ipotecaria a una coppia che vi si era stabilita e che tuttora viveva lì. L'altra si trovava su un piccolo appezzamento di terreno nella contea di Paquenoke e valeva talmente poco che nessuno aveva pensato di metterla in vendita. L'impiegato aveva dato a Rhyme l'indirizzo, una strada secondaria a circa un chilometro dal fiume Paquenoke. Sulla mappa si trovava sul riquadro C-6.

Il criminologo aveva chiamato Lucy e gli altri agenti e aveva detto loro di recarsi sul posto. Sarebbero arrivati lì alle prime luci dell'alba e, se Garrett e Amelia si fossero ancora trovati nella roulotte, li avrebbero circondati e li avrebbero convinti ad arrendersi.

L'ultima volta che Rhyme aveva avuto loro notizie, gli agenti avevano appena individuato la roulotte e si stavano avvicinando lentamente.

Preoccupato per il fatto che il suo capo non avesse quasi chiuso occhio, Thom aveva chiesto a Ben di lasciare la stanza e si era dedicato con cura ai rituali del mattino: svuotamento della vescica e dell'intestino, pulizia dei denti e controllo della pressione sanguigna.

"È piuttosto alta, Lincoln", mormorò Thom mentre riponeva lo sfigmomanometro. A un quadriplegico la pressione elevata poteva causare un attacco di disreflessia, che a sua volta poteva portare a un attacco coronarico. Ma a Rhyme non importava. Era animato da energia pura. Voleva disperatamente trovare Amelia. Voleva...

Il criminologo sollevò lo sguardo. Jim Bell, un'espressione allarmata sul viso, era appena entrato nel laboratorio. Ben Kerr, altrettanto turbato, lo seguì dopo un secondo.

"Che cos'è successo?" chiese Rhyme. "Amelia sta bene? Ha..."

"Ha ucciso Jesse", sussurrò Bell. "Gli ha sparato alla testa."

Thom rimase immobile. Lanciò un'occhiata a Rhyme. Lo sceriffo continuò: "Jesse stava per arrestare Garrett e lei gli ha sparato. Poi è scappata insieme al ragazzo".

"No, è impossibile", mormorò Rhyme con un filo di voce. "Ci dev'essere un errore. Dev'essere stato qualcun altro."

Ma Bell scuoteva la testa. "No. Ned Spoto era lì e ha visto tutto... Non sto dicendo che la sua amica l'abbia fatto apposta – Ned ha cercato di arrestarla e la sua pistola ha fatto fuoco – ma si tratta comunque di omicidio colposo."

Oh, mio Dio...

Amelia... un'agente di seconda generazione, la Figlia del Poliziotto. E ora aveva ucciso un collega. Il peggior crimine che un poliziotto potesse commettere.

"Ormai la situazione ci è sfuggita di mano, Lincoln. Devo rivolgermi alla polizia di stato."

"Aspetti, Jim", disse Rhyme angosciato. "La prego... Adesso Amelia è disperata e spaventata. E così anche Garrett. Se chiama la polizia di stato molta altra gente finirà male. Si metteranno a dare la caccia sia ad Amelia sia al ragazzo."

"Be', a quanto pare *dovremmo* dare la caccia a entrambi", ribatté duramente lo sceriffo.

"Li troverò io per lei. Sono vicino alla soluzione." Con un cenno il criminologo indicò l'elenco delle prove e la mappa.

"Le ho già dato un'opportunità, e guardi cos'è successo."

"Li troverò e convincerò Amelia ad arrendersi. So di potercela fare. Li..."

All'improvviso Bell venne spinto da parte e Mason Germain entrò come una furia nel laboratorio. "Stronzo figlio di puttana!" gridò, e si avventò su Rhyme. Thom gli sbarrò la strada ma l'agente lo spinse via, facendolo cadere a terra. Mason afferrò Rhyme per il bavero della camicia. "Fenomeno da baraccone del cazzo! Sei venuto quaggiù a fare i tuoi giochetti..."

"Mason!" Bell gli si avvicinò, ma l'agente lo ricacciò indietro con uno spintone.

"... a fare i tuoi giochetti con le prove... i tuoi stupidi rompicapo. E adesso un brav'uomo è morto per colpa tua!" Mentre Germain si preparava a colpirlo, Rhyme sentì l'odore pungente del suo dopobarba. Il criminologo voltò la testa di lato, cercando di proteggersi.

"Ti ammazzo, figlio di puttana!" L'urlo di Mason suonò soffocato quando un braccio enorme gli circondò il petto e lo sollevò da terra.

Era Ben.

"Kerr, maledizione, lasciami andare!" ansimò Germain. "Brutto stronzo! Sei in arresto!"

"Si calmi, agente", disse lentamente lo zoologo.

Mason stava cercando di prendere la pistola, ma l'altra mano di Ben si richiuse come una morsa attorno al suo polso. Lo zoologo guardò lo sceriffo, che esitò per un attimo e infine annuì. Il giovane lasciò andare l'agente che indietreggiò, gli occhi sgranati per la rabbia. Disse a Bell: "Ora vado là fuori, trovo quella donna e..."

"No, Mason", lo interruppe lo sceriffo. "Se vuoi continuare a lavorare in questo dipartimento farai quello che ti dico io. Faremo le cose a modo mio. E tu resterai qui in ufficio. Intesi?"

"Jim, sei un figlio di puttana. Quella donna ..."

"Sono stato chiaro?"

"Sì, cazzo, sei stato chiaro!" Furioso, uscì dal laboratorio.

Bell chiese a Rhyme: "Si sente bene?"

Il criminologo annuì.

"Thom, tutto bene?" Rhyme lanciò un'occhiata al suo assistente.

"Sto bene." Thom gli risistemò la camicia. E, incurante delle proteste del criminologo, gli provò di nuovo la pressione sanguigna. "È come prima. Troppo alta, ma non a livelli critici."

Lo sceriffo scosse la testa. "Devo chiamare i genitori di Jesse. Dio, come vorrei non doverlo fare." Andò alla finestra e guardò fuori. "Prima Ed, ora Jesse. Questa storia sta diventando un vero incubo."

"La prego, Jim. Mi permetta di trovarli, e mi dia la possibilità di parlare con Amelia. Se non lo farà, le cose andranno di male in peggio. Lo sa benissimo anche lei. Morirà altra gente", tentò di convincerlo Rhyme.

Bell sospirò. Lanciò una breve occhiata alla mappa. "Hanno un vantaggio di venti minuti. Pensa di poterli trovare?"

"Sì", rispose Rhyme. "Li posso trovare."

"Da quella parte", esclamò Sean O'Sarian. "Ne sono certo."

Rich Culbeau guardò a ovest, la direzione indicata dall'amico, verso il punto da cui, quindici minuti prima, erano giunti il frastuono del colpo di pistola e le urla.

Culbeau finì di orinare contro un pino e chiese: "Cosa c'è di là?"

"Paludi, qualche vecchia casa", rispose Harris Tomel, che era andato a caccia in ogni metro quadrato della contea di Paquenoke. "Poco altro. Una volta ho visto un lupo grigio, da quelle parti." In teoria i lupi avrebbero dovuto essere estinti, ma gli avvistamenti si stavano facendo molto frequenti.

"Mi prendi in giro?" chiese Culbeau. Non aveva mai incontrato un lupo, e avrebbe proprio voluto vederlo.

"Gli hai sparato?" domandò O'Sarian.

"Non si spara ai lupi", disse Tomel.

Culbeau aggiunse: "Sono una specie protetta".

"E allora?"

E Culbeau si rese conto di non avere una risposta a quella domanda.

Rimasero ad aspettare ancora per qualche minuto, ma non si udirono altri colpi di pistola né altre urla. "Possiamo continuare", disse Culbeau, indicando la direzione da cui era provenuto il rumore dello sparo.

"Possiamo continuare", ripeté O'Sarian, e bevve un sorso d'acqua.

"Un'altra giornata calda", commentò Tomel osservando il disco del sole ancora basso sull'orizzonte.

"Fa caldo tutti i giorni", borbottò Culbeau. Prese il fucile e si incamminò lungo il sentiero, seguito dai due unici soldati del suo esercito.

Thunk.

Mary Beth spalancò gli occhi, emergendo da un sonno profondo e involontario.

Thunk.

"Ehi, Mary Beth", disse allegramente la voce di un uomo. Il tono era quello di un adulto che si rivolgeva a un bambino. Ancora intorpidita dal sonno, la ragazza pensò: è mio padre! Ma quando è uscito dall'ospedale? Non è in condizioni di tagliare la legna. Dovrò riaccompagnarlo a letto. Ha preso la sua medicina?

Un momento!

Mary Beth, confusa, scosse la testa dolorante. Si era addormentata su una delle sedie del soggiorno.

Thunk.

Un momento. Non è mio padre. Mio padre è morto... È Jim Bell...

Thunk.

"Mary Beeeeeeeth..."

La ragazza trasalì quando vide il volto ghignante incorniciato dalla finestra. La testa pelata e scottata dal sole di Lott era comparsa tra le sbarre.

357

Un altro colpo contro la porta: l'ascia del Missionario che si conficcava nel legno.

Lott strizzò gli occhi, scrutando la penombra. "Dove sei?"

Lei lo fissò, paralizzata dal terrore.

Lott la vide. "Oh, ehi, eccoti lì. Gesù, sei più carina di quanto mi ricordassi." Sollevò il polso per mostrarle i punti. "Ho perso un litro di sangue per colpa tua. Credo di meritarmi un piccolo risarcimento."

Thunk.

"Ti dirò, dolcezza", continuò. "Ieri notte mi sono addormentato pensando che oggi avrei assaggiato le tue belle tettine. È stato un bel pensiero, devo ringraziarti."

Thunk.

Con quell'ultimo colpo, l'ascia penetrò nella porta. Lott scomparve dalla finestra e andò a raggiungere il suo amico.

"Continua così", gli disse il suo degno compare, incoraggiante. "Stai andando benissimo."

Thunk.

...trentacinque

Ora la principale preoccupazione di Rhyme era che Amelia potesse farsi del male. Fin da quando la conosceva, Lincoln Rhyme l'aveva vista conficcarsi le unghie nel cuoio capelluto fino a farselo sanguinare. L'aveva vista tormentarsi le unghie con i denti e la pelle con le unghie. L'aveva vista guidare a duecento chilometri all'ora. Non sapeva esattamente che cosa la spingesse a comportarsi così, ma sapeva per certo che c'era qualcosa dentro di lei che la spingeva a vivere al limite.

Ora che era successo, ora che aveva ucciso, quel qualcosa avrebbe potuto spingerla oltre il limite. Dopo l'incidente che aveva ridotto Rhyme a un uomo spezzato, Terry Dobyns, lo psicologo del dipartimento di polizia di New York, gli aveva spiegato che di tanto in tanto avrebbe provato un impulso suicida. Ma non sarebbe stata la depressione a motivarlo. La depressione toglieva ogni energia, mentre la causa principale di un suicidio era una combinazione letale di ansia e panico.

Il che doveva essere esattamente ciò che Amelia Sachs – in fuga e tradita dalla sua stessa natura – stava provando in quel momento.

Trovala! era l'unico pensiero del criminologo. Trovala alla svelta.

Ma dov'era? Quella risposta continuava a sfuggirgli.

Guardò di nuovo la tabella. Nella roulotte non avevano trovato nemmeno una prova. Lucy e gli altri agenti l'avevano perquisita in fretta... troppo in fretta, naturalmente. Erano sotto l'incantesimo della caccia – persino Rhyme, nonostante la sua condizione, poteva sentirlo – e non vedevano l'ora di lanciarsi all'inseguimento del nemico che aveva ucciso il loro amico.

Le uniche prove di cui disponeva e che avrebbero potuto rivelargli dove si trovava Mary Beth erano davanti a lui. Ma erano gli indizi più enigmatici che avesse mai analizzato in vita sua.

RITROVAMENTI SULLA SCENA SECONDARIA
MULINO

vernice marrone sui jeans
drosera
argilla
muschio di torba
succo di frutta
fibre di carta
esche
zucchero
canfene
alcool
kerosene
lievito

Abbiamo bisogno di altre prove! si disse, rabbioso.

Ma non abbiamo altre prove, maledizione!

Quando si era trovato ad attraversare la fase di "negazione" del dolore dopo l'incidente, aveva cercato di racimolare una forza di volontà sovrumana con la quale far muovere il suo corpo. Aveva ripensato alle storie di persone che sollevavano auto a mani nude per liberare i loro figli o che avevano corso a velocità impossibili per cercare aiuto. Ma lentamente aveva dovuto affrontare il fatto che quel tipo di energia non gli era più disponibile.

Gli restava un unico tipo di energia, quella mentale.

Pensa! Hai solo la tua mente e le prove sono davanti ai tuoi occhi. E le prove non cambieranno.

Quindi cambia il modo in cui stai pensando.

D'accordo, ricominciamo da capo.

Riesaminò ancora una volta la tabella. La provenienza della chiave era stata scoperta. Il lievito proveniva quasi certamente dal mulino. Lo zucchero proveniva dal cibo o dal succo di frutta. Il canfene proveniva da una vecchia lampada. La vernice proveniva dal luogo in cui Mary Beth era tenuta prigioniera. Il kerosene proveniva dalla barca. L'alcool poteva provenire da qualsiasi cosa. E il terriccio trovato nei risvolti dei pantaloni di Garrett? Non mostrava nessuna peculiarità ed era...

Un momento... il terriccio.

Rhyme si ricordò che lui e Ben avevano sottoposto campioni di terra presi dalle scarpe e dai tappetini delle auto degli impiegati della contea al test a gradiente di densità. Aveva ordinato a Thom di fotografare ogni provetta e di annotare sul retro delle Polaroid a quale impiegato appartenesse il campione.

"Ben?"

"Sì?"

"Sottoponi il terriccio che hai trovato nei risvolti di Garrett al test a gradiente di densità."

Quando il terriccio si fu depositato in fondo alla provetta, il giovane zoologo disse: "Ecco i risultati".

"Confrontali con le fotografie dei campioni che hai analizzato ieri mattina."

"Bene, subito." Il giovane annuì, colpito da quell'idea. Osservò velocemente le Polaroid, poi si fermò. "C'è un campione quasi identico!"

Lo zoologo non aveva più paura di esprimere le sue opinioni, notò Rhyme con piacere.

"Di chi sono le scarpe da cui proviene il campione?"

Ben lesse il nome sul retro della foto. "Di Frank Heller. Lavora al dipartimento dei lavori pubblici."

"È già arrivato?"

"Vado a vedere." Ben svanì. Ritornò qualche minuto dopo, accompagnato da un uomo robusto, dai capelli radi, che indossava una camicia bianca con le maniche corte e che guardò Rhyme circospetto. "Lei è quel tipo di ieri. Quello che ci ha fatto togliere le scarpe." Scoppiò in una risata priva di allegria.

"Frank, abbiamo nuovamente bisogno del suo aiuto", spiegò

Rhyme. "Un campione di terra che abbiamo trovato sulle sue scarpe corrisponde a quello che abbiamo trovato sui vestiti del sospetto."

"Il ragazzo che ha rapito Mary Beth?" chiese Frank, il volto arrossato e l'aria colpevole.

"Esatto. Il che significa che Garrett potrebbe – questa è solo un'ipotesi – tenere la ragazza in qualche posto a quattro o cinque chilometri da dove abita lei. Sarebbe così gentile da indicarci sulla mappa il punto in cui si trova la sua abitazione?"

L'uomo disse: "Non è che adesso sono un sospetto anch'io, vero?"

"No, Frank, non si preoccupi."

"Perché io passo tutte le sere a casa con mia moglie. Guardiamo la TV. *Jeopardy!* e *La Ruota della Fortuna*. Non ci perdiamo una puntata. Qualche volta viene anche suo fratello. Tutte e due possono testimoniare per me. Voglio dire: lui mi deve dei soldi, ma, anche se non me li dovesse, testimonierebbe lo stesso."

"D'accordo", lo rassicurò Ben. "Abbiamo solo bisogno che ci dica dove abita. Lo indichi sulla cartina."

"Più o meno qui." Heller si avvicinò alla parete e toccò il riquadro D-3. Era a nord del Paquenoke, a nord della roulotte vicino alla quale Jesse era stato ucciso. Quell'area era percorsa da diverse piccole strade, ma non c'era segnata nemmeno una città.

"Com'è la zona attorno a casa sua?"

"Ci sono foreste e campi, perlopiù."

"Conosce qualche posto in cui si potrebbe tenere prigioniero qualcuno?"

Frank rimase a riflettere per qualche istante sulla domanda e infine rispose: "No, nessuno".

"Posso farle un'ultima domanda?"

"Oltre a quelle che mi ha già fatto?"

"Esatto."

"Direi di sì."

"Conosce le baie della Carolina?"

"Sicuro. Tutti le conoscono. Le hanno fatte i meteoriti. Molto, molto tempo fa. Quando i dinosauri ci hanno lasciato la pelle."

"Ce n'è qualcuna vicino a casa sua?"

"Oh, può scommetterci."

Era proprio ciò che Rhyme aveva sperato di sentirgli dire.

Frank continuò: "Ce ne saranno almeno una cinquantina". Era proprio ciò che Rhyme aveva sperato di *non* sentirgli dire.

Con gli occhi chiusi, il criminologo riesaminò mentalmente l'elenco delle prove.

Jim Bell e Mason Germain erano tornati nel laboratorio, insieme a Thom e a Ben, ma Rhyme non prestò loro la benché minima attenzione. Si trovava nel suo mondo privato, un luogo razionale di scienza, prove e logica, un luogo in cui non aveva bisogno di muoversi, un luogo che i suoi sentimenti per Amelia e per ciò che aveva fatto non potevano raggiungere. Con la mente poteva vedere le prove con chiarezza, come se avesse avuto gli occhi aperti, fissi sulla lavagna coperta di annotazioni. Anzi, così poteva vederle persino meglio.

Vernice zucchero lievito terriccio canfene vernice terriccio zucchero... lievito... lievito...

Un pensiero gli scivolò nella mente ma subito gli sfuggì. Torna indietro, torna indietro, torna indietro...

Sì! Riuscì ad afferrarlo.

Gli occhi di Rhyme si aprirono di scatto. Guardò in un angolo della stanza e Ben gli domandò: "Cosa c'è, Lincoln?"

"Avete una macchinetta per il caffè, qui?"

"Caffè?" chiese Thom, visibilmente contrariato. "Niente caffeina. Non con la pressione così alta."

"No, non voglio una dannata tazza di caffè! Voglio un *filtro* da caffè!"

"Un filtro? Glielo porto subito." Bell lasciò la stanza e riapparve un attimo dopo.

"Lo dia a Ben", ordinò Rhyme. Poi si rivolse al giovane zoologo: "Controlla se le fibre di carta del filtro corrispondono a quelle che abbiamo trovato sui vestiti di Garrett al mulino".

Ben prelevò qualche fibra dal filtro e le posò su un vetrino del microscopio comparativo. Guardò nell'oculare, regolò la messa a fuoco e quindi spostò i portaoggetti in modo che i campioni si trovassero esattamente uno accanto all'altro.

"Il colore è leggermente diverso, Lincoln, ma la struttura e la forma delle fibre sono più o meno identiche."

"Bene", borbottò Rhyme, lo sguardo fisso sulla T-shirt macchiata, ora.

Si rivolse di nuovo a Ben: "Assaggia di nuovo il succo di frutta su quella maglietta. Ti sembra aspro? Acido?"

Ben obbedì. "Forse un po'. È difficile dirlo."

Il criminologo spostò gli occhi sulla mappa, immaginando che Lucy e gli altri avessero raggiunto Amelia da qualche parte in quel territorio selvaggio, ansiosi di far fuoco, immaginando che Garrett avesse impugnato la pistola di Amelia e la stesse puntando contro di lei.

O che *lei* si stesse puntando la pistola alla testa, pronta a tirare il grilletto.

"Jim", disse alla fine, "ho bisogno che recuperi una prova per me."

"D'accordo, Lincoln. Dove?" Da una tasca estrasse le chiavi della macchina.

"Oh, non le servirà l'auto."

Molte immagini affollavano la mente di Lucy Kerr.

Jesse Corn, il suo primo giorno di lavoro al dipartimento dello sceriffo, le scarpe tirate a lucido ma i calzini spaiati; si era vestito ancora prima che facesse giorno per paura di arrivare in ritardo.

Jesse Corn, accucciato dietro un'auto di pattuglia, la spalla che sfiorava appena quella di Lucy, mentre Barton Snell – la mente in fiamme per il PCP – sparava contro di loro. Era stato solo grazie alla parlantina sciolta di Jesse che erano riusciti a convincere Snell a mettere giù il Winchester e ad arrendersi.

Jesse Corn, fiero al volante del suo nuovo pick-up Ford rosso ciliegia, mentre passava davanti all'ufficio della contea, durante il suo giorno libero, e offriva ai bambini entusiasti un giro sul pianale nel parcheggio dell'edificio.

Quei pensieri – e molti, molti altri – tormentavano Lucy mentre insieme a Ned e a Trey avanzava attraverso una grande foresta di querce. Jim Bell aveva ordinato loro di aspettare alla roulotte e aveva mandato altri colleghi a sostituirli nell'inseguimento. Voleva che Lucy e gli altri due agenti tornassero alla centrale. Ma loro non avevano nemmeno perso tempo a mettere la questione ai voti. Con tutta la reverenza possibile, avevano spostato il cadavere di Jesse nella roulotte e l'avevano coperto con un lenzuolo. Quindi Kerr aveva detto a Jim che si sarebbero messi sulle tracce dei fuggitivi e che niente al mondo avrebbe potuto fermarli.

Garrett e Amelia stavano fuggendo in fretta, e non facevano nulla per coprire le tracce. Avevano preso un sentiero che costeggiava la palude. Il terreno era soffice e le loro impronte erano facilmente visibili. Lucy si ricordò di qualcosa che Amelia aveva detto a Lincoln Rhyme riguardo alla scena del delitto a Blackwater Landing quando aveva esaminato le impronte: il peso di Billy Stail era spostato sulla parte anteriore delle orme, il che significava che si era precipitato verso Garrett per salvare Mary Beth. Lucy ora notò quello stesso dettaglio nelle impronte dei due fuggiaschi. Era chiaro che stavano correndo.

Disse ai suoi due colleghi: "Diamoci una mossa". E, nonostante il caldo e lo sfinimento, allungarono il passo.

Continuarono a ritmo sostenuto per oltre un chilometro finché il terreno non si fece più secco e loro non riuscirono più a vedere le impronte. Il sentiero li condusse a una grande radura erbosa; i tre agenti a quel punto non avevano la minima idea di dove si fossero dirette le loro prede.

"Dannazione", mormorò Lucy, senza fiato e furiosa. "Dannazione!"

Setacciarono la radura studiando ogni centimetro quadrato di terra, ma non riuscirono a trovare nessun sentiero e nessun indizio su dove potessero essere andati Garrett e Amelia.

"Cosa facciamo?" chiese Ned.

"Chiamiamo la centrale e aspettiamo", rispose Lucy. Si appoggiò a un albero, prese al volo una bottiglia d'acqua che Trey le lanciò e la bevve fino all'ultimo sorso.

Ricordando.

Jesse Corn, che timidamente mostrava la pistola d'argento che aveva deciso di usare per un torneo di tiro al bersaglio. Jesse Corn, che accompagnava i suoi genitori alla chiesa battista di Locust Street.

Quelle immagini continuavano ad aggirarsi nella sua mente. Erano dolorose e accrescevano la rabbia, ma lei non fece niente per scacciarle; quando avrebbe trovato Amelia Sachs, la sua furia sarebbe stata implacabile.

Con uno scricchiolio minaccioso, la porta del capanno si aprì di qualche centimetro.

"Mary Beth", disse Lott in tono cantilenante. "Vieni fuori, vieni fuori a giocare con noi."

Lui e il Missionario parlottarono tra loro a bassa voce, poi Lott tornò a rivolgersi alla ragazza. "Andiamo, andiamo, dolcezza. Cerca di renderti le cose più facili. Non vogliamo farti del male. Stavamo solo scherzando, ieri. Non ti faremo del male."

Lei era in piedi, la schiena premuta contro la parete, proprio dietro la porta. Non disse una parola. Serrò entrambe le mani attorno all'impugnatura della sua arma.

I cardini emisero un altro cigolio, la porta si aprì ancora un po'. Sul pavimento si allungò un'ombra. Lott entrò, cauto.

"Dov'è?" chiese il Missionario in un sussurro.

"C'è una cantina", disse Lott. "Scommetto che è lì sotto."

"Be', valla a prendere e andiamocene. Non mi piace questo posto."

Lott fece un altro passo. Brandiva un lungo coltello da caccia.

Mary Beth non attese un secondo di più. Conosceva la filosofia di guerra dei nativi americani, e una delle regole era che se le trattative falliscono e la guerra è inevitabile non bisogna perdere tempo con chiacchiere o minacce, ma attaccare con tutte le forze a disposizione. Lo scopo di una battaglia non è convincere a parole un nemico ad arrendersi o a trattare: è annientarlo.

Così, con estrema calma, Mary Beth si allontanò dal muro, urlò come uno spirito Manitou e sferrò un colpo con la mazza proprio mentre Lott si voltava, gli occhi sgranati per il terrore. Il Missionario gridò: "Attento!"

Ma Lott non ebbe scampo. Il bastone dei colpi gli mandò in pezzi la mascella e gli schiacciò parte della gola. Lui lasciò cadere il coltello e si portò le mani al collo. Cadde in ginocchio, senza fiato. Si trascinò fuori dal capanno.

"Aiu... aiu... mi", gemette.

Ma il Missionario non aveva alcuna intenzione di aiutarlo: lo afferrò per il colletto e lo spinse giù dalla veranda, facendolo rotolare al suolo. "Stronzo", ringhiò il Missionario, e dalla tasca posteriore dei pantaloni estrasse una pistola. Mary Beth richiuse la porta e si asciugò le mani sudate per avere una presa migliore sulla sua arma. Udì il rumore del cane della pistola che veniva armato.

"Mary Beth, ho qui una pistola e, come sicuramente avrai capito, in certe circostanze non ho alcun problema a usarla. Vieni fuori senza fare storie. Altrimenti mi metterò a sparare e molto probabilmente ti colpirò".

Lei si accovacciò, con la schiena premuta contro la parete dietro la porta, in attesa dello sparo.

Il Missionario non fece fuoco. Era solo un trucco; con un calcio spalancò la porta che sbatté contro Mary Beth, stordendola per un attimo e facendola finire con il sedere per terra. Ma mentre il Missionario entrava, la ragazza richiuse con un calcio l'uscio con altrettanta violenza. Lui fu colto alla sprovvista: il legno massiccio lo colpì alla spalla e gli fece perdere l'equilibrio. Lei lo raggiunse e calò la mazza sull'unico bersaglio a sua disposizione: il suo gomito. Il Missionario cadde a terra e schivò la pietra che stava per colpirlo. La forza che Mary Beth aveva messo nel fendente le fece sfuggire di mano la mazza, che scivolò sul pavimento.

Non c'è tempo per riprenderla. Corri!

Mary Beth oltrepassò il Missionario prima che lui potesse voltarsi e spararle, e corse fuori dalla porta.

Finalmente!

Finalmente libera da quel buco infernale!

Corse a sinistra, dirigendosi verso il sentiero che lei e Garrett avevano percorso il giorno prima, il sentiero che conduceva oltre una grande baia della Carolina. Raggiunto l'angolo del capanno, svoltò verso il laghetto.

E si ritrovò tra le braccia di Garrett Hanlon.

"No", urlò Mary Beth. "No!"

Gli occhi del ragazzo erano sgranati, colmi di stupore. Aveva in mano una pistola. "Come hai fatto a uscire? Come?" L'afferrò per un polso.

"Lasciami andare!" Cercò di divincolarsi ma la stretta di Garrett era d'acciaio.

Con lui c'era una donna molto bella, dai lunghi capelli rossi. I suoi vestiti, come quelli di Garrett, erano sudici. La donna non parlò; aveva lo sguardo vacuo, inespressivo. Non sembrò minimamente sorpresa dall'improvvisa apparizione della ragazza.

Sembrava drogata.

"Maledizione", gridò il Missionario. "Troia fottuta!" Anche lui girò l'angolo: si trovò davanti a Garrett che alzò la pistola e gliela puntò al volto.

Il ragazzo gridò: "Chi sei? Cos'hai fatto alla mia casa? Cos'hai fatto a Mary Beth?"

"Ci ha aggrediti! Guarda il mio amico. Guarda…"

"Gettala", ringhiò Garrett indicando la pistola. "Gettala via o ti ammazzo. Sul serio. Ti farò saltare quella testa del cazzo."

Il Missionario osservò il viso del ragazzo e poi la pistola. "Gesù…" Buttò il revolver nell'erba alta.

"E adesso vattene di qui! Muoviti!"

Il Missionario indietreggiò e aiutò Lott a rimettersi in piedi, quindi arrancarono insieme verso gli alberi.

Garrett raggiunse la porta del capanno, trascinandosi dietro Mary Beth. "In casa! Dobbiamo entrare. Ci stanno inseguendo. Non devono vederci. Ci nasconderemo in cantina. Guarda cos'hanno fatto alle serrature! Hanno rotto la mia porta!"

"No, Garrett!" disse Mary Beth con voce rauca. "Non voglio tornare là dentro."

Lui non disse niente e la spinse nel capanno. La rossa silenziosa li seguì con passi incerti. Garrett chiuse la porta, esaminò il legno in frantumi e le serrature rotte, incredulo.

Mary Beth gli si avvicinò e gli diede uno schiaffo, con violenza. Lui sbatté le palpebre, sorpreso, e arretrò, barcollando. "Idiota!" gridò la ragazza. "Avrebbero potuto uccidermi."

Garrett sembrava desolato. "Mi dispiace!" la voce gli si incrinò. "Non sapevo di quei due. Pensavo che non ci fosse nessuno, qua attorno. Non volevo lasciarti sola così a lungo. Sono stato arrestato."

Infilò nella serratura danneggiata alcune schegge di legno per bloccare la porta.

"Arrestato?" chiese Mary Beth. "E cosa ci fai qui, allora?"

Finalmente la rossa parlò. A bassa voce disse: "L'ho fatto uscire io, di prigione, per venire a prenderti e riportarti indietro. Così potrai confermare la sua versione sull'uomo in tuta".

"Quale uomo?" domandò Mary Beth, confusa.

"Quello di Blackwater Landing. L'uomo in tuta marrone, quello che ha ucciso Billy Stail."

"Ma..." Lei scosse la testa. "*Garrett* ha ucciso Billy. L'ho visto con i miei occhi. Lo ha colpito con la vanga. Poi mi ha rapita."

Mary Beth non aveva mai visto un'espressione simile sul volto di un altro essere umano. Un misto indescrivibile di choc e stupore. La rossa cominciò a voltarsi verso Garrett, poi qualcosa attirò la sua attenzione: la fila di verdure in scatola Farmer John. Lentamente girò attorno al tavolo, camminando come una sonnambula, e prese uno dei barattoli. Fissò il disegno sull'etichetta: un giovane agricoltore biondo che indossava una tuta marrone e una maglietta bianca.

"Ti sei inventato tutto", sussurrò a Garrett, sollevando il barattolo. "Non c'era nessun uomo. Mi hai mentito."

Garrett le si avvicinò, veloce come una cavalletta, e le sfilò le manette dalla cintura. Come un lampo gliele richiuse attorno ai polsi.

"Mi dispiace, Amelia", disse. "Ma se ti avessi detto la verità, non mi avresti mai fatto uscire. Era l'unico modo. Dovevo tornare qui. Dovevo tornare da Mary Beth."

...trentasei

RITROVAMENTI SULLA SCENA SECONDARIA
MULINO

vernice marrone sui jeans
drosera
argilla
muschio di torba
succo di frutta
fibre di carta
esche
zucchero
canfene
alcool
kerosene
lievito

Gli occhi di Lincoln Rhyme scorrevano ossessivamente l'elenco delle prove: dall'inizio alla fine, dalla fine all'inizio.

E poi daccapo.

Perché diavolo quel dannato cromatografo ci metteva così tanto? si domandò.

Jim Bell e Mason Germain sedevano vicini, in silenzio.

Lucy aveva chiamato pochi minuti prima per informarli che avevano perso le tracce dei fuggiaschi e che erano fermi qualche chilometro a nord della roulotte, in corrispondenza del riquadro C-5.

Il cromatografo brontolava rumorosamente, e tutti i presenti nella stanza erano immobili, in attesa dei risultati.

Per alcuni lunghi minuti regnò il silenzio, che alla fine fu rotto dalla voce di Ben Kerr: "È il mio soprannome, sa. Credo che l'abbia indovinato".

Rhyme lo guardò.

"Voglio dire 'Big Ben'. Come quell'orologio in Inghilterra. Probabilmente si stava chiedendo se qualcuno mi ha mai chiamato così."

"A dire il vero, no. Era il tuo soprannome a scuola?"

Il giovane annuì. "Al liceo. A sedici anni ero alto un metro e ottantasette e pesavo centodieci chili. Gli altri ragazzi mi prendevano spesso in giro. Così non sono mai riuscito a sentirmi a mio agio, per il mio aspetto. Credo che sia stata questa la ragione per cui mi sono comportato in modo strano quando l'ho vista la prima volta."

"Era dura sopportare le loro battute, vero?" domandò il criminologo, accettando ma allo stesso tempo glissando le scuse del ragazzo.

"Sì. Fino all'ultimo anno, quando ho cominciato a fare wrestling e ho atterrato Darryl Tennison in tre secondi e due decimi. E lui ci ha messo un bel po' di tempo a riprendere fiato."

"Ai miei tempi cercavo di saltare le lezioni di educazione fisica", raccontò Rhyme. "Inventavo scuse, falsificavo i certificati del medico e le giustificazioni dei miei genitori – piuttosto bene, direi – e sgattaiolavo nel laboratorio di scienze."

"Davvero?"

"Almeno due volte alla settimana."

"Faceva esperimenti?"

"Leggevo molto, giocavo con le apparecchiature... E qualche volta mi davo da fare con una certa Sonja Metzger."

Thom e Ben scoppiarono a ridere.

Ma il ricordo di Sonja, la sua prima ragazza, gli riportò alla mente Amelia Sachs, e non gli piacque la direzione che stavano prendendo i suoi pensieri.

"Ci siamo!" Annunciò lo zoologo. Sullo schermo del computer erano comparsi i risultati delle analisi sul campione che Rhyme aveva chiesto a Jim Bell di procurargli. Lo zoologo annuì. "Ecco cos'abbiamo: soluzione alcolica al cinquanta per cento. Acqua, molti minerali."

"Acqua di sorgente", disse Rhyme.

"È molto probabile." Ben continuò: "Ci sono tracce di formaldeide, fenolo, fruttosio, destrosio e cellulosa".

"Direi che è sufficiente", annunciò Rhyme, pensando: il pesce sarà anche fuor d'acqua, ma gli sono appena cresciuti i polmoni. Voltandosi verso Bell e Mason spiegò: "Ho commesso un errore, un grave errore. Ho dato per scontato che il lievito provenisse dal mulino e non dal luogo in cui Garrett ha imprigionato Mary Beth. Perché mai in un *mulino* dovrebbero esserci scorte di lievito? Sarebbe più logico trovarne in un panificio… o…" guardando Bell, inarcò un sopracciglio "… in un luogo in cui si distilla quello". Con un cenno indicò la bottiglia che si trovava sul tavolo. Il liquido che conteneva era ciò che Rhyme aveva chiesto a Bell di portargli dal seminterrato del dipartimento dello sceriffo: alcool di contrabbando, preso da una delle bottiglie di succo di frutta che un agente aveva portato via dal laboratorio improvvisato quando Rhyme era arrivato. Era un campione di quell'alcool che Ben aveva analizzato con il GC/SM.

"Zucchero e lievito", continuò il criminologo. "Sono ingredienti fondamentali per la produzione dei liquori. E la cellulosa probabilmente proviene dalla carta che viene usata per filtrare l'alcool, se non vado errato."

"Sì", confermò lo sceriffo. "Quasi tutti i distillatori clandestini usano comuni filtri da caffè."

"Proprio come le fibre che abbiamo trovato sui vestiti di Garrett. E il destrosio e il fruttosio – zuccheri complessi che si trovano nella frutta – provengono dal succo di frutta rimasto nel contenitore. Ben ha affermato che era amaro, come il succo di mirtillo. E lei, Jim, mi ha detto che quelli del succo di frutta sono i contenitori più usati dai distillatori clandestini. Esatto?"

"Ocean Spray."

"Quindi", concluse Rhyme, "Garrett tiene Mary Beth in un capanno dove si produce alcool illegale, presumibilmente abbandonato dopo l'ultima retata."

"Quale retata?" domandò Mason.

"Be', è come per la roulotte", replicò il criminologo seccamente. Detestava dover spiegare ciò che era fin troppo ovvio. "Se Garrett usa quel luogo per nascondere Mary Beth, dev'essere per forza abbandonato. E qual è l'unica ragione per cui dei produttori clandestini di alcool dovrebbero abbandonare una loro base?"

"Perché il dipartimento delle imposte l'ha scoperta", disse Bell.

"Esatto", confermò Rhyme. "Si attacchi al telefono e si procuri l'elenco delle distillerie clandestine che sono state chiuse negli ultimi due anni. Dovrebbe essere un vecchio edificio nascosto tra gli alberi e dipinto di marrone, anche se probabilmente era di un altro colore quando è stato scoperto dagli agenti. Deve trovarsi a quattro o cinque chilometri dalla casa di Frank Heller, affacciata su una baia della Carolina oppure in un punto raggiungibile costeggiando una baia, partendo dalla roulotte."

Bell andò a chiamare il dipartimento delle imposte.

"È straordinario, Lincoln", disse Ben. Malgrado la sua ostilità, persino Mason Germain sembrava ammirato.

Dopo qualche minuto, Bell fece ritorno al laboratorio. "Trovato!" Esaminò il foglio di carta che teneva tra le mani, quindi studiò la cartina e con un dito tracciò un cerchio intorno al riquadro B-4. "Proprio qui. L'ispettore capo del dipartimento delle imposte mi ha detto che è stata un'operazione molto importante. Hanno chiuso la distilleria circa un anno fa. Uno dei suoi agenti è tornato a controllare il posto due o tre mesi fa e ha visto che qualcuno lo aveva dipinto di marrone, così è entrato per controllare se i contrabbandieri avessero ricominciato a servirsene. Ma il capanno era vuoto, e l'agente ha pensato che non fosse il caso di fare ulteriori indagini. Tra l'altro, si trova a una ventina di metri da una baia della Carolina piuttosto grande."

"C'è modo di arrivarci in auto?" domandò Rhyme.

"Deve esserci", rispose Bell. "Tutte le distillerie clandestine sono vicine a una strada, per far arrivare le provviste e portare via il liquore."

Rhyme annuì. "Bene, Jim, li ho trovati. Adesso ho bisogno di un'ora da solo con lei, per convincerla ad arrendersi. So di potercela fare."

"È rischioso, Lincoln."

"Voglio un'ora", ripeté Rhyme sostenendo lo sguardo di Bell. Lo sceriffo sospirò. "D'accordo. Ma chiamerò la polizia di stato per allertarli. Se Garrett ci sfugge anche stavolta, sarà una caccia all'uomo senza tregua."

"Capisco. Pensa che il mio furgone possa arrivare fino al capanno?"

"Le strade non sono un granché, ma..."

"Ti ci porterò io", disse Thom con decisione. "Costi quello che costi, ti porterò là."

Cinque minuti dopo che Rhyme ebbe lasciato l'ufficio della contea, Mason Germain guardò Jim Bell tornare nel suo ufficio. Rimase ad aspettare per un attimo, quindi, dopo essersi assicurato che non ci fosse nessuno nei paraggi, uscì in corridoio e si incamminò verso la porta principale dell'edificio.

Nell'ufficio della contea c'erano decine di telefoni che Mason avrebbe potuto usare, ma lui decise di uscire nell'afa e costeggiò il palazzo fino a una schiera di telefoni pubblici allineati lungo il marciapiede. Si frugò in tasca e trovò qualche spicciolo. Si guardò attorno per accertarsi di non essere osservato, poi fece scivolare le monetine nel telefono e compose il numero scarabocchiato su un pezzo di carta.

Farmer John, Farmer John, tutto è fresco da Farmer John... Farmer John, Farmer John, tutto è fresco da Farmer John...

Amelia Sachs fissava la fila di barattoli davanti a lei, una decina di agricoltori che ricambiavano il suo sguardo e le sorridevano irridenti, mentre nella sua mente il jingle pubblicitario continuava a ripetersi incessante, colonna sonora della sua incredibile stupidità.

Che era costata la vita a Jesse Corn.

E che l'aveva rovinata per sempre.

Si rendeva conto solo in parte di trovarsi seduta nel capanno, prigioniera del ragazzo per il quale aveva rischiato inutilmente la vita e testimone della rabbiosa discussione tra Garrett e Mary Beth.

No, tutto ciò che riusciva a vedere era il piccolo cerchio nero che si era aperto nella fronte di Jesse.

Tutto ciò che riusciva a sentire era quella cantilena monotona. *Farmer John... Farmer John...*

Poi all'improvviso le balenò un pensiero: di tanto in tanto Lincoln Rhyme si trovava, almeno mentalmente, ad attraversare luoghi difficili. In quelle occasioni il criminologo parlava, ma le sue parole erano superficiali; sorrideva, ma i suoi sorrisi erano falsi; dava l'impressione di ascoltare, ma non udiva ciò che gli veniva detto. In quei momenti, Amelia lo sapeva, Rhyme prendeva in considerazione l'idea di morire. Pensava di chiamare un membro di un gruppo per il suicidio assistito, come la Lethe Society, per farsi aiutare. O persino, come avevano fatto altri disabili in gravi condizioni, di assoldare un sicario. (Lui, che aveva contribuito a far incarcerare un gran numero di appartenenti a organizzazioni criminali, senza alcun dubbio avrebbe saputo a chi rivolgersi. E, anzi, c'erano alcuni personaggi che sarebbero stati ben felici di soddisfare gratuitamente la sua richiesta.)

Fino a quel momento Amelia era sempre stata convinta che il criminologo sbagliasse quando pensava al suicidio. Ma adesso che la sua vita era in pezzi quanto quella di Rhyme – no, anche peggio – comprendeva perfettamente le sue ragioni.

"Che cos'è quello?" esclamò Garrett, balzando in piedi.

Devi sempre ascoltare. Altrimenti loro prima o poi ti prenderanno alla sprovvista.

Anche Amelia lo sentì. Un veicolo si stava avvicinando lentamente.

"Ci hanno trovati!" gridò il ragazzo, afferrando la pistola. Corse alla finestra, guardò fuori. Sembrò confuso. "Che cos'è quello?" ripeté in un sussurro.

Una portiera sbatté. Seguì una lunga pausa.

Alla fine una voce disse: "Sachs. Sono io".

Un debole sorriso comparve sul volto di Amelia. L'unica persona al mondo che avrebbe potuto trovare quel luogo era Lincoln Rhyme.

"Sachs, sei lì dentro?"

"No!" sussurrò Garrett. "Non dire niente. Insomma, faremo finta di non essere qui."

Lei lo ignorò, si alzò e raggiunse una finestra rotta. Là, davanti al capanno, fermo su un sentiero sterrato, c'era il furgone Rollx nero. Rhyme aveva guidato la Storm Arrow verso l'edificio, fin dove aveva potuto, e ora si trovava di fronte alla veranda. Thom era in piedi dietro di lui.

"Ciao, Rhyme", disse Amelia.

"Zitta!" sibilò Garrett.

"Posso parlarti?" domandò il criminologo.

A che scopo? si domandò lei. Tuttavia ripose: "Sì".

Andò alla porta e ordinò a Garrett: "Aprila. Voglio uscire".

"No, è un tranello", disse il ragazzo. "Ci attaccheranno!"

"Apri la porta, Garrett", ripeté lei con fermezza, fissandolo. Il ragazzo si guardò attorno, poi si chinò e tolse i cunei di legno che aveva infilato nella serratura. Amelia aprì; le manette che le intrappolavano i polsi tintinnavano come campanelli da slitta.

"È stato lui, Rhyme", gli disse, sedendosi sui gradini della veranda davanti al criminologo. "Ha ucciso Billy... Avevo torto. Assolutamente torto."

Lui chiuse gli occhi. Quanto orrore doveva provare Amelia per ciò che aveva fatto, pensò. La scrutò con attenzione, il volto pallido, gli occhi di pietra. Chiese: "Come sta Mary Beth?"

"Bene. È spaventata ma sta bene."

"E lei lo ha visto uccidere Billy?"

La donna annuì.

"Non c'è mai stato l'uomo in tuta, vero?"

"No, non c'è mai stato. Se l'è inventato Garrett, per convincermi a farlo fuggire. Aveva programmato tutto fin dall'inizio. Ci ha fatto credere di essere diretto alle Outer Banks. Aveva una barca pronta con dei viveri. Sapeva già cosa fare se gli agenti si fossero avvicinati troppo. Aveva persino un rifugio, quella roulotte. È stato grazie alla chiave che l'avete trovata, vero?, la chiave che ho preso nel contenitore delle vespe?"

"Proprio così", confermò Rhyme.

"Avrei dovuto pensarci. Avremmo dovuto andare da qualche altra parte."

Rhyme si accorse che Amelia era ammanettata e notò Garrett che sbirciava fuori dalla finestra, rabbioso, impugnando una pistola. Quella ormai si era trasformata in una situazione con ostaggi: Garrett non sarebbe mai uscito di sua spontanea volontà. Era ora di chiamare l'FBI. Rhyme pensò al suo amico Arthur Potter, ora in pensione, ma ancora il miglior negoziatore che il Bureau avesse mai avuto. Viveva a Washington e avrebbe potuto raggiungerli nel giro di qualche ora.

"E Jesse Corn?" chiese Rhyme a bassa voce.

Lei scosse la testa. "Non sapevo che fosse lui. Pensavo che fosse uno degli amici di Culbeau. Un altro agente ha cercato di disarmarmi ed è partito un colpo. Ma è stata colpa mia: ho puntato una pistola senza sicura su un bersaglio non identificato. Ho infranto la regola numero uno."

"Ti farò avere il miglior avvocato del paese."

"Non ha importanza."

"Invece ne ha, Sachs. Ne ha eccome. Troveremo una soluzione."

Lei scosse la testa. "Non c'è *niente* da risolvere! È omicidio colposo. Un caso aperto e chiuso." Sollevò lo sguardo e fissò un punto alle spalle di Rhyme, accigliandosi. Si alzò in piedi. "Che cosa...?"

All'improvviso la voce di una donna gridò: "Ferma dove sei! Amelia, sei in arresto!"

Rhyme provò a voltarsi, ma non riuscì a girare la testa a sufficienza. Soffiò nella cannuccia di controllo, facendo ruotare la Storm Arrow di centottanta gradi. Vide Lucy e altri due agenti che correvano, le armi in pugno, gli occhi fissi sulle finestre del capanno. I due uomini trovarono un riparo dietro gli alberi; ma Lucy non si fermò e raggiunse Rhyme, Thom e Amelia.

Com'erano arrivati al capanno? Avevano seguito il furgone? Lucy era riuscita a ritrovare le tracce di Garrett?

Oppure Bell non aveva mantenuto la promessa e li aveva informati?

Lucy si avvicinò ad Amelia e senza alcun preavviso la colpì al mento con un pugno. Amelia emise un debole gemito di dolore e indietreggiò, senza dire una parola.

"No!" gridò Rhyme. Thom fece un passo avanti ma Lucy afferrò Amelia per un braccio.

"Mary Beth è lì dentro?"

"Sì." Qualche goccia di sangue le cadde dal mento.

"E sta bene?"

Un cenno di assenso.

Spostando lo sguardo sulla finestra del capanno, la Kerr domandò: "Garrett ha la tua pistola?"

"Sì."

"Gesù." Lucy gridò agli altri agenti: "Ned, Trey, è lì dentro. È armato". Poi si rivolse a Rhyme, rabbiosamente: "Le consiglio di cercarsi un riparo". Quindi trascinò Amelia dietro il furgone.

Rhyme seguì le due donne; Thom guidava la sedia a rotelle che sobbalzava sul terreno accidentato.

Lucy si voltò a guardare Amelia, l'afferrò per le spalle e sibilò: "È stato lui, vero? Mary Beth ti ha raccontato tutto, giusto? È stato Garrett a uccidere Billy".

Amelia guardavaa terra. Dopo un attimo rispose: "Sì... Mi dispiace. Io..."

"Non me ne frega niente se ti dispiace oppure no. E non frega niente nemmeno a tutti gli altri, men che mai a Jesse Corn... Garrett ha altre armi, là dentro?"

"Non lo so. Non ne ho viste."

L'agente si voltò a guardare il capanno e gridò: "Garrett, mi senti? Sono Lucy Kerr. Voglio che tu metta giù la pistola e venga fuori con le mani sopra la testa. Subito. Hai capito?"

L'unica risposta fu il rumore della porta che si chiudeva. Una serie di tonfi attutiti riempì la radura: era Garrett che la stava sbarrando. Lucy prese il cellulare e compose un numero.

"Ehi, agente", la interruppe la voce di un uomo, "ha bisogno di aiuto?"

Lucy si voltò. "Oh, no."

Rhyme seguì lo sguardo dell'agente Kerr e vide un uomo alto, con la coda di cavallo, armato di fucile, che si stava dirigendo a grandi passi verso di loro.

"Culbeau", disse Lucy seccamente, "ho già un grosso problema da risolvere qui, e non posso occuparmi anche di te. Levati di torno." I suoi occhi notarono qualcosa nel campo. C'era un secondo uomo, a sua volta armato di fucile, che avanzava lentamente verso il capanno. "Quello è Sean?"

Culbeau rispose: "Già, e laggiù c'è Harris Tomel."

Tomel aveva raggiunto Trey: i due stavano discutendo.

Culbeau insistette: "Se il ragazzo è lì dentro, potreste avere bisogno di una mano per farlo uscire. Cosa possiamo fare?"

"Questa è un'operazione di polizia, Rich. Levatevi dai piedi, tutti e tre. Subito. Trey!" gridò all'agente di colore. "Falli allontanare."

Il terzo agente, Ned, si avvicinò a Lucy e Culbeau. "Rich", gli disse, "la ricompensa non c'è più. Lascia perdere e tornatene..."

Il colpo del potente fucile di Culbeau aprì uno squarcio nel petto di Ned e l'impatto lo scagliò all'indietro per alcuni metri. Trey fissò Harris Tomel che era solo a tre metri da lui. I due uomini, ugualmente increduli, per un attimo rimasero immobili. Poi il fucile di O'Sarian sparò tre colpi in rapida successione e Trey cadde, portandosi le mani al ventre.

"No!" urlò Lucy, e d'istinto puntò l'arma contro Culbeau, ma prima che avesse il tempo di sparare i tre uomini si misero al riparo nell'erba alta che circondava il capanno.

Fu solo qualche secondo più tardi che Tomel si riscosse dallo stordimento e sparò il *suo* primo colpo, mandando in frantumi il parabrezza e uno degli pneumatici anteriori del furgone con un'unica cartuccia del suo lungo fucile.

...trentasette

Rhyme provò l'impulso istintivo di gettarsi a terra ma, naturalmente, rimase immobile sulla sua sedia a rotelle. Altri colpi raggiunsero il furgone nel punto in cui Amelia e Lucy, ora a terra a faccia in giù, si erano trovate fino a un attimo prima. Thom si era inginocchiato e stava cercando di spingere la Storm Arrow fuori dalla piccola buca in cui le ruote erano rimaste incastrate.

"Lincoln!" gridò Amelia.

"Sto bene. Muoviti! Riparati dall'altra parte del furgone!"

Lucy obiettò: "Ma lì Garrett ci avrà sotto tiro".

"Sì, ma non è lui che sta sparando in questo momento!" ribatté bruscamente Amelia.

Un altro colpo di fucile la mancò di pochi centimetri e i pallettoni si conficcarono nella veranda. Thom mise in folle la sedia a rotelle e la spinse fino al furgone, sul lato che dava verso il capanno. "Sta' giù", disse Rhyme all'aiutante. Una pallottola sibilò molto vicino a loro e andò a frantumare uno dei finestrini del veicolo.

Lucy e Amelia seguirono i due uomini nella zona in ombra tra il capanno e il furgone.

"Perché diavolo lo stanno facendo?" gridò Lucy. Sparò diversi colpi, ricacciando indietro O'Sarian e Tomel. Rhyme non riusciva a vedere Culbeau, ma sapeva che doveva trovarsi da qualche parte proprio davanti a loro. Il suo fucile era molto potente e dotato di un mirino telescopico.

"Toglimi le manette e dammi la pistola", gridò Amelia.

"Fa' come ti dice", le suggerì Rhyme. "Sa sparare meglio di te."

L'agente scosse la testa, un'espressione sbalordita sul volto. Altre pallottole colpirono il metallo del furgone e fecero schizzare in aria grosse schegge di legno della veranda.

"Hanno dei fottuti fucili!" tuonò Amelia. "Non puoi affrontarli. Dammi la pistola!"

La Kerr appoggiò la testa contro il lato del furgone e fissò sconvolta i due agenti morti che giacevano nell'erba. "Cosa sta succedendo?" mormorò, con le lacrime agli occhi. "Cosa sta succedendo?"

Quel riparo non sarebbe durato a lungo. Poteva proteggerli da Culbeau e dal suo fucile, ma gli altri due si stavano muovendo nell'erba alta, a destra e a sinistra del furgone. Di lì a pochi minuti si sarebbero trovati sotto un fuoco incrociato.

Lucy sparò altre due volte nell'erba da cui pochi secondi prima era partito un colpo di fucile.

"Non sprecare munizioni", le ordinò Amelia. "Prendi bene la mira, altrimenti..."

"Chiudi il becco", ringhiò Lucy. Si controllò le tasche. "Ho perso quello stramaledetto telefono."

"Lincoln", disse Thom, "devo tirarti giù dalla sedia. Sei un bersaglio troppo facile."

Rhyme annuì. L'assistente sciolse l'imbracatura, circondò con le braccia il petto del criminologo, lo fece scivolare delicatamente fuori dalla sedia e sdraiare per terra. Rhyme cercò di sollevare la testa per vedere cosa stava succedendo, ma una contrattura – un crampo spietato – gli serrò in una morsa i muscoli del collo, costringendolo a tenere il capo posato sull'erba finché il dolore non fu passato. Non si era mai sentito così impotente in vita sua.

Altri colpi. Più vicini. Risate sguaiate che provenivano dal campo. Evidentemente gli aggressori si stavano godendo la caccia.

Lucy mormorò: "Sono quasi in posizione".

"Munizioni?" chiese Amelia.

"Ho tre pallottole in canna e un caricatore Speedloader."

"È una sei colpi?"

"Sì."

Una pallottola colpì lo schienale della Storm Arrow, facendola ribaltare su un fianco. Una nuvola di polvere si levò dal terreno attorno alla sedia a rotelle.

Lucy rispose al fuoco di O'Sarian, ma una nuova raffica di spari un istante dopo disse loro che lo aveva mancato.

Nel giro di un paio di minuti sarebbero stati circondati. Sarebbero morti lì, intrappolati in quella cupa valle tra il furgone semidistrutto e il capanno. Rhyme si chiese cosa avrebbe provato quando le pallottole fossero penetrate nel suo corpo. Certamente non dolore, e nemmeno una vaga pressione sulla pelle insensibile. Guardò Amelia che lo stava fissando con un'espressione disperata.

Tu e io, come sempre, Sachs...

Poi lanciò un'occhiata verso il capanno.

"Guardate!" esclamò.

Le due donne seguirono il suo sguardo.

Garrett aveva aperto la porta.

Amelia disse: "Entriamo".

"Ma sei impazzita?" gridò Lucy. "Garrett è dalla *loro* parte. Sono tutti d'accordo."

"No", replicò Rhyme. "Avrebbe già potuto spararci dalla finestra, ma non lo ha fatto."

Altri due colpi, molto vicini. Un fruscio tra i cespugli. Lucy sollevò la pistola.

"Non sprecare pallottole", esclamò Amelia. Proprio in quel momento, la poliziotta si alzò e sparò due colpi in rapida successione verso i cespugli. La pietra che uno dei loro assalitori aveva tirato nella vegetazione per trarli in inganno rotolò fuori dai cespugli. Amelia spinse via Lucy proprio mentre un colpo di fucile sparato da Harris Tomel, che aveva mirato alla schiena dell'agente, fendeva l'aria e raggiungeva la fiancata del furgone.

"Cazzo", gridò Lucy. Tolse le cartucce vuote e inserì il caricatore Speedloader.

"Entriamo", li incalzò Rhyme. "Presto!"

Lucy annuì. "Okay."

Rhyme disse: "La presa del vigile del fuoco". Quello era un pessimo modo per trasportare un quadriplegico, perché esercitava pressione su parti del corpo non abituate a sostenerle, ma che avrebbe esposto Thom al fuoco dei loro aggressori per un lasso di tempo molto più breve. Rhyme stava anche pensando che in quel modo il suo corpo avrebbe protetto quello di Thom.

"No", si rifiutò l'assistente.

"Fallo, Thom. Non c'è tempo per discutere."

"Vi coprirò io. Voi entrate insieme. Siete pronti?" li incalzò Lucy.

Amelia annuì. Thom sollevò Rhyme, cullandolo come un bambino tra le braccia robuste.

"Thom..." protestò il criminologo.

"Zitto, Lincoln", ribatté l'aiutante. "Facciamo a modo mio."

"Andate", gridò la Kerr.

Per un istante Rhyme rimase assordato dal fragore degli spari. Tutto gli parve confuso mentre salivano i pochi gradini che conducevano all'interno del capanno.

Altre pallottole si conficcarono nel legno delle pareti mentre varcavano la soglia. Un attimo dopo, Lucy entrò precipitosamente e chiuse la porta, sbattendola. Thom adagiò dolcemente Rhyme sul divano.

Il criminologo scorse una giovane donna terrorizzata che lo fissava. Doveva essere Mary Beth McConnell, pensò.

Accanto a lei era seduto Garrett Hanlon, il volto arrossato, coperto di eruzioni cutanee, gli occhi sgranati per la paura. Il ragazzo stava facendo ticchettare nervosamente le unghie di una mano e con l'altra impugnava goffamente la pistola. Subito Lucy gli puntò l'arma contro.

"Dammi la pistola!" gridò. "Adesso!"

Lui sbatté le palpebre e senza la minima esitazione le porse l'arma. Lei se la infilò nella cintura e gridò qualcosa. Rhyme non afferrò le parole; stava fissando gli occhi confusi e terrorizzati di Garrett, che sembravano quelli di un bambino. Capisco perché l'hai fatto, Sachs. Capisco perché gli hai creduto. Capisco perché hai voluto salvarlo, pensò.

Capisco...

Disse: "State tutti bene?"

"Sì", rispose Amelia.

Lucy annuì.

"Per la verità", precisò Thom, in tono quasi di scusa, "io non molto."

Scostò le mani dal ventre piatto, rivelando il foro d'uscita insanguinato di una pallottola. Poi cadde in ginocchio, strappandosi i pantaloni che aveva stirato con tanta cura proprio quella mattina.

...trentotto

Controlla la ferita, ferma l'emorragia e assicurati che il paziente non sia in stato di choc. Amelia Sachs, che aveva seguito il corso base di pronto soccorso per agenti di pattuglia al dipartimento di polizia di New York, si chinò su Thom ed esaminò la ferita.

L'aiutante era cosciente ma pallido, e sudava abbondantemente. Lei premette la mano sulla ferita.

"Toglimi le manette!" gridò. "Non posso occuparmi di lui in questo modo."

"No", disse Lucy.

"Gesù", mormorò Amelia, e controllò la schiena di Thom come meglio poteva.

"Come ti senti, Thom?" chiese Rhyme. "Parlami."

"Mi sento intontito... è una strana... sensazione..." Gli occhi si rovesciarono all'indietro e perse i sensi.

Uno schianto sopra le loro teste: una pallottola aveva trapassato la parete, seguita dal fragore di un colpo di fucile che perforava la porta. Garrett porse ad Amelia una manciata di fazzoletti di carta. Lei li afferrò e li usò per tamponare lo squarcio nel ventre di Thom. Gli schiaffeggiò il volto, ma lui non reagì.

"È vivo?" chiese Rhyme in tono angosciato.

"Respira. A fatica, ma respira. A prima vista la ferita non

è grave, ma potrebbe aver causato seri danni agli organi interni."

Lucy guardò fuori dalla finestra e si affrettò ad abbassare la testa. "Perché stanno facendo tutto questo?"

Fu Rhyme a rispondere: "Jim ha detto che sono nel giro delle distillerie clandestine. Forse avevano messo gli occhi su questo posto e non volevano che qualcuno lo scoprisse. O forse c'è un laboratorio dove si produce droga, da queste parti."

"Sono venuti altri due uomini prima, hanno cercato di entrare", raccontò loro Mary Beth. "Forse sono complici."

"Dov'è Bell?" domandò Lucy. "E Mason?"

"Lo sceriffo sarà qui tra mezz'ora."

L'agente scosse la testa, disperata. Di nuovo guardò fuori dalla finestra. Si irrigidì nell'individuare un bersaglio. Alzò la pistola e prese la mira velocemente.

Troppo velocemente.

"No, lascia fare a me!" gridò Amelia.

Lucy sparò lo stesso. La smorfia che le comparve sul viso fece capire agli altri che aveva mancato il bersaglio. Strizzò gli occhi. "Sean ha appena trovato una latta. Una latta rossa. Che cos'è, Garrett? Benzina?" Il ragazzo era rannicchiato sul pavimento, paralizzato dal panico. "Garrett, rispondimi!"

Lui si voltò a guardarla.

"La latta rossa. Cosa c'è dentro?"

"Sì, insomma, kerosene. Per la barca."

Lucy mormorò: "Dannazione, vogliono darci fuoco".

"Merda", gridò Garrett. Si alzò fissando Lucy, gli occhi spiritati.

A quanto pareva solo Amelia sapeva cosa stava per succedere. "No, Garrett, non..."

Il ragazzo la ignorò, balzò in piedi, spalancò la porta e, incespicando, corse lungo la veranda. Nuove pallottole esplosero contro il legno. Amelia non aveva idea se Garrett fosse stato colpito.

Vi fu un attimo di silenzio mentre i tre uomini si avvicinavano con il kerosene.

Amelia si guardò attorno nella stanza piena di polvere sollevata dagli spari e vide:

Mary Beth che singhiozzava, raggomitolata su se stessa.

Lucy, con gli occhi colmi di odio, che controllava la pistola.

Thom, bianco come un lenzuolo.

Lincoln Rhyme, sdraiato sulla schiena, che respirava a fatica.

Tu e io...

Freddamente, con calma, si rivolse a Lucy. "Dobbiamo fermarli. Io e te insieme."

"Loro sono in tre e hanno dei fucili."

"Incendieranno questa baracca fra tre minuti al massimo. E ci bruceranno vivi o ci spareranno quando correremo fuori. Non abbiamo scelta. Toglimi le manette." Amelia le mostrò i polsi. "Devi farlo."

"Come posso fidarmi di te?" sussurrò Lucy. "Ci hai teso una trappola, sul fiume."

"Una trappola? Ma di cosa stai parlando?"

Lucy si accigliò. "Di cosa sto parlando? Ti sei servita della barca per distrarci e hai sparato a Ned quando è andato a controllarla."

"Stronzate! *Voi* pensavate che fossimo sotto la barca e ci avete sparato."

"Ma solo dopo che tu..." L'agente non riuscì a finire la frase.

In quell'istante anche Amelia capì ed esclamò: "Sono stati *loro*. Culbeau e gli altri! È stato uno di loro a sparare per primo. Per spaventarvi e rallentarvi, probabilmente".

"E noi abbiamo pensato che fossi tu." Per un attimo l'espressione di Lucy si ammorbidì, poi il tradimento più grande tornò a occupare i suoi pensieri – la morte di Jesse Corn – e i suoi occhi si accesero nuovamente di rabbia.

Amelia le mostrò ancora i polsi. "Non abbiamo scelta."

Lucy la scrutò con attenzione, poi, con estrema lentezza, infilò una mano in tasca e prese la chiave. Aprì le manette; Amelia si massaggiò i polsi. "Come siamo messe a munizioni?"

"Mi sono rimasti tre colpi."

"A me cinque", disse Amelia, riprendendo la Smith & Wesson e controllando il cilindro.

Abbassò lo sguardo su Thom, che era scosso da brividi violenti. Mary Beth si fece avanti. "Mi occuperò io di lui."

"Un'unica cosa", disse Amelia. "Thom è gay. Ha fatto il test, ma..."

"Non importa", rispose la ragazza. "Farò attenzione. Andate pure."

"Sachs", mormorò Rhyme. "Io..."

"Più tardi, Rhyme. Non c'è tempo per questi discorsi adesso." Amelia si avvicinò silenziosamente alla porta, diede una rapida occhiata fuori, cercando di fotografare mentalmente la topografia del campo e di capire quali fossero i nascondigli e le posizioni di tiro migliori.

Con le mani libere e la pistola in pugno, si sentiva di nuovo sicura di sé. Quello era il suo mondo: pistole e velocità. Non aveva tempo per pensare a Lincoln Rhyme e alla sua operazione, alla morte di Jesse Corn, al tradimento di Garrett Hanlon, a ciò che avrebbero dovuto affrontare se fossero usciti vivi da quella terribile situazione.

Se ti muovi in fretta non ti possono prendere...

Disse a Lucy: "Usciamo. Tu vai a sinistra, dietro il furgone, ma *non* fermarti per nessuna ragione. Continua a muoverti finché non ti trovi nel campo. Io vado a destra: mi riparerò dietro quell'albero. Poi ci nascondiamo nell'erba alta, andiamo avanti verso la foresta e li prendiamo alle spalle".

"Ci vedranno uscire."

"*Devono* vederci uscire. Voglio che sappiano che noi due siamo là fuori da qualche parte nell'erba. Questo li renderà nervosi. Non sparare finché non sei sicura di colpire il bersaglio. Capito?"

"Capito."

Mentre Amelia afferrava la maniglia con la mano sinistra, il suo sguardo incontrò quello di Lucy.

O'Sarian e Tomel si stavano avvicinando con la latta di kerosene senza tenere d'occhio la porta d'ingresso. Così, quando le due donne si precipitarono fuori, si divisero e corsero al riparo, nessuno dei due ebbe il tempo di mirare e sparare.

Culbeau – appostato molto più indietro per poter tenere sotto tiro sia il fronte sia i lati della casa – evidentemente non si aspettava che qualcuno uscisse, perché quando il suo fucile da caccia tuonò Amelia e Lucy erano già scomparse nell'erba alta che circondava il capanno.

O'Sarian e Tomel si acquattarono a loro volta nella vegetazione; Culbeau gridò: "Le avete lasciate andare! Che cosa cazzo state combinando?" Sparò un altro colpo verso Amelia – lei si appiattì sul terreno – e quando l'agente sollevò lo sguardo si accorse che anche lui era scomparso nel campo.

Là fuori, da qualche parte, c'erano tre serpenti velenosi in agguato. E né lei né Lucy avevano idea di dove potessero essere esattamente.

Culbeau gridò: "A destra".

Uno dei suoi compagni replicò: "Dove?" Amelia ebbe l'impressione che fosse Tomel.

"Credo... Aspetta un attimo."

Poi silenzio.

Amelia strisciò verso il punto in cui un istante prima aveva visto Tomel e O'Sarian. Scorse brevemente una macchia rossa e si mosse in quella direzione. La brezza calda fece ondeggiare l'erba, e lei si accorse che si trattava della latta di kerosene. Avanzò ancora per qualche metro e, quando il vento collaborò di nuovo, mirò in basso, fece fuoco e una pallottola colpì il fondo della latta. Il contenitore fu scosso dall'impatto, e dallo squarcio nel metallo cominciò a fuoriuscire il liquido chiaro.

Ci fu un'esclamazione rabbiosa: "Merda!" poi Amelia udì un fruscio nell'erba, probabilmente l'uomo che si allontanava velocemente per paura che il combustibile potesse prendere fuoco. Ma non accadde niente del genere.

Altri fruscii, altri passi.

Da dove venivano?

Lei notò un lampo di luce a una quindicina di metri da lei, più o meno nel punto in cui aveva visto Culbeau qualche minuto prima. Si rese conto che doveva essere un riflesso del mirino telescopico del suo fucile. Sollevò cautamente la testa e incrociò lo sguardo di Lucy. Indicò se stessa e il riflesso. L'agente annuì, poi indicò se stessa e cominciò a muoversi nell'erba alta. Amelia annuì.

Mentre Lucy correva sul lato sinistro del capanno, O'Sarian si alzò e cominciò a sparare con il Colt. Il frastuono secco dei colpi riecheggiò nel campo. Per un istante Lucy fu un bersaglio facile, ma O'Sarian, troppo impaziente, prese male la mira e la mancò. L'agente si gettò a terra mentre le pallottole si conficcavano nel terreno attorno a lei, quindi si alzò e sparò un colpo che mancò O'Sarian di pochi centimetri. Lui si affrettò a nascondersi, gridando per la sorpresa.

Amelia prese ad avanzare verso la postazione da cecchino di Culbeau. Udì un'altra serie di spari. Le esplosioni sorde di un revolver e quelle secche e rapide di un fucile, infine la detonazione fragorosa di una doppietta.

Temette che Lucy fosse stata colpita, ma un istante dopo sentì la voce della donna: "Amelia, sta venendo verso di te".

Passi pesanti nell'erba. Una pausa. Altri fruscii.

Chi? Dov'era? Amelia era completamente disorientata e continuava a guardarsi attorno, in preda al panico.

Silenzio. La voce di un uomo che gridava qualcosa di indistinto.

Il rumore dei passi si allontanò.

Il vento scostò ancora una volta l'erba e Amelia vide il luccichio del mirino. Culbeau era praticamente davanti a lei, su un piccolo dosso, una postazione perfetta da cui sparare. Se si fosse alzato imbracciando il fucile, avrebbe potuto tenere sotto tiro qualsiasi punto del campo. Lei avanzò più in fretta, convinta che stesse prendendo la mira per colpire Lucy, o Rhyme o Mary Beth, attraverso le finestre.

Sbrigati, sbrigati.

Si alzò in piedi e cominciò a correre, accucciata. La collinetta era a poco più di cinque metri da lei.

Ma a quanto pareva Sean O'Sarian era molto più vicino, come scoprì quando andò a sbattere contro di lui. Lui rimase senza fiato, lei rotolò a terra e cadde sulla schiena.

Vide gli occhi di O'Sarian, folli, iniettati di sangue. Si trovavano un metro l'uno dall'altra.

Il tempo sembrò fermarsi mentre lei sollevava la pistola e lui le puntava contro il Colt. Spararono contemporaneamente. Amelia sentì il sibilo degli ultimi tre colpi del caricatore di O' Sarian, che la mancarono. Anche lei lo mancò; si alzò sui gomiti e vide che l'uomo stava fuggendo spaventato.

Non perdere questa opportunità, si disse, e, rischiando di essere colpita da Culbeau, si alzò in piedi e lo prese di mira. Tuttavia, prima che potesse fare fuoco, Lucy Kerr si alzò a sua volta e gli sparò un unico colpo mentre l'uomo correva verso di lei. O'Sarian gettò indietro la testa e si portò una mano al petto. Poi, ruotando su se stesso, si accasciò a terra.

L'espressione sul volto di Lucy era un misto di choc e determinazione, e Amelia si domandò se quella fosse la prima volta che uccideva qualcuno. L'agente tornò a nascondersi nell'erba e, un istante dopo, diversi colpi di doppietta lacerarono la vegetazione nel punto in cui si era trovata fino a un secondo prima.

Amelia ricominciò ad avanzare verso Culbeau, quasi correndo; era probabile che l'uomo fosse riuscito a individuare Lucy e che non appena lei si fosse alzata l'avrebbe colpita.

Sei metri, tre.

Il riflesso del mirino l'accecò per un attimo e lei si abbassò, pensando che Culbeau le stesse puntando il fucile contro. Ma a quanto pareva lui non l'aveva vista. Strisciando nell'erba alta, Amelia continuò ad avvicinarsi. Era madida di sudore e l'artrite le procurava fitte di dolore sempre più acute.

Un metro e mezzo.

Preparati.

Presto.

Colpirlo non sarebbe stato facile. Lui si trovava su un dosso, e per poter prendere la mira lei avrebbe dovuto spostarsi nella radura, alla destra di Culbeau, e alzarsi in piedi. Non avrebbe avuto alcun tipo di copertura. Se non gli avesse sparato nel culo immediatamente, sarebbe stata un bersaglio fin troppo facile. E se anche fosse riuscita a centrarlo, Harris Tomel avrebbe avuto tutto il tempo per prenderla di mira con il fucile a pallettoni.

Non aveva altra scelta.

Se ti muovi in fretta non ti possono prendere...

Sollevò la Smittie, appoggiò il dito sul grilletto.

Un respiro profondo...

Ora!

Balzò in avanti e rotolò nella radura. Si alzò, un ginocchio a terra, prese la mira.

Dalle sue labbra sfuggì un gemito di stupore.

Il "fucile" di Culbeau era un vecchio tubo da distillazione e il mirino un coccio di bottiglia. Esattamente lo stesso trucco che lei e Garrett avevano usato al cottage vicino al Paquenoke.

Mi ha fregata...

Un fruscio nell'erba, molto vicino. Amelia Sachs si voltò.

Passi pesanti che si avvicinavano al capanno, prima attraverso la vegetazione, poi sul terreno, infine sui gradini di legno che conducevano alla porta. Passi lenti. A Rhyme sembravano più disinvolti che cauti. I passi di una persona sicura di sé. Quindi pericolosa.

Con enorme fatica il criminologo sollevò la testa, ma non riuscì a vedere chi si stesse avvicinando.

La porta si aprì con un cigolio.

Rich Culbeau, armato di un lungo fucile, lanciò una rapida occhiata all'interno del capanno.

Rhyme si sentì invadere da una nuova ondata di panico. Amelia stava bene? Era stata raggiunta da uno dei molti colpi che aveva udito? Era riversa sul terreno polveroso, ferita?

Culbeau guardò Rhyme e Thom e decise che non rappresentavano una minaccia. Tuttavia, ancora sulla soglia, chiese a Rhyme: "Dov'è Mary Beth?"

Il criminologo sostenne il suo sguardo e rispose: "Non lo so. È corsa fuori a cercare aiuto. Cinque minuti fa".

L'altro esaminò la stanza; alla fine il suo sguardo si fermò sulla botola che conduceva in cantina.

Rhyme si affrettò a dire: "Perché lo stai facendo?"

"Allora è corsa fuori, eh? Sarà, però io non l'ho vista." Culbeau fece qualche passo dentro la stanza senza smettere di fissare la botola. Poi con un cenno indicò il campo. "Non avrebbero dovuto lasciarvi qui da soli... è stato un grave errore." Fissò il corpo immobile di Rhyme e chiese: "Che cosa ti è successo?"

"Sono rimasto ferito in un incidente."

"Tu sei quel tizio di New York di cui parlano tutti. Sei quello che ha capito dov'era la ragazza. Veramente non ti puoi muovere?"

"No, non posso."

Culbeau emise una breve risata. Sembrava divertito e incuriosito, come se avesse appena trovato un pesce di cui non aveva mai sospettato l'esistenza.

Rhyme spostò lo sguardo sulla botola della cantina e poi di nuovo su Culbeau.

"Sei venuto a ficcarti in un casino peggiore di quanto immaginassi", borbottò questi.

Rhyme non replicò; Culbeau si avvicinò ulteriormente alla botola, impugnando il fucile con una mano sola. "Mary Beth se n'è andata, giusto?"

"È corsa fuori. Dove vuoi andare?"

L'altro lo ignorò. Con un gesto rapido e potente spalancò la botola, sparò, ricaricò e sparò di nuovo. Fece fuoco altre tre volte, quindi sbirciò nell'oscurità fumosa.

Fu allora che Mary Beth McConnell, brandendo l'arma primitiva che aveva costruito con le sue stesse mani, sbucò da dietro la porta d'ingresso dov'era rimasta nascosta fino a quel momento. Gli occhi colmi di determinazione, sollevò la mazza e la calò sul lato della testa di Culbeau, facendogli a brandelli parte del padiglione auricolare. Il fucile gli sfuggì di mano e lui cadde giù per le scale, nel buio della cantina. Ma non era ferito gravemente: si voltò e sferrò un pugno vigoroso a Mary Beth colpendola al centro del petto. Lei rimase senza fiato e si accasciò sul pavimento. Si rannicchiò su un fianco, gemendo.

Culbeau si toccò l'orecchio e guardò la mano sporca di sangue. "Vaffanculo, mi hai fatto male!" Abbassò gli occhi sulla giovane donna. Dalla cintura prese un coltello a serramanico aprendolo con uno scatto. Afferrò i capelli scuri della ragazza e, con uno strattone, le tirò la testa all'indietro, scoprendole il collo bianco.

Lei gli artigliò il polso e cercò di liberarsi, ma le braccia di Culbeau erano troppo robuste e la lama scura si stava avvicinando alla sua pelle.

"Fermo", esclamò un'altra voce. Garrett Hanlon era in piedi sulla soglia. In una mano teneva una grande pietra grigia. Fece un passo verso Culbeau. "Lasciala andare e togliti dai piedi, stronzo."

Culbeau lasciò i capelli di Mary Beth, facendole sbattere la testa sul pavimento. Fece un passo indietro. Si toccò di nuovo l'orecchio. "Ehi, ragazzino, chi ti credi di essere per darmi ordini?"

"Vattene!"

Culbeau emise una risata gelida. "Perché sei tornato qui? Sono più grosso di te e ho un coltello. Tu hai solo quella pietra. Be', vieni un po' qui. Vediamo di farla finita."

Garrett fece ticchettare le unghie un paio di volte. Si piegò sulle gambe come un lottatore e prese ad avanzare lentamente. Il suo volto mostrava una strana determinazione. Fece diverse finte senza lanciare mai la pietra e Culbeau si scansò, si chinò. Poi l'uomo scoppiò a ridere, ormai convinto che l'avversario non fosse molto pericoloso. Si asciugò il volto rosso e madido di sudore, quindi si avventò contro Garrett cercando di ferirlo al ventre. Il ragazzo balzò all'indietro e la lama lo mancò. Ma aveva calcolato male le distanze e si trovò con le spalle al muro. Ora non aveva scampo.

Mary Beth, ancora riversa a terra, riuscì ad afferrare la mazza e a colpire Culbeau alla caviglia. Lui lanciò un urlo e si voltò verso di lei brandendo il coltello, mentre Garrett scattava in avanti e lo investiva con una spallata. Culbeau perse l'equilibrio, scivolò e rotolò giù per la scala della cantina. Riuscì ad aggrapparsi al corrimano. "Piccolo bastardo", mormorò.

Rhyme vide Culbeau cercare a tastoni il fucile sulla scala immersa nell'oscurità. "Garrett! Sta cercando di prendere il fucile!"

Il ragazzo si avvicinò lentamente alla botola e sollevò la pietra, ma non la lanciò. Cosa stava aspettando? si chiese Rhyme. Vide che toglieva una striscia di tessuto da un buco della pietra.

Il ragazzo fissò Culbeau e gli disse: "Non è un sasso". E, mentre le prime vespe sbucavano dall'apertura, scagliò il nido in faccia a Culbeau e richiuse la botola. Chiuse il lucchetto e si allontanò.

Il legno della botola fu trapassato da una pallottola. Poi da un'altra.

Non vi furono altri spari. Rhyme pensava che avrebbe fatto fuoco ben più di due volte. Ma, dopotutto, avrebbe anche detto che le grida che provenivano dalla cantina sarebbero durate molto più a lungo.

Harris Tomel sapeva che era arrivato il momento di alzare i tacchi e tornare a Tanner's Corner.

O'Sarian era morto – be', non era una grande perdita – ma ormai Culbeau doveva aver ucciso la rossa e gli altri che erano rimasti nel capanno. Non restava che Lucy Kerr. Tomel voleva occuparsi di lei, tornarsene a casa al più presto e dimenticarsi di quell'incubo. Non sarebbero bastati tutti i soldi del mondo, e men che mai quelli della contea di Paquenoke, per ripagarlo di ciò che aveva dovuto sopportare negli ultimi giorni.

Ora però c'era dentro fino al collo, e se lui e Culbeau volevano restare fuori di prigione non potevano permettersi di lasciare testimoni.

In quel momento, accanto a un albero poco lontano, vide un lampo marrone. Guardò meglio. Sì, quella doveva essere la camicia dell'uniforme di Lucy Kerr.

Imbracciando la doppietta da duemila dollari, si avvicinò di qualche passo. Sarebbe stato difficile uccidere Lucy? si chiese. Era sempre stato attratto da lei. Be', prima che il dottore la tagliuzzasse, naturalmente. Sbarazzarsi di lei non sarebbe stato un grosso problema. Certo, non era nella posizione ideale per sparare: il bersaglio non era molto esposto. Poteva vedere solo parte del suo petto. Avrebbe avuto bisogno di un altro tipo di fucile, ma se la sarebbe cavata anche con la doppietta. La regolò in modo tale che i pallettoni si sarebbero sparpagliati in un raggio più ampio, aumentando le probabilità di colpire.

Scattò in piedi, prese bene la mira e tirò il grilletto.

Il rinculo fu fortissimo. Tomel strizzò gli occhi, cercando di capire se aveva raggiunto il bersaglio.

Oh, Cristo... Un'altra volta! La camicia stava svolazzando nell'aria, sospinta dall'impatto con i pallettoni. L'agente l'aveva appesa all'albero per trarlo in inganno e portarlo allo scoperto.

"Fermo dove sei, Harris", gridò la voce di Lucy alle sue spalle. "È finita."

"Sei stata brava", ammise lui. "Mi hai fregato." Si voltò verso di lei, il Browning al livello della vita, nascosto dall'erba, puntato contro di lei. Lucy era in T-shirt.

"Getta il fucile", gli ordinò.

"L'ho già fatto", disse lui, senza muoversi.

"Alza le mani. Subito, Harris. Non farmelo ripetere due volte."

"Ascolta, Lucy..."

L'erba era alta quasi un metro e mezzo. Tomel pensò che avrebbe potuto accucciarsi e spararle alle ginocchia per poi finirla con un ultimo colpo. Certo, era rischioso: Lucy avrebbe potuto avere il tempo di sparare a sua volta.

Fu allora che notò l'incertezza negli occhi dell'agente. Si accorse che impugnava la pistola in modo troppo minaccioso.

Stava bluffando. "Hai finito le munizioni", sogghignò.

Ci fu una pausa, e l'espressione disperata sul volto di Lucy gli disse che aveva ragione. Tomel sollevò il fucile, tenendolo con entrambe le mani, e prese la mira.

"Ma *io* no", disse una voce alle sue spalle. La rossa! Si voltò, pronto ad affrontarla, pensando: non può spararmi. È una donna. È...

La pistola sussultò tra le mani di Amelia, e l'ultima cosa che Tomel sentì fu una strana pressione sul lato della testa.

Lucy Kerr vide Mary Beth uscire barcollando sulla veranda e la sentì gridare che Culbeau era morto e che Rhyme e Garrett stavano bene.

Amelia Sachs annuì, quindi si avvicinò al cadavere di Sean O'Sarian. Lucy guardò il corpo di Harris Tomel. Si chinò e richiuse le mani tremanti attorno al Browning. Si accorse che anche se avrebbe dovuto sentirsi piena di orrore nel togliere quell'arma elegante a un morto, l'unica sua preoccupazione era scoprire se il fucile era ancora carico.

Esaminò l'arma e si assicurò che ci fosse un colpo in canna.

Quindici metri più in là, Amelia era china sul corpo di O'Sarian e lo stava perquisendo con una mano, mentre con l'altra continuava a tenerlo sotto tiro.

Lucy si chiese il perché di quel comportamento, ma subito si disse che probabilmente si trattava della procedura standard.

Riprese la camicia e se la infilò. I pallettoni l'avevano fatta a pezzi, lei però si sentiva troppo in imbarazzo solo con la T-shirt attillata. Si fermò accanto all'albero, respirando affannosamente nella calura, e osservò la schiena di Amelia.

Pura e semplice furia – per tutti i tradimenti della sua vita. Era stata tradita dal suo corpo, da suo marito, da Dio.

E ora da Amelia Sachs.

Si lanciò un'occhiata alle spalle verso il punto in cui giaceva Harris Tomel. Lo spazio e la distanza tra lui e Amelia erano perfetti. Lo scenario era plausibile: Tomel si era nascosto nell'erba alta. Si era alzato e aveva sparato ad Amelia nella schiena. A quel punto Lucy aveva preso la pistola di Amelia e aveva ucciso Tomel.

Sollevò il fucile che le sembrava senza peso, come un fiore di speronella. Premendosi contro la guancia la canna liscia e profumata, ripensò a quando aveva premuto il viso contro la sponda cromata del suo letto d'ospedale dopo la mastectomia. Puntò il fucile alla schiena della donna, coperta dalla T-shirt nera. Sarebbe morta in modo indolore, velocemente.

Velocemente com'era morto Jesse Corn.

Era solo un atto di giustizia: una vita colpevole per una innocente.

Lucy si guardò attorno. Nessun testimone.

Strinse il dito attorno al grilletto.

Sbatté le palpebre, il fucile puntato esattamente al centro della schiena di Amelia Sachs, la presa salda e forte dopo anni di giardinaggio, anni passati a gestire una casa – e una vita – contando sulle sue sole forze.

E poi abbassò l'arma.

Tolse anche l'ultima cartuccia, si mise il fucile in spalla con la canna puntata verso il cielo e lo portò al furgone fermo davanti al capanno. Lo posò a terra, ritrovò il suo cellulare e chiamò la polizia di stato.

L'elicottero dell'ospedale fu il primo ad arrivare e i paramedici, velocemente, misero Thom su una barella, lo caricarono e partirono alla volta del centro medico. Uno di loro rimase per prendersi cura di Lincoln Rhyme: la pressione del criminologo stava raggiungendo livelli critici.

Quando, pochi minuti dopo, gli agenti statali arrivarono a bordo di un secondo elicottero, per prima cosa si occuparono di Amelia Sachs; le ammanettarono i polsi dietro la schiena e la fecero sdraiare a faccia in giù sul terreno bollente davanti al capanno, mentre entravano per arrestare Garrett Hanlon.

...trentanove

Thom sarebbe sopravvissuto. Il medico dell'unità di terapia intensiva del centro di Avery si era limitato a un commento laconico: "La pallottola? È entrata e uscita. Non ha colpito nessun organo vitale". In ogni caso l'aiutante avrebbe dovuto stare a riposo per un mese o due.

Ben Kerr si era offerto volontario per assistere Rhyme durante la sua permanenza a Tanner's Corner. Aveva brontolato: "In realtà non si meriterebbe il mio aiuto, Lincoln. Voglio dire, dannazione, non riesce neanche a stare in piedi".

Ancora a disagio con quel genere di battute, aveva lanciato un'occhiata a Rhyme per assicurarsi di non aver oltrepassato il limite. La smorfia amara ma divertita del criminologo lo tranquillizzò. Tuttavia Rhyme lo aveva dissuaso: benché apprezzasse molto la sua offerta, occuparsi di un quadriplegico era un lavoro difficile e a tempo pieno. E assolutamente ingrato, se il paziente in questione era Lincoln Rhyme. La dottoressa Cheryl Weaver stava cercando un infermiere specializzato.

"Ma non sparire, Ben", aveva concluso. "Potrei avere ancora bisogno di te. La maggior parte dei miei assistenti non durano più di pochi giorni."

Le accuse contro Amelia Sachs erano molto gravi. I test balistici avevano dimostrato che la pallottola che aveva ucciso Jesse

Corn era stata sparata dalla pistola che lei aveva avuto in prestito e, anche se Ned Spoto era morto, Lucy Kerr aveva rilasciato una dichiarazione in cui riferiva ciò che il collega le aveva raccontato dell'incidente.

Bryan McGuire aveva già annunciato che avrebbe chiesto la pena di morte. L'agente Corn era molto popolare e benvoluto in città, e poiché era morto cercando di arrestare l'Insetto, l'opinione pubblica si era schierata con il procuratore distrettuale.

Jim Bell e la polizia di stato avevano indagato per scoprire il motivo che aveva spinto Culbeau e i suoi amici ad aggredire Rhyme e gli agenti. Un investigatore di Raleigh aveva trovato decine di migliaia di dollari in contanti nascoste nelle abitazioni dei tre uomini. "Tutto quel denaro non può provenire solo dal contrabbando di alcool illegale", aveva detto il detective. Poi, come se avesse intuito il pensiero di Rhyme, aveva aggiunto: "Il capanno doveva essere vicino a un laboratorio in cui si fabbricava droga o qualcosa del genere. Probabilmente Garrett si è trovato coinvolto in una delle loro operazioni. Ne parleremo con lui. Potrebbe aver visto qualcosa".

Bell sospettava, proprio come Rhyme, che anche i due uomini che avevano aggredito Mary Beth fossero coinvolti, e gli agenti della polizia di stato si erano messi sulle loro tracce.

Ora Rhyme sedeva sulla Storm Arrow – che funzionava ancora nonostante le stigmate dei fori di proiettile – nel laboratorio improvvisato, e attendeva l'arrivo del suo nuovo aiutante. Stava rimuginando preoccupato sul destino di Amelia, quando qualcuno apparve sulla soglia.

Alzò lo sguardo e vide Mary Beth McConnell. La ragazza entrò nella stanza. "Signor Rhyme."

Per la prima volta si accorse di quanto fosse bella: notò gli occhi verdi dall'espressione sicura, il sorriso aperto. Ora capiva perché Garrett avesse sviluppato una vera e propria ossessione per quella ragazza. "Come va la sua testa?" Con un cenno indicò la benda.

"Mi rimarrà una cicatrice spettacolare. Non penso che terrò i capelli raccolti all'indietro molto spesso. Comunque non è niente di grave."

Come tutti, anche Rhyme si era sentito sollevato quando aveva scoperto che Garrett non aveva violentato Mary Beth. Aveva detto la verità riguardo al fazzoletto insanguinato: Garrett l'aveva spaventata nella cantina del capanno, e lei si era alzata troppo velocemente, picchiando la testa contro una delle travi più basse. Certo, era stato visibilmente eccitato, ma solo a causa dei suoi ormoni da sedicenne. Garrett non l'aveva toccata se non per riportarla con cura al piano di sopra, per pulirle la ferita e bendargliela. Si era persino profuso in scuse per quell'incidente.

La ragazza continuò. "Volevo solo ringraziarla. Non so cosa sarebbe successo se non fosse stato per lei. Mi dispiace per la sua amica: se non avesse fatto quello che ha fatto, ora sarei morta. Quegli uomini volevano... be', lo può immaginare. La ringrazi da parte mia."

"Lo farò", le disse Rhyme. "Posso chiederle una cosa?"

"Certamente."

"So che ha rilasciato una dichiarazione a Jim Bell, ma basandomi sulle prove non sono riuscito a ricostruire ciò che è accaduto a Blackwater Landing. Potrebbe raccontarmelo lei?"

"Certo... Ero vicino al fiume e stavo raccogliendo alcuni reperti che avevo trovato, e quando ho alzato lo sguardo Garrett era lì con me. Mi sono spaventata. Non volevo che mi infastidisse. Quando mi vedeva, cominciava a parlare come se fossimo stati amici da sempre.

"Quel mattino era molto agitato. Blaterava cose come 'Non dovresti venire qui da sola, è pericoloso, la gente muore a Blackwater Landing'. E così via. Mi stava facendo davvero impazzire, così l'ho pregato di lasciarmi in pace. Gli ho detto che dovevo lavorare, ma lui mi ha afferrato per una mano e ha cercato di trascinarmi via. A quel punto dal bosco è sbucato Billy Stail che gli ha detto 'figlio di puttana' o qualcosa del genere, e ha cominciato a picchiarlo con una vanga, ma Garrett è riuscito a strappargliela di mano e lo ha ucciso. Poi mi ha costretta a seguirlo, mi ha fatto salire su una barca e mi ha portata al capanno."

"Da quanto tempo Garrett la stava perseguitando?"

Mary Beth scoppiò a ridere. "Perseguitando? No, no. Scommetto che ha parlato con mia madre. Circa sei mesi fa ero in città e ho visto alcuni ragazzi del liceo che lo maltrattavano... così li ho cacciati via. E questo, suppongo, ha fatto di me la sua ragazza. Mi seguiva molto spesso, niente di più. Mi ammirava da lontano. Ero sicura che fosse inoffensivo." Il suo sorriso svanì.

"Fino all'altro giorno, almeno." Mary Beth guardò l'orologio. "Adesso devo andare, ma la ragione per cui sono passata a trovarla è che volevo chiederle: se non le servono più come prove, posso riprendere le ossa?"

"Quali ossa?" chiese Rhyme.

"Le ho prese a Blackwater Landing, dove Garrett mi ha rapita."

Lui scosse la testa, confuso. "Cosa intende dire?"

Il viso di Mary Beth si adombrò. "Le ossa, i reperti che ho trovato. Le stavo riportando alla luce quando Garrett mi ha rapita. Sono molto importanti... Vuol dire che sono scomparse?"

"Nessuno ha recuperato delle ossa sulla scena del crimine", rispose Rhyme. "Non sono mai state registrate come prove."

Lei scosse la testa. "No, no... Non *possono* essere scomparse."

"Di che tipo di ossa si tratta?"

"Ossa umane. Ho trovato alcuni resti della Colonia Perduta di Roanoke. Risalgono alla fine del Cinquecento."

Le conoscenze storiche di Lincoln Rhyme erano limitate alla città di New York. "Temo di non essere molto ferrato, sull'argomento."

Tuttavia, quando lei gli ebbe raccontato dei coloni dell'isola di Roanoke e della loro scomparsa, il criminologo annuì. "Ricordo qualcosa, dai tempi della scuola."

Lei continuò: "Prima di scomparire incisero un messaggio su un albero, che secondo tutti gli studiosi significa che erano diretti a sud, a Hatteras. Io invece credo che abbiano lasciato quel messaggio per ingannare gli indiani; che si insediarono sulle rive del Paquenoke e in seguito furono uccisi a Blackwater Landing. La mia teoria è che si sia trattato di una specie di strage, come quella di Little Big Horn".

"Cosa le fa pensare che quelli siano i loro resti?"

"Erano ossa molto antiche, e non si trovavano in uno dei tipici terreni di sepoltura algonquin, né in un cimitero coloniale. Erano semplicemente state sepolte senza alcun segno di riconoscimento, un comportamento tipico dei guerrieri con i cadaveri dei loro nemici. Ecco..." La ragazza aprì lo zaino. "Ne avevo già raccolte alcune quando Garrett mi ha portata via." Estrasse parecchie ossa avvolte nella pellicola trasparente. Erano annerite e decomposte. Rhyme riconobbe un radio, una parte di una scapola, un osso iliaco e un frammento di femore lungo diversi centimetri.

"Ce n'erano ancora più di una decina", affermò Mary Beth. "È una delle più importanti scoperte archeologiche della storia degli Stati Uniti. Queste ossa hanno un valore inestimabile. *Devo* trovarle."

Rhyme fissò il radio: una delle due ossa che compongono l'avambraccio. Dopo qualche secondo alzò lo sguardo.

"Potrebbe andare in fondo al corridoio, nell'ufficio dello sceriffo, e chiedere a Lucy Kerr di venire qui un attimo?"

"Per le ossa?" chiese la ragazza.

"È possibile."

Era un'espressione che il padre di Amelia usava spesso: "Se ti muovi in fretta non ti possono prendere".

Quell'espressione significava molte cose. Ma soprattutto, padre e figlia condividevano l'essenza di quella filosofia. Entrambi amavano guidare auto veloci, pattugliare le strade, entrambi avevano paura dei luoghi chiusi e della vita monotona.

Adesso l'avevano *presa*.

L'avevano presa sul serio.

E le sue preziose auto, la sua preziosa carriera in polizia, la sua vita con Lincoln Rhyme, il loro futuro insieme, i figli che avrebbero potuto avere... era tutto distrutto.

Fin da quando era stata portata in cella, Amelia era stata oggetto di un ostracismo generale. Gli agenti che le portavano da bere e da mangiare non le rivolgevano nemmeno la parola e la fissavano freddamente. Rhyme aveva chiamato un avvocato di New York, ma lei, come la maggior parte dei poliziotti, conosceva la legge quanto un avvocato. Sapeva che, qualunque accordo avessero raggiunto l'avvocato di Manhattan e il procuratore distrettuale della contea, la sua vita era finita. Il suo cuore era diventato insensibile quanto il corpo di Lincoln Rhyme.

Sul pavimento, un insetto di qualche genere stava diligentemente attraversando la cella da una parete all'altra. Qual era il suo scopo? Mangiare, accoppiarsi, trovare un riparo?

Se tutta la gente della terra sparisse domani, il mondo andrebbe avanti senza problemi. Ma se sparissero gli insetti, allora la vi-

ta finirebbe molto presto, nel giro di una generazione. Le piante morirebbero, poi morirebbero gli animali, e la terra tornerebbe a essere solo una grossa roccia grigia.

La porta dell'ufficio si aprì. Amelia vide un agente che non conosceva. "C'è una telefonata per lei." Aprì la porta della cella, l'ammanettò e l'accompagnò a un tavolino metallico su cui si trovava un telefono. Doveva essere sua madre, pensò. Rhyme le aveva detto che l'avrebbe chiamata per informarla degli ultimi avvenimenti. O forse era Amy, la sua migliore amica, che chiamava da New York.

Quando prese il ricevitore, le manette che tintinnavano rumorosamente, sentì la voce di Lincoln Rhyme: "Come si sta al fresco, Sachs?"

"Benissimo", mormorò lei.

"L'avvocato arriverà stasera. È molto in gamba, sono vent'anni che si occupa di diritto penale. Ha persino fatto rilasciare un sospettato per furto contro cui io avevo raccolto un sacco di prove. E chiunque riesca a fare una cosa del genere non può che essere in gamba."

"Andiamo, Rhyme. Cosa pensi di ottenere? Io sono una poliziotta di New York che ha fatto evadere un assassino e ha ucciso un agente del posto. Non potrebbe essere peggio di così."

"Parleremo del tuo caso più tardi. C'è un'altra cosa che devo chiederti. Hai passato un paio di giorni con Garrett. Avete parlato di qualcosa?"

"Certo."

"Di cosa?"

"Non so… di insetti, del bosco, della palude." Perché le stava facendo quelle domande? "Non ricordo esattamente."

"Ma io ho *bisogno* che ricordi. Ho bisogno che mi racconti tutto quello che ti ha detto."

"Cosa speri di ottenere, Rhyme?" ripeté lei.

"Andiamo, Sachs, non vuoi tirare su di morale un vecchio storpio?"

...quaranta

L incoln Rhyme sedeva da solo nel laboratorio improvvisato e fissava le tabelle delle prove.

RITROVAMENTI SULLA SCENA PRIMARIA
BLACKWATER LANDING

kleenex sporco di sangue
polvere di calcare
nitrati
fosfati
detergente
canfene

RITROVAMENTI SULLA SCENA SECONDARIA
STANZA DI GARRETT

odore di puzzola
aghi di pino tagliati
disegni di insetti
foto di Mary Beth e della famiglia
libri sugli insetti

lenza da pesca
denaro
chiave sconosciuta
kerosene
ammoniaca
nitrati
canfene

RITROVAMENTI SULLA SCENA SECONDARIA
CAVA

vecchio sacco di tela con nome illeggibile
grano – foraggio?
segni di bruciatura sul sacco
acqua deer park
cracker al formaggio planters

RITROVAMENTI SULLA SCENA SECONDARIA
IL MULINO

vernice marrone sui jeans
drosera
argilla
muschio di torba
succo di frutta
fibre di carta
esche
zucchero
canfene
alcool
kerosene
lievito

Poi studiò la cartina; gli occhi seguivano il corso del fiume Paquenoke che si snodava dalla Grande Palude Lugubre attraverso Blackwater Landing e poi a ovest.

C'era una piega nella spessa carta della mappa, una di quelle imperfezioni che non si può fare a meno di lisciare.

Questa è stata la mia vita negli ultimi anni, pensò Lincoln

Rhyme, piena di imperfezioni che non potevano essere corrette.

Ma forse presto le cose cambieranno. Dopo che la dottoressa Weaver mi avrà operato e mi avrà riempito con le sue pozioni magiche e le sue cellule di squalo... forse allora potrò passare la mano su una cartina come quella e far sparire una piccola piega.

Un gesto non necessario, inutile persino. Eppure che grande vittoria sarebbe stata per lui!

Un rumore di passi. Stivali, notò Rhyme. Con tacchi di cuoio duro. Dall'intervallo tra un passo e l'altro, capì che doveva trattarsi di un uomo alto. Sperò che fosse Jim Bell, e infatti era proprio lui.

Soffiando con attenzione nella cannuccia di controllo, Rhyme si allontanò dalla parete.

"Lincoln", disse lo sceriffo. "Che succede? Nathan mi ha detto che era urgente."

"Entri e chiuda la porta. Ma prima di tutto... c'è qualcuno in corridoio?"

Bell fece un debole sorriso, intrigato da quel mistero, e controllò. "È deserto."

Rhyme pensò che il cugino di Bell, Roland, in un'occasione del genere se ne sarebbe uscito con una qualche espressione del sud. "Deserto come una chiesa nel giorno di paga", avrebbe detto.

Lo sceriffo chiuse la porta e si appoggiò al tavolo, in piedi, le braccia incrociate sul petto. Rhyme fece ruotare leggermente la Storm Arrow e continuò a fissare la cartina della regione. "La nostra mappa non si spinge abbastanza a nord e a est per mostrare il canale della Palude Lugubre, vero?"

"Il canale? No, in questa cartina non c'è."

"Cosa sa dirmi in proposito?"

"Non molto", rispose Bell in tono rispettoso. Non conosceva quell'uomo da molto tempo, ma aveva già imparato a capire quando era il momento di fargli da spalla.

"Ho fatto qualche piccola ricerca", continuò il criminologo indicando il telefono con un cenno. "Il canale fa parte dell'Intracostal Waterway. Sapeva che si può prendere una barca a Norfolk, in Virginia, e arrivare fino a Miami senza mai spingersi in mare aperto?"

"Sicuro. Tutti in Carolina conoscono l'Intracostal. Io non ci sono mai stato, non amo molto le barche. Mi viene il mal di mare anche solo guardando *Titanic.*"

"Ci sono voluti dodici anni per scavare quel canale. È lungo trentacinque chilometri. È stato ricavato senza utilizzare macchinari, semplicemente dagli operai. Incredibile, non le sembra?... Si rilassi, Jim. Arriverò presto al punto, glielo prometto. Guardi quella linea blu, lassù, quella tra Tanner's Corner e il fiume Paquenoke. Dal riquadro G-10 al riquadro G-11 sulla mappa."

"Vuole dire il nostro canale. Il canale Blackwater, giusto?"

"Esatto. Ora, una barca potrebbe risalirlo fino ad arrivare al Paquo e poi alla Grande Palude e..."

La porta si spalancò di colpo e Mason Germain entrò nel laboratorio. Lanciò un'occhiata a Rhyme, poi disse: "Mi chiedevo dove fossi finito, Jim. Dobbiamo telefonare a Elizabeth City. Il capitano Dexter vuole sapere cos'è successo al capanno dei contrabbandieri".

"Stavo solo facendo due chiacchiere con Lincoln. Stavamo parlando del..."

Ma Rhyme si affrettò a interromperlo. "Ascolti, Mason, potrebbe lasciarci soli ancora per qualche minuto?"

Germain spostò lo sguardo dal criminologo allo sceriffo e annuì lentamente. "Vorrebbero parlarti il prima possibile, Jim." Lasciò la stanza prima che Bell potesse rispondere.

"Se n'è andato?" domandò Rhyme.

Bell controllò di nuovo il corridoio. Accigliato, annuì. "Vuole dirmi di cosa si tratta, Lincoln?"

"Potrebbe controllare anche dalla finestra per essere sicuro che Mason se ne sia andato davvero? Ah, e richiuda la porta."

Bell obbedì. Andò alla finestra e guardò fuori. "Sì. È già in strada. Ma si può sapere...?"

"Fino a che punto conosce Mason?"

"Lo conosco come conosco gli altri agenti. Perché?"

"Perché ha assassinato la famiglia di Garrett Hanlon."

"*Cosa?*" Bell accennò un sorriso incerto che gli svanì subito dalle labbra. "Mason?"

"Mason", ripeté Rhyme.

"Perché mai avrebbe dovuto fare una cosa del genere?"

"Perché Henry Davett lo ha pagato per farlo."

"Un momento", disse lo sceriffo. "Non riesco a seguirla."

"Non posso ancora dimostrarlo. Ma ne sono certo."

"Henry? E come sarebbe coinvolto?"

Rhyme, gli occhi fissi sulla mappa, cominciò a spiegare come se stesse tenendo una lezione: "Tutto ruota attorno al canale Blackwater. Ora: nel Settecento, i canali venivano scavati principalmente per avere vie di comunicazione affidabili, dato che le strade erano in pessime condizioni. Ma con il progressivo miglioramento delle strade e delle ferrovie, le grandi compagnie commerciali smisero di servirsene".

"Dove ha scoperto tutte queste cose?"

"Alla società storica di Raleigh. Ho parlato con un'affascinante signora di nome Julie DeVere. Secondo lei, il canale Blackwater è stato chiuso poco dopo la fine della guerra civile. Non è stato usato per centotrent'anni finché Henry Davett non ha ricominciato a utilizzarlo per le barche della sua fabbrica."

Bell annuì. "È stato circa cinque anni fa."

Rhyme continuò: "E si è mai chiesto perché Davett abbia cominciato a usare il canale Blackwater?"

Lo sceriffo scosse la testa. "Mi ricordo che in città alcuni temevano che i ragazzini che vanno a nuotare nel canale potessero restare feriti o annegare, ma non è mai successo niente e non ci abbiamo più pensato. Ora che me lo chiede, mi rendo conto che non ho idea del *perché* Davett si serva di quel canale. Ha un mucchio di camion che vanno e vengono. Raggiungere Norfolk è uno scherzo, in camion."

Con un cenno del capo, Rhyme indicò la tabella delle prove. "La risposta è proprio qui, davanti a noi. Quell'indizio che non sono mai riuscito a decifrare. Il canfene."

"Il combustibile per le lanterne?"

Il criminologo scosse la testa e fece una smorfia. "No. Mi sono sbagliato. È vero che il canfene veniva usato per le lanterne. Ma viene usato anche per un altro scopo. Può essere trattato per produrre il toxafene."

"Che cos'è?"

"Uno dei pesticidi più pericolosi che esistano. Veniva usato soprattutto nel sud, finché negli anni Ottanta non è stato messo al bando quasi del tutto dall'EPA, l'ente per la protezione dell'ambiente." Rhyme scosse la testa con rabbia. "Visto che il toxafene è illegale, ho pensato che non avesse senso prendere in considerazione i pesticidi per risalire alla fonte delle tracce di canfene, e ho dato per scontato che provenisse da una vecchia lanterna. Solo che non abbiamo mai trovato nessuna vecchia lanterna. Ho cominciato a rifletterci, non riuscivo a farmene una ragione. Nessuna vecchia lampada? Allora ho capito che avrei dovuto riesaminare l'elenco e cercare tracce di insetticida. E stamattina, quando l'ho fatto, ho scoperto da dove proviene il canfene."

Bell annuì, affascinato. "E dove si trova?"

"*Dovunque*", rispose Rhyme. "Ho chiesto a Lucy di prendere campioni di acqua e di terra attorno a Tanner's Corner. Il toxafene è dappertutto: nell'acqua, nel terreno. Avrei dovuto dare ascolto ad Amelia quando ieri mi ha detto che c'erano grandi zone aride di vegetazione morta. Secondo lei era colpa delle piogge acide, ma si sbagliava. È colpa del toxafene. Le concentrazioni più alte si trovano per un raggio di tre chilometri attorno alla fabbrica di Davett, a Blackwater Landing e nel canale. Produce asfalto e carta catramata, ma è solo una copertura per la produzione di toxafene."

"Ma non mi ha appena detto che è illegale?"

"Ho chiamato un amico che lavora all'FBI, e lui ha parlato con un tizio che conosce all'EPA. Il toxafene non è completamente illegale: gli agricoltori hanno il permesso di utilizzarlo durante le emergenze. Ma non è così che Davett sta facendo i miliardi. L'agente dell'EPA mi ha spiegato di un meccanismo chiamato 'il cerchio del veleno'."

"Non è un nome molto rassicurante."

"Infatti. Qui negli Stati Uniti è illegale soltanto *usare* il toxafene. Ma può essere prodotto e venduto a paesi stranieri."

"E quei paesi possono utilizzarlo?"

"Nella maggior parte del Terzo Mondo e dell'America Latina è assolutamente legale. Il cerchio del veleno funziona così: quei paesi spargono il pesticida sulle coltivazioni che vengono esportate negli Stati Uniti. La Food and Drug Administration analizza solo una minima percentuale della frutta e della verdura importata, quindi ci sono un gran numero di persone nel nostro paese che continuano a essere avvelenate dal toxafene anche se è illegale."

Bell sorrise amaramente. "E Davett non può servirsi della rete stradale perché le contee e le città non permetterebbero mai il trasporto di sostanze tossiche sul loro territorio. I simboli di sicurezza sui camion rivelerebbero la natura del carico. Per non parlare dei problemi di pubbliche relazioni che si troverebbe ad affrontare se si venisse a sapere che cosa produce realmente nella sua fabbrica."

"Esatto", confermò Rhyme, annuendo. "Così ha deciso di riaprire il canale per trasportare il toxafene lungo la Intracostal fino a Norfolk, dove viene caricato sui mercantili diretti all'estero. Però c'era un problema: quando il canale è stato chiuso nell'Ottocento, i terreni circostanti sono stati venduti a dei privati. Le persone che possedevano case a ridosso del canale avevano il diritto di controllare chi lo utilizzava."

Lo sceriffo intervenne: "Così Davett ha comprato da loro il permesso di utilizzare la loro parte di canale". Annuì, sempre più convinto. "E deve aver pure sborsato un sacco di soldi: basta guardare le case lussuose di Blackwater Landing e le macchine costose della gente che ci vive. Ma cos'ha a che fare questo con Mason e con la famiglia di Garrett?"

"Il padre del ragazzo possedeva della terra sul canale, però non voleva cedere il diritto di usufrutto. Quindi Davett o qualche suo impiegato ha assoldato Mason per convincere il padre di Garrett a vendere. Quando Germain ha capito che non sarebbe riuscito a spuntarla, si è rivolto a Culbeau, Tomel e O'Sarian perché lo aiutassero a uccidere gli Hanlon. Poi Davett avrà corrotto l'esecutore testamentario perché gli vendesse la proprietà."

"I genitori di Garrett sono morti in un incidente! In un incidente d'auto. Ho visto il rapporto con i miei stessi occhi."

"Ma è stato Mason a stilarlo, giusto?"

"Non ricordo... potrebbe essere", ammise Bell. Guardò Rhyme con un sorriso ammirato. "Si può sapere come ha fatto a scoprire tutto questo?"

"Oh, è stato facile... non c'è ghiaccio, in luglio. Almeno, non nel North Carolina."

"Ghiaccio?"

"Ho parlato con Amelia. Garrett le ha raccontato che la notte dell'incidente l'auto dei suoi genitori era coperta di brina e che sua sorella e i suoi genitori rabbrividivano per il freddo. Tuttavia era luglio. Ricordo di aver visto un articolo, nel fascicolo sul caso: una foto di Garrett insieme alla sua famiglia. Il ragazzo aveva una T-shirt ed erano a una festa per il Quattro Luglio. Secondo l'articolo, la foto era stata scattata una settimana prima dell'incidente."

"Allora di cosa stava parlando il ragazzo? Ghiaccio, brividi...?"

"Mason e Culbeau hanno usato il toxafene di Davett per uccidere gli Hanlon. Ho parlato con la dottoressa Weaver al centro medico. Mi ha spiegato che, in casi estremi di avvelenamento neurotossico, il corpo viene scosso da spasmi violenti. Erano questi i brividi che Garrett ha notato. Il ghiaccio e la brina, probabilmente, erano dovuti ai fumi o ai residui della sostanza chimica all'interno della macchina."

"Se è così, perché Garrett non lo ha detto a nessuno?"

"Ho parlato del ragazzo alla dottoressa. Secondo lei quella notte anche Garrett è rimasto intossicato, abbastanza da causargli un problema di SCM, sensibilità chimica multipla. Perdita di memoria, danni cerebrali, violente reazioni ad altri prodotti chimici che si possono trovare nell'aria o nell'acqua. Ha notato le eruzioni cutanee che ha sulla pelle?"

"Certo."

"Garrett pensa che siano dovute alla quercia velenosa, ma non è così. La dottoressa Weaver mi ha spiegato che le eruzioni cutanee sono un tipico sintomo della SCM. Si scatenano quando si viene esposti anche a quantità minime di sostanze che su una persona sana non avrebbero alcun effetto. Persino il sapone o il profumo possono causare queste reazioni."

"Non fa una piega", borbottò lo sceriffo. Poi, accigliandosi, aggiunse: "Ma se non ha delle prove concrete, le sue sono solo speculazioni".

"Oh, quasi dimenticavo..." Rhyme non poté impedirsi un sorrisetto compiaciuto: la modestia non era mai stata il suo forte. "... *Ho* delle prove concrete. Ho trovato i cadaveri degli Hanlon."

...quarantuno

All'Albemarle Manor Hotel, a un isolato di distanza dalla prigione della contea di Paquenoke, Mason Germain, troppo impaziente per restare ad aspettare l'ascensore, prese le scale impregnate di odore di naftalina.

Trovò la stanza 201 e bussò.

"È aperto", disse una voce dall'interno.

Mason aprì lentamente la porta. La camera aveva le pareti dipinte di rosa ed era inondata dalla luce arancione del sole pomeridiano. Faceva un caldo terribile, lì dentro. Era impossibile che all'occupante della stanza piacesse quell'afa insopportabile, quindi si convinse che l'uomo seduto al tavolo era troppo pigro per accendere il condizionatore o troppo stupido per capire come funzionasse, cosa che lo rese ancora più sospettoso.

L'afroamericano era snello e aveva la pelle molto scura. Indossava un completo nero stropicciato che sembrava del tutto fuori posto in una città come Tanner's Corner. Ma bravo, fai di tutto per attirare l'attenzione. Chi ti credi di essere, Malcolm X?

"Quindi tu saresti Germain?" domandò l'uomo.

"Già."

L'uomo teneva i lunghi piedi appoggiati su una sedia, e quando la sua mano sbucò da sotto una copia del *Charlotte Observer*, Mason vide che impugnava una lunga pistola automatica.

"Mi stavo giusto chiedendo: sarà armato oppure no?" disse Mason.

"Ora lo sai. Qualche altra domanda?" chiese l'uomo dal completo nero.

"Sai come si usa una pistola?"

L'uomo non replicò, ma prese una matita e sottolineò una frase dell'articolo che stava leggendo.

Mason lo osservò di nuovo senza aggiungere una parola, mentre un fastidioso rivoletto di sudore gli scorreva su una guancia. Senza chiedere il permesso, entrò in bagno, afferrò una salvietta, se la passò sul volto sudato e la gettò sul pavimento.

L'uomo emise una risata irritante quanto il rivoletto di sudore e disse: "Comincio ad avere la netta impressione che non ti piaccia la gente come me".

"No, direi di no", ammise Mason. "Ma se sai quello che stai facendo, quello che mi piace e quello che non mi piace sono dettagli irrilevanti."

"Hai assolutamente ragione", ribatté il nero in tono gelido. "Allora, raccontami tutto. Non ho intenzione di trattenermi qui più del necessario."

"Le cose stanno così: proprio in questo momento quel Rhyme è nell'ufficio della contea e sta parlando con Jim Bell. E la sua amica, Amelia Sachs, è in una cella della prigione dall'altra parte della strada."

"Di chi ci dobbiamo occupare prima?"

Senza la minima esitazione, Mason rispose: "Della donna".

"Allora faremo così", replicò l'uomo come se fosse stata una *sua* idea. Ripose la pistola, mise il giornale sul cassettone e, con una gentilezza che all'agente sembrò più una presa in giro, aggiunse: "Dopo di te". E gli indicò la porta.

"I cadaveri degli Hanlon?" ripeté Jim Bell. "E dove sono?"

"Proprio lì", rispose Rhyme, e con un cenno indicò la pila di ossa che Mary Beth aveva preso dal suo zaino. "Le ha trovate Mary Beth a Blackwater Landing", spiegò il criminologo. "Pensava che fossero i resti dei sopravvissuti della Colonia Perduta... purtroppo ho dovuto informarla che non erano ossa così antiche. Il fatto che fossero in parte bruciate l'aveva tratta in inganno. Ho lavorato per molto tempo come antropologo forense, e ho capito subito che erano state sepolte non più di cinque anni fa, all'incirca quando la famiglia di Garrett è stata uccisa. Sono le ossa di un uomo sulla quarantina, di una donna della stessa età che aveva avuto dei figli e di una bambina di circa dieci anni. Praticamente la descrizione della famiglia di Garrett."

Bell osservò le ossa per un attimo. "Non capisco."

"La proprietà della famiglia di Garrett si trovava a Blackwater Landing, proprio tra la Route 112 e il fiume. Mason e Culbeau hanno avvelenato gli Hanlon, quindi hanno bruciato e sepolto i corpi, infine hanno spinto la loro auto nel Paquenoke. Davett ha corrotto il coroner affinché stilasse un falso certificato di morte e ha pagato qualcuno all'agenzia di pompe funebri perché fingesse di cremare i resti. Le tombe sono vuote, ne sono certo. Mary Beth deve aver parlato a qualcuno del suo ritrovamento, e quel qualcuno deve averne parlato a Mason. Mason ha pagato Billy Stail perché andasse a Blackwater Landing a ucciderla e facesse sparire le prove: le ossa."

"*Cosa?* Billy?"

"Solo che anche Garrett si trovava là, e stava tenendo d'occhio Mary Beth. Su una cosa quel ragazzo ha ragione: Blackwater Landing è un posto pericoloso. E ci è *davvero* morta della gente: quelle tre persone, di cui mi avevate parlato, nel corso degli ultimi anni. Solo che non è stato Garrett a ucciderle. Sono stati Mason e Culbeau. Quelle persone erano state avvelenate dal toxafene, e sono morte perché avevano cominciato a fare domande sul perché si fossero ammalate di cancro anche se non appartenevano a categorie a rischio. In città tutti sapevano dell'Insetto e del suo hobby, così Mason e Culbeau hanno ucciso quella ragazza con il nido di vespe per far ricadere la colpa su di lui. Le altre vittime sono state stordite e annegate nel canale. Le persone che non hanno cercato di scoprire perché si fossero ammalate – come il padre di Mary Beth o Lucy Kerr – non rappresentavano una minaccia per Mason e Culbeau."

"Le impronte di Garrett erano sulla vanga... sull'arma del delitto."

"Ah, sì, la vanga", disse Rhyme, come se stesse riflettendo ad alta voce. "Ho trovato un dettaglio molto interessante... Sul manico c'erano solo *due* serie di impronte digitali."

"Esatto, quelle di Billy e quelle di Garrett."

"Perché non c'erano anche quelle di Mary Beth?" chiese il criminologo.

Bell socchiuse gli occhi. Annuì. "Ha ragione. Non c'erano le impronte della ragazza."

"Perché quella vanga *non era* di Mary Beth. Mason l'ha data a Billy quando è andato a Blackwater Landing, dopo aver cancellato le proprie impronte, naturalmente. Ne ho parlato con Mary Beth e lei mi ha detto che Billy impugnava una vanga, quando è sbucato dai cespugli. Mason deve aver pensato che sarebbe stata l'arma del delitto ideale: dal momento che Mary Beth era un'archeologa, avrebbe dovuto avere con sé una vanga. Be', Billy arriva a Blackwater Landing e vede che con la ragazza c'è Garrett. Decide di uccidere anche l'Insetto. Garrett però riesce a disarmarlo e lo colpisce con la vanga. Pensa di averlo ucciso, ma si sbaglia."

"Garrett non ha ucciso Billy?"

"No, no, no... Lo ha colpito solo un paio di volte. Gli ha fatto perdere i sensi ma non lo ha ferito seriamente. Poi ha preso Mary Beth e l'ha portata al capanno. Mason è stato il primo agente ad arrivare sulla scena del delitto. Lo ha ammesso lui stesso."

"Esatto. Ha preso lui la chiamata."

"Una vera fortuna che si trovasse nei paraggi, non trova?" disse Rhyme.

"Direi di sì. Al momento non ci ho fatto molto caso."

"Mason ha trovato Billy. Dopo essersi messo un paio di guanti di lattice, ha preso la vanga e ha colpito il ragazzo fino a ucciderlo."

"Come fa a saperlo?"

"L'ho scoperto grazie alla posizione delle impronte lasciate dal lattice. Un'ora fa, ho chiesto a Ben di rianalizzare il manico della vanga con una fonte di luce alternativa. Mason l'ha impugnata come una mazza da baseball. Nessuno farebbe una cosa simile mentre raccoglie prove sulla scena di un crimine. Inoltre ha rinsaldato la presa diverse volte per sferrare colpi più potenti. Secondo il rapporto del coroner, Billy è stato colpito più di venti volte."

Lo sceriffo guardò fuori dalla finestra, il volto cinereo. "Perché mai Mason avrebbe dovuto uccidere Billy?"

"Probabilmente perché ha pensato che si sarebbe fatto prendere dal panico e avrebbe raccontato tutto. O forse era tornato in sé quando Mason lo ha raggiunto, e ha detto che ne aveva abbastanza e che voleva chiamarsi fuori da quella storia."

"Allora è per questo che prima non ha voluto parlarmi davanti a Mason... Come faremo a provare tutto questo, Lincoln?"

"Ho le impronte dei guanti di lattice sulla vanga, ho le ossa sulle quali abbiamo riscontrato alte concentrazioni di toxafene. Voglio che una squadra di sommozzatori setacci il Paquenoke in cerca della macchina degli Hanlon... deve pur esserci ancora qualche prova, anche dopo cinque anni. Poi perquisiremo la casa di Billy per scoprire se c'è del denaro che possiamo far risalire a Mason. E perquisiremo anche l'abitazione di Mason. Non sarà facile." Rhyme fece un debole sorriso. "Ma posso farcela, Jim. Posso farcela." Il sorriso svanì. "Certo che se Mason non accuserà Henry Davett, sarà difficile costruire un caso contro di *lui*. Questo è tutto quello che ho." Con un cenno, indicò un barattolo di plastica che conteneva un quarto di litro di un liquido pallido.

"Che cos'è quello?"

"Toxafene puro. Lucy ne ha preso un campione dal magazzino di Davett mezz'ora fa. Mi ha detto che là dentro ci saranno più di quattromila litri di questa roba. Se riusciremo a dimostrare che è lo stesso prodotto chimico che ha ucciso i familiari di Garrett, potremo convincere il procuratore distrettuale ad aprire un caso."

"Ma Davett ci ha aiutati a trovare Garrett."

"E la cosa non mi stupisce. Era nel suo interesse che riuscissimo a trovare lui e Mary Beth il prima possibile. Era *Davett* che più di chiunque altro la voleva morta."

"Mason", mormorò Bell scuotendo la testa. "Lo conosco da anni... Crede che sospetti qualcosa?"

"Lei è l'unica persona con cui ho parlato di questa storia. Non ho detto niente nemmeno a Lucy: le ho solo chiesto di svolgere un paio di incarichi per conto mio. Temevo che qualcuno mi sentisse e che informasse Mason o Davett. Questa città, Jim, è come un nido di vespe. Non so di chi fidarmi."

Bell sospirò. "Come può essere così sicuro che si tratti di Mason?"

"Perché Culbeau e i suoi amici si sono fatti vivi al capanno appena abbiamo scoperto dove si trovava. E Mason era l'unico a saperlo... a parte me, lei e Ben. Deve aver chiamato Culbeau per dirgli dove si trovava il capanno. Quindi... meglio avvisare la polizia di stato e far mandare una squadra di sub per controllare il fiume nei pressi di Blackwater Landing. Dovremo anche procurarci dei mandati per perquisire le abitazioni di Billy e di Mason."

Rhyme guardò lo sceriffo alzarsi. Ma Bell, invece di andare al telefono, si avvicinò alla finestra e la chiuse. Poi si avvicinò alla porta, l'aprì, guardò fuori e la richiuse.

A chiave.

"Jim, cosa sta facendo?"

Lo sceriffo esitò, quindi fece un passo verso Rhyme. Il criminologo lo guardò negli occhi e strinse tra i denti la cannuccia di controllo. Soffiò e la Storm Arrow cominciò a muoversi in avanti. Ma Bell si spostò alle sue spalle e strappò il cavo della batteria. La sedia a rotelle procedette ancora per qualche centimetro e poi si fermò.

"Jim", sussurrò Rhyme. "Anche tu."

"Hai indovinato."

Rhyme chiuse gli occhi. "Oh, no", sussurrò. Chinò la testa ma solo di pochi millimetri. Come tutti i grandi uomini, Lincoln Rhyme accettava la sconfitta con gesti quasi impercettibili.

5
LA CITTÀ
SENZA BAMBINI

...quarantadue

M ason e l'uomo di colore si mossero cautamente nel vicolo accanto alla prigione di Tanner's Corner. L'uomo era madido di sudore. Irritato, scacciò una zanzara che ronzava attorno. Borbottò qualcosa. Mason sentì l'impulso di stuzzicarlo, ma si trattenne.

L'uomo era alto, e quando si drizzò sulla punta dei piedi riuscì a sbirciare nella finestra della prigione. Mason notò che portava lucidi stivaletti di cuoio nero, che per qualche ragione accrebbero il suo disprezzo per il forestiero. Si domandò a quante persone avesse sparato.

"È lì dentro", disse il nero. "È sola. Tu entra dalla porta anteriore. Credi che si possa passare dal retro?"

"Sono un agente, ricordi? Ho la chiave. Ci penserò io ad aprire." Lo disse con una punta di scherno, chiedendosi ancora una volta se quel tipo non fosse solo un idiota.

Ma lo scherno fu ciò che ebbe in cambio. "Ti stavo solo chiedendo se c'è una *porta* sul retro. Cosa che non so perché non sono mai stato in questa palude di città prima d'ora."

"Oh! Sì, c'è una porta."

"Benissimo. Allora andiamo."

Mason notò che ora l'uomo aveva la pistola in mano. E che non si era affatto accorto che l'aveva estratta.

Amelia sedeva sulla branda della sua cella, ipnotizzata dai movimenti di una mosca.

Che tipo di mosca era? si domandò. Garrett avrebbe saputo dirglielo in un istante. Era un pozzo di scienza in materia di insetti. Un pensiero le attraversò la mente: arrivava sempre un momento in cui la conoscenza che un figlio ha di un argomento oltrepassa quella dei suoi genitori. Capire di aver generato una creatura capace di superarti doveva essere qualcosa di miracoloso, di entusiasmante, qualcosa che probabilmente ti avrebbe reso più umile.

Un'esperienza che lei non avrebbe mai potuto vivere.

Ripensò ancora una volta a suo padre. Lui non aveva sparato un colpo di pistola in tutti i suoi anni di servizio. Benché fosse molto fiero di sua figlia, il fascino che le armi esercitavano su Amelia lo aveva sempre preoccupato. "Spara solo come ultima risorsa", le aveva detto.

Oh, Jesse... Cosa posso dirti?

Niente, naturalmente. Nemmeno una parola. Non ci sei più.

Ebbe l'impressione di scorgere un'ombra fuori dalla finestra della prigione, ma solo per un attimo.

Rivolse i suoi pensieri a Rhyme.

Tu e io, si ripeté. *Tu e io*.

Ripensò a una sera di qualche mese prima, passata sdraiati insieme nel gigantesco letto Clinitron dell'appartamento di Rhyme a Manhattan a guardare l'elegante *Romeo + Giulietta* di Baz Luhrman, una versione moderna ambientata a Miami. Con Rhyme, la morte era sempre in qualche modo vicina, e, assistendo alla scena finale, Amelia Sachs si era resa conto che anche lei e il criminologo, in un certo senso, erano amanti osteggiati da un destino avverso. Subito dopo un altro pensiero le aveva solcato la mente: loro due sarebbero morti insieme.

Amelia non aveva avuto il coraggio di parlarne con un razionale come Lincoln Rhyme, che non aveva una sola cellula sentimentale. Ma da quel momento in poi quell'idea non l'aveva più abbandonata, e per qualche ragione aveva continuato a darle conforto.

Eppure ora non riusciva a trovare sollievo nemmeno in quel pensiero. No: ora, a causa sua, lei e Rhyme avrebbero vissuto e sarebbero morti divisi. Sarebbero...

La porta della prigione venne spalancata ed entrò un giovane agente. Amelia lo riconobbe. Era Steve Farr, il cognato di Jim Bell.

"Ehilà", la salutò.

Amelia ricambiò il saluto con un cenno. Poi notò due particolari. Il primo: Farr portava un Rolex che doveva costare metà del salario di un anno di un qualsiasi agente del North Carolina.

Il secondo: l'agente era armato e la fondina era aperta, nonostante il cartello appeso fuori dalla porta che conduceva alle celle dicesse: *Depositare tutte le armi nell'armadietto di custodia prima di entrare nella sezione delle celle.*

"Come va?" chiese Farr.

Lei lo fissò senza rispondere.

"Non abbiamo voglia parlare oggi, eh? Be', signorina, ho una buona notizia per lei. È libera di andare." Si grattò un orecchio a sventola.

"Libera di andare?"

Da una tasca, l'agente prese le chiavi.

"Proprio così. Hanno stabilito che la sparatoria è stata solo un incidente. Può andare."

Lei lo scrutò con attenzione. Farr stava evitando il suo sguardo.

"E l'ordine di rilascio?"

"Cosa sarebbe?" chiese Farr.

"Nessun detenuto accusato di un crimine può essere fatto uscire di prigione senza un ordine di rilascio firmato dal procuratore."

Farr riaprì la porta della cella e arretrò di qualche passo, la mano che sfiorava il calcio della pistola. "Oh, forse è così che fate le cose nella grande metropoli. Quaggiù siamo molto meno formali... tutti dicono che qui al sud facciamo le cose più lentamente, ma non è vero. Nossignora. Siamo davvero molto efficienti."

Amelia rimase seduta. "Posso chiederle perché ha la pistola? Non potrebbe tenerla, qui."

"Oh, questa?" Picchiettò con un dito l'impugnatura dell'arma. "Non abbiamo regole così rigide su queste cose. Su, andiamo. È libera di uscire. Molta gente al posto suo farebbe i salti di gioia." Con un cenno del capo indicò il fondo della prigione.

"Devo uscire dalla porta sul retro?" chiese Amelia.

"Certo."

"Non si può sparare nella schiena a un prigioniero in fuga. Viene considerato omicidio."

Lui annuì lentamente.

Cosa stava succedendo? si chiese lei. C'era forse qualcuno sul retro dell'edificio che attendeva, pronto a spararle? Probabilmente sì. Questo ragazzino si dà una botta in testa per fingere di essere stato aggredito e chiede aiuto. Spara un colpo verso il soffitto. Fuori, qualcuno – magari un cittadino "preoccupato" – sente il colpo, pensa che io sia armata e mi spara.

Amelia non si mosse.

"Adesso alza le chiappe e vattene fuori di qui." Farr sfoderò la pistola.

Amelia si alzò lentamente.

Tu e io, Rhyme...

"Ci sei andato molto vicino, Lincoln", disse Jim Bell. Dopo un istante aggiunse: "Le tue deduzioni erano esatte al novanta per cento. Nella mia esperienza di poliziotto, è un'ottima percentuale. Ma per tua sfortuna *io* sono il dieci per cento che hai mancato".

Bell spense il condizionatore. Con la finestra chiusa, la temperatura nella stanza prese a crescere all'istante. Rhyme sentì il sudore imperlargli la fronte e cominciò a respirare con difficoltà.

Lo sceriffo continuò: "C'erano due famiglie che vivevano lungo il canale Blackwater, che non volevano concedere al signor Davett il permesso di far transitare le sue barche nel canale".

Signor Davett. Con quanto rispetto aveva pronunciato quel nome, notò Rhyme.

"Così il suo capo della sicurezza ha assoldato alcuni di noi per risolvere il problema. Abbiamo fatto una lunga chiacchierata con i Conklin, e alla fine loro ci hanno ripensato. Ma il padre di Garrett era irremovibile. Volevamo farlo sembrare un incidente d'auto, così abbiamo preso una latta di quella merda" – con un cenno indicò il barattolo sul tavolo – "per fargli perdere i sensi. Sapevamo che andavano fuori a cena ogni mercoledì sera. Abbiamo versato il veleno nel sistema di aerazione della macchina e ci siamo nascosti nei boschi. Loro sono saliti e il padre di Garrett ha acceso l'aria condizionata. Il veleno gli è praticamente spruzzato addosso. Ma ne avevamo messo troppo..."

Guardò di nuovo il barattolo. "Qui ce n'è abbastanza per uccidere un uomo due volte." Accigliandosi, proseguì: "Hanlon, sua moglie e sua figlia hanno cominciato ad avere le convulsioni, a contorcersi... Non è stato un bello spettacolo. Garrett non era in macchina con loro, ma poco dopo è arrivato e ha visto cosa stava succedendo. Ha cercato di entrare nell'auto, ma non ci è riuscito. Comunque ha inalato un bel po' di quella roba e si è trasformato in una specie di zombie. È scappato nei boschi, barcollando, prima che potessimo prenderlo. E quando è ricomparso – dopo una settimana o due – non si ricordava più niente di quello che era successo. Suppongo per via di quell'scm a cui hai accennato prima. Abbiamo deciso di lasciarlo stare almeno per un po': se fosse morto subito dopo la sua famiglia, la cosa sarebbe sembrata troppo sospetta.

"Sì, abbiamo fatto proprio come hai detto tu. Abbiamo bruciato i corpi e li abbiamo sepolti a Blackwater Landing. Abbiamo affondato un'auto in un'insenatura vicino a Canal Road. Abbiamo dato centomila dollari al coroner per i falsi certificati di morte. E ogni volta che sentivamo di qualcuno che scopriva di avere una strana forma di cancro e che cominciava a fare troppe domande, Culbeau e gli altri se ne occupavano."

"Il funerale che abbiamo visto quando siamo arrivati in città... Siete stati voi a uccidere quel bambino, vero?"

"Todd Wilkes?" disse Bell. "No, si è suicidato."

"Ma lo ha fatto perché si era ammalato a causa del toxafene, giusto? Che cos'aveva, il cancro? Danni al fegato? Lesioni cerebrali?"

"Può darsi. Non lo so." Ma l'espressione sul volto dello sceriffo diceva che lo sapeva anche troppo bene.

"Garrett non ha avuto niente a che fare con la morte di Todd, vero?"

"No."

"E i due uomini che hanno aggredito Mary Beth al capanno?"

Bell annuì di nuovo, cupamente. "Sammy Boston e Lott Cooper. Anche loro erano coinvolti, testavano molti dei prodotti di Davett sulle montagne, in zone poco popolate. Sapevano che stavamo cercando Mary Beth, ma quando Sammy l'ha trovata, ha deciso di aspettare a dirmelo e di divertirsi un po' con lei insieme al suo amico, prima. E, sì, abbiamo assoldato Billy perché la uccidesse, ma Garrett ha rovinato tutto."

"Quindi avevi bisogno di me per riuscire a ritrovarla. Ma non per salvarla: per poterla uccidere e distruggere qualsiasi altra prova potesse aver trovato."

"Dopo che hai scovato Garrett e lo abbiamo portato dentro, ho lasciato aperta la porta della prigione perché Culbeau e i suoi amici potessero... be', diciamo fare *quattro chiacchiere* con lui e convincerlo a dirci dov'era Mary Beth. Ma la tua amica lo ha fatto scappare prima che loro potessero prenderlo."

"E quando ho trovato il capanno, hai chiamato Culbeau e i suoi amici e li hai mandati a ucciderci tutti."

"Mi dispiace... È stato un disastro. Non volevo ma... è andata così."

"Un nido di vespe..."

"Oh, sì, questa città è abitata da un bel po' di vespe."

Rhyme scosse la testa. "Dimmi, vale la pena di distruggere un'intera città per avere in cambio soldi, macchine costose, belle case? Guardati intorno, Bell. L'altro giorno c'era il funerale di un bambino, ma non c'erano bambini ad assistere alla cerimonia. Amelia mi ha detto che non ci sono bambini, qui. E sai perché? Perché gli abitanti di Tanner's Corner sono sterili."

"È rischioso fare affari con il diavolo", si limitò a replicare lo sceriffo. "Ma per quanto mi riguarda la vita è soltanto un unico grande baratto." Fissò Rhyme per un lungo istante, poi andò al tavolo. Si infilò i guanti di lattice e prese il barattolo che conteneva il toxafene. Si avvicinò a Rhyme e cominciò, lentamente, a svitare il tappo.

Steve Farr spinse bruscamente Amelia Sachs fino alla porta sul retro, premendole con forza la pistola al centro della schiena.

Stava commettendo il classico errore di tenere la canna contro il corpo della vittima. Questo le dava un vantaggio: una volta fuori dalla prigione, avrebbe saputo esattamente dove si trovava la pistola e avrebbe potuto allontanarla da sé con una gomitata. Con un po' di fortuna, Farr avrebbe perso la presa sull'arma e lei sarebbe corsa via. Se fosse riuscita ad arrivare sulla Main Street, ci sarebbero stati dei testimoni e l'agente ci avrebbe pensato due volte prima di sparare.

Lui aprì la porta sul retro.

Il sole caldo inondò la prigione polverosa. Lei sbatté le palpebre. Una mosca le ronzò attorno alla testa.

Fintantoché Farr le si fosse tenuto vicino, Amelia avrebbe avuto una possibilità...

"E adesso?" domandò lei.

"Sei libera di andare", rispose l'agente in tono allegro, scrollando le spalle. Lei si irrigidì, pronta a colpirlo, ripassando mentalmente ogni movimento. Ma proprio il quel momento, Farr la allontanò, spingendola fuori nello spiazzo dietro la prigione. Lui rimase dentro, troppo lontano perché lei lo potesse raggiungere.

Amelia sospirò.

Sentì un rumore che proveniva da un folto cespuglio nel campo poco lontano. Il cane di una pistola che veniva armato, pensò.

"Avanti", la esortò Farr. "Vattene di qui."

Amelia ripensò a *Romeo + Giulietta* e al bellissimo cimitero sulla collina sopra Tanner's Corner che avevano visto in quella che ormai le sembrava un'altra vita.

Oh, Rhyme...

La mosca le ronzò davanti al volto. Istintivamente Amelia la scacciò e cominciò a camminare nell'erba bassa.

"Non credi che qualcuno si insospettirà, se muoio in questo modo? È improbabile che io riesca a svitare quel tappo da solo", fece notare Rhyme allo sceriffo.

Lo sceriffo rispose: "Sei andato a sbattere contro il tavolo, il barattolo non era chiuso e il liquido ti si è rovesciato addosso. Sono andato a cercare aiuto, ma i soccorsi non sono arrivati in tempo".

"Amelia non se la berrà. E nemmeno Lucy."

"La tua ragazza non sarà un problema ancora per molto. E Lucy? Be', potrebbe ammalarsi di nuovo... e questa volta nemmeno il chirurgo riuscirà a salvarla."

Bell esitò per un attimo, poi si avvicinò e versò il liquido sul volto e sul petto di Rhyme, inzuppandogli la camicia.

Gli lasciò cadere il barattolo in grembo e si affrettò ad arretrare, coprendosi la bocca e il naso con un fazzoletto.

La testa di Rhyme scattò all'indietro, aprì la bocca involontariamente e parte del liquido gli scivolò tra le labbra. Cominciò a sputare e a tossire.

Bell si tolse i guanti e se li infilò in tasca. Attese per qualche secondo, studiando Rhyme con calma, poi andò alla porta, fece scattare la serratura e la spalancò. Gridò: "C'è stato un incidente! C'è bisogno d'aiuto!" Uscì in corridoio. "Qualcuno venga…"

Lucy Kerr lo teneva sotto tiro, la pistola puntata contro il suo petto.

"Gesù, Lucy!"

"È finita, Jim. Fermo dove sei."

Lo sceriffo fece un passo indietro. Nathan, il tiratore più abile del dipartimento, entrò nella stanza, passò dietro a Bell e gli sfilò la pistola dalla fondina. Entrò anche qualcun altro… un uomo robusto che indossava un completo marrone e una camicia bianca.

Anche Ben corse nel laboratorio e, ignorando tutti gli altri, raggiunse Rhyme e gli asciugò il volto con un fazzoletto di carta.

Lo sceriffo fissò Lucy e gli altri. "C'è stato un incidente! Quel veleno si è versato. Dovete…"

Rhyme sputò sul pavimento e starnutì per il liquido astringente e i suoi fumi. Chiese a Ben: "Potresti asciugarmi la guancia più in alto? Non voglio che mi vada negli occhi. Ti ringrazio".

"Certo, Lincoln."

"Stavo andando a chiedere aiuto! Si è versata quella roba! Io…" blaterò Bell. L'uomo in completo marrone si tolse le manette dalla cintura e le richiuse attorno ai polsi dello sceriffo dicendo: "James Bell, sono il detective Hugo Branch della polizia di stato del North Carolina. La dichiaro in arresto". Poi guardò Rhyme con aria di rimprovero. "L'avevo avvisata che glielo avrebbe versato sulla camicia. Avremmo dovuto nascondere il microfono da qualche altra parte."

"Ma avete registrato abbastanza?"

"Oh, più che abbastanza! Ma non è questo il punto. Il problema è che quelle trasmittenti costano un sacco di *soldi*."

"Mandatemi il conto a casa", replicò Rhyme seccamente,

mentre Branch gli sbottonava la camicia e recuperava il microfono e la trasmittente.

"Era una trappola", sussurrò Bell.

Indovinato.

"Ma il veleno..."

"Oh, quello non è toxafene", disse Rhyme. "È solo alcool di contrabbando. Lo abbiamo usato per i nostri test. A proposito, Ben, se ne è rimasto un po' non mi dispiacerebbe berne un sorso, adesso. E, Cristo, qualcuno vuole riaccendere l'aria condizionata?"

Concentrati, svolta a sinistra e corri più forte che puoi. Mi colpiranno, ma se sarò fortunata non riusciranno a fermarmi.

Se ti muovi in fretta non possono prenderti...

Amelia Sachs fece tre passi nell'erba.

Pronta...

Alle sue spalle, dall'interno della prigione, un uomo gridò: "Fermo dove sei, Steve! Metti giù la pistola. Adesso! Non te lo ripeterò due volte".

Amelia si voltò e vide Mason Germain che teneva sotto tiro il giovane poliziotto con i capelli a spazzola. Farr si chinò e appoggiò la pistola a terra. Mason lo raggiunse e lo ammanettò.

Un rumore di passi, un fruscio di foglie. Stordita dal caldo e dall'adrenalina, Amelia si voltò a guardare il campo e vide un uomo snello di colore sbucare dai cespugli, mentre rimetteva nella fondina una grossa Browning automatica.

"Fred!" esclamò.

L'agente dell'FBI Fred Dellray, madido di sudore nel suo completo nero, la raggiunse, ripulendosi con aria irritata una manica della giacca. "Ehi, Amelia. Mio Dio, fa troppo, troppo, troppo caldo quaggiù! Non sopporto questa città. E guarda com'è ridotto il mio vestito. Che cos'è questa merda, polline? Non abbiamo roba del genere a Manhattan! Guarda questa manica."

"Cosa ci fai qui?" chiese lei.

"Tu che ne pensi? Lincoln non sapeva di chi fidarsi, così mi ha fatto venire quaggiù e mi ha fatto fare coppia con l'agente Germain per tenerti d'occhio. Ho immaginato che fosse nei guai, visto che non poteva fidarsi né di Bell né degli altri agenti."

"*Bell?*" domandò Amelia, confusa.

"Lincoln pensa che ci sia lui, dietro tutta questa storia. Lo sta appurando proprio in questo momento. Ma a quanto pare aveva ragione, visto che quello è il cognato dello sceriffo." Dellray indicò con un cenno Steve Farr.

"Voleva uccidermi", disse Amelia.

L'agente dell'FBI ridacchiò. "Non sei stata in pericolo nemmeno per una frazione di secondo, dammi retta. L'ho tenuto sotto tiro fin da quando la porta sul retro si è aperta. Non avrebbe fatto in tempo nemmeno a prendere la mira."

Dellray notò che Mason lo stava osservando con aria sospettosa. Scoppiò a ridere e disse ad Amelia: "Al nostro amico poliziotto la gente come me non piace neanche un po'. Me lo ha detto lui".

"Un momento", protestò Mason. "Volevo solo dire…"

"Volevi dire gli agenti federali, ne sono sicuro", lo interruppe Dellray.

Germain scosse la testa e borbottò: "No, volevo dire voi del nord".

"Sì, è vero", confermò Amelia.

Lei e Dellray scoppiarono a ridere, mentre Mason non abbozzò nemmeno un sorriso. Si rivolse ad Amelia: "Mi dispiace, ma devo riportarla in cella. È ancora in arresto".

Lei guardò di nuovo il sole che danzava sull'erba gialla e inaridita. Trasse due profondi respiri, come assaporando l'aria aperta. Alla fine si voltò e si incamminò verso la prigione buia.

...quarantatré

"**S**ei stato *tu* a uccidere Billy, vero?" chiese Rhyme a Jim Bell.

Lo sceriffo non rispose.

Il criminologo continuò: "La scena del delitto è rimasta incustodita per un'ora e mezza. E, certo, Mason è stato il primo agente ad arrivare. Ma tu sei arrivato lì prima di lui. La telefonata in cui Billy avrebbe dovuto dirti che Mary Beth era morta non arrivava, e hai cominciato a preoccuparti, così hai preso la macchina e sei andato a Blackwater Landing... Lei era scomparsa, Billy era ferito. Lui ti ha detto che Garrett aveva portato via la ragazza. A quel punto ti sei messo i guanti di lattice, hai afferrato la vanga e lo hai ucciso".

Alla fine, la rabbia di Jim Bell mandò in pezzi la sua maschera impassibile. "Perché hai sospettato di *me*?"

"All'inizio ho sospettato di Mason, perché solo noi tre e Ben sapevamo del capanno. Ho pensato che fosse stato lui a informare Culbeau. Poi però ho chiesto a Lucy e ho scoperto che era stato *Mason* a chiamarla e a spiegarle come raggiungere il capanno, per assicurarsi che Garrett e Amelia non riuscissero a scappare ancora una volta. Riflettendo, mi sono reso conto che al mulino Mason aveva cercato di sparare a Garrett. Se fosse stato coinvolto nella cospirazione, anche lui – come te – avrebbe voluto che il ragazzo restasse vivo almeno fino a quando non avesse rivelato dov'era Mary Beth. Ho controllato le finanze di Mason e ho scoperto che ha una casa da quattro soldi e che ha debiti con la MasterCard e la Visa. Era ovvio che non stava ricevendo denaro da nessuno. A differenza di te e di tuo cognato, Bell... Hai una casa che vale quattrocentomila dollari e un florido conto in banca. E Steve Farr ha una casa da trecentonovantamila dollari e una barca da centottantamila. Abbiamo chiesto un'ordinanza del tribunale per poter dare un'occhiata alle vostre cassette di sicurezza. Chissà quanti soldi ci troveremo.

"Ero curioso di capire perché Mason fosse così ansioso di incastrare Garrett, e ho scoperto che aveva le sue buone ragioni. Era rimasto molto turbato quando tu avevi ottenuto il posto di sceriffo: non riusciva a spiegarsi il perché di quella nomina, dato che lui aveva uno stato di servizio migliore del tuo ed era in polizia da più tempo di te. Pensava che, se fosse riuscito a catturare l'Insetto, senza dubbio il consiglio comunale lo avrebbe nominato sceriffo al termine del tuo mandato."

"Quella tua fottuta messa in scena..." ringhiò Bell. "Pensavo che credessi solo nelle prove."

Raramente Rhyme discuteva con le sue prede. Le parole erano utili solo come balsamo per l'anima, e lui doveva ancora scoprire le prove che gli avrebbero rivelato dove si trovava l'anima e qual era la sua natura. Tuttavia, ribatté: "Avrei *preferito* delle prove. Ma talvolta bisogna improvvisare. In realtà, *non* sono la primadonna che tutti pensano che io sia".

La Storm Arrow non riusciva a entrare nella cella di Amelia Sachs.

"Non accessibile agli storpi?" brontolò Rhyme. "Un'aperta violazione della legge sui diritti dei disabili."

Lei pensò che quella battuta fosse a suo esclusivo beneficio, come per dimostrarle che lui era sempre lo stesso. Ma Amelia non replicò.

A causa del problema con la sedia a rotelle, Mason Germain propose loro di trasferirsi nella stanza degli interrogatori. Amelia entrò, impacciata dalle manette che le circondavano i polsi e le caviglie, che l'agente si era rifiutato di toglierle (dopotutto, era già riuscita a fuggire una volta dalla prigione).

L'avvocato di New York era già arrivato; era un uomo dai capelli grigi di nome Solomon Geberth. Rhyme aveva spiegato ad Amelia che lui e Geberth si erano scontrati varie volte quando l'avvocato aveva difeso indiziati fatti arrestare da Rhyme. Ma in fondo era quella la natura del sistema giudiziario americano: in aula ci si poteva combattere come acerrimi nemici, ma fuori dal tribunale ci si poteva rispettare e apprezzare come veri amici.

Geberth, che poteva esercitare l'avvocatura a New York, a Washington e nello stato del Massachusetts, era stato ammesso nella giurisdizione del North Carolina *pro hac vice* – esclusivamente per il caso del *Popolo americano contro Amelia Sachs*. Curiosamente, con il suo volto dai tratti regolari e con i suoi modi eleganti, sembrava un gentile avvocato del sud uscito da un romanzo di John Grisham, più che un mastino del foro di Manhattan. I suoi capelli corti e ordinati luccicavano di brillantina e il suo completo italiano sembrava immune alle pieghe nonostante l'estrema umidità di Tanner's Corner.

Lincoln Rhyme si trovava tra Amelia e l'avvocato. Lei teneva una mano posata sul bracciolo della Storm Arrow danneggiata.

"Hanno convocato un procuratore speciale da Raleigh", stava spiegando Geberth. "Visto quello che è successo con lo sceriffo e il coroner, non credo che si fidino più molto di McGuire. Comunque McGuire ha riesaminato le prove e ha deciso di far cadere tutte le accuse contro Garrett."

Nel sentire quella notizia, Amelia parve rianimarsi. "Davvero?"

Geberth annuì. "Garrett ha ammesso di aver colpito quel ragazzo, Billy, e di aver *pensato* di averlo ucciso. Ma Lincoln aveva ragione: è stato Bell a uccidere Billy. E anche se dovessero decidere di accusarlo di aggressione, Garrett se la caverebbe, dal momento che è stato chiaramente un caso di legittima difesa. Quanto a quell'agente, Ed Schaeffer, il procuratore ha stabilito che la sua morte è stata del tutto accidentale."

"E per quanto riguarda il rapimento di Lydia Johansson?" chiese Rhyme.

"Quando la donna si è resa conto che Garrett non aveva mai avuto intenzione di farle del male, ha deciso di non procedere contro di lui. Proprio come Mary Beth. Sua madre ha cercato di convincerla a farlo, ma lei si è opposta. Avreste dovuto sentirla. Praticamente non le ha dato modo di aprire bocca."

"Quindi Garrett è libero?" chiese Amelia, gli occhi fissi sul pavimento.

"Lo faranno uscire tra qualche minuto", confermò Geberth. "Allora, la situazione è questa, Amelia: il procuratore sosterrà che, anche se si è scoperto che Garrett non è un assassino, hai aiutato a evadere un prigioniero arrestato sulla base di prove plausibili, e che hai ucciso l'agente Corn durante quel primo reato. Chiederà l'imputazione per omicidio di primo grado e aggiungerà le classiche imputazioni minori... omicidio volontario e involontario, omicidio causato da imprudenza deliberata e omicidio colposo."

"Primo grado?" sbottò Rhyme. "Non è stato premeditato, è stato un incidente! Cristo Santo."

"E questo è proprio ciò che dimostrerò in tribunale", spiegò Geberth. "Il fatto che l'altro agente abbia cercato di disarmarti è stato una delle cause immediate dell'incidente. Ma ti assicuro che otterranno l'incarcerazione per omicidio causato da imprudenza deliberata. Tenendo conto dei fatti, non ci sono dubbi su questo."

"Quante probabilità ci sono che Amelia sia prosciolta?" domandò Rhyme.

"Pochissime. Nel migliore dei casi, il dieci, quindici per cento. Mi dispiace, ma devo consigliarti di dichiararti colpevole."

Amelia si sentì come se qualcuno le avesse sferrato un pugno al centro del petto. Chiuse gli occhi, e quando espirò fu come se l'anima le stesse abbandonando il corpo.

"Gesù", mormorò Rhyme.

Amelia stava pensando a Nick, il suo ex ragazzo. A quando, dopo che era stato arrestato per estorsione e corruzione, si era rifiutato di dichiararsi colpevole e aveva scelto di rischiare un processo. Le aveva detto: "È come dice sempre tuo padre, Aimee: se ti muovi in fretta, non ti possono prendere. Mi gioco il tutto per tutto".

La giuria ci aveva messo diciotto minuti a condannarlo. Ancora oggi Nick si trovava nel carcere di New York.

Amelia guardò Geberth e chiese: "Che cosa offre il procuratore, in cambio della mia ammissione di colpevolezza?"

"Per ora niente. Ma probabilmente accetterà di limitarsi a un'imputazione per omicidio volontario con attenuanti... otto o dieci anni, direi. Devo avvertirti, però, che qui in Carolina le prigioni non sono dei country club. Non sarà facile."

"E solo un quindici per cento di probabilità di assoluzione!" borbottò Rhyme.

L'avvocato continuò: "Devi capire che non possiamo fare miracoli, Amelia. Se andiamo al processo, il procuratore dimostrerà che sei tra i migliori agenti del tuo dipartimento e sottolineerà il fatto che sei una campionessa di tiro al bersaglio, convincendo la giuria che quel colpo non è stato affatto accidentale".

Non si possono applicare le solite regole a nessuno, a nord del Paquo: non valgono né per noi né per loro. Magari ti ritrovi a sparare a qualcuno prima di avergli letto i suoi diritti, e dopotutto anche questo è normale.

"E se le cose dovessero andare così, potresti essere condannata a venticinque anni per omicidio di primo grado", soggiunse il legale.

"O alla sedia elettrica", mormorò lei.

"Qui usano l'iniezione letale, ma, sì, anche questa è una possibilità. Devo essere sincero con te."

Chissà perché Amelia tornò con la mente ai falchi pellegrini che avevano fatto il nido davanti a una finestra dell'appartamento di Rhyme: un maschio, una femmina e il loro piccolo.

"Se mi dichiarassi colpevole di omicidio involontario, che condanna potrei ottenere?"

"Probabilmente sei o sette anni. Senza condizionale."

Tu e io, Sachs.

Lei trasse un profondo respiro. "D'accordo. Mi dichiarerò colpevole."

"Sachs…" cominciò Rhyme.

Ma lei ripeté all'avvocato: "Mi dichiarerò colpevole".

Geberth si alzò. Annuì. "Vado a chiamare subito il procuratore. Sei sicura che non cambierai idea?"

"Sì."

"Ti farò sapere qualcosa al più presto." Salutò Rhyme con un cenno del capo e lasciò la stanza.

Mason guardò il volto di Amelia. Si alzò e andò alla porta, il rumore dei suoi stivali riecheggiavano nella stanza. "Vi lascio soli per qualche minuto. Non la devo perquisire, vero, Lincoln?"

Rhyme sorrise stancamente e l'agente uscì.

"Che disastro, Lincoln", sospirò Amelia.

"Ehi, Sachs, non dimenticare. Niente nomi di battesimo."

"Perché no?" chiese lei, cinica, in un sussurro. "Hai paura che porti sfortuna?"

"Può darsi."

"Tu non sei superstizioso. O almeno è questo che mi hai sempre fatto credere."

"Di solito è così, infatti. Ma questo è un posto sinistro."

Tanner's Corner... La città senza bambini.

"Avrei dovuto darti ascolto", disse Rhyme. "Avevi ragione, su Garrett. Io avevo torto. Mi sono limitato a considerare le prove, e ho sbagliato."

"Ma io non *sapevo* di avere ragione. Non *sapevo* niente! Avevo solo una sensazione e ho agito di conseguenza."

"Qualsiasi cosa accada, Sachs, io non me ne andrò." Il criminologo abbassò gli occhi sulla Storm Arrow e sorrise. "Non potrei andare molto lontano nemmeno se volessi. Se dovrai scontare una pena, io sarò qui ad aspettarti."

"Parole, Rhyme", ribatté lei cinicamente. "Solo parole... Anche mio padre mi ha detto che non se ne sarebbe mai andato. Una settimana prima che il cancro avesse la meglio su di lui."

"Sono troppo cocciuto per morire."

Ma non troppo cocciuto per cercare di stare meglio, pensò lei, per conoscere un'altra donna. Non aprì bocca.

La porta della stanza degli interrogatori si aprì. Sulla soglia c'era Garrett, Mason alle sue spalle. Il ragazzo, finalmente, non aveva più le manette.

"Ehi", li salutò Garrett. "Guardate cos'ho trovato! Era nella mia cella." Aprì il pugno e un minuscolo insetto volò via. "È una falena sfinge. Si nutrono di fiori di valeriana. Non se ne vedono molte, al chiuso. È veramente forte."

Amelia sorrise debolmente, in parte consolata dall'entusiasmo che luccicava negli occhi del ragazzo. "Garrett, c'è una cosa che voglio che tu sappia."

Lui si avvicinò, guardandola.

"Ti ricordi cos'hai detto quando eravamo nella roulotte? Quando stavi parlando a tuo padre sulla sedia vuota?"

Il ragazzo annuì, incerto.

"Gli hai detto che era stato terribile per te, quando lui non aveva voluto farti salire in macchina quella sera."

"Sì, mi ricordo."

"Ma tu sai perché non voleva che salissi... Stava cercando di salvarti la vita. Sapeva che in macchina c'era del veleno e che lui, tua madre e tua sorella erano condannati. Se fossi salito con loro, anche tu saresti morto. E lui non lo voleva."

"Sì, credo di saperlo", mormorò Garrett. La sua voce era esitante, ma Amelia Sachs sapeva che riscrivere la propria storia personale era un compito arduo che richiedeva molto, molto tempo.

"Non dimenticartelo mai."

"D'accordo."

Amelia guardò l'insetto, la piccola falena beige che svolazzava nella stanza degli interrogatori. "Hai per caso lasciato qualche insetto nella cella, per tenermi compagnia?"

"Sì. Ci sono un paio di coccinelle, e anche un grillo e una mosca sirfide. Sono veramente forti, quando volano. Si può restare a guardarli per ore." Fece una pausa. "Senti, mi dispiace di averti mentito. Ma se non lo avessi fatto, non avrei mai potuto uscire e salvare Mary Beth."

"Va tutto bene, Garrett."

Il ragazzo guardò Mason. "Posso andare, adesso?"

"Sì, puoi andare."

Prima di uscire, si voltò e disse: "Tornerò, insomma... a farti compagnia. Se per te va bene".

"Mi piacerebbe molto."

Il ragazzo se ne andò, e attraverso la porta aperta lei lo vide dirigersi verso una macchina: era l'auto di Lucy Kerr. Amelia la vide scendere e aprirgli la portiera, come una mamma passata a prendere il figlio agli allenamenti di football.

"Sachs", disse Rhyme. Ma lei era già in piedi e stava tornando verso la sua cella. Voleva allontanarsi dal criminologo, dal ragazzo, dalla città senza bambini. Voleva rifugiarsi nell'oscurità della solitudine.

E ben presto fu accontentata.

Appena fuori da Tanner's Corner, sul tratto ancora a due corsie della Route 112, c'è una curva vicino al fiume Paquenoke. Poco oltre il ciglio, crescono carici, indigofere e alte aquilegie che mostrano i loro caratteristici fiori rossi simili a bandiere.

La fitta vegetazione crea una specie di nicchia molto popolare tra gli agenti della contea di Paquenoke, che la usano per parcheggiare le auto di pattuglia, fermarsi a sorseggiare un po' di tè freddo e ad ascoltare la radio. Aspettano che sul display dei loro rilevatori di velocità compaia una cifra superiore a ottanta chilometri orari, quindi si lanciano all'inseguimento del trasgressore stupefatto per far entrare altri cento dollari nelle casse della contea.

Una Lexus SUV nera oltrepassò la curva, e il rilevatore di velocità sul cruscotto di Lucy Kerr segnò settanta chilometri all'ora. Nessuna violazione dei limiti di velocità, tuttavia l'agente mise in moto, accese le luci lampeggianti sul tetto della macchina e cominciò a seguire la Lexus.

Si avvicinò e studiò con attenzione il veicolo. Molto tempo prima aveva imparato a controllare gli specchietti retrovisori delle auto che si apprestava a fermare. Osservando gli occhi dei conducenti, si poteva intuire quali altri crimini potevano aver commesso – sempre che ne avessero commessi – oltre a infrangere i limiti di velocità o guidare con un fanalino rotto... droga, armi rubate, ubriachezza. Si poteva capire se sarebbe stata un'operazione pericolosa o meno. Ora, gli occhi del conducente della Lexus la fissarono nel retrovisore senza mostrare il minimo accenno di preoccupazione o di colpa.

Uno sguardo invulnerabile...

Questo rinfocolò la rabbia di Lucy, che trasse qualche profondo respiro per cercare di controllarsi.

L'auto si fermò sul ciglio polveroso della strada e lei parcheggiò a un paio di metri di distanza. Secondo la procedura standard avrebbe dovuto comunicare alla centrale il numero di targa e attendere che venisse fatto un controllo sulla vettura e sul suo proprietario. Ma Lucy non aveva tempo da perdere. Non c'era niente che il dipartimento della motorizzazione potesse dirle che fosse di un qualche interesse. Con le mani tremanti, Lucy Kerr aprì la portiera e scese dall'auto.

Gli occhi del conducente si spostarono sul retrovisore esterno per studiarla meglio. Mostrarono solo una lieve traccia di sorpresa nel notare che l'agente non era in uniforme – indossava solo un paio di jeans e una camicia da lavoro – ma che portava il cinturone con la pistola. Perché mai un poliziotto non in servizio avrebbe dovuto fermare un'auto che non aveva infranto il limite di velocità?

Henry Davett abbassò il finestrino.

Lucy Kerr guardò nell'abitacolo, oltre Davett. Il sedile del passeggero era occupato da una donna sulla cinquantina, dai capelli biondi, cotonati e secchi che rivelavano le frequenti visite al salone di bellezza. Portava un braccialetto, orecchini e una collana di brillanti. Sul sedile posteriore sedeva una ragazzina che stava rovistando in un porta CD, godendosi mentalmente la musica che suo padre non le avrebbe permesso di ascoltare nel giorno del Signore.

"Agente Kerr", disse Davett, "qual è il problema?"

Guardandolo negli occhi, Lucy si rese conto che l'uomo sapeva esattamente quale fosse il problema.

Eppure il suo sguardo continuava a non tradire la minima emozione.

Ormai incapace di trattenere la rabbia, Lucy sibilò: "Scenda dalla macchina, Davett".

"Caro, che cosa succede?"

"Agente, qual è il punto?" chiese Davett con un sospiro.

"Scenda. Ora." Lucy allungò una mano e aprì le sicure della Lexus.

"Ma, caro, può farlo? Può..."

"Sta' zitta, Edna."

"Va bene, va bene."

Lucy spalancò la portiera. Davett si tolse la cintura di sicurezza e scese sul ciglio della strada.

Un autoarticolato sfrecciò lungo la 112 sollevando una grande nube di polvere che li avvolse. Davett guardò disgustato la polvere grigia di argilla della Carolina sporcargli il blazer blu. Indossava pantaloni beige, mocassini marroni e una cravatta rossa decorata con briglie di cavallo. "Mia moglie e io faremo tardi in chiesa, e non credo che..."

"Stia zitto." Lo afferrò per un braccio e lo trascinò all'ombra delle piante di riso selvatico; accanto alla strada scorreva un ruscello, un affluente del Paquenoke. Lucy spinse Davett in una radura ombreggiata.

Lui ripeté, esasperato: "Qual è il punto?"

"So tutto."

"Davvero, agente Kerr? Sa *tutto*? Tutto cosa?"

"So del veleno, degli omicidi, del canale..."

Davett replicò con calma: "Non ho mai avuto contatti diretti con Jim Bell o con chiunque altro a Tanner's Corner. Anche se sul mio libro paga ci fossero dei dannati idioti che hanno pagato altri dannati idioti per fare cose illegali, non sarebbe colpa mia. E se accadesse una cosa simile, offrirei la mia completa collaborazione alle autorità".

Per nulla impressionata da tutta quella sicurezza, Lucy ringhiò: "Finirà in galera, proprio come Bell e suo cognato".

"Non credo proprio. Non c'è niente che mi colleghi anche a un solo crimine. Non ci sono testimoni. Non ci sono prove. Sono a capo di un'industria di prodotti petrolchimici: detergenti, asfalto e qualche pesticida."

"Pesticidi illegali."

"Si sbaglia", ribatté lui bruscamente. "L'EPA permette ancora l'utilizzo del toxafene nel nostro paese, in certi casi. E non è illegale nella maggior parte dei paesi del Terzo Mondo. Le consiglio di informarsi sull'argomento, agente: senza i pesticidi, la malaria, l'encefalite, le carestie ucciderebbero centinaia di migliaia di persone ogni anno e..."

"Quei pesticidi provocano cancro, malattie genetiche, danni al fegato e..."

Davett scrollò le spalle. "Mi mostri le statistiche, agente Kerr. Mi mostri una ricerca che avvalori la sua tesi."

"Se il toxafene è così fottutamente inoffensivo, allora perché ha smesso di farlo trasportare con i camion e ha cominciato a servirsi delle barche?"

"Non ho avuto altra scelta, dal momento che certe contee governate da idioti e certe città hanno proibito il trasporto di sostanze tossiche. Quella gente non conosce i fatti, e io non avevo né il tempo né gli agganci politici necessari a cambiare la legge."

"Be', scommetto che l'EPA sarebbe molto interessata a quello che sta facendo qui."

"Oh, per favore", sbuffò Davett. "L'EPA? Li chiami pure. Le cercherò io stesso il loro numero di telefono. Se *mai* venissero a controllare la mia fabbrica, troverebbero livelli legali di toxafene dovunque, attorno a Tanner's Corner."

"Forse è legale il livello nell'acqua, forse è legale quello nell'aria e forse è legale quello nella produzione locale... Ma cosa mi dice della combinazione di questi fattori? Cosa succede se un bambino beve un bicchiere d'acqua che proviene dal pozzo dei suoi genitori, poi va a giocare nell'erba e mangia una mela di un frutteto della zona?"

Davett si strinse nelle spalle. "Le leggi sono chiare, agente Kerr. Se non le piacciono, scriva al suo rappresentante al Congresso."

Lei lo afferrò per il bavero e lui non oppose alcuna resistenza. Gli gridò: "Lei non ha ancora capito. La sbatterò in prigione".

Lui si divincolò e sibilò: "No, *lei* non ha ancora capito, agente. Non c'è niente che lei possa fare. Io sono molto, molto bravo in quello che faccio. Non commetto mai errori." Guardò l'orologio. "Adesso devo andare", disse.

Davett tornò alla SUV, risistemandosi i capelli radi che il sudore gli appiccicava al cranio.

Montò in macchina e sbatté la portiera.

"Che cosa..." cominciò a chiedergli Edna, ma lui la zittì con un brusco cenno della mano.

Proprio mentre Davett metteva in moto, Lucy si fermò accanto al finestrino del conducente. "Aspetti", ordinò.

Davett le lanciò un'occhiata. Ma l'agente Kerr non stava guardando lui, bensì sua moglie e sua figlia. "Voglio che vediate che cos'ha fatto quest'uomo." Con un rapido gesto delle mani forti si aprì la camicia. Le due donne nell'auto trasalirono alla vista delle lunghe cicatrici rosee che Lucy aveva al posto dei seni.

"Oh, per l'amor di Dio", ringhiò Davett, distogliendo lo sguardo.

"Papà..." sussurrò la ragazza, sconvolta. La madre era ammutolita.

"Lei pensa di non commettere mai errori, vero, Davett?... Be', si sbaglia. Questo lo ha commesso", sussurrò Lucy.

L'uomo diede gas e la Lexus si allontanò lentamente lungo la 112.

Lei rimase lì per qualche lungo istante a osservare l'auto che scompariva in lontananza e a combattere contro le lacrime. Dalla borsa prese un paio di spille da balia, che usò per richiudersi la camicia. Si appoggiò all'auto e restò così per un po' finché, abbassando lo sguardo, non notò un piccolo fiore rosso che cresceva sul bordo della strada. Lo guardò meglio. Era una scarpa di Venere rosa, un tipo di orchidea che doveva il nome al fatto che i suoi fiori assomigliavano a minuscole scarpe. Nel giro di cinque minuti, usando il raschietto per il ghiaccio, sradicò la piccola pianta e la mise al sicuro in un grande bicchiere di 7-Eleven, la bibita sacrificata per la bellezza del giardino di Lucy Kerr.

...quarantaquattro

Una targa su una parete del tribunale spiegava che il nome dello stato proveniva dal latino *Carolus*, Carlo. Era stato re Carlo I a concedere il permesso di fondare quella colonia.

Carolina...

Amelia Sachs aveva sempre pensato che quel nome derivasse da una qualche principessa o regina. Era nata e cresciuta a Brooklyn, e il suo scarso interesse nei confronti della nobiltà di un tempo era pari solo alla sua scarsa conoscenza dell'argomento.

Adesso, ancora ammanettata, sedeva tra due guardie su una panca del tribunale e si guardava attorno con aria assente. L'edificio di mattoni rossi era molto antico, con decorazioni in mogano scuro e pavimenti di marmo.

Uomini dall'aria austera in completi neri – probabilmente giudici o governatori – la fissavano dai dipinti a olio, certi della sua colpevolezza. A quanto pareva non c'era l'aria condizionata, ma la brezza e la penombra contribuivano a rinfrescare l'ambiente.

Fred Dellray le si avvicinò. "Ehilà! Vuoi che ti porti un caffè o qualcos'altro?"

La guardia che sedeva alla sinistra di Amelia riuscì a dire soltanto: "Non si può parlare alla…" prima che il tesserino di Dellray, del dipartimento della giustizia, lo mettesse a tacere.

"No, grazie, Fred. Dov'è Lincoln?" Erano quasi le nove e mezzo.

"Non so. Sai com'è fatto: a volte sembra che *sbuchi* dal nulla. E per un uomo che non può nemmeno camminare, devo ammettere che è un fatto abbastanza straordinario."

Non c'erano neanche Lucy e Garrett.

Sol Geberth, che indossava un elegante completo grigio, raggiunse Amelia. La guardia di destra si alzò e fece sedere l'avvocato. "Ciao, Fred", disse l'avvocato all'agente dell'FBI.

Dellray lo salutò freddamente, con un cenno del capo, e Amelia capì che, com'era accaduto anche a Rhyme, Geberth doveva aver fatto rilasciare qualche sospetto arrestato da Fred.

"Ci siamo accordati", disse l'avvocato ad Amelia. "Il procuratore ha accettato l'imputazione di omicidio involontario; nessun'altra accusa. Sei anni senza la condizionale."

Sei anni…

L'avvocato continuò: "C'è anche un altro aspetto della faccenda a cui non avevo pensato ieri".

"E cioè?" chiese lei, cercando di capire dall'espressione di Geberth quanto fossero gravi i nuovi guai in cui si trovava.

"Il problema è che tu sei un poliziotto."

"E questo cosa c'entra?"

Prima che l'avvocato potesse rispondere, Dellray si intromise: "Anche dentro sarai un *poliziotto*".

Ma Amelia continuava a non capire, così l'agente spiegò: "Con 'dentro' intendo dire *in prigione*. Dovrai essere tenuta separata dagli altri detenuti, altrimenti non sopravvivrai una settimana. Sarà dura, dannatamente dura".

"Ma nessuno saprà che sono un poliziotto."

Dellray rise amaramente. "Sapranno tutto quello che c'è da sapere su di te ancora prima che ti abbiano assegnato la tua cella."

"Io non ho mai arrestato nessuno, in questo posto. Che differenza fa se sono un poliziotto o meno?"

"Fa tutta la differenza del mondo", disse Dellray, e guardò Geberth che annuì. "Non potranno as-so-lu-ta-men-te tenerti insieme al resto della popolazione carceraria."

"Questo significa sei anni di solitudine."

"Temo di sì", confermò Geberth.

Lei chiuse gli occhi, invasa da un improvviso senso di nausea. Sei anni senza muoversi, di claustrofobia, di incubi... E, da ex detenuta, come poteva sperare di diventare madre? Amelia cercò di soffocare quel pensiero doloroso.

"Allora?" chiese l'avvocato. "Cosa ne pensi?"

Amelia riaprì gli occhi e rispose: "Accetto".

L'aula era affollata. Amelia vide Mason Germain e qualche altro agente. Un uomo e una donna dall'espressione cupa, molto probabilmente i genitori di Jesse Corn, sedevano in prima fila. Amelia avrebbe voluto dire loro qualcosa, ma i loro sguardi colmi di odio e di disprezzo la trattennero. Vide solo due volti che, anche se forse non erano esattamente amici, se non altro non erano ostili: Mary Beth McConnell e una donna che doveva essere sua madre. Non c'era alcuna traccia di Lucy Kerr né di Lincoln Rhyme. Immaginò che Rhyme non avesse il cuore di restare a guardarla mentre la portavano via in catene; quanto a lei, non aveva particolarmente voglia di vederlo in quella circostanza.

L'ufficiale giudiziario l'accompagnò al tavolo della difesa. Non le tolse le manette. Sol Geberth era seduto accanto a lei.

Si alzarono quando il giudice – un uomo robusto che indossava un'ampia toga nera – fece il suo ingresso in aula. Per qualche minuto, l'uomo esaminò alcuni documenti e parlò con il cancelliere. Alla fine annuì e il cancelliere disse: "Il popolo del North Carolina contro Amelia Sachs".

Il giudice fece un cenno al procuratore di Raleigh, un uomo alto dai capelli grigi, che si alzò. "Vostro onore, l'imputata e lo stato hanno raggiunto un accordo e quindi la stessa ha accettato di dichiararsi colpevole di omicidio involontario per la morte dell'agente Jesse Randolph Corn. Lo stato ritira tutte le altre accuse e consiglia la condanna a una pena di sei anni di reclusione da scontare senza alcuna possibilità di libertà sulla parola o di riduzione della pena."

"Signorina Sachs, ha discusso con il suo avvocato di questo accordo?"

"Sì, vostro onore."

"E lui l'ha informata che ha il diritto di rifiutare l'accordo e di andare in giudizio?"

"Sì."

"E si rende conto che accettando questo accordo si dichiarerà colpevole di omicidio?"

"Sì."

"Ha preso questa decisione di sua spontanea volontà?"

Amelia pensò a suo padre, a Nick. E a Lincoln Rhyme. "Sì, vostro onore."

"Molto bene. Come si dichiara riguardo l'accusa di omicidio involontario che le viene rivolta?"

"Colpevole, vostro onore."

"Alla luce delle indicazioni dell'accusa, l'accordo viene accettato e quindi la condanno..."

Le pesanti porte rivestite di cuoio rosso che davano sul corridoio si spalancarono di colpo e Lincoln Rhyme entrò in aula accompagnato dall'acuto ronzio della sedia a rotelle. Dietro di lui c'era Lucy Kerr.

Il giudice sollevò lo sguardo, pronto a rimproverare aspramente l'intruso. Quando vide la sedia, però – come la maggior parte della gente – scelse l'atteggiamento politicamente corretto che Rhyme tanto disprezzava, e non disse nulla. Tornò a rivolgersi ad Amelia. "Quindi la condanno a sei anni..."

Rhyme lo interruppe: "Mi perdoni, vostro onore, ma ho bisogno di parlare con l'imputata e il suo difensore per qualche minuto".

"Be'", borbottò il giudice, "siamo nel bel mezzo di un procedimento. Potrà parlarle in un altro momento."

"Con tutto il dovuto rispetto, vostro onore", ribatté Rhyme, "ho bisogno di parlare con l'imputata *ora*."

Proprio come i vecchi tempi, di nuovo in un'aula di tribunale.

La maggior parte della gente pensa che l'unico compito di un criminologo sia raccogliere e analizzare prove. Ma quando Lincoln Rhyme era stato a capo della scientifica del dipartimento di polizia di New York, aveva dovuto dividersi molto spesso tra il tribunale e il lavoro sul campo. In qualità di esperto era un ottimo testimone. (Secondo Blaine, la sua ex moglie, Rhyme preferiva *esibirsi* davanti agli altri – e davanti a lei – piuttosto che interagire con loro.)

Con cautela, Rhyme pilotò la Storm Arrow fino alla balaustra che divideva i tavoli degli avvocati dalla zona dell'aula riservata al pubblico. Guardò Amelia, e quella vista per poco non gli spezzò il cuore. Dopo tre giorni passati in prigione, aveva perso peso e il suo viso era scavato. I capelli rossi erano sporchi e raccolti in una crocchia severa, proprio come li portava quando esaminava la scena di un crimine; questo rendeva il suo bellissimo e dolcissimo viso ancor più teso e affilato.

Geberth si avvicinò a Rhyme e si accovacciò accanto a lui. Il criminologo gli parlò per qualche minuto. Quando Rhyme si accorse che l'avvocato stava solo annuendo e aveva smesso di prendere appunti, per un attimo si preoccupò, poi si ricordò che Sol Geberth aveva una memoria fenomenale. Alla fine, l'avvocato si alzò e annunciò: "Vostro onore, mi rendo conto che questa è un'udienza per un patteggiamento. Ma devo farle una proposta insolita. Sono venute alla luce nuove prove che..."

"Che potrà presentare al processo", lo interruppe bruscamente il giudice, "se la sua cliente deciderà di rifiutare il patteggiamento."

"Non è mia intenzione presentare queste prove alla corte; voglio solo mettere al corrente l'*accusa* dell'esistenza di queste prove per permettere al mio ottimo collega di prenderle in esame."

"A quale scopo?"

"Per rivedere eventualmente le accuse a carico della mia cliente." Poi, quasi timidamente, aggiunse: "Il che potrebbe alleggerire il fardello dei suoi compiti, vostro onore".

Il giudice alzò gli occhi al cielo come per sottolineare il fatto che quelle astuzie da yankee non avevano alcun valore da quelle parti. Tuttavia, lanciò un'occhiata al procuratore e chiese: "Cosa ne pensa?"

Il procuratore domandò a Geberth: "Che tipo di prove? Un nuovo testimone?"

Rhyme non riuscì a trattenersi e disse: "No. Si tratta di prove fisiche".

"Lei è il famoso Lincoln Rhyme di cui ho tanto sentito parlare?" volle sapere il giudice.

Come se ci potessero essere *due* criminologi quadriplegici al lavoro a Tanner's Corner!

"Sì, sono io."

Il procuratore chiese a Rhyme: "Dove sono queste prove?"

"In mia custodia al dipartimento dello sceriffo della contea di Paquenoke", rispose Lucy Kerr.

"È disposto a testimoniare sotto giuramento?" domandò il giudice.

"Certamente."

"Lei è d'accordo, avvocato?" chiese poi al procuratore.

"Sì, vostro onore, ma se dovesse essere soltanto uno stratagemma per prendere tempo o se le prove dovessero rivelarsi inconsistenti, quererò il signor Rhyme per intralcio alla giustizia."

Il giudice rimase a riflettere per un attimo, e infine stabilì: "Che sia messo agli atti che questo non fa parte del procedimento. La corte si adegua alla richiesta delle parti e accetta una deposizione prima di procedere all'incriminazione formale. La deposizione dovrà rispettare le norme del codice di procedura penale del North Carolina. Che il testimone giuri".

Rhyme si fermò davanti alla sbarra. Quando il cancelliere fece qualche passo incerto verso di lui, stringendo una Bibbia tra le mani, lui lo anticipò: "No, non posso alzare la mano destra". Poi recitò: "Giuro di dire la verità, tutta la verità e nient'altro che la verità". Cercò lo sguardo di Amelia, ma lei stava fissando il mosaico sbiadito che decorava il pavimento dell'aula.

Geberth si avvicinò al criminologo. "Signor Rhyme, potrebbe dire il suo nome, il suo indirizzo e la sua occupazione?"

"Lincoln Rhyme, 345 Central Park West, New York. Sono un criminologo."

"Un medico legale, giusto?"

"Un criminologo è anche qualcosa di *più*, ma la medicina legale è una parte fondamentale del mio lavoro."

"E come fa a conoscere l'imputata, Amelia Sachs?"

"È stata la mia assistente e collaboratrice in un gran numero di indagini."

"Perché siete venuti a Tanner's Corner?"

"Per aiutare lo sceriffo Jim Bell e la polizia della contea di Paquenoke nella cattura dell'assassino di Billy Stail e nelle indagini sul rapimento di Lydia Johansson e Mary Beth McConnell."

Geberth domandò: "Allora, signor Rhyme, lei sostiene di avere nuove prove riguardanti questo caso, giusto?"

"Sì, proprio così."

"E quali sono queste prove?"

"Quando abbiamo scoperto che Billy Stail era andato a Blackwater Landing per uccidere Mary Beth McConnell, ho cominciato a chiedermi perché avrebbe dovuto fare una cosa del genere. E ho concluso che il ragazzo era stato pagato per ucciderla. Billy..."

"E cosa le fa pensare che fosse stato pagato per commettere quell'omicidio?"

"Il motivo mi sembra anche troppo ovvio", brontolò Rhyme. Le domande inutili lo rendevano impaziente, e Geberth non stava rispettando il copione.

"Sarebbe così gentile da spiegarcelo?"

"Billy non aveva alcuna relazione sentimentale con Mary Beth, e non è stato coinvolto in alcun modo nell'omicidio della famiglia Hanlon. Quindi l'unico movente che poteva spingerlo a uccidere la ragazza era il puro e semplice guadagno."

"Continui, prego."

"Chiunque fosse stato ad assoldarlo, non aveva intenzione di pagare con un assegno, naturalmente, ma in contanti. L'agente Kerr è stata a casa dei genitori di Billy Stail e ha ottenuto il permesso di perquisire la sua stanza. Ha trovato diecimila dollari in contanti nascosti sotto il materasso."

"E questo cosa..."

"Perché non mi lascia finire la mia deposizione?" chiese Rhyme a Geberth.

Il giudice intervenne: "Buona idea, signor Rhyme. Penso che l'avvocato abbia già gettato le fondamenta per la sua testimonianza".

"Con l'aiuto dell'agente Kerr, ho eseguito l'analisi delle scanalature di frizione – un controllo delle *impronte digitali* – sui biglietti che si trovavano in cima e in fondo alle mazzette di denaro. Ho rilevato ben sessantun impronte digitali latenti. A parte quelle di Billy, due di queste impronte appartenevano a una persona coinvolta in questo caso. L'agente Kerr si è procurata un altro mandato per entrare nella casa di questo individuo."

"E l'avete perquisita?" volle sapere il giudice.

Cercando di tenere a bada l'irritazione che provava, il criminologo rispose: "No, *io* no. Diciamo che non mi era *accessibile*. Ma ho *diretto* la perquisizione, che è stata effettuata dall'agente Kerr. All'interno della casa ha trovato la ricevuta per l'acquisto di una vanga identica all'arma del delitto e ottantatremila dollari in contanti tenuti insieme da fascette identiche a quelle trovate attorno alle mazzette di denaro rinvenute a casa di Billy Stail".

Teatrale come sempre, Rhyme aveva tenuto il meglio per il gran finale. "Inoltre l'agente Kerr ha rinvenuto frammenti di ossa nel barbecue nel giardino dietro casa. Questi frammenti corrispondono esattamente alle ossa dei familiari di Garrett Hanlon."

"E a chi appartiene questa casa?"

"All'agente Jesse Corn."

Dai banchi dell'aula si sollevò un mormorio di stupore. Il procuratore rimase impassibile, ma raddrizzò leggermente le spalle e si consultò con i suoi colleghi per valutare le implicazioni di quella rivelazione. I genitori di Jesse si guardarono sconvolti, la madre cominciò a piangere.

"Dove vuole arrivare, signor Rhyme?" chiese il giudice.

Il criminologo resistette alla tentazione di rispondergli che le sue conclusioni erano fin troppo evidenti. "Vostro onore, Jesse Corn è uno degli individui che hanno cospirato con Jim Bell e Steve Farr per uccidere i familiari di Garrett Hanlon cinque anni fa, e ora per uccidere Mary Beth McConnell".

Oh, sì, questa città è abitata da un bel po' di vespe.

Il giudice si appoggiò allo schienale. "Io non posso aiutarvi. Dovrete risolvere la questione tra voi." Indicò con un cenno Geberth e il procuratore. "Vi do cinque minuti; poi, o l'imputata accetterà il patteggiamento, oppure stabilirò la cauzione e la data del processo."

Il procuratore si rivolse a Geberth: "Questo non significa che la signorina Sachs non abbia ucciso Jesse. Anche se l'agente Corn fosse stato coinvolto nella cospirazione, resta sempre la vittima dell'omicidio".

Ora fu il turno dello yankee di alzare gli occhi al cielo. "Oh, andiamo", replicò Geberth seccamente, come se il procuratore distrettuale fosse stato uno studente un po' tonto. "Questo significa che Corn stava operando *al di fuori* dei suoi doveri di tutore dell'ordine, e che quando ha affrontato Garrett era un criminale armato e pericoloso. Jim Bell ha ammesso che avevano deciso di torturare il ragazzo per farsi dire dov'era Mary Beth, e questo significa che, una volta che l'avessero trovata, Corn avrebbe aiutato Culbeau a uccidere Lucy Kerr e gli altri agenti."

Gli occhi del giudice si spostavano da destra a sinistra, come se stesse assistendo a una partita a tennis.

Il procuratore insistette: "Posso occuparmi soltanto del caso che stiamo affrontando. Che Jesse Corn avesse intenzione di uccidere qualcuno o meno è irrilevante".

Geberth scosse la testa lentamente e si rivolse allo stenografo. "Sospendiamo la deposizione. Questo non deve essere messo agli atti". Poi si rivolse al procuratore: "A che scopo procedere contro Amelia Sachs? Corn era un assassino".

"Se deciderà di andare al processo, cosa crede che penserà la giuria quando Sol dimostrerà che la vittima era un poliziotto corrotto, disposto a torturare un ragazzino innocente pur di rintracciare una ragazza che aveva intenzione di assassinare?" aggiunse Rhyme.

E Geberth: "Non credo che le piacerebbe affrontare una situazione del genere. Lei ha Bell, ha suo cognato, ha il coroner..."

Prima che il procuratore distrettuale potesse protestare di nuovo, Rhyme lo guardò e mormorò: "L'aiuterò io".

"Che cosa?" chiese il procuratore.

"Lei sa chi c'è dietro tutto questo, vero? Lei sa chi sta uccidendo lentamente gli abitanti di Tanner's Corner?"

"Henry Davett", rispose il procuratore. "Ho letto tutti i rapporti."

Rhyme domandò: "E a che punto è il caso contro di lui?"

"Mancano le prove. Non c'è modo di collegarlo a Bell o a chiunque altro in città. Si è servito di persone che si rifiutano di collaborare o sono fuori da questa giurisdizione."

"Ma", continuò Rhyme, "non vuole inchiodarlo prima che altra gente muoia di cancro? Prima che altri ragazzini si ammalino e si suicidino? Prima che altri bambini nascano già malati?"

"Naturalmente."

"Allora avrà bisogno di *me*. Non riuscirà a trovare un altro criminologo in grado di incastrare Davett, ma io posso farcela." Rhyme lanciò un'occhiata ad Amelia, che aveva le lacrime agli occhi. Lui sapeva che il suo unico pensiero in quel momento era che in ogni caso, che la mandassero in prigione o meno, non aveva ucciso un uomo innocente.

Il procuratore distrettuale emise un profondo sospiro, poi annuì. Velocemente, come temendo di poter cambiare idea, disse: "D'accordo". Si rivolse al giudice: "Vostro onore, per il caso del *Popolo del North Carolina contro Amelia Sachs*, lo stato ritira tutte le accuse".

"Benissimo", disse il giudice annoiato. "L'imputata è libera di andare. Passiamo al prossimo caso." Non si scomodò nemmeno a chiudere la seduta con un colpo di martelletto.

...quarantacinque

"Non pensavo di vederti", disse Lincoln Rhyme.
Era davvero sorpreso.
"Non ero sicura di voler venire", rispose Amelia.
Erano nella sua stanza al centro medico di Avery.

Il criminologo disse: "Sono appena stato a trovare Thom al quinto piano. È davvero strano: in questo momento, io mi posso muovere più di lui".

"Come sta?"

"Dovrebbe essere dimesso tra un giorno o due. Gli ho detto che avrebbe finalmente avuto l'opportunità di conoscere la fisioterapia dal punto di vista del paziente. Non l'ha trovato divertente."

Una sorridente donna guatemalteca – l'assistente temporanea di Rhyme – sedeva in un angolo, intenta a lavorare a maglia uno scialle giallo e rosso. Sembrava in grado di sopportare gli umori di Rhyme piuttosto bene, anche se il criminologo pensava che fosse perché non conosceva abbastanza bene l'inglese per apprezzare il suo sarcasmo e i suoi insulti.

"Sai, Sachs", continuò lui, "quando ho saputo che avevi fatto evadere Garrett, per un attimo ho pensato che lo avessi fatto solo per darmi il tempo di riconsiderare l'idea dell'intervento."

Amelia si produsse in un sorriso alla Julia Roberts. "Forse è stato anche per questo."

"Quindi sei venuta per convincermi a non farmi operare?"

Lei si alzò dalla sedia e andò alla finestra. "Che bella vista."

"Rasserenante, vero? Una fontana. Un giardino. Delle piante. Non so di che tipo."

"Lucy potrebbe dirtelo. Conosce le piante quanto Garrett conosce gli insetti. No, Rhyme, non sono qui per convincerti. Sono qui con te ora e sarò con te anche quando ti sveglierai."

"Hai cambiato idea?"

Lei si voltò a guardarlo. "Quando Garrett e io eravamo sul fiume, mi ha raccontato di qualcosa che aveva letto su quel libro, *Un mondo in miniatura*."

"Da quando l'ho letto, provo un enorme rispetto per lo scarabeo stercorario", disse Rhyme.

"Mi ha fatto leggere un brano. Era un elenco delle caratteristiche degli esseri viventi. Diceva che le creature sane cercano di crescere e di adattarsi all'ambiente che le circonda. Mi sono resa conto che questo è anche ciò che devi fare tu, Rhyme. Hai bisogno di fare questo tentativo. E io non posso interferire."

Dopo un attimo, il criminologo ammise: "So che non guarirò, Sachs. Ma in fondo qual è l'essenza del nostro lavoro? Le piccole vittorie. Troviamo una fibra qui, un'impronta parziale là, qualche granello di sabbia che potrebbe condurci alla casa dell'assassino. La sola cosa che sto cercando è un piccolo miglioramento. Non mi alzerò mai da questa sedia, lo so. Ma ho bisogno di una piccola vittoria".

Forse poterti tenere davvero per mano.

Lei si chinò e lo baciò con passione, poi si sedette sul letto.

"Cos'è quello sguardo, Sachs? Stai tramando qualcosa."

"Sai quel brano del libro di Garrett?"

"Sì."

"C'era un'altra caratteristica degli esseri viventi di cui volevo parlarti."

"E sarebbe?" chiese lui.

"Tutti gli esseri viventi cercano di perpetuare la loro specie."

"Sbaglio o stai per propormi un patteggiamento? Un accordo di qualche genere?" borbottò lui.

"Forse potremmo riparlarne quando saremo tornati a New York", fu la replica di Amelia.

Sulla soglia comparve un'infermiera. "Devo prepararla per l'intervento, signor Rhyme. È pronto a fare un giro?"

"Oh, può scommetterci..." Si voltò a guardare Amelia. "Certo, ne riparleremo."

Lei lo baciò di nuovo e gli strinse la mano sinistra in modo che lui, anche se debolmente, potesse sentire con l'anulare la pressione delle sue dita.

Le due donne sedevano vicine, immerse nella luce del sole. Davanti a loro c'erano due tazze di un pessimo caffè preso al distributore automatico, appoggiate su un tavolino arancione coperto di bruciature di sigarette che risalivano ai tempi in cui in ospedale era ancora permesso fumare.

Amelia Sachs guardò Lucy Kerr che sedeva china in avanti con le mani giunte, scoraggiata.

"Cosa c'è?" le chiese Amelia. "Va tutto bene?"

Dopo una breve esitazione, l'agente rispose: "In questo ospedale c'è il reparto di oncologia in cui sono stata per mesi. Prima e dopo l'operazione". Scosse la testa. "Non l'ho mai raccontato a nessuno, ma il Giorno del Ringraziamento, dopo che Buddy mi ha lasciata, sono venuta qui. Ci sono rimasta per un po'... ho preso un caffè e ho mangiato un sandwich al tonno insieme alle infermiere. Entusiasmante, vero? Avrei potuto andare a pranzo dai miei cugini a Raleigh. O da mia sorella e suo marito a Martinsville, o dai genitori di Ben. Ma volevo restare nel posto in cui mi sentivo a casa. E in quel momento quel posto non era casa mia."

"Quando mio padre stava morendo, io e mia madre abbiamo passato in ospedale tre festività: il Giorno del Ringraziamento, Natale e Capodanno. Scherzando, papà ha detto che avremmo dovuto sbrigarci a fare le prenotazioni per Pasqua. Ma non è durato così a lungo", le confidò Amelia.

"Tua madre è ancora viva?"

"Oh, sì. Sta meglio di me. L'artrite l'ho ereditata da papà."

Per un attimo Amelia pensò di buttare là una battuta sul fatto che era quello il motivo per cui era diventata una tiratrice così abile: perché in quel modo non avrebbe dovuto correre per acciuffare i criminali. Poi ripensò a Jesse Corn, al foro della pallottola nella sua fronte, e tacque.

"Starà bene, sai. Lincoln, intendo", disse Lucy.

"Non ne sono così sicura", ribatté Amelia.

"Me lo sento. Quando ne hai passate tante come me – negli ospedali, voglio dire – sviluppi una specie di sesto senso."

"Lo apprezzo molto", sospirò Amelia, anche se ultimamente aveva fatto il pieno di premonizioni e superstizioni.

"Quanto credi che durerà l'intervento?" chiese Lucy.

Per sempre...

"La dottoressa Weaver ha detto almeno quattro ore."

In lontananza potevano sentire il dialogo artefatto di una soap opera. Il nome di un dottore che veniva ripetuto all'altoparlante. Un campanello. Una risata.

Qualcuno passò loro accanto, poi si fermò. Amelia sollevò lo sguardo, ma non riconobbe subito la donna.

"Ehi, salve."

"Lydia", disse Lucy sorridendo. "Come stai?"

Lydia Johansson. Amelia non l'aveva riconosciuta perché indossava un camice e una cuffia verdi. Si ricordò che lavorava lì come infermiera.

"L'hai saputo?" chiese Lucy. "Jim e quegli altri agenti sono stati arrestati. Chi lo avrebbe mai immaginato?"

"Neanche in un milione di anni", replicò Lydia. "Ne parla tutta la città." Poi le domandò: "Hai una visita in oncologia?"

"No. Oggi operano il signor Rhyme. Alla spina dorsale."

"Be', gli auguro ogni bene", disse Lydia rivolta ad Amelia.

"Grazie."

La ragazza robusta si incamminò lungo il corridoio, le salutò con la mano, quindi entrò in una stanza.

"Che ragazza dolce", disse Amelia.

"Ti immagini come dev'essere dura lavorare in oncologia? Quando sono stata operata, era in reparto tutti i giorni. Ed era allegra con i pazienti terminali come con quelli che stavano guarendo. Ha molto più fegato di me."

Amelia non stava più pensando a Lydia. Guardò l'orologio. Erano le undici. L'operazione sarebbe cominciata da un momento all'altro.

Rhyme cercò di comportarsi bene.

L'infermiera gli stava spiegando qualcosa e lui annuiva, ma gli avevano già dato un Valium e non riusciva a capire cosa la giovane donna gli stesse dicendo.

Avrebbe voluto chiederle di stare zitta e di fare soltanto il suo lavoro, ma qualcosa gli diceva che avrebbe fatto meglio a essere gentile con le persone che stavano per aprirgli il collo con un bisturi.

"Sul serio?" le disse quando lei fece una pausa. "È molto interessante." Non aveva la più vaga idea di cosa gli avesse detto.

Arrivò un inserviente, che lo trasportò dalla camera preoperatoria alla sala operatoria.

Due infermiere lo spostarono dalla barella al tavolo operatorio. Poi una di loro si spostò in fondo alla stanza e cominciò a togliere gli strumenti dall'autoclave.

La sala operatoria era più informale di quanto Rhyme si fosse aspettato. C'erano le classiche piastrelle verdi, le attrezzature d'acciaio, gli strumenti, i tubi. Ma anche molte scatole di cartone. E uno stereo portatile. Stava per domandare che genere di musica avrebbero ascoltato, poi si ricordò che sarebbe stato privo di conoscenza durante l'intervento e che non avrebbe certo fatto caso alla colonna sonora.

"Davvero strano", mormorò con voce strascicata all'infermiera accanto a lui. Lei si voltò. Rhyme riusciva a vederle solo gli occhi sopra la mascherina.

"Cosa?" volle sapere lei.

"Stanno per operarmi nell'unico punto del mio corpo che ha bisogno di un anestetico. Se dovessero togliermi l'appendice, potrebbero tagliarmi senza dovermi addormentare."

"È davvero strano, signor Rhyme."

Lui emise una risatina, pensando: ma guarda un po', mi conosce.

Fissò il soffitto. Lincoln Rhyme divideva le persone in due categorie: quelle che amavano viaggiare e quelle che amavano arrivare. Alcune amavano più il viaggio della destinazione. Lui, per sua natura, apparteneva alla seconda categoria: trovare risposte a domande di medicina legale era il suo traguardo, e preferiva le soluzioni al processo attraverso il quale le raggiungeva. Eppure ora, mentre fissava il cromo lucido della lampada chirurgica, si sentiva diverso. Avrebbe preferito esistere in quello stato di speranza, godersi quella piacevole sensazione di attesa.

L'anestesista entrò nella sala operatoria e gli spinse un ago nel braccio, preparò una siringa e la inserì nel tubo collegato all'ago. Era una donna indiana dalle mani agili ed esperte.

"Pronto a farsi un bel sonnellino?" gli chiese con un leggero accento melodioso nella voce.

"Come sempre", mormorò lui.

"Quando le inietterò l'anestetico, le chiederò di contare all'indietro da cento a uno. Si addormenterà senza neanche accorgersene."

"Qual è il record?" scherzò Rhyme.

"Del conto alla rovescia? Un uomo, molto più robusto di lei, una volta è arrivato a settantanove."

"Io arriverò a settantacinque."

"Le intitoleremo questa sala operatoria, se ci riuscirà", replicò l'anestesista, impassibile.

Rhyme la guardò mentre faceva scivolare del liquido chiaro nella fleboclisi. La donna si voltò per controllare un monitor. Lui cominciò a contare. "Cento, novantanove, novantotto, novantasette..."

L'altra infermiera, quella che lo aveva chiamato per nome, si chinò su di lui e gli sussurrò: "Ehilà".

Uno strano tono di voce.

Lui la guardò.

Lei continuò: "Sono Lydia Johansson. Jim Bell e Henry Davett mi hanno chiesto di dirti addio".

"No!" mormorò Rhyme.

Senza spostare lo sguardo dal monitor, l'anestesista mormorò: "Va tutto bene. Cerchi di rilassarsi".

Con le labbra a pochi centimetri dal suo orecchio, Lydia continuò: "Non ti sei chiesto come faceva Jim a sapere dei malati di cancro?"

"No! Ferma!"

"Io gli davo i nomi dei malati e Culbeau faceva in modo che avessero degli incidenti. Jim Bell è il mio amante. Stiamo insieme da anni. È stato lui a chiedermi di andare a Blackwater Landing dopo il rapimento di Mary Beth. Ero una specie di esca... Quel mattino sono andata a portare dei fiori e sono rimasta, nel caso Garrett si facesse vivo. Avrei dovuto parlargli e distrarlo per dare modo a Jesse e a Ed Schaeffer di catturarlo... anche Ed era con noi. Poi loro lo avrebbero costretto a dirci dov'era Mary Beth. Ma nessuno aveva previsto che lui potesse rapire anche me. Non ci avevano pensato. E così è riuscito a scappare prima che Jesse potesse fermarlo."

Oh, sì, questa città è abitata da un bel po' di vespe.

"Ferma!" gridò Rhyme, ma la sua voce ormai era troppo debole.

L'anestesista disse: "Sono passati quindici secondi. Forse stabilirà davvero un nuovo record. Sta ancora contando? Non la sento".

"Resterò qui con te", disse Lydia, accarezzandogli la fronte. "Ci sono tante cose che possono andare storte, durante un intervento chirurgico. Nodi nel tubo dell'ossigeno, farmaci sbagliati. Chissà!"

"Un momento", gemette Rhyme, "un momento!"

"Ah", disse l'anestesista, scoppiando a ridere, gli occhi ancora fissi sul monitor. "Venti secondi. Penso proprio che vincerà, signor Rhyme."

"Io credo di no", sussurrò Lydia, e si alzò lentamente, mentre davanti agli occhi di Rhyme la sala operatoria diventava grigia e infine nera.

...quarantasei

Q uello era *davvero* uno dei luoghi più belli del mondo, pensò Amelia Sachs.
Per un cimitero.

Il Tanner's Corner Memorial Gardens si trovava sulla cima di una collina, e da lì si poteva vedere il fiume Paquenoke a qualche chilometro di distanza. Il luogo era molto più bello di quanto le era parso quando lo aveva visto dalla strada il giorno del loro arrivo a Tanner's Corner.

Socchiudendo gli occhi per il sole, notò la striscia luccicante del canale Blackwater che si immetteva nel fiume. Da lì, persino quelle acque scure e velenose, che avevano causato tanto dolore a tanta gente, sembravano benevole e pittoresche.

Amelia era in piedi davanti a una tomba vuota circondata da un piccolo gruppo di persone. Un inserviente dell'agenzia di pompe funebri vi stava calando dentro un'urna. Accanto a lei, c'erano Lucy Kerr e Garrett Hanlon. Dall'altra parte della fossa c'erano Mason Germain e Thom, che indossava una camicia e dei pantaloni immacolati. Aveva anche una cravatta vistosa dai disegni rossi sgargianti che, nonostante la tristezza del momento, sembrava in qualche modo appropriata.

C'era anche Fred Dellray, che indossava un completo nero e si teneva in disparte, pensieroso, come se stesse cercando di ricordare un passaggio di uno dei libri di filosofia che amava leggere. Se sotto la giacca avesse avuto una camicia bianca e non verde acido a pois gialli, avrebbe potuto essere scambiato per un reverendo della nazione dell'Islam.

Non c'era nessun ministro a officiare la cerimonia, anche se quella era una regione profondamente religiosa e senza dubbio c'erano almeno una decina di sacerdoti pronti per ogni funerale. Il direttore dell'agenzia di pompe funebri guardò le persone radunate attorno alla tomba e chiese se qualcuno volesse dire qualcosa. Quando tutti cominciarono a guardarsi intorno, chiedendosi se ci sarebbero stati dei volontari, Garrett infilò una mano in tasca e prese la sua copia malconcia di *Un mondo in miniatura*.

Con voce carica di emozione, il ragazzo lesse: "'Alcuni sostengono che non esista una forza divina, ma questo tipo di cinismo può essere messo a dura prova se si osserva il mondo degli insetti che hanno ricevuto in dono così tante doti straordinarie: ali così sottili da essere quasi impalpabili, corpi privi anche di un solo milligrammo di peso di troppo, sensi capaci di percepire la velocità del vento, zampe così efficienti che gli ingegneri meccanici le prendono a modello per la costruzione dei robot, fili di ragnatele così leggere e resistenti che gli scienziati non riescono nemmeno a riprodurne le caratteristiche in laboratorio e, cosa ancora più importante, la capacità di sopravvivere nonostante l'ostilità dell'uomo, dei predatori e degli elementi. Nei momenti di disperazione possiamo osservare l'ingenuità e la caparbietà di queste miracolose creature, in cerca di conforto, e ritrovare la fede perduta'."

Sollevò lo sguardo e chiuse il libro. Fece ticchettare nervosamente le unghie. Guardò Amelia e le chiese: "Vuoi... insomma, vuoi dire qualcosa anche tu?"

Lei si limitò a scuotere la testa.

Nessun altro parlò, e dopo qualche minuto le persone radunate attorno alla tomba si allontanarono e si incamminarono lungo il sentiero che risaliva la collina. Prima che arrivassero sulla cima, dove si trovava un piccolo spiazzo per i picnic, gli inservienti del cimitero avevano già cominciato a riempire la fossa di terra. Amelia aveva il respiro affannoso quando raggiunse la sommità coperta di alberi della collina, vicino al parcheggio.

Ripensò alle parole di Lincoln Rhyme.

Non è male, quel cimitero. Non mi dispiacerebbe essere sepolto in un posto del genere...

Si fermò un attimo per asciugarsi il volto imperlato di sudore e per riprendere fiato; l'afa del North Carolina era implacabile. Ma Garrett non sembrava infastidito dalla temperatura. Oltrepassò Amelia di corsa e cominciò a scaricare i sacchetti della spesa dalla Bronco di Lucy.

Quello non era esattamente né il luogo né il momento per un picnic ma, si disse Amelia, un'insalata di pollo con due fette di melone era un modo buono come un altro per rendere omaggio ai defunti. Anche il whisky, naturalmente. Frugò in alcuni sacchetti finché non trovò la bottiglia di scotch Macallan invecchiato diciotto anni e la stappò con uno schiocco.

"Ah, musica per le mie orecchie", sospirò Lincoln Rhyme. Stava pilotando con cautela la sedia a rotelle sul terreno irregolare. La collina era troppo ripida per la Storm Arrow, e il criminologo aveva dovuto aspettarli lì. Era rimasto a osservarli seppellire le ossa che lui stesso aveva identificato: i resti dei familiari di Garrett.

Amelia versò dello scotch nel bicchiere di Rhyme, che era fornito di una lunga cannuccia. Quindi ne versò un po' anche per sé. Tutti gli altri bevevano birra.

Rhyme disse: "L'alcool illegale è veramente ignobile, Sachs. Fa' un favore a te stessa... non provarlo mai. Questo è molto meglio".

Amelia si guardò attorno. "Dov'è quella donna che ho visto in ospedale? La tua assistente?"

"La signora Ruiz?" borbottò Rhyme. "Era senza speranza. Mi ha piantato in asso."

"Se n'è andata?" si stupì Thom. "L'avrai fatta impazzire. Avresti fatto prima a licenziarla."

"Sono stato un angelo", ribatté seccamente il criminologo.

"Reggi bene questo caldo?" gli domandò Thom.

"Benissimo", borbottò Rhyme. "E *tu?*"

"Forse è un po' troppo per i miei gusti, ma non ho problemi di pressione, *io.*"

"No, hai solo un buco di pallottola nella pancia."

L'aiutante insistette: "Davvero, dovresti..."

"Ti ho detto che sto bene."

"... almeno spostarti all'ombra."

Rhyme imprecò e si lamentò del terreno accidentato, ma alla fine riuscì a spostare la sedia a rotelle in un punto più ombreggiato.

Garrett stava sistemando con cura il cibo e le bevande su un tavolo di legno sotto un albero.

"Come va?" chiese Amelia a Rhyme in un sussurro. "E, prima che te la prenda anche con me, non mi riferisco al caldo."

Lui fece una smorfia come per dire: sto bene.

Ma non stava bene. Uno stimolatore del nervo frenico trasmetteva corrente elettrica al suo corpo per aiutare i polmoni a funzionare. Detestava quell'apparecchio – ne aveva fatto a meno per anni – ma il fatto che ora ne avesse bisogno non era in discussione. Due giorni prima, sul tavolo operatorio, Lydia Johansson era arrivata molto vicina a farlo smettere di respirare per sempre.

Nella sala d'attesa dell'ospedale, dopo che Lydia aveva salutato lei e Lucy, Amelia aveva notato che l'infermiera aveva oltrepassato una porta che recava la scritta "Neurochirurgia". Così aveva chiesto a Lucy: "Non avevi detto che lavorava in oncologia?"

"Infatti."

"E allora cosa è andata a fare là dentro?"

"Forse è passata a salutare Lincoln", aveva suggerito Lucy.

Ma Amelia non era convinta che le infermiere fossero solite fare visite di cortesia ai pazienti che stavano per essere operati.

Poi aveva pensato che sicuramente Lydia aveva modo di sapere chi si ammalava di cancro a Tanner's Corner. Le era venuto in mente che qualcuno doveva aver informato Bell dei malati di cancro... le tre persone di Blackwater Landing uccise da Culbeau e dai suoi amici. Chi meglio di un'infermiera di oncologia?

Amelia lo aveva detto a Lucy, che con il cellulare aveva chiamato la compagnia telefonica e aveva fatto fare un rapido controllo sulle chiamate di Jim Bell. Ce n'erano almeno duecento a Lydia e da Lydia.

"Vuole ucciderlo!" aveva gridato Amelia. E le due donne, una con la pistola già in pugno, avevano fatto irruzione in sala operatoria – come in una scena di un melodrammatico episodio di ER – proprio nel momento in cui la dottoressa Weaver si accingeva a praticare la prima incisione.

Lydia era stata colta dal panico e, cercando di fuggire o forse tentando di svolgere il compito che Bell le aveva assegnato, aveva strappato il tubo dalla gola di Rhyme prima che Amelia e Lucy potessero immobilizzarla. A causa del trauma e dell'anestetico, i polmoni di Rhyme avevano smesso di funzionare. La dottoressa Weaver era riuscita a rianimarlo, ma da quel momento in poi il criminologo era stato costretto a servirsi dello stimolatore.

Il che era già abbastanza grave. Ma, cosa ancora peggiore, la Weaver aveva deciso che non lo avrebbe operato prima che fossero trascorsi sei mesi, il tempo necessario perché le sue funzioni respiratorie si normalizzassero. Rabbioso e disgustato, il criminologo aveva cercato di insistere, ma la dottoressa si era dimostrata testarda quanto lui.

Amelia bevve un altro sorso di scotch.

"Hai detto a Roland Bell di suo cugino?" chiese Rhyme.

Lei annuì. "L'ha presa piuttosto male. Ha detto che Jim è sempre stato la pecora nera della famiglia, ma che non avrebbe mai immaginato che fosse capace di tanto. È ancora molto scosso." Osservò il panorama. "Guarda, laggiù. Sai che cos'è quella?"

"Dammi un indizio", la stuzzicò Rhyme cercando di seguire il suo sguardo. "Che cos'è? L'orizzonte? Una nuvola? Un aereo? Illuminami, Sachs."

"È la Grande Palude Lugubre. Dove c'è il lago Drummond."

"Affascinante", fece lui in tono sarcastico.

"È piena di fantasmi", aggiunse lei.

Lucy li raggiunse e si versò un po' di scotch in un bicchiere di plastica. Bevve un sorso e fece una smorfia. "È terribile. Sembra sapone." Aprì una lattina di Heineken.

Rhyme precisò: "Costa ottanta dollari la bottiglia".

"Sapone estremamente caro, direi."

Amelia guardò Garrett. Il ragazzo si mise in bocca una manciata di patatine e poi cominciò a correre.

"Ci sono novità dalla contea?" chiese Amelia a Lucy.

"Per l'affidamento di Garrett?" replicò Lucy. Scosse la testa. "Non credo di avere molte probabilità. Il vero problema non è il fatto che io sia single, ma il mio lavoro. Sono un poliziotto. Faccio turni massacranti."

"Che cosa ne sanno *loro*?" sbottò Rhyme.

"Non importa quello che sanno", disse Lucy. "Importa quello

che *fanno*. E non mi sembra che siano molto disponibili. Il mio avvocato però mi ha detto che ho buone probabilità di riuscire ad adottarlo. E nel frattempo Garrett starà con una famiglia di Hobeth. Sono brave persone. Ho fatto dei controlli molto accurati."

Amelia non aveva dubbi in proposito.

Poco lontano, Garrett correva inseguendo un insetto.

Quando si voltò, Amelia si accorse che Rhyme era rimasto a fissarla mentre osservava il ragazzo.

"Cosa c'è?" gli chiese, insospettita dalla sua espressione mite.

"Se dovessi dire qualcosa a una sedia vuota, Sachs, che cosa diresti?"

Lei esitò, poi rispose: "Credo che per il momento non te lo dirò, Rhyme".

"Indovinate cos'ho trovato", esclamò il ragazzo.

"Vieni qui", disse Amelia Sachs. "Sono proprio curiosa di scoprire cos'è."

Nota dell'Autore

Sono sicuro che i lettori del North Carolina mi perdoneranno se mi sono preso delle libertà con la geografia e il sistema scolastico del loro stato per i miei biechi scopi. Se questo può essere di qualche consolazione, l'ho fatto con il massimo rispetto per lo stato americano che ha le migliori squadre di basket del paese.